C000262314

TROIS BAISERS

Depuis l'enfance, Katherine Pancol vit dans les livres et invente des histoires. Elle était la plus fidèle adhérente de la bibliothèque municipale où elle lisait les auteurs par ordre alphabétique. Balzac et Colette sont ses deux maîtres absolus. Après des études de lettres, elle enseigne le français et le latin, mais attrape le virus de l'écriture en devenant journaliste. Un éditeur lui demande d'écrire un roman. Ce sera *Moi d'abord*, qui connaîtra un énorme succès. Elle part vivre à New York, où elle restera dix ans. Elle continue de publier : *Les hommes cruels ne courent pas les rues*, *J'étais là avant*, *Un homme à distance* et bien d'autres livres encore. En 2006 sort le premier tome de sa saga, *Les Yeux jaunes des crocodiles*. La rencontre avec le public est immédiate. En France et dans le monde entier. Suivront *La Valse lente des tortues*, *Les écureuils de Central Park sont tristes le lundi* ainsi que la trilogie *Muchachas*. *Trois baisers* est (peut-être) le dernier volet de cette merveilleuse aventure.

KATHERINE PANCOL

Trois baisers

ROMAN

ALBIN MICHEL

© Éditions Albin Michel, 2017.
ISBN : 978-2-253- 25949-7 – 1ʳᵉ publication LGF

Pour toi…

« Partons, dans un baiser,
pour un monde inconnu. »

Alfred de MUSSET

PREMIÈRE PARTIE

Sept heures dix. Le réveil sonne. Les bras de Mickey couvrent le cadran et tressautent, ses jambes maigres pédalent. *Get up, get up*, il nasille. Stella claque la tête de Mickey, ouvre les yeux.

Les referme aussitôt.

Appuie de toutes ses forces pour les garder fermés. Danger, danger. Ne pas bouger. À peine respirer. Ne pas déplacer son coude gauche sur l'oreiller, garder le droit plaqué sur la hanche. Ne pas gratter la paupière qui démange. Laisser croire qu'elle dort, qu'elle n'est pas là, que ce n'est pas elle qui tremble sous les draps.

Il est revenu.

Des boules de coton explosent dans sa gorge. Ce n'est pas possible, il ne peut pas revenir. Tout va bien, calme-toi. En septembre, Tom est entré au collège et ça n'a pas fait un pli, il a juste changé de vocabulaire et de gel capillaire. Adrian travaille à la Ferraille, Edmond Courtois lui confie de plus en plus de tâches, il apprend la gestion, les marchés, il voyage à l'étranger. Depuis peu, il possède un passeport français, européen, au nom d'Adrian Kosulino. « Je suis citoyen

13

du monde », il dit en tenant le précieux document entre ses mains. Il a acheté une cravate gris argent, un costume bleu marine, des chemises blanches col italien. Et un attaché-case. Léonie met des jupes fleuries, des petits hauts en dentelle, s'émerveille devant une mésange à tête bleue, la feuille rouge qui tourbillonne en tombant de l'arbre, fait des broderies, des passementeries à l'atelier de patchwork. Suzon se masse les reins en soupirant que la terre est basse, lit *France Dimanche*, Johnny a des ennuis, Vanessa prend sa revanche, Michelle Obama crève l'écran ! Georges commente les ragots de Saint-Chaland au retour du marché, veille sur le jardin, le bois, les bêtes, le potager, savonne son Kangoo rouge le dimanche avant de se laisser tomber dans le canapé face au journal télévisé.

Chacun a retrouvé ses marques.

Tout va bien et je vais bien.

Elle va rouvrir les yeux, compter un, deux, trois et… je me suis trompée. C'est ma faute aussi, j'ai toujours peur qu'il revienne.

Ray Valenti est mort. Tombé dans le feu. Souviens-toi[1].

C'est à cause du coup de fil du notaire ?

Il a dit qu'il y avait du nouveau, il fallait qu'il nous voie.

Elle n'aime pas ça.

---

1. Le lecteur trouvera une présentation de tous les personnages en fin d'ouvrage.

Elle a trop mangé la veille. Il faisait beau comme un soir d'été en novembre, un vent chaud frôlait le sol, les chiens reposaient sur le flanc, la langue pendante, on va fêter mon gros contrat, a dit Adrian, allez, on dîne dehors, on allume les bougies, on fait péter les bouchons ! Il a tapé dans ses mains et ils ont mis la table sur la terrasse à toute allure comme dans un dessin animé. Ils ont sorti les couverts, les verres, les assiettes, le pain, le vin, le fromage, la salade, le saucisson, le jambon cru, les cornichons et les tomates, la marmite cuisinée par Suzon, ils ont tout posé sur la nappe à carreaux rouges et blancs, Tom a ajouté des cookies et une glace Gervais au chocolat. Ils se sont assis, ont ouvert une bouteille de mâcon, ont trinqué à l'amour, à la vie, n'importe quoi ! a dit Tom, la vie, l'amour, ça craint ! Alors ils ont trinqué aux ânes, aux tortues, au perroquet, au cochon, aux poules, aux poussins, aux pommes de terre, aux chiens qui s'étaient relevés et bavaient devant la marmite, ils ont crié bon appétit comme s'ils déclaraient la guerre, les fourchettes droites vers le ciel, les coudes enfoncés dans la table. Ils se sont jetés sur leur assiette, ont dévoré le bœuf en sauce aux citrons confits, déchiré des morceaux de baguette, sucé le pain mouillé de sauce, barbouillé leur bouche de gras, ouvert une autre bouteille et hop, un petit fond pour Tom, qu'il apprenne que c'est quand même mieux que du Coca, ont repris une boule de glace, ont soupiré en se frottant le ventre trop mangé, trop mangé. Il a fallu qu'elle recule sa ceinture de deux crans, qu'elle fasse sauter les agrafes de son soutien-gorge. En douce, sans qu'on la voie. On était passé à l'heure d'hiver, il faisait sombre, c'était facile. Suis une grosse vache, elle a pensé. Elle a eu honte. Envie de se gifler. Demain j'arrête de manger, promis, juré, pourquoi je mange comme ça ? Adrian lui a tendu la main par-dessus la table, elle n'a pas eu la force de l'attraper, il l'a regardée en souriant, son sourire rapide, si rapide, qui disait allez viens, on va se coucher, j'ai envie de toi, envie de toi… On débarrassera demain.

Ils ont tout laissé en plan et sont montés se coucher.

Est-ce qu'ils ont mangé et bu, bu et mangé pour oublier que le notaire avait appelé ?

Au téléphone, il a dit :

— J'ai besoin de vous voir, c'est urgent.

— C'est urgent comment ? elle a demandé en repoussant une mèche de cheveux blonds et en tirant sur les poils de ses sourcils.

— Urgent. Je vous attends, votre mère et vous. Samedi matin.

— Mais dites…

Il avait raccroché.

Non. Elle mange trop, c'est tout. Elle a pris cinq kilos. Et une taille de soutien-gorge. Son corps lui échappe. Il grossit à côté d'elle. Bientôt elle lui parlera comme à un étranger. Elle le cachera parce qu'elle en aura honte. Bientôt la salopette orange, elle la fermera avec des épingles de sûreté. Pourquoi je m'empiffre comme ça ?

C'est le bonheur, a dit Adrian en l'attirant vers lui l'autre soir. Ça engraisse.

Alors je veux pas être heureuse, elle a répondu.

Répète, il a dit d'une voix dure en la plaquant contre le mur, répète ! Ses mains montaient et descendaient le long de son dos.

Elle a dit je plaisante, et l'a embrassé.

Et sa bouche avait toujours le même goût de gouffre. Elle s'est retenue à lui, elle ne voulait pas tomber tout de suite.

Elle ouvre un œil, ne bouge pas, attend, engourdie, craintive.

Elle entend la respiration d'Adrian. Un léger ronflement qui monte et qui descend.

Il sait déjà, lui. Il sait tout d'elle. Elle voudrait qu'il lui explique pourquoi ce matin elle veut mourir.

Mais que pourrait-elle lui dire, à lui qui a tellement envie de vivre ?

Elle arrondit les épaules. Se prépare à encaisser le choc. Aspire l'air pour dénouer le nœud de la gorge, le nœud du plexus, le nœud du ventre. Suit le trajet du souffle. Croise les doigts pour que ce ne soit pas ça.

Cette épaisse tristesse.

Ce chagrin noir qui ne lâche pas.

Et…

Il s'écrase sur elle. La cloue au matelas, lui coupe les jambes, lui coupe les bras, plus envie, plus envie, éteint le rire, vole les baisers, les jette à la poubelle.

Le malheur est revenu.

Elle s'assied, laisse tomber sa tête sur sa poitrine, s'enroule, glisse doucement hors du lit comme si elle se laissait conduire.

Comme si c'était lui qui décidait.

Le malheur…

Elle descend préparer le petit déjeuner.

*

— Mais à quoi tu sers, toi, le coq ? T'as assisté à tout et t'as pas bronché ! Tu les as laissé se faire zigouiller sans rien dire. Tu veux que je te dise ? Tu me dégoûtes. T'es juste bon à les engrosser ! Un planqué qui roule des mécaniques ! T'es bien un mec, toi !

Derrière la fenêtre grande ouverte de la cuisine, Adrian et Tom sursautent en entendant Stella hurler ces derniers mots.

— Elle est en colère, dit Tom comme s'il émettait un bulletin météo.

— Elle est pas en colère, relève Adrian. Elle est triste.

— Je vois pas la différence.

— Faut pas t'en mêler. C'est entre elle et elle.

— Oui mais ça retombe sur nous.

— Passe-moi le pain, fils !

— Attention ! Elle arrive. Ça va couiner.

Un coup de pied dans la porte et Stella déboule.

— Le renard est passé cette nuit. Ils devaient même être deux. Un vrai carnage ! Y a du sang partout, des plumes partout ! Ils ont raflé toutes les poules, éventré tous les poussins. Y a des traces de sang jusqu'à la forêt. Qui a oublié de refermer la porte du poulailler hier soir ?

— Pas moi ! crient Adrian et Tom.

— Sûr ? gueule Stella.

— Sûr, ils disent à l'unisson.

Les yeux furieux de Stella les vrillent. Adrian et Tom ne cillent pas. Elle lâche dans un souffle :

— Ce doit être Suzon… Elle a oublié de vérifier que la trappe était bien fermée. Fait chier ! Pense à rien ! Oublie tout !

Tom ouvre la bouche pour défendre Suzon, elle est vieille, elle peut pas penser à tout, elle en fait déjà beaucoup, toujours à nous cuisiner des petits plats, à s'occuper des bêtes, du potager, à mettre des bûches dans le poêle pour que la cuisine soit chaude quand on se lève… Elle a le droit d'oublier de refermer la trappe du poulailler.

Et puis il se tait.

Parfois sa mère lui fait peur.

Stella s'affale sur une chaise. Passe la main dans ses cheveux. Depuis la mort de Ray, elle les laisse pousser. Ils tombent en mèches hirsutes, blondes presque blanches, de chaque côté de son visage. Les plumes d'un chef indien ébouriffé. Elle pique le gel de Tom pour les maîtriser.

Depuis la mort de Ray, elle porte un petit collier ras du cou en perles multicolores.

Depuis la mort de Ray, elle roule ses doigts dans les sourcils et arrache les poils un à un.

— Arrête ! Tu vas finir par être chauve des sourcils, dit Tom.

— Tu t'en fiches, toi, qu'on n'ait plus de poules, plus de poussins…

— Mais il nous reste celles qu'on a mises à l'écart près de la mare… elles ont des petits aussi, ose Adrian.

— Deux poules et trois poussins ! Tu te contentes de peu ! Vous vous en foutez de la ferme, tous les deux.

Tom baisse le nez dans son bol de chocolat et le silence s'installe, menaçant. On entend des hoquets en provenance de la chaudière qui s'essouffle et décélère dans un soupir.

— C'est quoi, ça ? dit Stella en tendant l'oreille.

— La chaudière… elle s'est arrêtée, répond Adrian en faisant la grimace.

— Manquait plus que ça ! On entre dans l'hiver. Ça va coûter deux bras s'il faut la remplacer.

Elle marque une pause et soupire :

— On n'a pas l'argent de toute façon…

— Elle va peut-être repartir ? dit Tom en croisant le regard fermé de son père.

Il comprend ce qu'il ressent. Adrian se trouve inutile puisqu'il ne peut pas payer pour la chaudière. Inutile et honteux. Un chef de famille, ça doit pouvoir payer pour la chaudière.

— Dépêche-toi de finir de déjeuner, tu vas être en retard ! ordonne Stella.

Tom replonge dans son bol et lape le lait collé aux parois.

— Et arrête de manger comme un cochon. Le bol va à la bouche et non la bouche au bol. J'en ai marre de me répéter. Tes affaires sont prêtes ? On peut y aller ?

— Mouais…

— OUI, MAMAN ! Merde ! Tu peux pas parler correctement ?

Tom se lève, rince son bol, essuie ses mains au torchon

pendu à la barre du four, monte dans sa chambre prendre son cartable. Adrian finit de débarrasser.

— Je vais à Paris aujourd'hui.

— Tu vas souvent à Paris ces temps-ci. J'espère que t'as de bonnes raisons.

Il vient se placer dans le dos de Stella, l'enlace, murmure, la bouche collée à son oreille, arrête la colère, parle-moi, je peux pas tout deviner, faut me donner une piste.

— Ça va, ça va ! proteste Stella en tentant de se dégager.

Il resserre sa prise.

— Ne mens pas !

Il appuie sa bouche dans le cou de Stella. Stella se met à trembler. Elle croise les bras sur son ventre pour se maîtriser. Ferme les yeux. Retient son souffle.

— Ça va passer…

Elle pique du nez. Gratte le sol du bout de ses bottes de chantier. De grosses bottes noires, rondes. Elle voudrait hurler mais ça ne ferait pas partir le malheur. C'est une sale bête. Faut lui marcher dessus. Elle se force à sourire.

— Tu fais quoi aujourd'hui ?

— Je conduis Tom au collège et je file à la Ferraille. J'ai deux gros chargements à faire. Julie sait que tu vas à Paris ?

Adrian hoche la tête dans son dos.

Il la berce en silence. Pose la main sur son cœur pour en arrêter le galop.

— Ça va aller, ça va aller…

Pourquoi le notaire a-t-il appelé ?

Pourquoi est-ce si urgent qu'elles aillent le voir ?

Encore un coup de Ray ?
Un coup fourré de Ray Valenti ?

*

Costaud et Cabot sautent dans la benne. Tom se
hisse sur le siège avant du camion, bloque son cartable entre ses jambes. Stella attrape un gros tournevis
tombé à terre et l'enfonce dans la poche de sa salopette. Il faut qu'elle règle l'angle de la grue à l'arrière,
elle gîte à droite, elle va finir par tomber.

— Tu as ton carnet de liaison ? elle demande. Je
l'ai signé hier et je l'ai posé sur ton bureau.

— Ouais.

— Oui, maman.

Il regarde par la fenêtre et grince oui, maman.

— Pourquoi c'est jamais papa qui signe mon carnet ?

— Passe-moi le bip du portail…

Elle a fait installer un portail qui s'ouvre quand
on le bipe.

Georges devenait trop vieux pour manœuvrer les
deux vantaux.

— T'as pas répondu à ma question, dit Tom en
raclant les gravillons coincés dans le tapis-brosse.

Il parle, la tête baissée entre les jambes, et chez
lui c'est signe qu'il ne plaisante pas, qu'il faut lui
répondre. Il a grandi cet été, mais il a gardé son duvet
de bébé dans le cou.

— On n'est ni mariés ni pacsés, tu le sais très bien.

— Oui mais…

— Et il vient juste d'avoir ses papiers… Jusque-là,

il était pas légal, répond Stella en rangeant le bip dans la portière.

— Il est légal maintenant ?

— Oui.

— Il a plus besoin de se cacher ?

— Non.

— Je peux en parler au collège ?

— Oui.

— Alors il peut signer mon carnet…

— Faudrait que j'en parle à la directrice…

— Et je pourrai porter son nom ?

— À condition qu'on se marie ou un truc dans le genre…

— Valenti, c'est pas mon nom.

— Ça l'était jusqu'à maintenant.

— J'en ai marre qu'on m'appelle Valenti.

— Y a pas que toi ! grogne Stella en tâchant d'éviter une camionnette qui arrive face à elle à toute vitesse. Non mais… regarde ce crétin ! Tu crois qu'il ralentirait ? Espèce de connard !

Elle gueule à l'adresse du conducteur qui lui répond en lui faisant un doigt d'honneur.

— Connard ! elle répète en suivant la camionnette dans le rétroviseur.

— Dis donc… tu dois être vachement triste pour être en colère tout le temps, dit Tom.

— Qui t'a dit que j'étais triste ?

— Personne, je disais ça comme ça…

— Ben, garde tes commentaires pour toi, d'accord ?

— N'empêche que…

Il marque un temps d'arrêt en tripotant les sangles de son cartable.

— C'était un sale mec, Ray Valenti. Je veux plus porter son nom.

Stella préfère ne pas répondre.

Elle se gare devant le collège, Tom ouvre la portière, saute en criant à tout à l'heure ! Elle enclenche la première quand la directrice de l'école, plantée devant le portail, fait de grands gestes dans sa direction. Qu'est-ce qu'elle fiche là ? C'est pas son rôle d'alpaguer le parent sur la voie publique. C'est vrai qu'elle m'a appelée plusieurs fois et que j'ai jamais répondu. Elle doit vouloir me dire un truc. Un truc que je ne VEUX pas entendre parce qu'à coup sûr, c'est du malheur.

— Madame Valenti ! Madame Valenti !

Stella descend la vitre, passe la tête. Le moteur du camion fait trembler la carrosserie, elle est obligée de crier. Elle n'entend pas les mots de la directrice mais les lit sur ses lèvres.

— Oui, madame Filières…

— Il faut que je vous parle…, s'époumone la directrice. C'est important ! Je vous ai appelée plusieurs fois et…

— J'ai pas le temps. Je dois aller travailler. Demain matin, promis !

— Madame Valenti…

Qu'elle arrête de m'appeler madame Valenti ! râle Stella.

Toute la journée, la même ritournelle, madame Valenti par-ci, madame Valenti par-là. On dirait que les gens le font exprès. Comment ça va, madame Valenti? Il manque, hein? Il manque à la ville, il manque à chacun de nous. C'était un héros, pas? Et quelle mort! Quelle sublime manière de disparaître en donnant sa vie pour les autres! Ça, on peut dire qu'il s'est pas économisé, Ray Valenti. On n'en fait plus des comme lui, moi, je vous le dis. Et madame Valenti, votre maman, elle se remet? Pauvre Léonie! Elle a tout perdu en le perdant. Heureusement qu'elle vous a… vous et le petit Tom. Un vrai Valenti, celui-là!

Même la Sécu s'en mêle. Valenti? Valenti avec un «i» ou un «y»? Avec un «i», elle dit en butant sur la voyelle. Il y a un silence et la voix au bout du téléphone s'adoucit: Ray Valenti… ce n'est pas le pompier qui a sauvé ces enfants du feu cet été? Une colonie de vacances près de Sens? Des petits Allemands, c'est ça? C'est lui? Vraiment? Vous êtes parente? Vous êtes sa fille! Ben, c'est pas pour dire, madame Valenti, mais c'était un sacré monsieur, votre papa! Vous pouvez être fière!

C'est devenu une rengaine. Le recommandé de la banque pour madame Valenti, la lettre du collège pour madame Valenti au sujet de Tom Valenti, les courriers du notaire concernant la succession Valenti, la retraite de monsieur Valenti Ray reversée à madame Valenti Léonie…

Stella Valenti n'a pas envie de descendre de son camion pour aller parler à madame la directrice.

— C'est urgent? elle crie.

Madame Filières ouvre les bras pour dire mais oui quand même… Stella fait signe que ça attendra et démarre lentement pour ne pas avoir l'air de prendre la fuite.

— Mais c'est important, madame Valenti ! crie une dernière fois la directrice en ramenant les bras le long du corps.

Puis elle maugrée à voix haute :

— Cette femme, alors ! Respecte rien. Ça n'a pas de sens. Je suis obligée de la guetter à l'entrée du collège sinon on la voit jamais. C'est pas à moi de faire le planton de service, tout de même !

Une mère d'élève s'approche, la mère du petit Fabrice Bauduron. Elle voudrait qu'on lui dise si oui ou non il y a une sortie prévue avec la classe en fin de semaine.

— Mon fils va prendre ses onze ans et je voudrais savoir si j'organise un goûter d'anniversaire vendredi parce que le samedi son père va à la pêche et j'aimerais bien…

— Non, madame Bauduron, pas de sortie cette semaine, on vous aurait prévenue…, la coupe la directrice, les yeux rivés sur le camion de Stella qui s'éloigne.

— Ah ! Je vais pouvoir porter ma mère à l'hôpital le matin et organiser le goûter en fin d'après-midi…

— C'est ça, madame Bauduron, c'est ça.

— Parce que ma mère a des halètements, des sifflements du poumon, des gaz qui lui remontent au visage, j'en ai parlé au docteur et…

Madame Bauduron, remarquant que la directrice ne s'intéresse guère aux problèmes de santé de sa mère et voulant rester dans ses bonnes grâces, change de sujet :

— Vous avez annoncé la bonne nouvelle à madame Valenti ? On ne parle que de ça à Saint-Chaland ! Hier encore à la boulangerie madame Di Souza devant moi…

— Pas eu le temps. Elle est pas descendue de son camion ! Y en a plus d'une qui serait fière…

— C'est rude, madame Filières, c'est rude. Pas beaucoup de manières, cette femme-là. Et pis… C'est pas évident qu'elle la goûte, cette nouvelle.

— Qu'est-ce que vous me chantez là ? s'offusque la directrice en pivotant vers madame Bauduron.

Elle hausse les épaules et lève les yeux au ciel. Puis réfléchit, s'inquiète et demande à voix basse :

— Vous croyez vraiment qu'elle pourrait… ?

Sentant le doute poindre dans la voix de la directrice, madame Bauduron comprend qu'elle a marqué un point et se rengorge :

— Y a des gens, madame Filières, y sont jamais là où on les attend.

— Manquerait plus qu'elle fasse des histoires ! Le maire et le préfet seront présents, le capitaine des pompiers aussi, le député a dit qu'il ferait tout son possible, on a réservé la fanfare…

— Si longtemps à l'avance ? s'étonne madame Bauduron.

— Les fanfares sont très demandées. Il faut s'y prendre tôt si on en veut une à la hauteur !

— C'est sûr que ça va être un jour important pour la ville… Enfin, j'espère… parce qu'avec elle, on peut s'attendre à tout.

Madame Bauduron fait un bruit de bouche, un chuintement de lèvres qui roulent, humides, qu'elle répète plusieurs fois pour bien souligner la réalité du danger. Madame Filières, fascinée par ce bruit de succion, ne la lâche pas des yeux.

— Mais pourquoi vous ne demandez pas à la veuve ? reprend madame Bauduron qui veut prolonger son avantage.

— Léonie Valenti ?

— Ce serait oui tout de suite. Elle ne sait pas dire non.

— Elle n'a pas d'enfant à l'école, elle. Et puis, il paraît que c'est la fille qui décide de tout.

— Ça, c'est une forte tête, la Stella ! Elle est pas commode.

La directrice dodeline du chef et reprend, contrariée :

— Va falloir que je la coince un de ces jours.

— Je suis de tout cœur avec vous, madame Filières, de tout cœur avec vous !

*

Stella regarde sa montre. En retard, en retard. Comme si elle avait le temps de bavarder avec madame Filières ! Qu'est-ce qu'elle lui veut d'abord ? Elle a rempli tous les papiers, fourni tous les imprimés, répondu à toutes les questions pour le dossier scolaire de Tom. Ça ne suffit pas ?

Une fille en short vert pailleté sur une paire de collants noirs attend au feu pour traverser. D'une main elle tient sa cigarette, de l'autre son portable. Elle parle en mastiquant un chewing-gum, sa bouche se tord en dessinant des huit élastiques. Le short est si serré qu'il lui rentre dans les fesses. Elle se tortille sur place pour le dégager.

Quelle bolosse ! dirait Tom.

Elle ne comprend pas toujours quand il parle.

Tom est un élève brillant. Il est en passe de remporter le diplôme de l'élève-citoyen. Il a engrangé, pour le moment, le plus de points de toute sa classe. Un point par case remplie : photocopier les cours pour un élève malade, interrompre une bagarre dans la cour de récré, ramasser les papiers qui traînent, ranger les chaises et les tables, rapporter un objet perdu, rouler les tapis de gym après le cours de sport.

Peut-être que madame Filières cherche à la féliciter pour la conduite exemplaire de Tom ?

Ou elle aimerait que Julie prenne des élèves en stage à la Ferraille afin de sceller une alliance études-formation ?

Madame Filières a de grandes ambitions pour son collège. Elle veut en faire un établissement de référence. Elle devrait commencer par lui trouver un nom ! Un truc sérieux qui inspire le respect. Marie-Curie ou Jean-Jaurès, un nom devant lequel on s'incline. Une cérémonie serait organisée, madame Filières poserait au premier plan. À ses côtés se tiendrait Tom, son diplôme d'élève-citoyen en pancarte sur sa poitrine.

Tom Valenti.

Tom a raison, il va falloir changer de nom.

Prendre celui d'Adrian ?

Adrian Kosulino. Stella Kosulino. Tom Kosulino.

Stella articule à voix haute. À la radio, deux journalistes s'empoignent, l'un traite les Français de crêpes, «ils changent d'avis sans arrêt, ils tournent et se retournent, il n'y a plus de pensée dans ce pays, on vit dans une gigantesque crêperie ! La France est une crê-pe-rie ! »

Ko-su-li-no.

Et l'alliance, elle sera obligée de la porter tout le temps ou rien qu'à la mairie ?

Baguée comme un poulet de batterie.

Elle change de station de radio.

Tombe sur une chanson de Hozier, « Take Me to Church », et sourit. C'est un clin d'œil ? Un ordre du Ciel ? Il faut que je me marie, que je devienne officielle ?

« *My lover got humour, she's the giggle at the funeral, knows everybody disapproval…* » Elle tape du plat de la main sur le volant pour appuyer le rythme de la chanson, frappe de toutes ses forces pour se convaincre que peut-être c'est une bonne idée après tout et gueule, gueule « *I was born sick, but I love it, command me to be well, amen, amen, amen* ».

Le jour où Adrian est allé chercher son passeport…

Il avait mis une chemise blanche, une veste noire, craché sur ses chaussures pour les faire briller. Avait nettoyé ses ongles à la Javel, peigné ses cheveux, passé ses dents au bicarbonate de soude, ça va les blanchir, Suzon me l'a assuré. Mais pas tout de suite ! avait répliqué Stella au bord du fou rire. Bien sûr que si ! Tu vas voir ! Je veux être beau pour retirer mon « document précieux ».

C'est comme ça qu'il appelle son passeport.

Costaud et Cabot tournaient autour de lui, aboyaient, faisaient des bonds de chiens de cirque.

— On devrait les prendre comme demoiselles d'honneur…, avait plaisanté Adrian. Après tout, je me marie avec la France aujourd'hui !

Ils étaient allés tous les trois, Adrian, Tom, Stella, à la mairie chercher le document précieux.

Le soir, ils avaient ouvert une bouteille de champagne, du Moët-et-Chandon parce qu'à Aramil dans la province de l'Oural où Adrian est né, c'est le seul champagne qu'on connaît. Son grand-père aurait été fier de le voir citoyen français ET européen. Adrian avait posé la main sur la montre qu'il porte au poignet droit. La montre de son grand-père. Elle s'était arrêtée de marcher au moment où il avait rendu l'âme. Dix heures vingt. Il ne l'a jamais fait réparer.

« Allons z'enfants de la patrie… »

Ils avaient bu, bu, bu.

Tom était allé se coucher en zigzaguant.

Adrian riait, chantait, récitait des vers en russe, Adrian trébuchait, roulait sur le lit, Adrian mettait un genou à terre, attrapait des chaussettes, les nouait en un bouquet de mariée et se jetait aux pieds de Stella.

— Stella, veux-tu m'épouser ?

Et Stella qui, l'instant d'avant, levait son verre et déclamait des vers sans rien y comprendre, Stella se figeait, la bouche ronde d'effroi, se bouchait les oreilles, disait non, non, pas ça !

— Mais pourquoi ? demandait Adrian. Tu veux pas de moi ?

— Si, si, mais…

— Tu veux pas porter mon nom ? il tentait d'articuler, la voix pâteuse, la langue lourde. Tu as honte ?

Les chaussettes dans sa main retombaient molles et

fanées. Des chaussettes grises et noires qui fichaient le cafard.

— Porter ton nom ? disait Stella.

— Mon nom. Adrian Kosulino.

Il la dévisageait comme s'il ne parlait plus français. Comme s'il était reparti en Oural. Qu'il s'était trompé d'adresse, trompé d'histoire. Trompé de maison en rentrant de la mairie. Il regardait autour de lui. Qu'est-ce qui n'allait pas ?

Et son regard revenait vers Stella en une supplique douloureuse, liouba, liouba[1], pourquoi tu veux pas ?

Elle ne pouvait pas expliquer.

Elle ne pouvait pas partager.

«Partager» ou «expliquer», c'est une autre façon de dire «je t'aime».

Elle ne pouvait pas.

Elle l'avait regardé et s'était sentie effroyablement seule.

Elle avait claqué la porte, était partie en courant.

Avait grimpé dans l'arbre. Les branches lui griffaient le visage, elle les repoussait du coude. Se hissait jusqu'à la suivante. Avait atteint le plus haut de l'arbre. S'était recroquevillée sur la nacelle en bois construite par Adrian. L'arbre l'enveloppait, l'arbre la berçait. Elle sentait l'odeur de la nuit froide. L'odeur de mousse humide, de tronc râpeux, de terre lourde, grasse, l'odeur de feuilles mortes presque brûlées qui pourrissaient au sol. Un fumet de verveine sauvage, de champignons humides. Elle avait fermé les yeux.

---

1. Équivalent russe de «chérie».

L'arbre se balançait, craquait, gémissait un chant profond, sourd, comme s'il voulait l'apaiser.

Elle avait l'impression qu'il n'y avait que l'arbre et elle qui se comprenaient, qu'ils partageaient la même solitude.

La nuit était noire sauf là où il y avait des étoiles. Elle avait ramené ses genoux contre sa poitrine. J'en ai marre, elle grognait en faisant des bulles avec les larmes qui gonflaient sa bouche, j'en ai marre d'être dans cette histoire. Pourquoi je peux pas passer à une autre ?

Dire oui aux chaussettes grises et noires ?

Elle s'épilait les sourcils, elle ne trouvait pas de réponse.

Elle se retenait de pleurer, le poing enfoncé dans la bouche. Parce qu'il n'y a rien de plus pathétique que d'être réfugiée dans un arbre et de pleurer sur soi-même.

Elle avait fini par s'endormir en chantonnant « *ma petite est comme l'eau, elle est comme l'eau vive, elle court comme un ruisseau que les enfants poursuivent…* »

La chanson que fredonnait sa maman.

Dans la nuit, autrefois.

À l'aube, elle avait regagné la chambre.

Regagné le lit.

Fait glisser le drap le long du corps d'Adrian.

Posé sa tête sur le ventre d'Adrian.

Elle respirait l'odeur moite de son nombril, la peau lisse et dorée sur la hanche, la veine bleue si fragile, les poils blonds et rêches au-dessus du sexe, sa main descendait sur son sexe, le caressait, le prenait entre ses mains, le prenait dans sa bouche, c'était doux, pacifique, c'était comme revenir à la maison, comme murmurer oh je voudrais tant pouvoir te marier !

Adrian remuait dans son sommeil, liouba, liouba, il avait posé la main sur sa tête, l'avait caressée comme on caresse un enfant pour le réconforter et avait promis on n'en parlera plus jamais, d'accord ?

C'est le lendemain qu'elle a eu l'idée. Elle a décidé que ça ne se passerait pas comme ça, elle était fatiguée de porter ce poids. Elle allait se venger.

*

Ou alors je pourrais m'appeler Plissonnier ?

Elle amorce le virage qui surplombe la Ferraille. Le ciel est bleu métallisé et la haute armature du broyeur se détache, nette et massive. Une pile de carcasses de voitures attend sur le côté. Des carrosseries jaunes, noires, vertes, rouges, des calandres argentées, des roues noir goudron. La pile est droite, bien rangée. Rien ne dépasse. On dirait une tour dans le ciel. Boubou et Houcine ont bien travaillé.

Stella Plissonnier ?

Du nom de Lucien Plissonnier, mon géniteur. Non, mon père. L'amant de ma mère. Un père que je n'ai pas connu. Un amant que ma mère n'a fréquenté que trois mois, pas plus. Deux mois de félicité et il mourait. Un 13 juillet. Il faisait un jeu de mots idiot, il est un peu tôt pour faire péter les pé-tards, et s'écroulait dans son fauteuil. Crise cardiaque.

Ste-lla-Pli-sso-nnier ?

Demi-sœur de Joséphine, tante d'Hortense et de Zoé. Demi-sœur aussi d'Iris, sœur de Joséphine. Mais celle-là, elle ne compte pas, elle est morte. Il faudra que je demande comment… Elle a laissé un fils, Alexandre. Il doit avoir vingt ans. Il vit avec son père, Philippe, à Londres. C'est tout ce que j'ai retenu de ma nouvelle famille. Je ne l'ai vue qu'une fois, Joséphine. Plutôt sympa. C'était sous la tour Eiffel. Le café coûte un œil dans ce quartier et c'est impossible de se garer.

Elle ralentit, s'arrête au feu rouge au croisement de la déchetterie et de la Ferraille. Un feu très long, on se demande bien pourquoi. Au loin, à l'entrée du site, trois camions attendent pour faire peser leur chargement. Elle devine la silhouette de Jérôme Laroche qui va de l'un à l'autre et tend des papiers à remplir. Il a demandé la main de Julie et ils se sont fiancés un dimanche après-midi chez les Courtois. Ils n'étaient pas nombreux : Stella, Tom et Adrian, Boubou, Maurice et Houcine. Solange Courtois avait les lèvres serrées et le menton scellé dans le cou. Tout son visage disait « je dois bien m'en contenter de ce fiancé falot ». C'est tout juste si elle ne se pinçait pas le nez en passant les olives fourrées, les canapés au saumon, les rillettes, les tranches de cake aux courgettes. Le fiancé était mal rasé. Il restait des poils roux entre deux plaques de peau irritée. Et ses chaussures couinaient. Solange Courtois l'avait embrassé en fermant les yeux.

35

— Elle m'embrasse avec des pincettes, avait chuchoté Jérôme à Stella. Je la comprends, elle espérait mieux comme gendre.

Ces mots, si simples, si vrais, l'avaient rendue triste. Il n'y avait rien à répliquer et c'était ça le plus terrible.

Le feu passe au vert. Stella redémarre. La poussière blanche de la route s'élève dans l'air limpide et bleu, des portions entières de macadam sont parties. Il faudrait refaire la route, la municipalité n'a plus d'argent.

Elle tousse et remonte la vitre.

Vérifie dans le rétroviseur que les chiens sont toujours dans la benne. Ils se tiennent accrochés au rebord, les oreilles au vent. Deux compères qui surveillent la circulation et aboient quand passe une mobylette.

Elle aperçoit le portail de la Ferraille, klaxonne pour que Jérôme se déplace, qu'elle puisse passer sur le côté.

Stella Kosulino ? Stella Plissonnier ? Stella Valenti ? Est-ce qu'on change de personnalité quand on change de nom ?

*

Sur le quai de la gare de Sens, Adrian attend le train de huit heures dix pour Paris.

Le train de sept heures quarante a été annulé. Sans avertissement. Un train sur deux est supprimé sur cette ligne pourtant très empruntée. La SNCF fait des économies. Il va voyager debout, serré contre

36

des voyageurs maussades qui sentent le café au lait, la cigarette froide, la douche pas prise parce que en retard.

Les gens râlent. Matin et soir. Ils râlent mais ils s'entassent, dociles, et fermentent les uns contre les autres.

Adrian ne râle pas. Adrian ne fermente pas. Il sait qu'un jour il ne prendra plus ce train. Il vivra à Paris dans un appartement à lambris. Il possédera une voiture dernier cri, avec chauffeur en uniforme et petite veilleuse à l'arrière pour lire son journal, un manteau en poil de chameau. Il sera monsieur Kosulino et dirigera sa propre entreprise. Il dictera des lettres à une secrétaire, foulera une moquette épaisse, aura plusieurs téléphones, des toiles de maître aux murs. C'est ainsi que vivaient les héros des films que son grand-père l'emmenait voir sur la toile blanche d'Aramil.

Et une cuisinière à domicile !

Elle entrera dans la chambre le matin en portant le plateau du petit-déjeuner et demandera et pour le dîner, que désirent Monsieur et Madame ?

Quand on espère très fort, les choses se réalisent. Faut juste pas lâcher son rêve. Lui donner une petite pichenette de temps en temps, histoire de le requinquer.

Il a laissé sa voiture sur le parking de la gare.

Edmond Courtois était venu lui apporter un papier qui manquait au dossier. Il courait, suait. Il avait du mal à reprendre son souffle. S'excusait d'être aussi rouge, c'est fou, cette année l'été n'en finit pas !

Il avait tendu le papier à Adrian.

— Débrouille-toi mais faut qu'il signe.

— C'est comme si c'était fait.

— On se fait un paquet de blé sur ce lot. Un gros client. Vladimir Borzinski. Russe. Vous devriez bien vous entendre.

Comme si ça suffisait, avait songé Adrian, comme si tous les Russes du monde devaient se donner la main. C'est comme prétendre que tous les hommes sont frères. Bien sûr qu'ils se sourient comme des frères, qu'ils se serrent la main comme des frères, mais sous les apparences, il y a de fortes chances que ce soient des lâches, des vauriens, des ordures, des assassins.

Il avait souri.

— Je le connais, ce Borzinski. Je l'ai déjà vu à la Ferraille. Du temps où je découpais les tôles.

— Tu vois quel genre d'homme c'est ? Dur, pas franc du collier.

— Il me regardait pas, j'existais pas, j'étais un sous-homme à ses yeux. Mais j'ai pris le temps de l'observer… J'en ai connu plein des comme lui en Russie. Il me fait pas peur.

Edmond Courtois avait paru rassuré.

— Ça va chez toi ? il avait demandé en rabattant son imperméable qui s'ouvrait.

Il avait grossi, son vêtement le boudinait.

— Stella, ça va ?

— Oui, oui.

— Elle doit être heureuse maintenant… t'as un boulot, des papiers, Ray n'est plus là pour la harceler. Ça doit être plus facile pour elle. Et pour toi aussi du coup ! il a ajouté en lui donnant une tape complice dans le dos qui signifiait on se comprend, on est entre hommes.

— Oui. Elle est contente.

— Alors je suis content, moi aussi… Allez, à ce soir ! Tu m'appelles en rentrant et tu me racontes ? C'est un gros marché, Adrian, un très gros marché, et si tu fais aussi bien que la dernière fois… eh bien…

Il s'était frotté les mains avec un bon sourire. Il n'avait pas osé dire « on sera riches » mais l'avait pensé très fort. Et puis il avait eu peur, il s'était dit que ça allait lui porter malheur et s'était repris, penaud.

— Enfin… on verra bien ! Faut pas vendre la peau de l'ours… mais c'est vrai que… J'aimerais bien, quoi…

Adrian s'était penché vers lui. Il avait lu l'inquiétude dans les yeux d'Edmond. L'inquiétude de l'homme qui se fait vieux et doit lutter chaque jour pour que son affaire se maintienne. Lutter contre le cours de l'acier qui s'est effondré, les usines qui ferment depuis la crise de 2008, les gros ferrailleurs qui rachètent les petits. Contre les mafias aussi. Les trafiquants. Les réglementations tatillonnes de l'État.

Un vieux tigre qui ne tigre plus.

— Ça va aller, monsieur Courtois. Vous en faites pas… C'est pas le dernier contrat qu'on signera !

Il avait failli dire « que je signerai ».

Edmond avait poussé un soupir. Il était resté un instant immobile. Encombré de ses bras, de ses pieds. Il cherchait ses mots mais les mots ne venaient pas. Il s'était raclé la gorge, avait marmonné :

— T'as le sens des affaires, toi. T'es un fin stratège. Et puis… Avec toutes les langues que tu parles, tu dois impressionner !

Il devait penser à son futur gendre qui n'impressionnait guère.

Il avait regagné sa voiture en tenant les pans de son imper bien fermés.

Il ressemblait à un petit garçon joufflu engoncé dans un costume de premier de la classe.

Un vieux petit garçon.

Adrian sourit. Edmond Courtois est un homme gentil. Et simple. Edmond Courtois l'a recueilli quand il est arrivé à Sens au cul d'un camion. Il lui a donné sa chance. Un boulot à la Ferraille. Des papiers. Une existence légale. Sans Edmond, il aurait mal tourné.

Edmond Courtois aime Léonie depuis toujours. Son copain, Ray Valenti, la lui a soufflée quand ils avaient vingt ans. Et puis il n'a plus été copain avec Ray Valenti mais ça revenait au même. Il n'a jamais osé se déclarer. Il a toujours aimé Léonie de loin. Aujourd'hui encore il bafouille quand il parle d'elle. Engoncé dans ses sentiments comme dans son imperméable. Il est marié à Solange Courtois. Il ne s'en dépêtrera pas facilement de celle-là !

Alors il demande des nouvelles de Stella. Et si Adrian au détour d'une phrase évoque Léonie, une lueur de gamin heureux s'allume dans les yeux fatigués d'Edmond.

L'homme et le petit garçon, c'est souvent la même chose.

Edmond a payé pour qu'on restaure un bâtiment de la ferme pour Léonie. Comme ça, vous serez chacun chez vous, il avait dit. Georges et Suzon d'un côté, Léonie de l'autre, Stella et Adrian un peu plus loin. Il avait déjà payé pour la partie de Stella.

Et moi, je paie pour quoi ?

La soupe sur la table. Des places au cinéma. Des baskets pour Tom. Le petit collier autour du cou de Stella. Une bouteille de champagne de temps en temps.

Broutilles.

Je veux gagner de l'argent, du bel argent qui brille.

Je ne veux plus être pauvre.

Il a ses papiers. Il n'est plus illégal. Fini le temps de la boîte à savon planquée sous le lavabo de la salle de bains, où il déposait des billets gagnés clandestinement.

Ça lui démange d'entrer dans la danse.

Il aperçoit une place en face d'une jeune femme et d'un homme qui roupille, le cou tordu sur le col de sa veste, la bouche ouverte. Quand il souffle, on dirait qu'un putois a élu domicile dans sa bouche. Sa voisine se détourne en grimaçant et attrape le regard d'Adrian.

Bien que jeune encore, elle a l'air usée. La peau sèche, couperosée, le cheveu fin, blond. Elle a mis du vert sur ses paupières pour afficher un peu de lumière. Elle lui rappelle les femmes d'Aramil. Il lui sourit. Elle lui répond, soudain revigorée. Elle tire sur sa veste, fait bouffer ses cheveux. Semble dire allez-y, prenez-moi, il y a longtemps que je n'ai pas senti la chaleur d'un homme contre moi.

Il a rendez-vous au Fouquet's sur les Champs-Élysées. Il a demandé une table pas loin de la porte.

Il voudrait arriver le premier pour être bien placé. Il n'a pas besoin de réviser le dossier que lui a préparé Edmond. Il sait comment impressionner le Russe et le faire signer. Le type semble sortir d'un film de James Bond mal doublé. Il invoque Dieu, Poutine, crache des chiffres, déploie un ventre à trois tiroirs et joue les caïds sur roulement à billes.

Ça ne l'impressionne pas. Il a une botte secrète qui marche à chaque fois.

Pour combien de temps ?

Il ne sait pas.

Pour Stella non plus, il ne sait pas.

Le feu bleu de ses yeux, le feu blond de ses cheveux.

Son corps qui s'ouvre, son cœur qui se dérobe.

J'ai une seule terreur, Stella : te perdre. Je n'ai pas peur qu'un homme te ravisse à moi, j'ai peur de ce fantôme odieux tombé dans le feu. Peur d'un mort. Je me fous de bien des choses, je sais vivre seul et très bien, mais j'ai BESOIN de toi. Quoi qu'il nous arrive, on s'appartient, toi et moi. J'habite en toi.

J'ai grandi en toi. Tu m'as rendu plus calme, plus doux, plus bavard. Tu as ouvert mes bras. J'ai appris à sourire avec toi. À rire. Avant toi, je ne riais jamais. Mon premier fou rire… Tu avais acheté une robe pour me plaire et tu l'avais mise à l'envers. Le dos devant, le décolleté derrière. Quand on est entrés dans le restaurant, que tu as ôté ton manteau… tout le monde te regardait et j'ai éclaté de rire.

Le rire, c'est la lumière qui explose.

Quand on a grandi à Aramil, dans le vent gris, le sable sale, la boue, la seule chose qu'on cherche à apprendre, c'est comment faire descendre la lumière en soi. Sans l'aide de personne. Parce que, après, on est sûr d'être heureux tout le temps.

Il avait rencontré Stella.

Il venait d'arriver à Sens, caché dans un camion qui transportait des tôles. Avait échoué à l'entrée de la Ferraille. Julie lui avait dit je te prends sur le site, je vais voir si tu sais travailler, t'as pas tes papiers? On s'en fiche, montre-moi si tu as faim et on verra bien.

C'est la sainte patronne des cas désespérés, Julie.

Toute la journée, il s'arrachait la peau des mains, la peau des doigts. Tirait sur ses bras, forçait sur ses cuisses. Prenait des éclats de limaille dans la gueule, crachait de la salive noire de suie. Le soir, après sa douche et une boîte de sardines sur du pain, il s'enroulait dans une couverture et lisait le dictionnaire, lisait des grammaires pour apprendre le français. Boubou et Houcine l'aidaient.

Et puis un jour…

… sur le chantier… Il s'était redressé pour essuyer la sueur qui lui salait les lèvres et il l'avait vue descendre du camion.

Salopette orange, crête de cheveux blonds. Longue, mince. Hostile.

Elle lui avait crevé les yeux. Elle ne parlait pas, ne souriait pas, lançait des regards furieux, donnait des coups de pied dans une roue, une poutre, un essieu. Un ballet de colère. Il l'observait, les yeux fuyants, volait la tristesse dans un regard, la solitude dans un faux sourire. Il cherchait des adjectifs pour la décrire en français. En russe, il en avait un paquet !

Il avait remis son casque, ses gants, ses lunettes, le foulard en bâillon sur la bouche, avait repris le découpage d'une tôle au chalumeau mais ses yeux plissés la cherchaient partout.

Leur première nuit.

Sur le lit de camp où il dormait dans un coin du hangar.

Ils étaient restés face à face, maladroits, silencieux. Ils approchaient leurs mains et ça faisait des étincelles. Ils approchaient leur bouche et ça faisait des étincelles. Ils chassaient l'air qui crépitait autour d'eux.

Il s'était dit je suis foutu. Je ne bougerai plus jamais d'ici.

Quand ils s'étaient dépris, il avait roulé sur le côté, avait continué de la regarder, léché la sueur au creux de son cou, son odeur sucrée presque fruitée, et avait chuchoté je fais des excuses à vous… je promets à vous la prochaine fois très bien, très bien, elle avait posé sa main tiède sur ses lèvres et avait supplié tais-toi, s'il te plaît, tais-toi.

On rejoue tout le temps son enfance.

Son enfance à lui à Aramil, son enfance à elle à Saint-Chaland. C'est peut-être ça qui les avait réunis ? Le même malheur, la même violence, et la seule chose qui soit sûre alors, la seule chose qui rassure, c'est qu'on est seul, hein ? On est seul.

On ne connaît jamais la souffrance de l'autre.

On l'imagine avec ses mots à soi. Sa souffrance à soi. Mais ça ne coïncide pas. Et on passe à côté de l'autre.

Stella a voulu oublier, effacer. Il ne lui est resté qu'un grand refus. Ce refus la fait vivre.

Il doit l'aimer de toutes ses forces jusqu'à ce qu'il n'en puisse plus.

Est-ce que ce jour arrivera ?

Il ne le souhaite pas.

Le regard déçu de la fille usée revient vers lui en mendiant. Ses yeux semblent dire pourquoi tu me regardes pas ? Pourquoi tu me parles pas ? Je finis à cinq heures ce soir, on peut se voir ? Je t'aperçois souvent dans ce train du matin. Tu portes pas d'alliance, t'as une copine ?

Il sourit à nouveau, mais cette fois pour dire adieu.

Stella l'a rendu chaste et fidèle. Il y a tellement de femmes en elle qu'il n'a pas fini de toutes les séduire.

Le train approche de Paris et la banlieue défile dans l'encadrement de la fenêtre. Immeubles gris, ciel brouillé, balcons encombrés de vélos, de chaises en résine, ponts noirs, feux rouges, tags géants qui hurlent. Il avait commencé à graffiter à Aramil. Il faisait partie de la bande de ceux qui prenaient le plus de risques pour bomber des endroits inaccessibles. Partout ils laissaient leur signature. Celle de leur groupe, Les Loups de la nuit. On les respectait. Baskets noires, capuche noire, survêtement noir, ils rampaient et déposaient des signes cabalistiques dans les gares, les hangars. Il était allé jusqu'à Iekaterinbourg, avait tagué des palissades qui entouraient les chantiers abandonnés de l'époque soviétique. Au début, le pouvoir les combattait. Les graffitis étaient un art décadent venu de l'Occident et les graffeurs des traîtres à la nation. C'étaient les hooligans anglais qui avaient introduit l'art du graffiti en Russie quand ils venaient soutenir leurs équipes de foot. Ils dessinaient des kilomètres de chiffres et de lettres avec une rapidité et une technique que les Russes leur enviaient. Adrian avait appris avec eux. Appris à se servir des bombes de peinture, appris à fuir sans froisser l'air. Il avait souvent eu peur. Et puis le pouvoir avait renoncé. Et pris le contre-pied. Gloire aux graffitis, le nouvel art, l'art premier ! Un musée avait ouvert à Perm. On y exposait des tags et des palissades. Parmi lesquels SES tags et SES palissades.

Le jour où il avait découvert ça, il était monté sur la plus haute cheminée d'une usine désaffectée et avait bombé son nom en lettres d'or.

Deux jours après, il partait à la conquête de l'Europe.

Accroché aux camions et aux trains.

Quand son pote Milan évoquait ce musée à Perm, Adrian disait ce sont mes œuvres qu'on expose ! Milan se marrait. Adrian répétait c'est vrai… Milan avait un drôle de sourire, le sourire de celui qui ne croit en rien.

Adrian entretient avec lui des rapports suffisamment amicaux, malgré la tension qui règne entre eux, pour qu'ils permettent un certain commerce, celui de duper les gens. Et au cours des années, ils ont tissé un lien solide : la complicité des opprimés.

Aujourd'hui, Milan habite un appartement près

du cimetière du Père-Lachaise. Il a quitté la chambre de bonne qu'il partageait avec Adrian. Il s'achète des chaussures à bouts pointus, des cartouches de cigarettes blondes, il porte un chapeau et s'est fait refaire les dents. Enfin pas tout à fait. Juste celles du haut.

Milan fait partie du plan d'Adrian.

Il regarde sa montre : il arrivera en avance au Fouquet's.

Le train ralentit en approchant de la gare de Bercy.

Les gens se tassent dans les allées. Ils avalent leur dernier biscuit, aspirent le fond de leur cannette de Coca en raclant avec leur paille. Comment ils font pour manger et faire du bruit tout le temps ?

Il reconnaît deux femmes de Saint-Chaland. Il les entend chuchoter dans son dos.

— C'est lui, hein ? Il est pas mal.

— J'en ferais bien mon quatre-heures !

Elles pouffent et reprennent plus bas :

— Tu crois qu'il sait ?

— Demande-lui.

— T'es folle ou quoi ? J'oserai jamais.

— Elle, ça va la rendre dingue, cette histoire.

— Je la comprends, mets-toi à sa place.

— Mais c'était quand même…

Le train freine brusquement, la carcasse de la voiture 14 vibre dans un lourd grincement de tôles. L'arrivée est proche. Il tend l'oreille mais ne parvient plus à entendre.

À tous les coups, elles parlaient de Stella.

Qu'est-ce qu'elles disaient déjà ?

Il a oublié. Il n'a retenu que la petite musique des

filles qui parlent des hommes comme de friandises qu'on goûte, qu'on grignote.

Il n'aime pas cette familiarité-là.

*

Julie regarde sa tasse de café noir et hésite à prendre un sucre. Elle a commandé sa robe de mariée, la noce est dans six mois, elle ne doit pas grossir. Un sucre, un tout petit sucre… Allez, un seul ! Je le coupe en deux et il me sert pour deux cafés. Je voudrais tellement être maigre. Elle caresse du regard le petit cube blanc qui repose sur la soucoupe. Le prend entre ses doigts. Lisse, compact, brillant. Non ! Non ! Je ne veux pas affronter le regard et les remarques de la vendeuse quand j'irai pour mon deuxième essayage à la boutique Promesses, la plus belle boutique de robes de mariée, 144, rue des Déportés-et-de-la-Résistance. Au pied de la cathédrale.

C'est ma mère qui m'a entraînée là-bas. J'aurais préféré acheter sur catalogue et par Internet. J'aimais pas le «s» de Promesses, je me demandais si ça signifiait qu'on pouvait se promettre plusieurs fois «amour et fidélité». J'avais peur que ça me porte malheur.

— Non, ma chérie, Internet, c'est pour les filles qui ont une taille «standard», toi, tu vas avoir besoin de retouches, donc on va se lancer dans du «sur-mesure». Et réjouis-toi que ton père et moi, nous puissions te payer ça. Toutes les filles n'ont pas cette chance.

Jérôme me trouve «à son goût». Il me dit qu'il n'y a

pas plus jolie que moi. Il veut savoir à quoi ressemble la robe que j'ai choisie. J'ai refusé. Ça porte malheur.

Le premier baiser de Jérôme, c'était pas du standard. Un soir qu'il me raccompagnait après m'avoir invitée au restaurant. Dans sa Clio grise. Avec une petite sirène en caoutchouc rose accrochée au rétroviseur. 153 153 kilomètres au compteur. Un chiffre porte-bonheur. Facile à retenir. Il m'a calée contre lui comme le volant entre ses bras quand il était grutier. Il a appuyé ses lèvres sur ma bouche, a pressé un peu, à peine, à peine, et ça s'est arrêté là. On est restés les yeux fermés, bouche contre bouche pendant une bonne minute sans qu'il bouge, sans que j'ose bouger. On aspirait l'air sur le côté pour ne pas interrompre le voyage du baiser. C'était incroyablement intime. Au bout d'un moment, je l'ai observé entre mes cils. J'ai pas vu tout son visage, mais ce que j'ai entrevu m'a bouleversée. Les yeux fermés, il buvait notre baiser. Il le faisait descendre dans sa gorge, dans sa poitrine, dans tout son corps et ça devait le réchauffer parce qu'il était bien rouge. C'était un baiser sur mesure. Un baiser qui ne ressemblait à aucun autre.
Je me suis dit que je voulais bien partir en voyage avec lui.

— Dis donc, toupie, tu te demandes si tu vas faire péter les coutures de ta robe de mariée avec ton sucre en l'air ?
Julie sursaute et rougit.
Stella est entrée dans le bureau sans faire de bruit.
— T'es con ! Tu m'as fait peur.

— Je te prends en flagrant délit de gourmandise.

— Je ne dois pas manger ce sucre, je ne dois pas manger ce sucre, je ne dois pas manger ce sucre.

— Ben… fous-le à la poubelle ! Ne le tiens pas droit comme une chandelle ! Il t'intimide.

— T'as raison.

Julie balance le sucre dans la grosse poubelle noire de son bureau.

— Un problème de réglé ! Merci. Dis donc, tu portes un flingue ?

Stella la regarde, étonnée.

— Un flingue ?

— Ben… dans ta poche…

Stella glisse la main dans la poche de sa salopette et en sort le gros tournevis.

— C'est pour réparer ma grue arrière.

— Je préfère ! Parce que, avec toi…

— Bon, la fonte, je vais la chercher où ?

— C'est un lot de vieux radiateurs. Une récup d'usine. Encore une qui ferme ! Bientôt il faudra aller au cul du monde pour trouver de la marchandise. Y en aura plus en France. Je te jure, y font rien pour nous aider là-bas, à Paris. Toujours à pondre des lois imbéciles, à nous écraser de taxes, d'impôts, de RSI, de TVA et blablabla.

— Ça me dit pas où je dois aller chercher la fonte… Faut se presser. T'as vu l'heure ?

— J'ai les nerfs ! On est en zone 9001 figure-toi, et…

— Julie, s'il te plaît, calme-toi… Je vais où ?

Julie s'assied, s'essuie les mains sur le devant de son pull, remonte ses lunettes.

— Dans la ZI de Sens, chez Mauret, après les entrepôts Berlugot. Tu fais gaffe à respecter le protocole, je veux personne autour quand tu charges. Et tu remplis pas trop la benne, sinon elle verse ! Je préfère encore que tu fasses deux trajets, même si ça me coûte de l'essence.

— Ok, murmure Stella en s'approchant de la machine à café.

— Et tu laisses pas un grain de ferraille sur place. On n'est pas assez riches pour ça.

— Compris, toupie ! rigole Stella. On dirait que c'est mon premier chargement. T'es bizarre aujourd'hui. Y a un truc qui te tracasse ?

— Ensuite, tu files chez Roubiais, il a un lot de vieilles tôles qu'il nous vend au rabais, il veut s'en débarrasser.

— Je deale le prix ?

— Non, c'est du payé-enveloppé. T'as plus qu'à charger.

Stella fait cracher un jus noir de la machine et laisse tomber deux sucres blancs dans sa tasse. Le regard de Julie fixe les morceaux.

— Il va faire quoi, Adrian, à Paris ? demande Stella en tétant son café, appuyée contre le mur.

— Faire signer une commande à un client russe. Un coup arrangé par mon père. Adrian n'a plus qu'à finaliser mais c'est le plus dur. Le mec va vouloir faire sauter des clauses. Mon père a préparé le terrain, Adrian porte l'estocade finale. Ils travaillent en binôme, ils s'entendent bien.

Il y a comme une pointe de regret dans la voix de Julie. Edmond Courtois a choisi de s'appuyer sur

Adrian pour mener son affaire, pas sur Jérôme. Jérôme, il lui fait belle mine, le convie à sa table le dimanche, mais il compte pour du beurre. Le jour des fiançailles, il a passé la soirée dans un coin du salon à conspirer avec Adrian. Julie encourageait Jérôme du menton à les rejoindre. Jérôme ne bougeait pas. Il tirait sur les manches de sa veste en s'humectant les lèvres. Est-ce qu'un jour j'aurai honte de lui ? elle s'était demandé.

— Parce que je trouve qu'il y va souvent, à Paris, dit Stella en tapant du talon contre le mur.

— Vois ça avec mon père.

— C'est pas un reproche mais…

— Fallait pas te maquer avec un homme d'affaires !

Elle a dit ça sans réfléchir. Elle entend les mots et ils sonnent, violents. C'est surtout le ton sur lequel elle l'a dit. Elle lui a jeté la phrase au visage comme un reproche.

Julie baisse la tête et murmure :

— Excuse-moi, Stella. Je suis à cran, c'est tout.

— Je vois bien, toupie.

— C'est de plus en plus dur de gagner de l'argent et parfois j'aimerais bien savoir où je vais…

— Jérôme ?

— Non ! s'exclame Julie en riant un peu trop fort. Lui, c'est que du bonheur.

Parfois, dans la journée, elle se penche par la fenêtre de son bureau et le cherche dans la cour. C'est sa récré. Quand elle l'aperçoit, elle se dit, émerveillée, c'est mon homme, mon homme à moi, il m'aime, il me trouve belle, on va se marier, on aura deux enfants et une maison avec une véranda.

Ça ne s'est pas fait en un clin d'œil, leur histoire d'amour.

Elle le connaît depuis longtemps. Il a toujours travaillé à la Ferraille, à part un intervalle de quelques mois où il est parti à l'étranger. En ce temps-là, il était marié. Il avait gagné au Loto. Sa femme voulait voir des palmiers, des pédalos. Et de l'eau chaude. Beaucoup d'eau chaude. Et puis il était revenu, avait demandé si…

Elle l'avait rembauché.

La femme de Jérôme était restée sous les palmiers à tremper dans l'eau chaude. C'est ce que Julie avait compris.

Un jour, en prenant un café, il lui avait demandé conseil pour des rideaux dans son salon. La manière dont il évoquait le choix du tissu, des couleurs l'avait émue. Il avait effleuré quelque chose en elle. Elle s'était sentie joyeuse sans raison. Elle s'était assise à son bureau, avait sorti le petit miroir de son tiroir. Allait-elle tomber amoureuse ?

Se pouvait-il que cela arrive aussi légèrement, presque par accident ?

En amour, elle avait plutôt l'habitude de foncer tête baissée. Elle fonçait si vite que les garçons ne s'apercevaient de rien. Elle aimait en silence avec une grande violence. Ça lui allait bien parce qu'elle ne se croyait pas capable d'être aimée pour de bon, alors autant se raconter l'histoire à elle toute seule.

Avec Jérôme, ils avaient pris le temps. Ils se voyaient tous les jours. Ça avait facilité les choses parce qu'on ne pouvait pas dire qu'ils étaient très entreprenants l'un et l'autre.

Jérôme travaille derrière un bureau, il n'est pas obligé de porter casque, bottes, lunettes et gants réglementaires. Il se déplace sans protection. Elle n'aime pas ça. Elle le rappelle à l'ordre mais il répond que ce n'est pas la peine, il a le cul vissé sur sa chaise, et quand il bouge, le plus loin qu'il aille, c'est à l'entrée du site pour parler avec le chauffeur d'un camion. Pas plus de vingt mètres ! Il ne s'approche jamais du broyeur. Ni de l'atelier où on découpe les tôles.

Oui mais... Elle a fait ce rêve terrifiant : une tôle s'échappe d'un chargement et vient trancher le cou de Jérôme. Elle l'a fait plusieurs fois. Elle n'en a parlé à personne.

Le bureau de Jérôme est en dessous du sien, au rez-de-chaussée. Un large guichet vitré qui s'ouvre sur la balance. C'est là que viennent se faire peser les camions qui chargent ou déchargent. Derrière la vitre du guichet, Jérôme donne des ordres pour la pesée, note le poids des chargements, délivre un ticket d'achat ou de vente. Parfois, quand un type renâcle, tente de tricher, il sort pour régler le différend.

C'est alors qu'elle l'aperçoit.

Du haut de sa tour, elle lui vole du bonheur.

Il n'a plus beaucoup de cheveux et ceux qui restent, en couronne autour de son crâne, sont roux et rebiquent sur son col. Il n'est pas grand, un peu voûté, il flotte dans son pantalon. Il garde souvent ses pinces à vélo. Il vient travailler à bicyclette, cinq kilomètres aller, cinq kilomètres retour. Tu comprends, il dit, je dois rester

en forme, je suis plus âgé que toi, j'ai quarante-six ans !
Et il cherche une protestation dans les yeux de Julie,
l'assurance qu'il n'est pas si vieux que ça. Ça l'embête
d'épouser la fille du patron. Surtout qu'il arrive les
mains vides. Il n'a qu'un vélo et une Clio d'occasion. Il
lui fait des cadeaux, des galets pour le bain, des petits
ciseaux pour sa trousse de patchwork, un vieux film
de Gabin. *La Bête humaine*, c'est son préféré.

— C'est un homme qui tue la femme qu'il aime,
tu te rends compte les bêtises que ça vous fait faire
l'amour ?

— Tu pourrais me tuer, Jérôme ?

— Oh non ! Mais c'est plus fort que lui, il est
malade dans sa tête.

Puis il ajoute, les yeux dans le vague :

— N'empêche que j'en ai fait une, moi, de grosse
bêtise par amour…

— Oui mais tu l'as pas tuée, ta femme !

Toute la ville avait été au courant de son histoire.
Plus la ville est petite et plus les gens cancanent. C'est
vrai qu'on ne l'avait plus jamais revue, sa femme.

— Non.

Il dit ça comme à regret. Comme si tout son personnage manquait d'audace, de suite dans les idées.
Et alors elle frissonne. Elle parle d'autre chose.

Parce que, quand même, c'est que du bonheur,
cet homme.

— Si ce n'est pas Jérôme qui te turlupine, c'est quoi
alors ? reprend Stella qui ne lâche jamais une question
restée sans réponse.

— C'est le métier. Faudrait tout changer, toute

notre manière de fonctionner. Faudrait que je m'arrête, que je réfléchisse. Et qu'on se reconvertisse. La ferraille classique, c'est fini. Faut taper dans le bois, le carton, le plastique. Et j'ai pas le temps de me poser. Je n'ai même plus le temps de surveiller mes stocks ! Avant je le faisais tous les jours et, chaque fin de semaine, je pointais les bons d'achat et de vente.

— T'étais rigolote tellement tu te méfiais. J'osais pas ramasser un clou, même dans ma chaussure !

— J'avais l'œil. On pouvait pas me voler. Maintenant je cours après le temps, je cours après le client, je pose des rustines partout… Et si je regarde les stocks, c'est en passant, à toute allure.

— Ton père, il pourrait pas…

— Mon père ? Il est largué. Il suit les vieilles routes, les vieux schémas. Et puis c'est pas son truc, le quotidien. Il compte sur moi. Jérôme m'a proposé de s'occuper des stocks…

— Et tu as dit oui, j'espère ?

— Oui. Même si… Je sais pas… Je me dis que c'est à moi de le faire, c'est ma boîte.

— Vous allez vous marier. Tu peux lui faire confiance.

— C'est juste que… Tu veux que je te dise ? Je sais même pas si mon père s'occupe vraiment de la comptabilité générale, je veux dire ce qu'on engrange, ce qu'on dépense, ce qu'on emprunte, ce qu'on investit. J'ai peur qu'il bâcle.

— T'exagères pas un peu ?

— Il faut qu'on se reconvertisse, je te dis. Là, on va droit dans le mur !

— Mais non…

— Si, Stella, si. Le monde change à toute vitesse et mon père ne s'en rend pas compte.

Son regard part dans le vide. À quoi bon expliquer ? À la radio, à la télé, ils parlent de «difficultés économiques», ils prédisent le retournement, la fin du chômage, un avenir meilleur, mais Julie sait que ce ne sont pas les bons mots. C'est une révolution, un chaos qui se prépare. Les plus forts, les plus rapides s'en tireront. Les petits crèveront. Comme des milliers de gens.

— Adrian est là. Il protégera ton père. Il l'aidera à faire évoluer la Ferraille.

C'est un mensonge, Stella le sait. Adrian va aider Edmond Courtois, mais il gardera la plus grosse part du gâteau pour lui. Adrian a faim. Une faim féroce. Il tente de le cacher mais elle sent combien il est affamé quand il l'empoigne, quand il coupe le pain à table, quand il part travailler le matin. Il ne s'arrête plus jamais pour lui cueillir des perce-neige.

Elle ne veut pas que Julie soit triste, alors elle pose une promesse sur la peine de son amie pour que la promesse absorbe toute la tristesse.

Julie la regarde avec un sourire tremblant. Comme si elle voulait croire à ce mensonge.

— S'il est généreux, il lui ouvre les yeux et il partage. S'il la joue perso, il lui laisse des miettes et garde le gros lot. Et l'entreprise mourra, lentement mais sûrement.

— Tu dis ça comme si tu croyais plutôt à la seconde solution, remarque Stella.

— Adrian est un homme. Il faut qu'il fasse son trou. C'est son tour.

— Il est pas comme ça, Adrian, proteste Stella. Il doit tout à ton père. Il oubliera jamais.

— Il est gentil, d'accord. Mais jusqu'à quand ? Avoue que ça doit être tentant de prendre la main… Surtout quand on est jeune, ambitieux et qu'on traîne un vieux qui résiste au changement. Tu veux que je te dise ? Je le comprends, Adrian. Sauf que je NE VEUX PAS qu'on touche à mon père…

Plus Julie parle d'Adrian, plus Stella sait que son amie a raison et plus elle craint que ce ne soit la fin de son bonheur à elle. Si Adrian devient l'homme que Julie dépeint, il changera et leur amour aussi.

Est-ce pour cela que le malheur est revenu ce matin ?

— Regarde toi et moi, insiste Stella, prise de vertige à cette idée. On s'est jamais fait de coups bas ?

— C'est pas pareil, y a jamais eu d'argent entre nous.

— Y a eu bien pire ! Ray Valenti. T'as jamais eu peur de l'affronter. Tu t'es battue pour moi.

— Parce que je suis ton amie.

— Tu vois ! L'amitié, c'est ça. Ne pas avoir peur, donner sa chemise pour l'autre. Eh bien… Adrian, il va faire pareil pour ton père.

— J'aimerais tellement te croire !

Stella aussi aimerait croire à son mensonge. Elle voudrait que ses mots soient des gommes qui effacent l'avidité d'Adrian. Elle prend la main de Julie, entrecroise ses doigts aux siens et demande :

— Dis, toupie, c'est parce que tu es au régime sans sucre que tu vois tout en noir ?

— Non. J'aimerais bien ne penser qu'à mon mariage, ma robe, mon régime, mais j'ai des factures à payer, des commandes à passer, la TVA à calculer, ras le bol !

— Vous venez dîner samedi à la maison avec Jérôme ?

— D'accord. On t'apporte quelque chose ?

Stella est sur le point de dire non, mais elle se reprend :

— Champagne ?

— Parfait. Jérôme en connaît un très bon… Il a bon goût, tu sais. Et en bouffe aussi !

— Il te mitonne de bons petits plats ?

— Il m'emmène au restaurant. Il a acheté un guide et on les essaie tous. Ou presque.

— C'est un budget, dis donc !

Julie sourit, s'alanguit puis se redresse.

— Allez ! Au boulot ! elle dit en soulevant l'énorme tas de dossiers en attente. On a assez traîné comme ça.

Elle tend les bons à faire signer. Stella les plie et les met dans sa poche.

— Tiens ! remarque Julie, t'as pas ton chapeau aujourd'hui !

Stella passe la main dans ses cheveux en faisant la grimace.

— Je l'ai oublié à la maison ! C'est mauvais signe. À tous les coups, il va me tomber un malheur avant ce soir.

— Dis pas ça, supplie Julie.

— Chaque fois que je l'oublie, il m'arrive un pépin.

— Arrête !

— C'est plus fort que moi, je le renifle. Faut dire que j'ai été à bonne école.

59

En entendant ces derniers mots, Julie s'empourpre. Elle tire sur son pull pour faire un peu d'air, souffle sur une mèche frisée qui tombe sur ses lunettes, mon Dieu ! C'est vrai ! elle avait oublié ÇA. Et Stella qui semble ne rien savoir !

— Hé, toupie, ça va pas ?

— Si. Pourquoi ? dit Julie d'une voix mal assurée.

— Tu fais ventilateur avec ton pull et t'es toute rouge.

— Je te jure que non...

— Attends un peu. Tu sais quelque chose que tu veux pas me dire. Ne mens pas. Je pourrais déchiffrer les mensonges d'un muet.

— Arrête, Stella ! Tu deviens parano !

— Rassure-moi : j'aurais pas des raisons de l'être ?

— Mais je te dis qu'il n'y a rien !

— Pourquoi tu cries comme ça ?

— Tu m'accuses de savoir des choses que je sais pas !

— Tu sais rien ? Ça veut dire que d'autres savent et qu'on me le cache. C'est ça ?

Julie secoue la tête, ses cheveux frisés font des serpentins qui s'étirent, montent et descendent.

— Ça me concerne, moi ? demande Stella.

— Mais de quoi tu parles ?

Stella pose ses deux mains sur le bureau et se penche vers Julie.

— On est copines depuis combien de temps ?

Julie lève les yeux au ciel.

— Puisque je te dis que je sais rien ! Je vais pas inventer tout de même !

— Tu sais pas mentir, tu sais pas tricher, tu sais

même pas faire semblant, alors dis-moi s'il te plaît. C'est Adrian ? On ragote parce que ton père l'a à la bonne ? On raconte des horreurs sur lui et ça te fait de la peine ?

— Mais non ! Pas du tout !

Si, ça lui fait de la peine. Elle aurait aimé que son père adoube Jérôme. Qu'il pose son bras sur son épaule et lui dise : « La Ferraille, c'est mon royaume, il est à toi puisque tu entres dans la famille. » Ou : « Julie et toi vous faites une sacrée paire, voici mon affaire, faites-la grandir. » Elle en avait rêvé. Ça aurait été le point culminant de sa vie. Ses deux passions réunies : Jérôme et la Ferraille.

Rien de cela n'était arrivé.

Pourtant un jour, elle avait cru toucher au but. Son père parlait, Jérôme opinait, les deux hommes semblaient à l'unisson et son père s'était lancé. Il avait prononcé les premiers mots de ce qui semblait être une proposition de collaboration. Elle avait tourné la tête vers son homme dans un élan plein à craquer de bonheur. Il était pâle, inerte, il gardait les mains plaquées sur ses cuisses pour qu'on ne voie pas qu'elles tremblaient. Son père avait marqué une pause, toussoté et fini sa phrase autrement. Une voix avait hurlé en elle mais vas-y, vas-y ! Trop tard ! Jérôme avait ce drôle de regard, opaque, comme s'il était enfermé à clé à l'intérieur de lui-même.

Elle s'était juré d'oublier ce moment.

— C'est parce que ta mère pense que tu fais une mésalliance et qu'elle dit partout que c'est à cause de ma mauvaise influence ? reprend Stella. Je le sais, Boubou me l'a dit. Elle clame que tu fais un mariage à la sauce Stella !

— Pffttt ! Je me fous de ce que pense ma mère.

— Alors qu'est-ce qu'il se passe ? DIS-MOI ! Je ne supporte plus les secrets. J'en veux plus. Plus jamais.

— Mais, Stella, puisque je te jure que j'ai rien à dire.

— Jure-le-moi sur la tête de ton futur enfant.

— Jamais de la vie ! T'es folle ? T'as pas le droit.

— Si tu es mon amie, tu dois me dire la vérité parce que, tu vois, j'ai la légère impression que ça me concerne…

— Je suis ton amie et j'ai rien à te dire. Point final. Il est neuf heures et demie. J'ai du boulot, toi aussi, on passe à autre chose.

Stella cherche à prolonger leur affrontement pour faire plier Julie, mais devant l'air résolu de son amie, elle balaie le bureau du plat de la main, attrape les clés du camion et les fait sauter en l'air.

— Tu perds rien pour attendre.

— Salut ! marmonne Julie en remontant ses lunettes sur son nez d'un geste sec.

Elle entend Stella dévaler l'escalier en métal de son bureau. Se surprend à penser c'est incroyable, tout le monde sait à Saint-Chaland, sauf elle. Faut dire qu'elle vit comme une sauvage. Elle va de la ferme à la Ferraille, de la Ferraille à la ferme. Quand elle ne conduit pas son camion, elle s'occupe de ses bêtes, de ses bois, de son potager, de son homme, de son fils. Elle ne traîne jamais dans les magasins, ni chez le coiffeur, ni aux terrasses des cafés. C'est Georges qui fait les courses au quotidien. Une fois par semaine, elle file à Carrefour faire le plein. Toujours en fin de journée quand le journal télévisé va commencer, que les caissières bâillent devant leur caisse et que les allées sont vides. Elle remplit deux immenses chariots et rentre chez elle sans avoir adressé la parole à personne.

C'est pas une bavarde.

Julie reprend ses bordereaux. Établit pour la journée le barème des prix. Marmonne pas question que je le lui dise. Je laisse ça à un autre et lui souhaite bonne chance. Stella va le massacrer ! Je suis lâche, d'accord, mais je veux pas jouer le rôle du messager qu'on tue parce qu'il apporte de mauvaises nouvelles. Elle a pris assez de coups dans sa vie, elle a droit à un peu de répit. Ça ne fait que trois mois que Ray Valenti est mort. Faut la laisser tranquille.

Le téléphone sonne. C'est Mauret qui s'impatiente :

— Mais il est où, ton camion ? J'ai pas que ça à foutre, moi !

— C'est Stella. Elle arrive ! Elle vient juste de partir. Mauret marque une pause, baisse la voix pour reprendre, embarrassé :

— Elle sait ?

— Non. Et c'est pas moi qui le lui dirai.

— Moi non plus. Je me la boucle. Salut, Julie !

— Salut, Jean !

*

À l'entrée du hangar, Boubou, Houcine, Maurice boivent un café au soleil. Les yeux fermés, le menton tendu vers le ciel, ils sentent les muscles de leur cou, de leur dos, de leurs bras chauffer et se détendre. Ils ont commencé à cinq heures et demie ce matin. Il fallait charger un camion qui prenait le ferry pour l'Angleterre à quatorze heures à Calais. Une cargaison de vieux moteurs vendus une fortune à un collectionneur anglais. Julie leur a promis une prime s'ils finissaient à temps. Et ils ont fini à temps.

Ils regardent Stella et ses chiens monter dans le camion, lèvent le bras pour lui dire bonjour, suivent des yeux la traînée de poussière qui s'élève derrière la benne et vient troubler le bleu étincelant du ciel.

— La grue gîte à droite, dit Boubou.

— Exact, soupire Houcine.

— Moi, je sais ce que mijote Adrian, dit Maurice, les lèvres serrées sur son gobelet en carton.

— Moi aussi, répond Boubou sans bouger.

— Qu'est-ce qu'il mijote ? demande Houcine, piqué de ne pas savoir.

— Il mijote, répondent Maurice et Boubou.

— Oui mais quoi ?

— Tu le sauras s'il a envie de te le dire, fait Maurice.

— Il vous l'a dit à vous et pas à moi ! s'insurge Houcine. Je le crois pas !

— Il nous a rien dit, on a su, précise Boubou, docte.

— C'est ça, confirme Maurice, tout aussi docte.

— C'est quoi, « ça » ? s'énerve Houcine.

— On l'a suivi un jour après le boulot, tous les deux sur la mob de Boubou, reprend Maurice en

64

renversant le gobelet sur ses lèvres afin de ne pas perdre la dernière goutte de café.

— Et alors ? s'emporte Houcine. Vous allez jouer longtemps à ce petit jeu ?

— On aimerait bien qu'il nous en parle d'abord. Officiellement. On voudrait savoir s'il va faire ça derrière notre dos…

— Ou pas, conclut Boubou en hochant la tête, tel un vieux sage.

— Et vous avez peur que je crache le morceau ?

— Peut-être, dit Maurice.

— Ben, les mecs… vous me faites de la peine, je peux vous le dire, vous me faites de la peine !

Houcine se lève, essuie la trace de café au coin de ses lèvres, remet son casque, écrase le gobelet entre ses doigts et s'éloigne. Quand on vit à trois tout le temps, quand on fait confiance aux gestes de l'autre, quand on sait qu'il ne va pas faire déraper le chalumeau ni exploser la bonbonne de gaz ou de propane qui se trouve à ses pieds, on sait aussi que si l'autre ne parle pas, c'est qu'il a une raison, une bonne raison, et que ce n'est pas la peine de le cuisiner.

Mais ça l'énerve vraiment que ses potes aient deviné un truc qu'il n'a pas vu. Ça l'énerve et ça l'attriste. Parce que soudain il se sent très seul. Et c'est terrible parce qu'il devine que cela va avoir plein de conséquences qu'il n'a pas forcément envie de voir.

*

Tous les jours, Stella et Tom déjeunent chez Georges et Suzon. C'est la tradition. Autrefois, Georges et

Suzon travaillaient au château pour les parents de Léonie. Ils avaient pris leur retraite et hérité de cette ferme. Ils avaient recueilli Stella quand elle avait fui de chez elle. Tom et Adrian. Et, depuis peu, Léonie.

Tom refuse d'aller à la cantine. Il a essayé une fois. Il a mangé du cabillaud décongelé, des aubergines en caoutchouc, une macédoine au goût de tisane et une tarte au chocolat dont la pâte s'effritait comme du plâtre séché.

Stella avait déclaré que c'était pas possible, on était ce qu'on mangeait, elle ne voulait pas que son fils finisse en plâtre séché.

Parfois Stella a à peine le temps d'avaler un plat à moitié chaud, à demi froid et il lui faut repartir. Tom a appris à manger à toute allure et se lève dès que sa mère lui fait signe.

Léonie est assise en bout de table et porte une chemise dont le col est brodé au point de bourdon bleu ciel. Elle joue avec les pointes de son col. Elle n'en revient pas d'être arrivée à faire ce travail minutieux sans trembler ni déraper. Valérie l'a félicitée. Elle a fait circuler son point de bourdon afin que les autres femmes apprécient. Ces heures passées à l'atelier de patchwork la réconfortent. Les travaux d'aiguille lui sont plus utiles que les mots. Elle perd ses moyens quand elle doit faire des phrases. Elle bégaie et rougit.

— Il est drôlement beau, ton col, Léonie ! dit Tom qui comprend que sa grand-mère attend un compliment. C'est toi qui l'as brodé ?

— Comment tu le sais ? rit doucement Léonie en enfonçant la tête dans les épaules.

Léonie rit comme si elle allait recevoir un coup.

— Il suffit de te regarder, dit Tom. On dirait une lampe qui clignote tellement t'es fière !

— Tu es mignon. J'ai bien de la chance d'avoir un petit-fils comme toi.

Ses doigts caressent le col, s'attardent sur le bourrelet de la broderie.

— Je l'ai fait toute seule. Valérie m'a bien donné quelques conseils mais…

— Ben… il déchire !

Léonie glousse, sa main repart tripoter le col au point de bourdon.

— Tu sais, elle reprend, elle est toujours là, la camionnette bleue. Ce matin, je l'ai aperçue, sur le bas-côté de la route, juste devant chez nous.

— Tu as vu qui était dedans ?

— Non. Tu crois qu'ils nous espionnent ?

— Les potes de Ray ?

— Ils viennent me chercher ?

— Mais non !

— Ils sont furieux contre ta mère et moi depuis qu'il est mort.

— Mais ils peuvent rien te faire ! Papa et moi, on te protège grave.

— N'empêche…

— T'en fais pas, je gère.

Ils commencent par une salade de betteraves et de pommes, assaisonnée d'une vinaigrette à l'ail, suivie d'un pâté de campagne aux figues et aux poires dont Tom raffole. Georges aussi. Ils se bagarrent pour avoir la plus grosse part. C'est monsieur Canterel, le charcutier de Saint-Chaland, qui le cuisine. Une fois par semaine, le vendredi matin, et il ne reste pas longtemps à l'étalage ! Il faut le réserver à l'avance.

Suzon sert une large tranche à Tom.

Il vérifie la taille de sa part et la compare à celle de Georges. Tout va bien. Ils sont à égalité.

Il goûte la première bouchée, les yeux brillants, un sourire aux lèvres, priant pour qu'il en reste et qu'il puisse se resservir. Une vague angoisse le saisit à l'idée de se faire avoir par Georges. Il ne craint rien de Léonie, qui picore, ni de Stella, qui mastique distraitement, encore moins de Suzon, qui fourgonne à droite, à gauche et oublie son assiette. Non, son adversaire, c'est Georges. À chaque fois, il vole la dernière part et Tom n'a pas le temps de protester.

— Je reprendrais bien du pâté, Suzon, dit Tom à bout de nerfs.

— Mais bien sûr, mon titounet ! Ça s'est bien passé à l'école, ce matin ?

— J'ai gagné un point en essuyant le tableau avant que le prof d'anglais entre en cours. J'en suis à cent trente bâtonnets, cent trente cases validées. Et je suis toujours le premier de la classe.

— C'est bien, ça ! s'exclame Suzon qui agrandit la part de Tom pour le récompenser.

Tom suit le trajet du couteau de Suzon et renchérit :

— Et j'ai récité ma fable sans faire une seule faute ! *« Un agneau se désaltérait dans le courant d'une onde pure. Un loup survient à jeun qui cherchait aventure… »*

— Ben, mon vieux, s'exclame Georges pas dupe,

bientôt tu seras trop instruit pour nous ! Faudra nous donner des cours du soir !

Tom n'est pas sûr que Georges ne se moque pas mais il lui pardonne en regardant l'énorme portion de pâté que Suzon glisse dans son assiette.

— Et madame Filières est venue dans la classe pour me dire qu'il fallait absolument qu'elle te voie, m'man ! Elle doit vouloir te parler de la remise de mon diplôme d'élève-citoyen. Elle veut organiser une cérémonie.

— Je vais aller la voir.

— Ça a l'air urgent. Elle a interrompu le cours d'histoire…

— C'est sûr qu'elle va se mettre en quatre, dit Suzon, narquoise. C'est la première fois qu'elle le décerne, ce prix. Et comme elle veut se faire mousser…

— Elle m'a pris à part. J'avais l'air malin ! dit Tom, la bouche pleine. J'aime pas trop ça, me faire remarquer.

— J'irai lui parler, dit Stella en nettoyant son assiette avec un bout de pain.

Si Adrian était là, il froncerait les sourcils. Il n'aime pas quand elle promène son pain dans son assiette, il dit que ce n'est pas chic. Depuis qu'il va à Paris, il a des idées comme ça, chic, pas chic, distingué, pas distingué.

— Pourquoi pas tout à l'heure ? insiste Tom.

— Parce que j'ai dit demain…

Georges a cessé de couper de larges tranches de pain. Il demeure silencieux et ignore son pâté.

— T'as pas faim ? dit Tom qui se verrait bien finir son assiette.

— Si… si…, répond Georges, distrait. Je pensais à autre chose.

— Et on peut savoir à quoi ? demande Stella, intriguée.

Georges se gratte la gorge, attend un instant.

— J'ai vu Zbig ce matin. Son poulailler a été visité cette nuit. Celui des Moreau, aussi. Il dit que les renards ont eu des petits et c'est pour ça qu'ils chapardent.

— C'est pas une raison ! s'exclame Suzon. Tu sais combien de poules on a perdues en une seule nuit ?

Stella lui lance un regard noir.

— Puisque je t'ai dit, ma nénette, que je l'avais fermée, la porte du poulailler. Et même à double tour si tu veux savoir…

— Alors elle s'est ouverte par enchantement devant Sa Majesté le Renard !

— Mais je te dis que c'est pas moi ! s'emporte Suzon au bord des larmes. Tiens, tu vas finir par me faire pleurer !

Elle tourne la tête, tire sur le haut de sa blouse et ravale sa peine.

— Pour faire mon col, j'ai utilisé du moulinet à six brins, dit Léonie d'une voix frissonnante. On dessine d'abord le contour à broder…

— Ils doivent apprendre à leurs petits comment chasser, poursuit Georges. C'est pour ça qu'ils font des razzias dans les fermes. Ils rapportent des poules dans leur gueule, les déposent devant les renardeaux et leur montrent comment les saisir à la gorge, les éventrer, les vider, les…

— Sont malins, les renards ! grogne Suzon, soulagée

qu'on soit passé à un autre sujet. Et c'est si bête, une poule ! Ça gratte pour chercher des vermisseaux et en grattant ça envoie des graviers et ça tue ses propres petits !

— Qu'est-ce qui te prend de nous faire un cours sur les renards et les renardeaux, Georges ? demande Stella, méfiante.

Georges, comme pris en faute, écarte les bras pour prouver sa bonne foi.

— Mais rien, je t'assure, rien. J'essayais de t'expliquer.

— Comme si je le savais pas ! C'est juste que tu mens et que tu pensais à autre chose…

— Et ensuite on remplit le contour avec des petits points bien droits, explique Léonie, c'est ça qui donne le relief…

Elle n'aime pas quand les voix montent et s'accrochent. Elle voudrait attraper une pièce à broder et se concentrer sur son fil et son aiguille.

— Et je pensais à quoi, madame Je-sais-tout ? rugit Georges en essuyant le couteau à pain sur sa cuisse.

— Ben justement, j'aimerais que tu me le dises ! Parce que tout d'un coup tu parles plus, t'as plus faim, t'as même pas touché à ton pâté ! Étonne-toi que je me pose des questions. D'habitude, vous vous battez avec Tom. Et là, comme par hasard, monsieur ne mange plus, monsieur regarde voler les mouches, monsieur me fait un cours sur la vie des renards et des renardeaux !

— Mais tu m'énerves, Stella ! Lâche-moi !

— On doit faire des points perpendiculaires au tracé, très rapprochés, dit Léonie en s'agrippant au bord de la table. On ne doit pas voir le tissu entre les points. Valérie dit que c'est le plus difficile.

La tête lui tourne, elle repart en arrière. Quand on lui criait dessus… Elle est prise dans une toile d'araignée qui l'emprisonne.

— Arrêtez de vous engueuler ! hurle Tom en observant sa grand-mère. Vous voyez pas que vous lui faites peur ? Vous êtes des gros nuls. Tout ça à cause des poules et des renards !

Stella et Georges se tournent vers Léonie qui remue la tête en gémissant.

— Excuse-moi, maman. C'est que… y a trop de trucs qui me tombent dessus et puis cette attente, cette attente…

C'est devenu une habitude d'attendre le malheur. C'est pénible de vivre ainsi.

Et si Dieu existe, comme elle le pense, pourquoi Il la met à l'épreuve tout le temps ? Il aurait été plus charitable de la laisser engluée dans sa misère, elle aurait fini par s'habituer.

— Le notaire a rappelé ce matin, dit Léonie. Je ne veux pas lui parler, Stella.

— Il t'a dit quoi, maman ?

Léonie fixe le verre devant elle. Elle passe les mains sur ses bras pour se réchauffer. Stella répète doucement sa question :

— C'est important, maman, qu'est-ce qu'il a dit ?

— Que c'était urgent. Il a bien appuyé sur ce mot-là. Et qu'il nous attendait à son bureau samedi matin à neuf heures.

— Je vais le rappeler.

Léonie laisse échapper un soupir douloureux.

Stella se tourne vers son fils.

— Et j'irai voir madame Filières demain matin. Promis. C'est juste que… Je ne sais pas… Je sens… comme si… comme si ça allait recommencer.

— Mais qu'est-ce qui va recommencer, ma nénette ? s'agace Suzon.

Son visage s'enflamme sous ses cheveux gris et sa voix monte dans les aigus :

— Il est mort, il est mort. Il va pas ressusciter !

Et la pièce s'enveloppe de silence. Le soleil glisse sur la toile cirée, effleure le beurre salé, le pain, la bouteille de vin, le fromage qui coule. Les chiens bâillent, s'étirent. Viennent s'asseoir aux pieds de Stella pour qu'elle leur lance un reste de nourriture. Leur queue balaie le sol, leur langue pend. Ils attendent.

— C'est peut-être parce qu'elle ne connaît que ça, que le malheur, finit par dire Georges doucement. Faudrait penser à lui foutre la paix, à cette petite…

Stella tourne vers lui un visage si doux, si désarmé, qu'il prend peur, baisse les yeux et sort de table.

— Ben alors… je peux finir son pâté ? demande Tom en faisant glisser l'assiette de Georges dans la sienne.

*

À la gare de Lyon, Adrian s'engouffre dans le métro. Ligne 1, direction La Défense. Les rames sont bondées, les gens pressés les uns contre les autres, les joues écrasées sur les vitres poisseuses et taguées des wagons. Ils louchent sur les plus chanceux, installés sur les banquettes, qui lisent ou font des jeux en attendant leur station.

Deux Anglaises grasses et roses, assises sur les strapontins, détaillent un guide de Paris. Elles tiennent, roulés sur leurs genoux, des sacs H & M sur lesquels elles s'appuient.

Adrian entend les gens râler contre ces mal élevées. Il espère qu'ils vont se contenir parce que sinon…

Sinon… ça n'a plus de fin, chacun y va de sa frustration, de sa colère qui, si ça se trouve, date d'hier.

Sinon lui aussi, il va se souvenir.

D'avant.

Et les souvenirs vont défiler.

Les Russes qui marchent, boudinés dans des manteaux rugueux et gris. Les femmes, rondes, rebondies. La peau, les yeux, les cheveux fatigués quand elles sont vieilles, pâles et aguicheurs quand elles sont jeunes, qu'il y a encore un peu de vie en elles, un espoir de bonheur. Les hommes, carrés, vaguement menaçants, toujours pressés, silencieux souvent.

Il repart là-bas. Dans les baraques d'Aramil ou le métro de Moscou. La même rudesse qui hérisse l'air. Une brutalité qui rappelle la répression. Quand chacun espionnait l'autre, que l'air pesait de tant de délations qu'on osait à peine respirer de peur que…

On ne savait pas exactement de quoi on avait peur.

Ou on l'avait su et on avait oublié.

La peur s'insinuait comme une odeur chaude, mauvaise. Elle transformait les gens en fourmis laborieuses et craintives qui rampaient, se dépêchaient d'aller à droite, d'aller à gauche, d'aller n'importe où.

Comme des égarés.

Ne surtout pas s'arrêter de peur que…

Sait-on vraiment où la foudre va tomber ?

L'odeur de la peur. L'odeur de la misère. Une odeur de laine mouillée, de transpiration âcre, d'urine contre le mur, de gens qui suintent l'effroi.

Ne pas dire. Surtout ne pas dire. Ne rien avouer. Ne rien montrer. Cela pourrait être retenu contre vous.

Mimer le rien, l'ignorance. Le silence. Même l'intime n'est pas certain. Rire dans sa main. Se parler tout bas le soir quand personne n'est là pour vous entendre. Dans le noir.

Comme si tout le trop-plein pouvait sortir soudain.

Un trop-plein d'égout.

Ça sent l'égout. Tout le temps. Partout. Ça se répand dans les rues, dans les lits.

Trop d'appétit, trop d'interdits.

Un appétit honteux. Il faut le refouler.

Protester, c'est montrer qu'on est encore vivant.

Tout se trame dans une immobilité lourde, menaçante.

Le danger est souterrain, il va vous péter à la gueule.

Sait-on vraiment où la foudre va tomber ?

Aujourd'hui il est fier. J'ai une famille, un métier, demain je serai riche. Il a envie d'éclabousser l'air en marchant.

Mais la peur, la honte, la pauvreté se sont incrustées dans sa peau. Parfois, il a envie de se recroqueviller et de ne plus bouger. Comme sur la banquette du dernier camion qui l'a mené en France. Allongé sous une couverture qui sentait la saumure. Il y était monté à la frontière en tenant ses chaussures. Il descendait pisser quand le chauffeur s'arrêtait pour croûter. Il faisait les poubelles des aires d'autoroute, récupérait des restes, buvait des fonds de bouteilles.

Le moindre uniforme qui arrêtait le camion lui coupait le souffle. Il entendait les voix. Rabattait la couverture et pensait à son grand-père à Aramil. Le regard plein d'amour de son grand-père. L'amour, c'est ce qui nous sauve, il se disait en s'arrêtant de respirer sous la couverture.

Et puis une dame s'énerve.

Sanglée dans un tailleur gris, la bouche renversée en mauvaise parenthèse, elle porte des lunettes rondes qui glissent sur son nez qui suinte et lui pincent les narines. Elle ronchonne et soudain, n'en pouvant plus, elle éclate :

— *Sit down,* hein ! *Sit down !* Faut pas se gêner, hein !

Les gens s'observent, sourient en coin, un mauvais sourire de meute qui espère le sang, et si elle y arrivait, elle, à les déloger des strapontins, ces deux grosses Anglaises ?

— Nan mais… *sit down*, hein ? elle vocifère. Parce que euh… *because* TROP DE MONDE !

Elle a crié les derniers mots. À bout de souffle, à bout de haine. Les doigts crispés sur la barre métallique.

L'Anglaise plus âgée, boudinée dans un pull noir, trois gros bourrelets roses qui s'échappent d'un jean taille basse, un blouson qui remonte sous les seins, se redresse, gênée, et explique à sa fille qu'il va falloir se lever. La fille, réplique exacte de la mère, s'exécute, le nez toujours collé sur le plan de Paris.

— *We didn't know*, s'excuse la mère, *I'm so sorry*[1] !

Le dragon en tailleur gris et narines pincées s'insurge :

— *YOU DID NOT KNOW* QUE VOUS PRENEZ TOUTE LA PLACE ? Ben faut vous laver les yeux, quoi !

Et elle ponctue sa dernière tirade d'un coup de menton qui fait dévaler ses lunettes sur sa maigre poitrine.

Adrian contemple les deux Anglaises qui transpirent, la dame outrée qui reprend son souffle, les passagers qui repiquent du nez. Tous serrés, tous aigris, tous malheureux d'être à l'étroit dans leur vie.

Il prend encore le métro mais bientôt ce sera fini. Il aura de l'argent, beaucoup d'argent.

Et il changera la chaudière.

La première fois qu'Adrian avait déjeuné au Fouquet's, il avait été stupéfait par le nombre de couverts posés de chaque côté de son assiette sur la nappe blanche. Il avait regardé l'argenterie, les anémones dans le petit vase, et avait failli éclater de rire.

Que de manières ! De vieilles manières qui humilient l'imprudent qui les ignore.

Embarrassé par la petite assiette où on déposait le pain. Il l'avait prise pour un beurrier. Les trois verres

---

1. « On savait pas. Je suis désolée ! »

où l'on versait l'eau et le vin. Ou l'usage qui voulait que le couteau ne coupe pas les feuilles de salade.

Il avait laissé son invité entamer chaque plat afin de l'imiter et de ne pas commettre d'impair.

Dans le train du retour vers Saint-Chaland, il s'était souvenu de la scène dans *Titanic* où Kathy Bates, il adorait cette actrice, soufflait à Leonardo DiCaprio les règles de la table : « Pour les couverts, c'est très simple, commencez par les plus éloignés de l'assiette et à chaque plat, rapprochez-vous. »

Il s'exerçait à Saint-Chaland. Étudiait le vin qui accompagnait une viande, un poisson, celui que l'on dégustait avec un fromage, un dessert, les différentes qualités de champagne, la température à laquelle on devait servir un armagnac ou une poire, la nuance entre un bourbon et un whisky. Comment déplier sa serviette et la poser sur ses genoux. S'asseoir en face de son assiette, les mains posées sur la table, les mains, pas les coudes ! Et se tenir bien droit.

Ne jamais lancer « bon appétit ! » en début de repas sous peine de passer pour un plouc. Ni attaquer son plat avant que la maîtresse de maison n'ait levé sa fourchette.

Il apprenait l'art de dresser une jolie table. Les serviettes, la nappe ou les sets, les fleurs, les bougies, la corbeille à pain, une belle salière, un moulin à poivre, une carafe d'eau étranglée, un décanteur de vin au col délié, des verres en cristal, des pierres multicolores dispersées sur la nappe, des chandelles et des bougies.

Il apprenait aussi à ne pas rouler les « r ». Il s'entraînait devant la glace en se rasant. « Groupe », « clair », «franc», «trier», «crapule», sans roulements de tambour.

Stella, au début, souriait devant ses efforts puis elle avait cessé de sourire. Et demandé pour qui il se mettait en frais.

Il n'avait pas répondu. Répondre aurait donné des indices et son plan devait rester secret.

Un soir, dans le train, il avait ouvert le journal et lu cette phrase : «Le bonheur c'est lorsque l'on découvre que l'on est capable de quelque chose dont on ne se savait pas capable.» Il avait replié le journal, fermé les yeux, pensé c'est ça ! C'est exactement ça.

Il voulait le bonheur et ne transigerait pas.

Entre aimer et haïr, il avait longtemps hésité. Non qu'il ait eu envie de pencher d'un certain côté mais il flottait, indécis, parfois bon, parfois haineux, sans réel moyen de décider.

Obrazov était arrivé et l'avait fait verser.

Obrazov voulait le tuer, lui régler son compte devant tous les mâles d'Aramil.

Après l'affrontement avec Obrazov, Adrian avait choisi d'être heureux. Le Ciel avait décidé. Le Ciel avait ordonné vas-y, mec, vas-y, tu vas gagner. Et rien que pour cela il se devait de choisir le camp du bonheur.

Il est treize heures quand il pousse la porte du restaurant, piétine dans l'entrée. Serre la poignée de son attaché-case. Son avenir va se jouer en quelques plats, en quelques heures.

Il n'a pas peur.

Obrazov avait dit : « Reculez un peu que je le dérouille. Je vais lui peler le cul. » Adrian affichait une tranquillité profonde alors que l'effroi lui vidait les boyaux. Tout était clair dans sa tête : ne pas tomber, rendre coup pour coup, laisser pisser le sang, endurer. Les yeux plissés, il avait aperçu Obrazov qui s'approchait. Il avait bandé ses muscles, enfoncé ses pieds dans la boue, bloqué sa poitrine en un solide verrou, mordu ses lèvres, reçu le coup, rendu le coup, reçu le coup, rendu le coup, il n'avait plus de nez, il n'avait plus qu'un œil, il ne distinguait plus son adversaire mais ses mains le voyaient et ses poings frappaient… Et après ? Il ne se souvenait plus. Il était reparti debout. En sang mais debout. Vacillant de stupeur. Enivré par la sinistre bizarrerie qui lui avait fait terrasser le géant d'Aramil, lui, Adrian Kosulino, un freluquet. Des pointes de feu lui traversaient le crâne. Il allait, porté par un bonheur fou qu'il ne connaissait pas.

Obrazov avait plié les genoux. Obrazov était tombé le nez dans l'argile d'Aramil.

C'est son tour. Le serveur le conduit à sa table. Face à l'accueil, une place stratégique d'où l'on voit entrer et sortir les clients, d'où l'on peut attraper le regard des hommes puissants qui fréquentent ce restaurant.

— Merci, Stéphane, il dit au garçon sans le regarder.

Il lui glisse d'un geste vif un billet de vingt euros.

— Vous désirez autre chose? demande Stéphane en s'inclinant pour remercier.

— Non, c'est parfait.

— Si votre invité avait des désirs spéciaux… je saurais le satisfaire, j'ai toutes sortes d'adresses, chuchote Stéphane.

Adrian hoche la tête, gêné. Il n'aime pas quand Stéphane devient familier.

Il aperçoit le ciel de Paris, gris, morne, dans le miroir sur le mur. Le ciel ressemble à une baleine qui dort. Les feuilles pourpres de l'automne volent à l'horizontale et tracent un sillage d'embruns roux.

Il étudie la carte, regarde sa montre, Borzinski a quinze minutes de retard, il réprime un soupir agacé, fait craquer ses phalanges, consulte ses mails, quand son œil est attiré par une jeune fille qui attend dans l'entrée.

Belle… le mot est trop petit.

Il faudrait l'agrandir, l'étirer, le remplir d'infini.

Une masse de cheveux châtains avec des reflets auburn ou blonds, il n'est pas certain, un teint de fleur antique, des sourcils épais, une bouche écarlate, des yeux qui ordonnent, une longue silhouette qui se délie dans un Burberry, des jambes qui culminent, de noires ballerines, une taille si fine qu'il l'entourerait de ses seuls doigts, un sac Prada qui pend, méprisé, à l'épaule, une moue d'altesse royale lasse des hommages, elle a, par-dessus tout, un sourire…

Il n'a jamais vu un sourire comme celui-là.

Il recule sur sa chaise et observe l'inconnue qui sourit. Sublime. Indifférente. Glaciale. Puis douce, rêveuse, tendre.

Une énigme.

Un sourire qui s'ouvre aimable, qui promet des abandons, des chansons, des édredons, des ciels rouges et noirs sur des récifs sauvages, décollage immédiat, attachez vos ceintures… vous criez oui, oui, je viens ! Vous tendez la main. Alors le sourire vous soulève, vous étreint, vous emporte jusqu'au plus haut du monde où vous volez, serein, émerveillé, déjà grisé, presque cruel… C'est vous le roi qui gronde prosternez-vous, sujets ! Laissez passer la ronde ! Mais après quelques secondes, le sourire se dérobe, s'efface, disparaît, vous jette à terre et vous vous écrasez, désemparé, balafré à jamais.

Comme si sa propriétaire, fatiguée de sa prise trop docile, cherchait une autre proie qui lui résisterait.

Un sourire qui promet la paix et déclare la guerre.

Il n'a plus de salive, demeure figé derrière la nappe blanche et le bouquet d'anémones bleues et roses.

Elle hausse un sourcil vers le maître d'hôtel.

— J'ai rendez-vous avec monsieur Carter.

L'homme, submergé par tant de féminité, tente de la prendre de haut, de rétablir sa suprématie de mâle idiot et la fait patienter.

— Je le vois. Il m'attend. Je peux y aller toute seule, vous savez. Je ne vais pas me perdre en route !

Le maître d'hôtel s'incline et la conduit à la table voisine de celle d'Adrian où un quinquagénaire en costume-cravate se lève et se présente en anglais.

L'inconnue hoche la tête, dit bonjour, verse ses lourds cheveux de droite à gauche et s'assied, ignorant les regards qui convergent vers elle.

C'est ce moment précis que choisit Borzinski pour faire son entrée. Précédé de son ventre à trois tiroirs, attifé d'un pantalon marron qui laisse bâiller la braguette, d'une chemise auréolée de sueur et d'une cravate qui prend la tangente. Adrian réprime un sourire. C'est bien le type qu'il a vu sur le site. Un mélange de hibou et de vautour. Le haut du visage avec ses petits yeux ronds et doux fait penser à l'oiseau de nuit paisible, le bas, avec un nez busqué, des lèvres minces, un menton rétracté, au carnassier. Perché sur sa branche, il attend sa proie, hulule pour la charmer et, quand elle s'approche, lui saute dessus, la dépèce, la vide puis remonte dans son arbre, guettant sa prochaine victime. Ce n'est pas un hasard s'il est entré en affaires avec Edmond Courtois. Il doit avoir une idée derrière la tête. Ce genre de mec pense toujours que son interlocuteur est stupide, qu'il n'en fera qu'une bouchée.

— Désolé, s'essouffle Borzinski en se jetant sur sa chaise, mais pas moyen d'avoir un taxi. J'ai dû marcher de mon hôtel jusqu'ici.

— Vous êtes au Plaza, n'est-ce pas ? sourit Adrian.

— Oui.

— À cinq cents mètres ?

— En effet, dit le Russe sans paraître saisir la pointe d'ironie.

Il déplie sa serviette, la coince dans le col de sa chemise, l'étale sur son ventre, s'empare du menu et grommelle :

— Vous me recommandez quoi ?

— Tout est bon. La carte est de Pierre Gagnaire, un de nos chefs les plus illustres.

Le Russe fouille le menu en s'essuyant le front.

— Vous êtes mon invité, précise Adrian.

Borzinski plaque sa main sur son ventre pour le caler entre la chaise et la table, survole la carte, se décide pour un foie gras de canard et un filet de bœuf sauce béarnaise. Adrian choisit une timbale de bulots et une sole grillée, légumes vapeur. Il consulte la carte des vins et opte pour un saint-estèphe, Château Phélan Ségur 2006.

— Ils ont un délicieux millefeuille en dessert.

— Je vois que vous êtes un habitué, s'amuse Borzinski. Monsieur connaît les bonnes tables.

Il rit, rectifie le trajet de sa cravate et ajoute plus bas :

— Et monsieur connaît des petites femmes coquines ?

Adrian secoue la tête.

— Stéphane, le garçon, saura vous renseigner…

Ils parlent russe et c'est heureux, Adrian ne voudrait pas que la belle inconnue à la table voisine entende leur échange.

— Parfait ! Je m'adresserai à lui.

Un homme entre, Adrian lui fait un signe amical de la main. L'homme lui répond par une inclination de tête.

Adrian se tourne vers Borzinski.

— C'est un client.

— Ah ! Très bien, très bien ! dit le Russe en étalant une large portion de beurre sur une tranche de pain.

Le déjeuner commence. Adrian expose son affaire, Borzinski annonce des conditions, des chiffres, Adrian les discute, Borzinski proteste, Adrian insiste. Aucun des deux ne veut lâcher.

Adrian boit une gorgée de saint-estèphe. Ce contrat est important. Edmond compte sur lui.

Chaque fois qu'un homme d'une certaine prestance entre dans le restaurant, Adrian esquisse un petit signe de la main ou de la tête et la personne, surprise, répond de la même manière. Ici tout le monde se connaît ou fait semblant de se connaître. Cela vous donne un air important, l'air d'avoir le bras long, l'accès aux ministères, aux grands patrons. Cet homme qui vous salue, vous le connaissez peut-être mais vous l'avez oublié. Inutile de le froisser. Ignorer le salut aimable de cet étranger pourrait avoir des conséquences fâcheuses. On peut le croiser dans une prochaine affaire. Autant le saluer, cela ne coûte rien.

Adrian salue, sourit, hoche la tête tout en écoutant les propos de son invité.

Borzinski continue de discuter mais de moins en moins âprement. Le manège d'Adrian l'intrigue.

Après chaque salut, Adrian se penche vers lui et reprend la conversation comme si de rien n'était. Il s'agit de vendre un lot de trois locomotives et de six wagons qu'Edmond Courtois a récupérés dans un dépôt à Auxerre. Trois grosses locomotives des années cinquante, de fort belles pièces à un fort grand prix.

— Vous êtes en affaires avec tous ces gens ?

demande Borzinski en pointant son couteau vers l'entrée.

— Pour certains, oui, répond Adrian.

Borzinski s'agite, la bouche pleine.

— Je ne parlais pas en général, je voulais savoir si…

— S'ils sont de potentiels clients pour le sujet qui nous intéresse aujourd'hui ?

— Oui, dit Borzinski en enfournant un gros morceau de steak qui gonfle sa joue droite.

— Si nous ne nous entendons pas, il se peut que je m'adresse à eux, répond Adrian en prenant un air désinvolte. J'ai vu hier un client très intéressé. Je n'ai pas conclu parce que nous déjeunions aujourd'hui mais…

— Vous m'avez dit que les locomotives étaient…

— … en excellent état. Vous pouvez en faire des pièces détachées ou les vendre telles quelles à des pays un peu… reculés.

— Vous voulez dire « retardés » ? s'esclaffe Borzinski.

Il vide son verre et attrape la bouteille pour se resservir.

— Je ne vous cache pas, reprend Adrian, que vous n'êtes pas le seul à qui…

— Oui, mais nous venons du même pays, j'ai donc priorité !

Adrian a un petit sourire et ne répond pas. Il va se contenter de rester vague jusqu'à l'arrivée de Milan, qui précipitera l'affaire comme à chaque fois.

Le Russe, échauffé par son foie gras, sa pièce de viande et le saint-estèphe, se met à parler fort, sa voix

86

détonne dans le restaurant. La belle inconnue à la table voisine tourne la tête et son sourcil se hausse. Adrian a un geste de la main pour excuser la grossièreté de son convive. L'inconnue se détourne.

Elle est belle quand elle est en colère.

— Si nous arrivons à un accord aujourd'hui, poursuit Adrian, il se peut que j'aie d'autres choses à vous proposer. Mais pour le moment, je ne veux pas en parler.

Il ne PEUT pas en parler parce qu'il ne sait pas comment il va s'organiser. Ce qui est sûr, c'est qu'il doit bouger. Celui qui ne bouge pas est mort dans deux ans. Oui, deux ans. Mais bouger comment ? Se mettre à son compte ou s'associer ? Et sur quelles bases ?

— Vous ne voulez pas en parler à moi ou à monsieur Courtois ?

L'homme est malin. Il a compris.

— Ce n'est pas ce que j'ai dit, répond Adrian, sur la défensive.

— Mais c'est tout comme, tranche Borzinski. Je pourrais devenir un partenaire intéressant. On se comprend. Vous avez un pied ici, j'ai de l'argent. Beaucoup d'argent. Le monde de la ferraille est en train de sombrer, de nouveaux produits émergent. Ceux qui se positionnent aujourd'hui seront les gagnants. Il va falloir investir. Trouver des marchés. Mordre un peu la ligne… oh, pas beaucoup, mais un peu quand même.

Il parle comme s'il lisait dans la tête d'Adrian.

Il s'essuie la bouche, a un petit renvoi qu'il étouffe dans sa serviette et insiste :

— Vous allez me faire un prix pour les trois locomotives si je les paie comptant ?

— Ça ne dépend pas de moi. Je ne suis pas à mon compte dans cette affaire.

Adrian regarde sa montre : quatorze heures quinze. Milan va arriver.

Et Milan fait son entrée.

Il n'entre pas, il déboule.

Il donne son manteau à la fille du vestiaire. Essuie ses chaussures à bouts pointus sur son pantalon. Tire sur les manches de sa chemise pour cacher le tatouage *Life is a joke*[1] qui entoure son poignet gauche.

Aperçoit Adrian, lève le bras vers lui.

Marche vers la table, s'arrête et, ignorant Borzinski, s'adresse à Adrian en russe :

— Dites donc… après qu'on s'est vus l'autre soir, j'ai trouvé des clampins à qui fourguer les locos et les wagons… Vous me lâchez pas ? On est toujours d'accord ?

Adrian se gratte la gorge. Jette un coup d'œil à Borzinski.

— C'est qui, lui ? demande Milan.

— Un client, répond Adrian, laconique.

— Pas pour les locomotives ? Vous me les avez promises.

Adrian ne répond pas.

Milan le prend par le bras et le force à le regarder.

---

1. « La vie est une blague. »

— Répondez-moi. Pas pour les locomotives ?

Adrian se dégage et, d'une voix ferme :

— Je vous présente monsieur Borzinski. Il vient de Moscou.

Milan fait un rapide signe de tête à Borzinski puis se retourne vers Adrian.

— On a presque signé l'autre soir. Vous êtes pas en train de me baiser ?

— Je n'ai pas le temps de vous parler, je suis occupé.

— J'ai déjà trois clients sur le coup. Trois clients ! Vous comprenez ?

Après chaque phrase, il lève les yeux sur ses interlocuteurs pour vérifier que ses mots font leur effet.

— Vous allez quand même pas me trahir avec ce gros lard ! il lâche dans un rictus.

— Monsieur Borzinski parle russe et vous comprend parfaitement, le coupe Adrian.

— Mes clients sont des grosses pointures, deux en Afrique du Sud et un au Zimbabwe. Ils sont prêts à me payer en or et en diamants. Je leur ai dit que j'avais la marchandise, je suis clair, non ?

Adrian se tourne vers Borzinski.

— Je vous prie de l'excuser, il ne sait pas ce qu'il…

— Qu'est-ce qu'il a de plus que moi ? s'emporte Milan. Il les paie combien, les locos ?

— Cela ne sert à rien de s'énerver. De toute façon, je n'ai pas encore conclu avec monsieur Borzinski.

Adrian a prononcé ces mots avec un grand sourire. Borzinski flaire le danger. Balance sa carcasse en avant, bloque le bras d'Adrian.

— Erreur, mon cher ami. Nous venions juste de nous mettre d'accord quand ce type est arrivé…

— Et à quel prix ? Je peux savoir ? demande Milan en posant un poing sur la nappe blanche.

— Au double du vôtre, répond Borzinski d'une voix ferme.

Adrian le regarde, étonné, et murmure entre ses dents :

— Vous pouvez payer ce prix-là ?

— Je veux me débarrasser de ce type. Je vous donne le double et on n'en parle plus.

Milan, emporté par son jeu, fulmine et s'éponge le front, mimant le désespoir.

— Mais c'est pas possible ! C'est pas possible !

— L'affaire est close, dit Adrian. On n'avait rien signé et monsieur Borzinski a des arguments plus séduisants.

— Vous me revaudrez ça ! jure Milan.

— Je meurs de peur, sourit Adrian.

Milan baisse la tête et part en pestant.

Il file s'asseoir à une table dans le salon rouge. On n'aperçoit plus que son dos. Il va se commander un steak, du foie gras, une bonne bouteille, il prendra deux desserts. Et fera mettre l'addition sur le compte d'Adrian.

Borzinski le suit des yeux et murmure :

— C'est curieux, je ne l'ai jamais croisé. Il est du métier ? Il vient d'où ?

— Je ne sais pas, dit Adrian en tendant le bras pour appeler le garçon et faire diversion. Vous prendrez un dessert ?

— Sa tête ne me dit rien…

— J'ai déjà traité avec lui, il paie toujours bien et comptant. Ce n'est pas un mauvais bougre. Un peu grossier, peut-être.

— Il faudra que je me renseigne, dit Borzinski. Comment s'appelle-t-il?

— Excusez-moi, dit Adrian en se levant, j'ai aperçu quelqu'un à qui je dois parler… J'en ai pour une minute…

Il se dirige vers une table au fond de la salle, proche de l'escalier qui mène aux toilettes, et disparaît à la vue de Borzinski. Il emprunte l'escalier, s'arrête entre deux marches, laisse passer quelques minutes. Le temps que Borzinski oublie sa question. Inutile qu'il apprenne le nom de Milan. Il pourrait faire une enquête et découvrir le pot aux roses.

Il regarde sa montre. Affaire bouclée. Il va pouvoir prendre le train de dix-sept heures dix pour Sens.

Il aura le temps de passer par le hangar.

Borzinski observe la salle. Il cherche Stéphane des yeux afin qu'il lui trouve une fille pour le soir. De préférence blonde et grasse. Les maigres ne sucent pas bien et font les mijaurées. Faut les tenir par la nuque. Il a payé un peu cher ces trois locomotives, mais le produit est rare et il le revendra avec un beau bénéfice. Cet homme, ce Russe virulent, avait l'air un peu fou. Il le comprend. Lui non plus n'aimerait pas se faire doubler. Il est bien, ce Kosulino, il ne s'affole pas. Il l'a bien recadré, le Russe fou.

Le garçon lui présente un millefeuille.

— Monsieur Kosulino m'a demandé de vous faire goûter notre spécialité… un millefeuille maison aux fruits rouges et…

Borzinski l'interrompt:

— C'est vous, Stéphane ?

— Non. C'est le garçon là-bas.

— Vous pouvez me l'envoyer ?

Appuyé contre le mur, dans l'escalier, Adrian réfléchit.

Il va falloir qu'il mette au point un autre stratagème. Cela fait plusieurs fois que Milan et lui jouent le même texte : surprise, indignation, colère. Milan en fait trop. Il sonne faux. Changer de tactique. Inventer autre chose.

Sans froisser Milan.

Il s'est habitué à cet argent facile. Il est de plus en plus exigeant sur la qualité de ses cigares, de ses costards, de ses chaussures pointues. Il veut déménager, s'installer dans les beaux quartiers. « Tu comprends, je me verrais bien fonder une famille. Moi aussi, j'ai mes papiers. »

Milan, il l'a connu quand il crevait de faim. Qu'il vivait en clandestin. Ils faisaient les mêmes chantiers, attendaient le même Père Noël : leurs papiers. Ils avaient le dos, les bras, les cuisses démontés par les travaux. Ils habitaient une petite chambre où tenaient à grand-peine leurs deux matelas, un micro-ondes et un évier. Au mur, il y avait quatre crochets pour y suspendre leurs vêtements.

C'était il n'y a pas si longtemps.

Et si ce qu'ils ont partagé n'était pas le bonheur, c'est un semblant de passé, un semblant de famille, quelque chose qui ressemble à un lien et ça lui fait du bien.

Adrian passe la main sur son visage et grimace. Il doit lancer sa propre affaire. Il en a marre d'être l'employé d'Edmond Courtois, même s'il se persuade que ce n'est pas contre Edmond qu'il veut agir.

Ni tout à fait AVEC Edmond.

Il ne sait pas. Ça tourne dans sa tête et il n'a pas de réponse. Ça le rend dingue. Il faut qu'il trouve une solution. Ça devient urgent.

Il possède l'emplacement, le hangar, le broyeur. Il a ACHETÉ un broyeur. Il ne lui reste plus qu'à embaucher des gars. De nouveaux marchés s'ouvrent tous les jours, Edmond Courtois ne les voit pas. Il garde ses réflexes passés alors qu'il faut aménager le futur.

Anticiper.

Seule solution : se lancer dans d'autres filières comme le recyclage du plastique, du bois, du carton, des métaux non ferreux. Dans ces domaines on peut réaliser de belles opérations. À condition de bouger MAINTENANT. Les grands groupes ont compris, ils investissent à tour de bras.

Mais en a-t-il VRAIMENT parlé à Edmond ? Ou seulement du bout des lèvres ? De peur qu'il dise oui et qu'il soit obligé de l'associer...

Borzinski connaît les marchés, les débouchés en Russie. Et pas seulement ! Il a des contacts en Inde et en Asie. Des péniches qui partent vers l'Europe débordantes de jouets à deux balles, de camelote, de petit matériel électrique. Des péniches remplies à ras bord dans les ports indiens, chinois, vietnamiens et qui reviennent vides. On pourrait les charger de déchets de bois, de plastique, de papiers triés et exporter. EXPORTER. Tout ça sans dépenser un sou !

Adrian a acheté un broyeur pour traiter le plastique. En mordant la ligne… BEAUCOUP.

Il en a commandé un pour le bois. Celui-là n'est pas payé.

Il aimerait bien en installer un troisième pour le carton et le papier…

Il soupire, mordille l'ongle de son pouce. Regarde sa montre. Borzinski a dû dévorer son millefeuille aux fruits rouges.

C'est alors qu'il aperçoit la belle inconnue au sourire qui promet la paix et déclare la guerre.

Elle descend les marches, l'oreille collée au téléphone, les sourcils noués en un petit nœud furieux.

— Il est lourd, lourd ! Il est si puissant qué ça ?

Elle souffle, dégoûtée.

— J'en ai marre d'avoir des mecs qui me contrôlent. J'ai déjà Sisteron qui me scrute comme si j'allais plonger les deux mains dans la caisse et vous voler. Oui je sais, il fait ça par fidélité envers vous, mais… Sisteron plus Carter plus qui encore ? Vous n'avez pas confiance en moi, Elena ? Faut le dire tout de suite…

Adrian, amusé, s'efface pour la laisser passer. Il se plaque contre le mur. Elle l'ignore, lui donne un coup de sac en passant. Il repousse le sac. Elle l'ignore encore, fait un geste pour bloquer la lanière qui glisse de l'épaule, son téléphone s'échappe, elle se penche en avant, tente de le rattraper, perd l'équilibre, bascule, pousse un cri, lance une main vers Adrian. Adrian l'attrape, la hisse, la remet debout. Respire l'odeur de son parfum. Chaud, poivré, ondulant tel un drap parfumé.

— Lâchez-moi ! Pour qui vous prenez-vous ?

Elle ouvre grands des yeux de femme offensée et ses cheveux balaient son visage.

— Pour un homme qui vous a évité une grosse chute.

— C'est vous donner beaucoup d'importance !

Il la relâche sans la prévenir. Elle dégringole quelques marches, se rattrape au mur, reprend ses esprits, se retourne et le foudroie.

— Mais j'aurais pu me tuer !

Il ne rit pas car il la désire déjà.

Il lui tourne le dos et remonte l'escalier.

— Quel goujat ! s'exclame la jeune fille.

— Appelez ça comme vous voulez ! il lance, sans se retourner.

Le désir s'est invité dans la pénombre de l'escalier, il s'est posé sur leurs têtes, les a rapprochés d'un coup d'aile léger puis s'est envolé, insouciant, comme s'il leur revenait de continuer l'histoire.

Il vient de mettre un point final à la vente des trois locomotives et des six wagons, il a multiplié par deux le chiffre prévu en bas du contrat par Edmond, lorsqu'une fille, un bonbon dans un manteau rose et orange à carreaux violets, s'approche de la table voisine où la belle inconnue est venue se rasseoir et s'exclame :

— Hortense ! Hortense ! *You're in Paris !*

Hortense. C'est le prénom du sourire.

Qui ne sourit plus et grince, énervé :

— Apparemment.

— *You! Here!*

— Oui. Circulez. Suis pas la tour Eiffel.

Adrian sourit et prie pour que l'Américaine ne comprenne pas le français.

— *Oh! That's divine! I want to see you. Let's have coffee together! When do you want to meet*[1] *?*

— Jamais.

— *What did you say*[2] *?*

Le sourire ne prend pas la peine de répondre, se tourne vers l'homme à sa table et lui déclare :

— Je vais réfléchir. Réfléchissez de votre côté. Mais il faudra que vous me laissiez libre. Totalement libre. Je n'ai plus d'idées si on me surveille. Vous comprenez ?

L'homme la regarde comme s'il n'avait pas tout saisi mais il acquiesce.

— Et si je ne dessine pas chaque jour, si je n'invente pas une robe, un bouton, une manière de fermer une veste, je suis comme un poisson rouge sur la moquette. C'est ma vie. C'est comme ça. Ce n'est pas négociable.

La voix de l'inconnue a changé, elle supplie.

L'homme écoute, étonné par le tremblement dans la voix et le poisson rouge sur la moquette. Il bredouille oui, oui pour la rassurer. Elle le regarde, méfiante. Se lève. L'homme écarte sa chaise, lui serre la main.

———————————

1. « Oh ! C'est génial ! Voyons-nous. Prenons un café ensemble, d'accord ? Quand veux-tu qu'on se retrouve ? »

2. « Qu'est-ce que tu dis ? »

L'Américaine dans son manteau rose, orange, à carreaux violets regarde s'éloigner celle qu'elle avait crue être une amie.

— *Those French people... So rude*[1] *!*

Le sourire a entendu. Il se retourne et réplique :

— Je ne parle pas aux gens habillés en bonbons.

Adrian sourit.

Il n'y a qu'à Paris que les filles ont d'aussi longues jambes et des répliques aussi cinglantes.

*

C'est le début des cours de l'après-midi.

Les enfants qui ont déjeuné à la cantine grattent dans leur poche un reste de pain, de Vache qui rit, un abricot sec, et le mâchent cachés derrière leur main. Ceux qui ont déjeuné chez eux ouvrent leur cahier, l'aplatissent, sortent un Bic de leur trousse et guettent la consigne du professeur. Il flotte dans la classe une odeur de chauffage, de fromage et de transpiration. Certains attendent bien droits, d'autres gribouillent sur leurs genoux des mots qui voleront dans le dos du professeur et décideront des activités d'après la classe.

Le téléphone portable est interdit à l'intérieur de l'école.

Madame Filières pousse la porte, suivie d'une petite fille au visage à l'ovale parfait, aux cheveux longs, lisses, brun foncé, qui tombent en rideau sur un col roulé noir et un bras en écharpe.

------

1. « Ces Français... Si mal élevés ! »

— Madame Mondrichon, dit madame Filières, je vous présente Dakota. Dakota Cooper. Elle va rejoindre votre classe. Elle arrive de New York…

Madame Filières a prononcé New York comme si la nouvelle débarquait de la Lune avec des bottes d'astronaute et un seau rempli d'étoiles filantes.

Elle fait une pause et reprend :

— Elle a commencé ses études en France avant de partir deux ans aux États-Unis. Il faudra l'aider à rattraper son retard, mais ce sera facile, Dakota a de bonnes connaissances et une grande intelligence.

À ces mots, la moitié de la classe ricane, un murmure enfle qui bourdonne, *telligence, telligence, telligence*. Madame Filières s'immobilise et roule des yeux furieux.

— Je vous demande de faire un bon accueil à notre petite Dakota !

Dakota Cooper se tient aux côtés de madame Filières. Un nez de chat, des sourcils haut plantés qui fuient vers les tempes et donnent au visage un air asiatique, des yeux noirs, des pommettes saillantes, et la bouche…

Une bouche rouge aux lèvres bien pleines qui tranche sur un visage pâle. Une bouche dont les coins s'abaissent ou se relèvent, exprimant l'ennui, la surprise, la distance, l'indifférence ou l'amusement mesuré.

Elle porte une jupe noire à larges plis, courte, qui volette, des collants noirs, des mocassins noirs à semelles épaisses. Elle est en deuil ou quoi ? se demande Tom qui se trouve soudain crétin dans son tee-shirt *Reinvent Yourself*, pourtant son préféré.

— Et de lui faire une place dans la classe, insiste madame Filières.

— Mais bien sûr ! répond madame Mondrichon. Justement nous étions en train de faire une rédaction. Dakota, viens t'asseoir au premier rang à côté de Marius et toi, Marius, donne-lui une feuille blanche et un stylo.

Marius, indigné, se rebiffe :

— Un Bic, madame, je ne prête jamais mon stylo plume. Il est fait à ma main. C'est personnel, un stylo plume !

— Comme tu veux…

— J'ai déjà un stylo, dit la nouvelle d'une voix calme.

Madame Filières suit des yeux Dakota Cooper, la regarde s'installer à côté de Marius, sortir de son cartable une trousse siglée Hermès, un stylo Waterman dont elle dévisse le capuchon de sa seule main droite.

— Tu es prête, Dakota ? demande madame Mondrichon tout en calculant le prix de la trousse et du stylo.

— Oui, madame, répond la petite fille.

— Reprenons donc l'exercice, la consigne est : « Vous avez perdu un objet que vous aimiez beaucoup, décrivez-le en employant trois mots qui ne vous sont pas familiers et que vous soulignerez. » Vous avez le droit de les chercher dans le dictionnaire. Vous disposez de quinze minutes.

Se tournant vers Dakota :

— Tu veux que je te prête un dictionnaire, Dakota ?

— Non merci, madame, j'ai tout dans ma tête.

La rumeur reprend dans la classe, *danssatête*,

danssatête, danssatête, et madame Filières, les doigts crispés autour des boutons de son cardigan bleu marine, s'emporte :

— Si vous continuez, vous serez collés samedi après-midi.

La rumeur s'arrête et les élèves plongent dans leur rédaction.

Madame Filières se retire, non sans avoir chuchoté quelques mots à madame Mondrichon, dont chaque élève tente de saisir le sens. Ceux du premier rang attrapent des fragments, « affreux drame », « départ aux États-Unis », « famille détruite », « passé à cicatriser », « pauvre enfant », « faire son possible ».

Dakota n'entend pas.

Penchée sur sa copie, elle écrit. Souligne trois mots. Relit. Sa bouche tremble un peu. Elle repose son stylo, le rebouche. Le replace dans la trousse.

Et pose son bras en écharpe sur le bureau.

Autour d'elle, les élèves tirent la langue, ébouriffent leurs cheveux, se curent le nez, se grattent les joues, zyeutent la copie de leur voisin, feuillettent leur dictionnaire et regardent avec envie Dakota qui a fini.

Madame Mondrichon frappe dans ses mains et signale que le temps est écoulé. Demande à Matteo de relever les copies. Des cris fusent mais j'ai pas fini ! C'est abuser, madame !

Matteo arrache les feuilles des mains des plus récalcitrants.

Tom tend sa copie. Il meurt d'envie de savoir ce

que la nouvelle a écrit. Mord son poing en pensant très fort pourvu qu'on lui demande de lire ! Pourvu qu'on lui demande de lire !

Et ça marche.

Dakota Cooper monte sur l'estrade.

Prend sa feuille entre les doigts de sa main droite.

Le foulard qui retient son bras gauche est un carré en soie dans les tons bleus, verts où sont imprimés des canards, un étang, des herbes sauvages, des rochers. On entend l'eau clapoter, les canards cancaner, les herbes bruisser sous le vent qui ride l'étang. Le foulard chatoie sous la lumière qui traverse la classe et habille l'enfant de luxe et de beauté. Les élèves se taisent, impressionnés.

— Vas-y, Dakota, nous t'écoutons, dit madame Mondrichon en essayant de se rappeler le prix d'un carré Hermès.

Un silence se fait. Pas tout à fait hostile mais inamical. C'est qui, cette fille qui arrive en cours d'année et se tient sans rougir ni trembler devant la classe ? Elle se prend pour qui ?

Tom ferme les poings sous son bureau. La nouvelle joue gros. Elle peut imposer le respect comme déchaîner l'hilarité et les moqueries.

Son regard se vide et se remplit, se vide et se remplit comme si elle respirait par les yeux.

Il a le sentiment qu'elle nettoie l'air autour d'elle. Elle inspire, pose sa voix et commence :

— « Il était rose pâle, bleu et violet, rouge orangé. Un peu nacré, un peu doux, un peu râpé. Il portait tout le temps avec lui des photos de beaux garçons. De vraies splendeurs gréco-romaines. Des Adonis, des mélomanes, des dieux sortis de l'Olympe que Zeus,

101

jaloux, avait précipités aux Enfers dans la barque du terrible Charon, le passeur sans visage et sans âge. Tout en façade, il avait des boutons. Des boutons de toutes les couleurs. Avec des algues et des coquillages. Je tenais beaucoup à lui. Il était tout pour moi. On ne se quittait même pas d'une semelle. Il connaissait ma vie de A à Z. Je lui confiais tout. Un jour, pas si lointain que ça, il m'a brisé le cœur. C'était chez Bloomingdale's, un après-midi de juillet étouffant, humide. Je m'en suis rendu compte quand je l'ai cherché dans mon pantalon. Je l'ai cherché dans toutes mes poches les plus profondes, les plus secrètes. Saperlipopette, il avait disparu. Sacré journal intime. »

Le silence se prolonge. Certains élèves, découragés, soupirent c'est pas d'jeu, m'dame ! D'autres ont la bouche ronde de surprise, semblant dire mais elle vient d'où, cette fille ?

— C'est très bien, Dakota, dit madame Mondrichon, troublée. Et maintenant tu peux nous écrire au tableau les trois mots que tu as soulignés et que tu ignorais…

— Je les connaissais mais je ne les emploie pas souvent, rectifie Dakota.

— Écris donc les mots au tableau.

Dakota prend le morceau de craie et écrit « gré-co-romaines », « Zeus », « saperlipopette ».

— Et tu en connais le sens bien sûr ?

— Oui. Puisque je les ai écrits.

Madame Mondrichon déglutit et prie d'autres enfants de venir au tableau.

À la fin des cours, les élèves se répandent sur le

trottoir en groupes bruyants. Il y a ceux qui guettent un parent, ceux que personne n'attend et qui traînent, ceux qui échangent des images, des vidéos sur leur portable avant de regagner la maison.

Tom appelle sa mère. Il rentrera en car. Il y a un arrêt pas loin de la ferme et un bus cinq minutes après chaque heure jusqu'à vingt heures. Pas la peine qu'elle vienne le chercher.

— Je risque de rentrer tard. Tu fais tes devoirs pour demain, ok ?

— Oui. Comme d'hab. Salut !

Tom observe Dakota. Elle s'éloigne en balançant sa jupe noire à larges plis. Ses cheveux suivent la cadence.

Une fille s'énerve en soulevant une frange qui s'accroche à ses cils.

— Ma mère je lui ai dit, jamais je rentre ma chemise dans mon pantalon. MISKINE !

Sa copine approuve, la mine dévastée.

— Elle est grave, ta mère !

— La honte quand même, la honte !

— Le mec de ma sœur, il est trop classe. L'autre soir, ils sont sortis, ils ont fait la teuf eh ben… En rentrant, dans la voiture, il lui a tenu les cheveux pour qu'elle vomisse par la fenêtre.

— Il voulait pas qu'elle salisse sa caisse, c'est tout !

— Non ! Non ! Elle dit que c'est de l'amour. Parce que après il l'a embrassée. Moi, je le trouve trop chou.

— Il est pas dégoûté.

Tom joue des coudes pour se retrouver à la hauteur de Dakota et l'aborde.

— C'était ouf, ton texte !

— Merci.

— Moi, c'est Tom.

— Salut, Tom !

Elle lui décoche un sourire que dément le sérieux de ses yeux. Deux flaques d'encre noire aussi troubles que le fond d'un étang. Tom ne sait pas s'il doit regarder le sourire, les yeux ou les pommettes rondes, un peu saillantes. Le visage de cette fille change tout le temps.

Mila et Noa arrivent à leur niveau et les bousculent.

— Ça va, les amoureux ? s'esclaffe Noa.

— T'y vas fort ! piaille Mila. Ils se connaissent pas.

— C'est que je suis sychologue ! Je devine sans savoir.

Mila est une petite blonde façon sucre d'orge qui rougit dès qu'on la regarde. Asthmatique, elle respire par saccades en se cachant derrière ses doigts. On dirait un ventilateur qui traîne une pale cassée. Parfois sa respiration s'embrouille et elle perd pied. Elle bat des mains, la bouche grande ouverte, mais ça bloque et elle s'étouffe. Il faut l'allonger, lui faire respirer une petite bouteille de vinaigre fort qu'elle garde toujours dans sa poche.

Tom a entendu dire par le médecin du collège que c'était cyclosomatique, que la petite avait peur de respirer à pleins poumons, son père est un homme violent qui fait souvent la tournée des beignes. Elle a son compte comme ses frères et sœurs.

Noa a des yeux noirs, deux grains de raisin, les cheveux frisés, un long tee-shirt *Fly Emirates* et une casquette d'Antoine Griezmann qu'il porte sur le côté. Il sait écrire son nom mais inverse tous les chiffres. Il est passé en sixième après avoir redoublé le CM1 et le CM2. Il s'en moque, plus tard il sera footballeur. Il n'a pas besoin de l'école. Il mise sur la bonne volonté des profs. Je leur rendrai au centuple, il affirme, comme s'il distribuait déjà des places pour l'équipe de France au Mondial de foot.

— T'as vu mes pompes, Dakota ? il lance.

Les baskets rouge et noir sont signées Jordan sur la languette blanche.

— Cent quatre-vingts euros ! C'est dingue, non ? Ça en jette.

Dakota sourit poliment.

Noa sort son portable et les prend en photo.

— Tu prends des photos de tes chaussures ? s'étonne Dakota.

— Je les mets sur Facebook. Pour mes potes.

— Ils s'intéressent à tes chaussures ?

Noa tarde à répondre, décontenancé :

— Ben… oui.

— Moi, je ferais plutôt des photos de mes amis, dit Dakota.

— Mes parents, y veulent pas. Ils disent que Facebook, c'est dangereux.

— Et tu as demandé la permission aux parents de tes baskets ? dit Dakota.

Noa marque le coup. Fronce les sourcils. Consulte Mila du regard pour qu'elle lui confirme que cette fille est dingue, rumine un instant et conclut, soulagé :

— Ben, t'es tarée, toi ! Et tu postes quoi sur Facebook ?

— Je n'ai pas Facebook.

— Euh… t'as pas Facebook ?

Il se donne des coups sur la tête.

— T'as un iPhone ?

— Je n'ai pas de téléphone portable.

— Oh ! La meuf ! Elle est imbattable.

Il n'arrive plus à refermer la bouche tellement il est étonné.

— Je n'ai pas de portable, je n'ai pas Facebook et je vais très bien.

— T'es débile, quoi !

— C'est ton avis, ce n'est pas le mien.

Noa ne sait plus que répondre. Il cherche un soutien mais Tom et Mila sont trop occupés à dévisager Dakota qui remet son foulard en place, se masse la nuque, lisse ses cheveux. J'aimerais tant lui ressembler, pense Mila. J'aurais la force de tous les envoyer péter et j'aurais plus jamais peur. Cette fille est une extraterrestre, se dit Tom. On n'a même pas pensé à lui demander ce qu'elle avait au bras. Elle ressemble à personne. Elle va se faire démolir dans la cour de récré. Il voudrait déjà la protéger.

Il se rapproche d'elle. Son col roulé noir a une odeur d'herbe coupée. Il étend le bras, mine de rien, va pour le poser sur les épaules de Dakota, mine de rien, pour montrer aux deux autres qu'il faudra compter avec lui… lorsque la nouvelle fait un truc de dingue.

Un truc qui leur retourne les tripes.

Il est dix-sept heures. Le ciel bleu-gris de novembre commence lentement à s'éteindre, le soleil disparaît derrière des filaments de nuages, un petit vent pousse les feuilles mortes en faisant un bruit de balayette étouffé. Les immeubles se teintent de rouge et de doré. Ils attendent tous les quatre que le feu passe au rouge, qu'ils puissent traverser le cours Jean-Jaurès. Noa ne peut s'empêcher de reluquer le spécimen qui vit sans Facebook ni téléphone et a un rictus de pitié. Mila se demande si Dakota a déjà des seins, et si oui, si ça fait mal quand ça pousse, Tom ne sait plus quoi faire du bras qu'il a tendu et qui le rend parfaitement idiot. Il le ramène, se gratte la tête, est sur le point de poser une question sur New York lorsque la nouvelle, d'un mouvement ample, spec-taculaire, rejette la tête en arrière, pointe le menton vers le ciel, reste un instant immobile, renversée, puis redresse la tête et, les paupières closes, gronde d'une voix sépulcrale :

— Et maintenant, *ladies and gentlemen*, tenez votre cœur à deux mains, avalez votre salive, il va y avoir du terrible, du stupéfiant, de l'extraordinaire, vous allez assister à un spectacle que vous n'avez encore jamais vu…

Elle étend le bras, allonge une main aux doigts cro-chus, se voûte, rentre la tête dans les épaules, joue la bossue maléfique. Oscille d'avant en arrière. Devient fil de fer, sorcière en ombre chinoise.

Ils la contemplent, mal à l'aise.

— Le spectre d'une morte vivante ! elle lâche dans un râle.

Elle rouvre brusquement les yeux, ne laissant appa-raître que deux globes vitreux. Deux taches blan-châtres, aqueuses, avec des filaments argentés. Les yeux d'un spectre ! Elle ricane, lacère l'air, fait des cercles avec son cou, émet un grognement funèbre et les trois gamins se pétrifient sur le trottoir. Mila suffoque. Noa étend le bras pour toucher Dakota, s'assurer qu'elle est bien vivante. Tom a reculé d'un pas et la dévisage.

Puis, quand elle est sûre de son effet, sûre d'avoir frappé les esprits, elle rouvre les yeux, éclate de rire et lance :

— Je vous ai bien eus, hein ?

Mila ventile. Noa, méfiant, la scrute en cherchant le truc. Tom aimerait bien dire quelque chose, mais ne trouve rien.

Dakota va semer la panique dans la cour de récré.

Dans le car qui le ramène à la ferme, il s'est installé à l'avant, juste derrière le chauffeur, et réfléchit.

Pourquoi y a-t-il des femmes qui inspirent le respect et d'autres qui se laissent marcher sur les pieds ? Il aimerait bien savoir. Mila et Dakota, par exemple. Deux filles, le même âge, la même taille, l'une a peur tout le temps et doit se faire tabasser à la maison, l'autre dicte sa loi et se fiche du qu'en-dira-t-on. Encore une question qui restera sans réponse. Stella dira je sais pas, c'est une rédaction pour l'école ? Son père haussera les épaules. Suzon répliquera mets la table et coupe le pain ! Et Léonie…

Léonie.

Sa tête est pleine de trous qu'elle essaie de colmater. Le soir avant de se coucher, elle tire les trois verrous qu'elle a fait poser sur la porte de sa chambre. Elle claque des dents, elle a le sang glacé. Elle dort avec la lampe allumée et une bouillotte dans les bras.

Mais elle répond toujours à ses questions.

Adrian a essayé de la faire conduire mais dès qu'il fait un geste brusque, qu'il lève la main pour lui montrer comment tourner le volant ou mettre le clignotant, elle lâche tout et se protège de ses deux bras, la tête dans les épaules. Mais je vais pas te battre, Léonie ! Tu conduisais avant, ça devrait revenir, c'est comme la bicyclette ! Alors écoute-moi, fais-moi confiance et ne panique pas. On recommence ?

Rien à faire. Elle se précipite hors de la voiture et s'enferme dans sa chambre derrière ses trois verrous.

Pour se rassurer, elle brode, elle coud, elle colle, elle reprise et Tom la regarde faire. Elle est si mignonne, sa grand-mère. Elle raconte ses souvenirs. Du temps où elle était jeune, où elle allait à l'université, au cinéma avec des garçons et dans les fêtes foraines.

Un forain, un soir, lui avait offert une rose en papier bleu. Il avait une boucle à l'oreille gauche, on aurait dit un pirate.

Tom peut tout lui demander, elle ne proteste jamais.

— T'as jamais eu envie de t'évader quand tu étais mariée ?

Ce soir-là, ils regardaient *La Grande Évasion* à la télé. Steve McQueen revenait de sa dix-septième tentative d'évasion. Tranquille, le sourire aux lèvres, son gant et sa balle de base-ball dans la main. Cool. Si cool.

— Avec Steve McQueen ? avait souri Léonie. Il est joli garçon.

Elle dit «joli» quand elle parle d'un homme séduisant.

Elle avait enlevé ses lunettes, les essuyait sur le revers de sa manche.

— Je n'avais plus beaucoup de forces pour m'évader. Je ne sais pas comment il fait, lui, pour ne pas être détruit.

— Ben… tu t'en es sortie, finalement.

— Parce que Ray est mort et que Fernande, on l'a enfermée.

— Bien fait pour elle ! C'est une salope, cette femme.

— Ne dis pas ça. Ce n'est pas joli dans la bouche d'un petit garçon.

— Mais c'est la vérité !

— Tu crois que je devrais aller la voir ?

Fernande est dans une maison de retraite à Saint-Cyr-la-Rivière, à trente kilomètres de Saint-Chaland. Elle avait mis de l'argent de côté pour ses vieux jours. Elle paie sa pension à chaque mois dû. Elle ne veut pas de visites, pas de chat, pas de chien, pas de petit-fils qui viendrait lui soutirer de l'argent. Elle refuse qu'on fasse sa toilette ou qu'on la coiffe. Elle prend un bain le vendredi matin. Toute seule. Ce n'est pas parce que je suis cul-de-jatte qu'il faut me traiter comme une infirme ! Elle marche sur les mains, enveloppée dans un édredon. Interdiction d'y toucher ! Va bien falloir le donner à nettoyer un jour, madame Valenti ! Elle saute sur les chaises, le lit, un tabouret, on dirait une guenon. Elle porte hiver comme été un bonnet gris en crochet. Elle a toujours mal aux jambes qu'on lui a coupées. Elle ne s'habitue pas. Elle regarde la télé et attend que son fils revienne. Parce qu'il n'est pas mort bien sûr. Elle a de ses nouvelles. Par qui ? Elle ne le dira pas. Mais elle sait ce qu'elle sait. Il a rusé. Il a sauté dans le feu et a disparu à la barbe de ceux qui lui cherchaient des noises. C'est un malin, mon Raymond ! Quand il reviendra, ils partiront ensemble. Le seul qu'elle reçoit parfois, c'est le notaire. Ah si ! Il y a cette dame. Une grande femme avec de grosses lunettes en écaille, un long imper beige, un foulard qui lui cache le visage. On ne sait pas qui c'est, elle ne laisse pas son nom à l'entrée. Fernande et elle ont de longs conciliabules.

Défense d'entrer dans la chambre.

— Arrête, Léonie ! Tu veux lui rendre visite ? Après tout ce qu'elle t'a fait !

— Je suis bête, hein ?

Un pleur s'étranglait dans sa gorge.

Il jouait avec sa main, appuyait sur les grosses veines bleues qui en sillonnaient le dos. Ça faisait comme des spaghettis trop cuits qui s'écrasaient sous ses doigts.

— Je suis pas très maligne, tu sais. Fernande et Ray, ils me le répétaient tout le temps, et moi, je les croyais. On finit toujours par ressembler à ce que les gens disent de vous.

Steve McQueen, poursuivi par des soldats nazis, se jetait à moto dans des barbelés.

— Tu trouves pas qu'il ressemble à papa ? avait dit Tom.

Et comme Léonie semblait partie dans ses pensées, il avait insisté :

— On dirait vraiment papa. La même manière de

marcher, le même petit sourire, le même regard qui envoie du lourd. Papa est cool aussi. Et il s'est évadé de Russie !

Léonie avait cligné des yeux et poursuivi :

— Tu sais, Tom, la première fois qu'on essaie de te rabaisser, la première fois qu'on te frappe, qu'on te fait du mal, il faut partir. Tout de suite. Après, c'est trop tard. C'est la première fois qui compte, c'est elle qui décide de toute ta vie.

— Et ça marche dans le sens inverse ? il avait demandé en espérant que Steve McQueen ne meure pas sous le feu des mitraillettes.

— Comment ça, dans le sens inverse ?

— Imagine. Tu fais un truc pas terrible. Un truc dont t'es pas fier, qui te fait carrément honte... Ça peut arriver, non ?

Léonie avait hoché la tête.

— Est-ce que tu deviens un salaud pour toujours ? Parce que tu l'as fait UNE fois ?

Léonie n'avait pas su répondre.

Les soldats allemands avaient rattrapé Steve McQueen, ensanglanté, dans les barbelés. Il allait encore être jeté au cachot, mais il souriait et avançait en jetant sa balle de baseball en l'air.

Ce soir-là, Tom avait eu un mal fou à s'endormir.

Il avait peur de devenir un salaud. C'est vrai, il se disait, il suffit d'UNE FOIS, d'une seule fois, pour être un salaud toute sa vie. Et si on ne le fait pas exprès ? Si c'est parce qu'on a la trouille ou qu'on est lâche ? Est-ce que ça compte aussi ?

Le lendemain, à la sortie des cours, il se promet

d'approcher Dakota et de ne pas la lâcher. Il appelle sa mère, lui dit qu'il rentrera en car. Elle dit encore ! Mais qu'est-ce que tu fais après l'école ?

— Rien du tout. Mais je suis grand maintenant, je peux rentrer seul…

Ça arrange Stella, elle doit aller faire le plein à Carrefour.

— D'accord. Mais tu ne traînes pas. Et tu fais tes devoirs. Je vais faire des courses. Tu veux que je te rapporte des crevettes roses ?

Tom dit oui pour lui faire plaisir. Elle s'est mis dans la tête qu'il aimait les crevettes parce qu'un jour il en a repris deux fois à table.

La petite jupe noire à larges plis trottine devant lui. Il court et la rattrape avant qu'elle ne traverse.

— T'habites loin d'ici ? il demande à Dakota.

— Non. Au 19, cours de la République.

— C'est un beau quartier…

Il a honte de son blouson, de son cartable, il pense beau quartier, vie dorée, grosse berline avec vitres fumées, père aux affaires, mère qui serpente dans les instituts de beauté et se parfume de la tête aux pieds.

— T'habites où, toi ? demande Dakota.

— Dans une ferme, à cinq bornes.

— T'aimes bien ?

Il ne s'est jamais posé la question.

— Ben… c'est là que j'habite, il dit, penaud.

Elle lui lance un coup d'œil rapide. Ça fait presque un bruit de ciseaux dans l'air, coupe, coupe. Elle doit le trouver idiot.

— C'est comment New York ? il demande pour se rattraper.

— Tu n'y es jamais allé ?

Encore une fois, elle le découpe de l'œil. Est-ce que, lorsqu'une fille vous impressionne, on se sent toujours bête ?

— Vas-y, c'est comment ?

— On ne peut pas décrire, elle déclare en haussant les épaules. Ce n'est pas seulement une chose, c'est un million de choses. On se croirait au cinéma tout le temps.

Il songe au cinéma de Saint-Chaland qui a fermé. Derrière les grilles cadenassées s'amoncellent prospectus, cannettes, mégots, détritus. Un couple de SDF dort devant, enveloppé dans des cartons.

— Saint-Chaland, il suffit de trois, quatre mots, mais New York... il faudrait un dictionnaire.

Elle soupire, ajoute à voix basse :

— Si je suis revenue ici, c'est parce que j'étais obligée.

Il n'ose pas demander obligée pourquoi ? Cette fille est très forte pour éteindre les questions.

Il se tait et la regarde de biais.

Ses épaules se sont affaissées, sa bouche tombe, flétrie. Son nez semble perdu comme s'il n'était plus au milieu de la figure. Tout s'est déplacé. Elle est devenue laide, amère. Presque mauvaise. On dirait une vieille femme sans dents qui mendie un bol de riz.

Ça peut s'évaporer comme ça, la beauté ? Je la regarde, elle est belle, je tourne la tête et la regarde à nouveau, elle est moche.

Encore un tour de magie.

Ils marchent en silence jusqu'à une imposante maison blanche derrière une longue grille noire.

— C'est ta maison ?

— Oui, elle dit, sans enthousiasme.

— Elle est belle.

Elle a une moue indifférente.

— Si, si, elle est très belle ! Et le jardin… il est immense ! C'est ton père qui l'entretient ?

Elle sourit avec indulgence, coupe, coupe !

— Pas vraiment.

Il a encore dû dire une bêtise. Il se penche, scrute la maison à travers les grilles et s'exclame :

— Et cette sculpture !

Il montre du doigt un cheval en fer qui se cabre, tout en plaques, ressorts, tiges, couvercles rouillés, la crinière hérissée de lames tranchantes. Un cow-boy le monte, les jambes tendues en avant.

— Ouaouh ! J'ai jamais vu une sculpture comme ça !

— Parce que tu cours les expos, toi ?

Le ton est ironique, presque méchant.

— Je la déteste, cette sculpture, elle ajoute tout bas.

Une petite voix dans la tête de Tom lui ordonne de décamper. Quelque chose ne va pas. Ça vient de lui ou ça vient d'elle ?

— Faut que je me grouille, je vais louper le car. À demain !

Il tire sur son col, sur ses manches, croise les bras, les décroise. Il a l'air con dans ce blouson. Il faudra qu'il demande à sa mère de lui en acheter un nouveau.

Elle ne voudra jamais. Elle dit qu'ils n'ont pas d'argent. N'empêche que… S'il avait une parka Goose, noire, sans col de fourrure, ça fait gonzesse, il pourrait marcher, désinvolte, les pouces dans les poches. Ce serait archi-dar. Il serait Steve McQueen, point barre.

Et là, en un éclair, tout s'accélère.

Dakota s'approche de lui, se hausse sur la pointe des pieds, le parfum d'herbe coupée lui tourne la tête, elle ferme les yeux et l'embrasse. Un baiser lent, presque savant.

Avec la langue.

C'est délicieux, c'est voluptueux, ça fait du chaud et du froid dans la nuque, les côtes, le ventre, son sexe devient dur. Il tend les bras pour la coller contre lui, mais elle s'est échappée. A ouvert la lourde grille noire, l'a claquée.

Elle court vers la maison, monte les escaliers, s'arrête au milieu des marches, se retourne.

Il s'appuie contre la grille, s'accroche aux barreaux. Elle l'a embrassé. Quelle fille ! Mais quelle fille ! Imbattable !

Elle envoie valdinguer son cartable. Se tord sur le côté, se tord de l'autre côté. Monte, descend les marches.

Se fige.

Elle va faire quoi ?

Faire pousser des cornes de gazelle sur son crâne, se draper dans une queue de sirène ?

Il aperçoit une lueur dans ses yeux qui le défient. Tout est en ordre, bien rangé dans son visage, le nez si mignon et la bouche… On dirait qu'elle a mis du rouge sur sa bouche. Elle est tellement belle qu'il se mord la lèvre pour vérifier qu'il ne rêve pas.

Encore un baiser avec la langue, encore !

Ils se regardent de loin et jouent au sémaphore. Leurs bras et leurs jambes balancent de gauche à droite, de droite à gauche, et une, et deux, et trois, ils jouent à se dire ce qu'ils ne savent pas. S'étouffent de rire dans leurs mains. Vas-y devine, devine ! Vas-y, tu es si belle, vas-y ! Et je te plais comme ça ? Et comme ça ? Et comme ça ? Et ton baiser c'était ouf ! Trop dingue ! Ils s'étouffent, gonflent leurs poumons, se frappent la poitrine…

Et puis… un coup de freins.

Dakota s'immobilise.

Au garde-à-vous. Raide, concentrée, elle fait un petit signe de la tête pour demander tu es prêt ? J'y vais ?

Oui, oui, il répond en levant le pouce, vas-y, Dakota, fais-moi le soldat tas de boue dans la jungle, le tourniquet de la fortune, le lapin qui se prend pour un requin, j'achète tout !

Oh ! Comme je voudrais que tu m'embrasses encore…

Avec la langue.

Elle montre son bras gauche de son index droit, pince le bout de sa main gauche, tire, tire avec un grand sourire, glisse son bras gauche hors du foulard.

Un gant blanc apparaît, puis une gaze délicate qui enveloppe la main gauche.

Le gant et la gaze tombent à terre, Dakota les repousse du pied, souriante, désinvolte. Elle se redresse, fait un tour de passe-passe et brandit…

Une main sans doigts ou presque, un bras qui finit en moignon violacé, un ou deux doigts mutilés telles des griffes de lézard calciné. Il ne voit pas bien, il est trop loin.

Il ouvre grand les yeux, ses bras retombent le long du corps.

Elle le regarde. Esquisse un dernier pas de danse plus lent, presque compassé.

— À demain, Tom !

Elle lui décoche un sourire à la fois triste et complice qui n'a plus rien d'un sourire de petite fille.

La jupe noire vole, volette sur les marches de l'escalier et disparaît.

Juste avant qu'elle ne tire sur le gant blanc, il s'apprêtait à crier :

— Hé ! Dakota… Tu veux sortir avec moi ?

Alors ils scanderaient dans la classe TOM EST AMOUREUX, TOM EST AMOUREUX, TOM EST AMOUREUX, ils mimeraient des bouches qui embrassent, des singes qui se grattent, ils claqueraient des baisers-succions, feraient voler des bonbons, des crayons, je les connais, il va falloir les affronter, peut-être même les cogner pour que maximum respect.

Juste avant qu'elle ne tire sur son gant blanc, son cœur se décrochait à l'idée qu'elle lui réponde non.

Elle avait tiré sur le gant blanc et tout s'était embrouillé. Il avait la tête farcie de sens interdits.

Cette fille lui donne des points de côté. Il s'essouffle à la suivre. Ça fait à peine un jour qu'il la connaît et il est complètement déglingué.

Il court pour attraper le car. Faut pas que je le rate, faut pas que je le rate ! Stella fera la tête toute la soirée, on peut pas compter sur toi, t'es un bébé, rien qu'un bébé. La colère de sa mère enfle et gronde, il court, il court, arrive à l'arrêt alors que le car déboîte, se jette sur la route, se jette sous les roues, le car pile, la porte s'ouvre…
Sauvé !

Et le truc s'affiche clair et net dans sa tête.
Plus de sens interdits ni de tintamarre. Ça déboule. Évident. Dans un éclair.
Il l'aime. Oui, oui, il l'aime.
Il veut recommencer le baiser.

Demain il lui posera la question :
— Dakota, est-ce que tu veux sortir avec moi ?
Tu vas avoir sacrément besoin de moi. T'es klaxonnée comme fille, une hors-la-loi. Regarde Éloi. Parce qu'il est gros et gras, on lui donne des coups dans les tibias dans les escaliers. Demande-lui de retrousser son jogging et tu verras. Alors toi… avec tes rédacs de ouf, tes yeux de vampire et ta main d'estropiée… ils vont pas te louper. Pince de crabe, patte d'araignée,

Capitaine Crochet, mets ta moufle, ta main gauche va s'enrhumer ! Tu vas pas y échapper. Je serai là. Le premier qui te touchera, il finira en décalcomanie sur la chaussée, promis.

Il n'a pas eu le temps de bien regarder sa main. Pas le temps ou pas envie ? Il ne sait pas. Il préfère quand il y a le gant blanc. Mais à bien y réfléchir, il s'en fiche.

C'est peut-être comme ça que les choses arrivent. Le matin on est un et puis, en début d'après-midi, la directrice pousse la porte de la classe, une fille entre et on est deux. On s'attend à l'entrée du collège, on monte les escaliers en s'effleurant, on se guette dans la classe, on se retrouve à la récré et le ventre fait des nœuds serrés.

C'est la première fois qu'une fille lui brouille la vue.

Il se sent à côté de la plaque, dans une sorte d'attente, de vague à l'âme un peu euphorique, un peu douloureux.

Peut-être qu'elle fait le coup du gant blanc à chaque garçon qu'elle rencontre ? Peut-être que sa main n'a pas de pince de crabe pour de bon ? Peut-être que tout ça n'est qu'une mise en scène pour l'impressionner ?

Comme les yeux de la morte vivante.

Ou le baiser avec la langue.

Il lève les yeux. Le soleil blanc se noie dans le ciel gris mouillé, l'air tremble et devient buée. Une lumière froide éclaire la campagne. Demain il va pleuvoir, le temps fraîchira. Stella dira qu'il faut rentrer du pain pour les ânes et de la paille pour les tortues, Suzon

120

cueillera les derniers haricots, Georges fera des rangées d'oignons pour l'hiver.

Demain il lui posera la question.

— Hé ! Dakota, tu veux sortir avec moi ?

Oui, non, non, oui.

Il n'aurait jamais cru qu'un seul mot pourrait le rendre aussi incroyablement heureux ou incroyablement triste.

*

— Bonjour, madame Valenti !

— Bonjour, madame Bauduron.

Les deux femmes se retrouvent près des rangées de caddies. Il tombe une pluie fine, subtile qui mouille sans que l'on songe à s'en protéger. Sur le parking, on entend le bruit des chariots qui grincent, des voix impatientes qui stridulent dépêche-toi, mais dépêche-toi, des portières de voiture qui claquent. Stella a garé le Kangoo rouge entre deux voitures dont l'une est recouverte de stickers avec des têtes de mort et des tibias entrecroisés. Elle a laissé les chiens à la ferme. Il fait nuit, l'ampoule du lampadaire au-dessus de l'abri à caddies a grillé.

— On dirait qu'ils le font exprès, dit madame Bauduron, c'est toujours ce lampadaire-là qui n'éclaire pas et c'est pile celui dont on a besoin ! J'y comprends rien.

Stella se demande si tout comprendre rend les choses plus simples à vivre. Elle n'en est pas certaine.

Madame Bauduron fouille dans son porte-monnaie à la recherche d'une pièce.

— C'est vraiment pas facile quand on n'y voit rien !

Stella glisse un jeton en plastique et décroche un caddie.

— Tout va bien, madame Valenti ?

— Tout va très bien, merci.

Madame Bauduron marque une petite pause, comme pour montrer sa surprise que Stella aille bien, puis elle reprend d'une voix mielleuse :

— J'organise un goûter pour mon fils, Fabrice, demain en fin d'après-midi. Je m'y prends un peu tard mais… Il a invité votre Tom, il me semble.

— Tom ne m'a rien dit.

— Fabrice l'aime énormément.

— C'est gentil.

— Tom vous ressemble beaucoup, vous savez…

C'est mon fils, pense Stella, il a de fortes chances de me ressembler. Est-ce que je dois la rassurer ou l'ignorer ?

Elle sourit et hoche la tête comme si elle remerciait du compliment.

— J'ai une liste longue comme le bras, soupire madame Bauduron. Je vais leur faire une ribambelle de gâteaux et leur acheter du Coca… Ils devraient être contents.

— Sûrement ! Bonne chance, madame Bauduron. Je vous laisse, je suis pressée.

À peine aimable, rumine madame Bauduron, et puis cette salopette orange ! Parce qu'elle est grande et mince, elle croit qu'elle peut tout se permettre. En tout cas, elle n'a pas l'air d'être au courant. J'aurais pu lui en toucher un mot, mais elle s'est défilée. Tant mieux ! C'est vrai quoi, ce n'est pas à moi de la

122

prévenir. Zut alors ! Je n'ai pas de pièce ! Je croyais que j'en avais laissé une dans le cendrier de la voiture. C'est toujours quand on les cherche qu'on les trouve pas, celles-là !

Stella pousse le chariot dans les allées du supermarché. Elle tient à la main une liste de courses rédigée par Suzon. Pâtes, riz, beurre, huile, vinaigre, sucre, farine, Cif ammoniaqué, éponges, Sopalin, Kleenex, biscottes sans sel pour Georges, crèmes brûlées pour Suzon, huile d'olive, céréales et patati et patata. Rien que le nécessaire, pas de superflu.

J'aimerais remplir mon caddie de superflu. Faire les courses sans regarder les étiquettes ni les promotions.

Si un jour j'ai de l'argent, j'achèterai du superflu.

Si un jour j'ai de l'argent à moi, parce que je ne veux pas toucher à celui laissé par Ray Valenti. Celui-là, c'est pour maman. Des dommages et intérêts en quelque sorte. Il faut juste qu'elle apprenne à le dépenser. Elle ne sait pas encore. Elle a pris rendez-vous à la banque. Tout cet argent… Ce n'est pas évident quand ça vous tombe dessus.

Ma pelote, je me la fais en douce. Personne ne le sait. J'y vais deux fois par mois et je repars avec des billets plein les poches. Des grosses liasses de billets qui me battent les cuisses. Ça tient chaud. C'est ma revanche.

Pourquoi le notaire veut-il nous voir de toute urgence ?

L'autre soir, alors qu'Adrian s'endormait, qu'elle se penchait sur lui et respirait une odeur de dentifrice, elle lui a murmuré à l'oreille j'aime les hommes pauvres dehors, riches dedans, pas le contraire.

Il s'est retourné et a grommelé bonne nuit.

Il dit qu'elle manque d'ambition, que lui, il veut boire du champagne sur Mars.

Elle demande pourquoi tu ne lis plus des grammaires et des dictionnaires, pourquoi tu ne cueilles plus de perce-neige le matin avant de partir travailler ? Tu les déposais sur le capot de mon camion…

Tu t'en souviens ?

Quand il dort, il a sur le visage un air furieux. Comme s'il en voulait aux montagnes. Au ciel et aux volcans. Tout ce qui est plus grand, plus terrible que lui. Je le regarde dormir, je tombe dans son enfance. Et je comprends tout.

Comprendre, ce peut être une chose formidable.

Il ne faut pas qu'elle oublie les sacs de pain sec pour les animaux. Benjamin les met de côté pour elle. Sept euros le sac de quinze kilos. Juste après le rayon «Aliments pour chiens et chats». Au fond du magasin.

Elle les aperçoit au loin. Trois gros sacs posés à terre. Il n'a pas oublié. Elle aurait dû prendre deux chariots, ça ne tiendra jamais dans un seul ou il va falloir qu'elle fasse des miracles.

Une femme passe devant les sacs et lui dissimule à moitié la pancarte qui affiche le prix. Mince, fluette, coquette, elle porte un jean taille haute, c'est la mode il paraît, une petite veste bleu marine, un foulard à pois autour du cou. Très chic. Elle a la nuque et les tempes très blondes, rasées, une touffe de cheveux sur le dessus. Comme moi, avant. Je parie qu'elle a un chat. Elle ne remplit pas son chariot. Elle vit seule.

J'aime imaginer la vie des gens. Ça me repose.

Stella fait les courses le soir quand le magasin est presque vide. Les derniers clients errent sous les hauts plafonds et lisent les étiquettes. Ils cherchent à tuer le temps. Personne ne les attend. Au rayon boucherie-charcuterie on commence à ranger les saucisses, les terrines, les pâtés en croûte, les marmites de tripes, on rince l'étal au jet. Le boucher porte de grosses bottes grises, un tablier blanc maculé de sang, il nettoie ses couteaux, pensif. Dans les haut-parleurs, les annonces résonnent dans le vide et rebondissent, il n'y a plus de corps pour absorber les sons. On se croirait sur le blanc d'une banquise avec des néons en guise de soleil.

Son chariot se remplit, sa tête se vide. Elle passe devant le poissonnier. Il a des cils si longs, si recourbés qu'on raconte qu'il se maquille.

Stella le connaît. C'est un ancien marin qui a choisi la terre. Il voulait emmener ses deux gamins au foot et leur faire réciter leurs leçons.

Elle se place derrière deux femmes qui ont commandé des soles et attendent qu'il les leur prépare.

— Vous enlevez la peau, hein ? dit l'une. Des deux côtés. J'aime pas la peau, c'est visqueux. Et puis, c'est gras.

Les crevettes roses sont en promotion. Elle va en

prendre une grosse poignée par personne. Tom en raffole. Suzon aussi.

— … je vais te dire une chose, déclare la grande brune avec des lunettes papillon et un rose à lèvres fuchsia, un homme qui a trompé sa femme une fois la trompera dix fois, cent fois.

— Tu dis ça pour moi? réplique sa copine, piquée au vif.

— Non. Pour moi.

— Gégé te trompe?

— Une fois et c'est pour ça que…

— Tu te méfies?

— L'homme suit sa queue, c'est bien connu.

Est-ce que je me méfie? Avant je ne me méfiais pas. Mais depuis qu'Adrian va à Paris pour affaires… Quelles affaires d'abord? Et pourquoi si souvent? Elle se gratte un sourcil, tire sur un poil. Cligne des yeux sous le néon blafard qui écrase les poissons. Le lit de glaçons bave sur les côtés. Ça m'énerve le soin qu'il met à sa tenue, l'attention qu'il porte à la table, aux couverts, aux fleurs, aux bonnes manières. Je ne fais pas partie de ce monde-là, moi.

Et j'en suis fière.

Menteuse, elle se reprend. Menteuse!

Dis plutôt que tu ne te sens pas à la hauteur avec tes bottes de chantier et ta salopette orange. Tu envies ces filles qui se faufilent dans des jupes crayon, trottinent sur des hauts talons, aussi à l'aise que dans une paire de pantoufles. Et les ongles vernis! Et les longs cheveux qui balancent à droite, à gauche, à droite, à gauche ! Et le teint parfait, et la bouche qui rit, et les dents bien alignées, la taille étranglée.

Comment fait-on pour leur ressembler ?

Ce sont les mères qui chuchotent le secret à leurs petites filles ? Les pères qui proclament ma fille, ma beauté, mon amour adoré… ?

Ou ce sont les vitamines au petit-déjeuner ? Le bon beurre salé, les châteaux de famille, la peau abricot d'une ancêtre, le poignet en dentelle d'une autre, les cuillères en argent, les chauffeurs en uniforme, les bals sous les lambris, les chandeliers, les garçons qui rient et déposent sur vos lèvres une trace de baiser. Si distingués, si légers, si…

Tu meurs d'envie de devenir une de ces femmes.

Mais il est où, le mode d'emploi ?

Tu achètes des journaux, des magazines, tu repères chez Sephora, tu commandes sur Internet, tu fais des essais devant la glace. Et tu jettes tout. Tu traînes sur le blog d'Hortense Cortès. Tu as repéré son adresse dans le *Elle*. Ses tee-shirts sont canon, mais chers. Très chers. Tu en achèterais bien un ou deux.

Pour lui plaire ?
Pour lui plaire.

Elle hausse les épaules et chasse cette pensée. La tromperie, c'est quand l'âme de l'être aimé ne vous regarde plus, qu'elle va voir ailleurs. Le corps lui emboîte le pas. C'est l'âme qui dirige. C'est elle qu'il faut soigner quand on aime. Peut-être qu'elles ne savent pas, ces deux femmes-là, qu'elles ont une âme ?

— Je voudrais six grosses poignées de crevettes roses, s'il vous plaît.

Le poissonnier baisse les cils, plonge une petite pelle blanche dans les crevettes, les verse dans la balance. Pèse, affiche le prix, demande ce sera tout ? Sourit.

Un sourire chaud d'homme gourmand.

— Treize euros dix, madame Valenti.

Elle froisse sa liste, la jette au fond du caddie.

Ce soir, Stéphanie est à la caisse.

Elles sont allées au collège ensemble. Stéphanie a connu l'épisode de la surdité de Stella. Quand Ray Valenti lui avait crevé les tympans. Stella avait appris à lire sur les lèvres. Une simple question d'adresse, elle se vantait, et puis comme ça je n'entends que le silence et je le remplis à ma convenance. Un jour, à la piscine, en sautant du plus haut plongeoir, droite comme un bâton de berger et le nez pincé, elle avait entendu une détonation dans ses tympans et le son était revenu. Le docteur parlait de miracle, voulait faire une déclaration à l'Académie de médecine. Ray Valenti s'y était opposé. Il n'avait pas intérêt à ce qu'on sache qu'il la battait comme plâtre. Stella avait gardé de cet épisode le don de lire sur les lèvres.

C'est utile, parfois.

En seconde, Stéphanie était partie faire un CAP de vente et techniques de vente. Elle frimait en se laquant les ongles, la présentation, c'est très important dans ces métiers-là. Parlait de polyvalence, de gestion de stocks, de stratégie marchande, de phases de commercialisation. Amina se moquait. Assurait qu'elle n'avait qu'une demi-cervelle d'hirondelle, qu'elle allait vendre son cul, c'était tout vu. Et encore au rabais. Les deux filles se battaient. Il fallait appeler un prof pour les séparer.

Stéphanie était copine avec Violette, toutes deux se montaient la tête en soulevant leur tee-shirt quand passaient les garçons.

Aujourd'hui encore, quand Amina fait ses courses à Carrefour, elle évite la caisse où s'avachit Stéphanie.

Stéphanie n'a plus de nouvelles de Violette. Je ne l'intéresse plus, elle soupire, je suis caissière à Carrefour. Y a rien à tirer d'une caissière. Après la mort de Ray Valenti, elle est repartie à Paris, c'est tout ce que je sais. Peut-être qu'un jour on aura des nouvelles...

Elle n'a pas l'air d'y croire beaucoup.

Elle tente d'aligner les courses que balancent trois types en se tirant des coups dans les côtes, en poussant des cris et des jurons. Elle lève les yeux au ciel et Stella lit sur ses lèvres c'est exactement pour ça que j'aime pas faire les nocturnes.

Les mecs s'échauffent, sautent sur place, frappent la paume de leurs mains de leurs poings.

— On va péter le record !

— On va se mettre mal, mais mal !

— Ils ont rien vu à Honolulu !

Sur le tapis roulant déboule le contenu de leur caddie. Cordons-bleus congelés, gnocchis à poêler, fromage à raclette Lustucru, Viennois Nestlé, petits chèvres à dorer, pain de mie, Haribo Tirlibibi, Monster Munch, packs de bière.

Devant eux, la petite dame pimpante en jean taille haute range ses courses dans un sac isotherme beige.

— Vise l'allumette ! Y a rien à bouffer !

— J'y tremperais pas la belette !

— Hé, les mecs, déconnez pas ! s'exclame le troisième.

Il fléchit les genoux, s'empoigne les couilles à pleines mains, éclate de rire et Stella aperçoit trois plombages noirs dans ses molaires.

— C'est pas une meuf, c'est une tapette !

— QUOOOOOI ! hurle le plus balèze aux bras tatoués de trois vipères vertes. Arrête ! Deux doigts dans la bouche !

La petite dame se retourne et les fusille du regard. Elle porte des lunettes cerclées jaunes, son teint est blafard sous les néons. Les joues creuses, le nez bien dessiné, les sourcils très pâles. Sa nuque rose, blonde, est marbrée de plaques rouges. Ses joues s'enflamment. Ses mains tremblent. Ses poignets sont si fins qu'elle a du mal à soulever son pack d'eau. Elle pose les bouteilles sur le dessus du caddie et s'apprête à partir quand un des mecs tend la jambe et balance un coup dans les roulettes du chariot qui file droit vers un panneau vantant Noël à la neige, les sapins et les raclettes.

— Salue le Père Noël pour nous, Blanche-Neige, branle-lui le gland !

— Tarlouse ! Enculé ! Suceur de bites !

— Décampe ou on t'encule à sec avec du sable !

— Très classe, le vocabulaire ! leur dit Stella, appuyée sur le chariot, les coudes à plat sur les sacs de pain sec. Vous touchez et vous aurez affaire à moi. Ça me ferait même plaisir.

Elle a parlé d'une voix calme sur le ton d'une mère qui lirait la composition d'une sauce tomate aux poivrons à son enfant que le mot « poivron » terrifie.

Les trois hommes la jaugent, rigolards.

La petite dame a redressé son caddie avant qu'il heurte les sapins et la raclette. Elle hoche la tête en direction de Stella pour la remercier, esquisse un sourire qui embue ses lunettes, son visage exprime la crainte que les trois hommes se ravisent et se ruent sur elle. Elle pousse sur la barre du chariot et s'éloigne le plus vite possible.

Les types la regardent partir en jurant putain, c'est un mec ! C'est pas une gonzesse ! C'est dingue !

Stella dans leur dos s'adresse en langage muet à Stéphanie.

— C'est un homme ou une femme ? elle articule.

— Un homme, répond Stéphanie, l'imitant.

— Un homme ? s'étonne Stella.

— Ouais ! dit Stéphanie en roulant des yeux exorbités. Il a du fond de teint et de l'eye-liner.

Les mecs se retournent vers Stella, défont leur ceinture, tirent sur leur jean pour sortir les billets de leur poche.

— Putain ! J'y arrive pas ! Sont coincés au fond, grogne le tatoué aux trois vipères.

— Vas-y, fous-toi à poil, ça leur fera voir du paysage, à ces gonzesses !

Stella intervient :

— Bon, ça va comme ça ! Guignol, c'est terminé, vous payez et vous vous tirez, sinon je vais chercher la sécurité.

Stéphanie lui fait signe, laisse tomber, laisse tomber.

— Oh ! La meuf ! Comme elle se la joue !

— Madame a du poil au menton !

— Et une bite dans le calebar !

— Tu me fais la vahiné ? grasseye le mec aux plombages noirs en se collant contre Stella et en remuant le bassin.

Stella ne bouge pas.

— Dégage, connard.

— Ouaouh ! Mort de rire ! Répète un peu !

— T'as entendu, p'tite bite ?

Les deux autres s'étouffent de rire et crachent :

— Dis donc, elle te connaît bien ! Oh la vache !

P'tite Bite voit rouge et se jette sur Stella.

— Je vais te massacrer la gueule !

Stella lui saisit le bras, le tord.

— Qu'est-ce que t'attends ? Vas-y.

Elle s'est redressée de toute sa taille. Un mètre quatre-vingts et des bottes de chantier qui écrasent les pieds du type.

Il grimace, vacille, mais se retient de gémir devant ses copains.

— Laissez-la s'amuser ! il chuinte entre ses dents. Elle doit avoir ses règles, ça les rend grognons !

Stella lève un genou et le frappe entre les jambes.

Il pousse un hurlement, tombe à terre.

Stella regarde les deux autres dans les yeux, lui monte dessus, le piétine, puis le repousse d'un coup de botte.

— Cassez-vous ! Et revenez pas. Je vous préviens, je suis armée.

Elle se tourne vers Stéphanie et ajoute :

— Faut toujours prévenir avant de tirer. C'est la loi.

Elle met la main dans la poche droite de sa salopette et caresse le long tournevis qu'elle a pris le matin. Les types observent la protubérance menaçante, se consultent du regard, font glisser les courses dans le caddie, paient et disparaissent en faisant des doigts d'honneur.

La petite dame s'est arrêtée devant les grandes portes vitrées où est écrit SORTIE. Elle a tout observé.

Elle tourne les talons et s'enfuit.

Stéphanie dévisage Stella, stupéfaite.

— C'est vrai ? elle bredouille. T'es armée ?

Stella éclate de rire.

— Même pas en rêve ! Tu les connais, ces mecs ?

— Jamais vus !

— Et la petite dame ?

— Non plus. Mais je suis sûre que c'est un mec. Elle a de la barbe.

— Ça existe, les femmes à barbe !

— Tout existe, soupire Stéphanie. Les cinglés pullulent.

Stella sourit en vidant son chariot sur le tapis roulant.

— T'as jamais peur, toi ! dit Stéphanie, admirative. Quand t'étais petite déjà, t'avais pas peur…

— Je le montrais pas, mais je pétais de trouille.

— Tu cachais bien ton jeu… C'était à cause de Ray Valenti ?

— Il me facilitait pas la vie, c'est sûr.

— Ça doit te faire chier alors…

— Sa mort ? Non. Ça m'a laissée totalement indifférente.

— Non. Le collège !

— Quoi, le collège ?

— Ben… qu'il porte son nom. C'est gonflé ! Parce que Ray Valenti, tout de même… on pouvait trouver mieux !

— Qu'est-ce que tu racontes ?

— T'es pas au courant ?

— Mais de quoi ?

Stéphanie lorgne sur la poche de Stella. Et s'il y avait un flingue ? Avec elle, tout est possible.

— Stéphanie, ça va ! C'est pas un flingue…

Stella sort le tournevis, le pose sur le tapis de la caisse.

— Vas-y, déballe. C'est quoi, cette blague ?

Elle n'a pas voulu lire le journal que lui tendait Stéphanie, tiens, lis-le, je l'ai gardé pour la recette de la pissaladière. Elle n'a pas jeté les yeux sur l'article, de peur de donner vie à la rumeur infâme. Si je ne VOIS pas, ça n'existe pas. Il n'y a pas de preuves. On ne pourra pas me convaincre.

Elle a demandé à Stéphanie de lui lire l'article à voix haute.

Et Stéphanie a lu.

Le nom du collège, l'inauguration, la fanfare, les majorettes, les pompiers en uniforme avec leurs camions rouges, leurs lances à incendie, monsieur le maire, monsieur le préfet, monsieur le député, madame Filières, la directrice. C'est elle qui a proposé le nom de Ray Valenti. Monsieur le maire a approuvé, Ray Valenti était un pompier de premier ordre.

La circulation sera bloquée ce jour-là. On ne sait pas encore quel jour aura lieu l'inauguration mais on a tout prévu. Il ne devait pas y avoir une seule fausse note pour ce jour si beau.

Le jour du héros.

Le jour de Ray Valenti.

Stella a écouté, les hanches collées contre le rebord de la caisse numéro 9, les mains appuyées sur le tapis.

Voûtée. Tassée. Vaincue.

Le malheur était revenu.

*

Dans le car, Tom regarde défiler le paysage, la joue contre la vitre froide. Quand le car accélère, la vitre tremble et il ressent des frissons jusque dans les molaires. Il a le front brûlant, deux tenailles dans le crâne. Il relève le col de son blouson si moche. Pour Noël, il demandera à sa mère de lui payer un Goose, c'est décidé. Elle voudra jamais, tu sais combien ça coûte ? Autant danser la bourrée sur une biscotte sans la casser ! Elle est très forte pour donner la réplique. Ça l'énerve et, en même temps, il en est fier.

Il cassera sa tirelire. Un cochonnet en porcelaine que lui a acheté Suzon quand il avait quatre ans. Il n'a jamais eu envie de mettre des sous dedans. Donner des sous à un cochon ! Faut être con, non ? Suzon s'en chargeait. À chaque dent de lait. Ou bulletin honorable à l'école.

La nuit tombe comme une eau grise qui noie les arbres, les maisons, les églises. Dans les phares du car, il aperçoit un lapin qui court dans un champ en dehors des sillons. Il fait des bonds, monte et redescend, étourdi, file se cacher à la lisière de la forêt. C'est ouf, j'ai l'impression qu'il s'est passé dix ans depuis hier. Il regarde son reflet dans la vitre, se demande si son nez, ses oreilles ont poussé, se frotte les yeux. Putain ! Cette fille ! Elle a ouvert une succursale à son nom dans ma tête. Je vais y penser tout le temps !

— Tu vas à l'anniv de Fabrice Bauduron ? demande Léonardo Di Souza en se laissant tomber sur le siège à côté de lui.

Léonardo habite au croisement de la route du cimetière et de celle de la Vennerie. Tom ne répond pas. Léonardo porte un appareil dentaire avec élastiques et postillonne à tout-va. Il frime parce qu'il s'appelle comme DiCaprio mais il faut aller la chercher, la ressemblance ! Dix kilos en trop et les cheveux bruns, frisés tire-bouchon.

— T'as pas reçu son SMS ? insiste Léonardo.

— Si, dit Tom, le visage tourné vers la fenêtre.

Dakota ne lui enverra jamais de SMS. Comment va-t-il pouvoir lui parler ? En mettant des mots dans sa trousse ? En écrivant des lettres ? Ça s'achète où, les timbres ?

— Et t'as répondu quoi ? C'est demain. Paraît qu'il a des jeux de ouf !

— Ça dépendra…

— De quoi ?

De Dakota. Mais il se tait. Et si elle lui demandait de la raccompagner jusqu'à la maison blanche derrière la grille ? Et si elle l'embrassait avec la…

— La mère de Fabrice, putain, elle est relou ! Tous les jours, elle l'amène à l'école. Miskine !

— Elle a peut-être rien d'autre à foutre.

— Ce matin, elle tchatchait avec la surveillante et tu sais ce qu'elle disait ?

— Nan !

— Ça va te péter un plomb dans la tête !

C'est le problème de Léonardo Di Souza. Outre les postillons. Il est lent, lourd. Incapable de délivrer une information d'un seul coup. Il lui faut une collection de phrases et de détours avant d'arriver au but. Quand il lit ses rédactions à l'école, tout le monde s'endort avant la fin.

— Elle disait que le collège, il allait s'appeler comme toi…

— Tom ?

Parfois, il en sort des incollables. L'autre jour en cours de français il a soutenu que «pomme» venait d'un mot ancien qui voulait dire qu'on s'évanouissait, qu'on tombait dans les pommes-oisons. Tout le monde s'est foutu de lui, il n'a jamais compris pourquoi.

— Non, t'es con, il va s'appeler Ray-Valenti.

— Le collège ? Ray-Valenti ? T'es ouf ou quoi ?

— Si, je te jure. C'était dans le journal ce matin. Elle est pas au courant, ta mère ?

— Je crois pas, elle aurait pété un câble !

— Ben… je trouve ça cool, moi.

— Oui mais toi, t'es con !

Tom se lève et change de place.

Léonardo Di Souza bougonne derrière lui et donne des coups de genou dans le siège.

— Con toi-même, Valenti de mes fesses !

*

Adrian pousse la porte du hangar. Il le loue à Zbig, un voisin. Un type si gros qu'il ne tient pas sur le siège de son tracteur. Il déborde et doit se concentrer pour rester en place. Il porte des chemises à carreaux. Quand on ne voit plus les carreaux dépasser des épis dans le champ, on sait qu'il est tombé et on court le ramasser. Ce sont des gamins qui l'ont baptisé Zbig. The Big. Zbig est très près de ses sous. Il dort avec son argent sous sa paillasse et trouve le sommeil en inventant des moyens d'en gagner davantage. Il lui loue le bâtiment de la main à la main. Tu dis rien à personne, je dis rien à personne. Marché conclu !

Adrian contemple le broyeur presque neuf qu'il a trouvé lors d'une vente aux enchères près d'Auxerre. Un gigantesque grille-pain jaune et gris qui peut broyer jusqu'à deux cents tonnes à l'heure. Cent mille euros. Une aubaine. Il a emprunté l'argent à une banque où Edmond est client. Le banquier a cru qu'il achetait pour le compte d'Edmond. Il ne l'en a pas dissuadé. Il l'a embrouillé. Le risque en valait la chandelle. Un broyeur coûte facilement cinq fois ce prix. L'entreprise déposait le bilan et vendait son matériel. Le patron avait vu trop grand. Faillite. Le liquidateur ne voulait pas faire traîner les choses. Il avait du boulot par-dessus la tête. Des dépôts de bilan partout dans la région.

Quelle misère ! se lamentait le patron. J'ai la haine, vous savez, j'ai la haine ! Je laisse quatorze personnes sur le carreau ! Quatorze types qui ont des femmes, des enfants, des pavillons à payer, et moi, je dois bouffer mon chapeau et leur expliquer. Leur expliquer quoi ?

Adrian lui avait donné sa carte au cas où. Le type l'avait prise tout en répétant j'ai la haine, j'ai la haine.

Il commencera avec trois hommes, pas plus. Il pourrait débaucher Boubou, Houcine et Maurice ? Ce ne serait pas correct vis-à-vis d'Edmond Courtois. Il ne sait pas quoi faire avec lui.

Il a déjà mordu la ligne blanche une fois…

Edmond a le compte en banque, le carnet d'adresses, l'expérience, mais a-t-il encore la hargne et le flair ? La vitesse pour dégainer ? Un marché immense attend le broyeur jaune et gris. Edmond n'a plus faim. Edmond est rassasié. Prudent. Inquiet. Il devrait lui parler, lui demander, SANS AMBIGUÏTÉ, s'il est partant en mettant en évidence les chiffres, les perspectives, le retour sur investissement. En soulignant l'obligation d'aller vite, VITE.

Il remet toujours à plus tard. Comme s'il craignait un danger.

Qui viendrait d'où ?

Il ne sait pas encore.

Sait-on vraiment où la foudre va tomber ?

Et quand elle va tomber ? Son premier cauchemar d'enfant : il avait rêvé qu'il était mort. Il aurait voulu ne pas se réveiller. Il aurait rejoint ceux qui étaient partis. Quand un ami meurt, le chagrin le plus grand, c'est de penser qu'il marchait et riait juste avant. Il a vu mourir beaucoup de gens. Parfois il se demande si ce n'est pas du froid qui coule dans ses veines. Il en faut du temps pour que son sang se réchauffe. Il lui arrive de poser sa main sur son cœur et c'est comme s'il la plongeait dans la glace.

Le téléphone sonne. C'est Borzinski.

— Dites… je repensais à notre déjeuner…

C'est trop tard, mon vieux, tu as signé. J'ai la feuille dans ma sacoche.

— Et à notre conversation… Vous savez…

— Oui, dit Adrian, tendu.

C'est le moment qu'il attend depuis longtemps. Il ne pourra plus jamais revenir en arrière.

— Vous avez l'air de connaître du monde, j'en connais aussi. J'ai une affaire à vous proposer…

L'homme marque un silence. Adrian entend le souffle lourd.

— À vous ou à monsieur Courtois… je ne sais pas.

Adrian se tait. Allumer la lumière. Laisser l'autre s'avancer.

— On va dire qu'on peut commencer par vous et vous vous arrangez avec monsieur Courtois.

— En effet…

— Ou pas.

La respiration de Borzinski devient plus pesante, charriant sous-entendus et hypothèses.

— Ce ne sera pas le même pourcentage… si vous partagez avec monsieur Courtois.

— On verra ça…

— Une grosse affaire, monsieur Kosulino. Une grosse affaire. Elle pourrait vous assurer votre chiffre pour plusieurs mois. Réfléchissez. Tardez pas. Lundi, je dois prendre une décision…

— D'accord.

— Trois jours. Vous avez trois jours.

Adrian raccroche, lève les bras, s'étire. Fait quelques pas. Tourne la tête vers la lune dont le quartier brille d'une incroyable clarté à travers la verrière. Un diamant qui découpe le ciel et illumine le hangar. Comme elle est belle ! Et comme la vie est excitante !

Il se sent soulevé par une force insensée.

Il va avoir du mal à attendre trois jours pour rappeler.

Toute son enfance, il entendait répéter qu'il fallait se battre. Il n'y a pas de place sur terre pour les faibles. Tu veux être ver de terre ou lion rugissant ? Tu choisis, mais sois malin, regarde sur les côtés avant de traverser. Fais marcher la lumière dans ta tête.

Et son grand-père lui donnait une grande claque dans la nuque.

Borzinski. Il est de mèche avec Edmond Courtois, peut-être.

Ce coup de fil est un piège. Peut-être.

On ne trompe pas facilement un vieux renard. Edmond Courtois est fatigué, usé, mais toujours renard.

Peut-être.

Le passé marche à côté de lui, le conseille, le met en

garde. C'est une personne. La vie est une personne.
On lui parle, elle répond. Il faut savoir être patient.
Il y a un délai d'attente pour les réponses.

— Est-ce que je dois parler à Edmond ? il demande
au quartier de lune.

*

Tom descend du car en insultant Léonardo. Il l'attrape par la bretelle de son cartable et le traîne par
terre. Tassé sur son volant, le chauffeur sourit. Chaque
soir, les gamins se déclarent la guerre. Il n'était pas
plus malin lorsqu'il avait leur âge. Et c'étaient les
mêmes plaisanteries. Léonardo a lâché un pet sous
le nez de Tom en passant dans l'allée.

— Tu trouves pas que ça sent le pop-corn ? il a
grimacé.

Tom a fait un bond, s'est jeté en avant pour l'attraper,

Léonardo s'est précipité vers la porte pour descendre.

Et ils ont continué à régler leurs comptes.

— Elle est pas là, m'man ?

Tom jette son cartable sur la table et fixe Georges
et Suzon comme si sa vie en dépendait.

— Elle est pas là ? il répète, énervé.

Ce connard de Léonardo. Lui lâcher une caisse
sous le nez ! Et une info de merde ! Si ça se trouve, sa
fameuse nouvelle est fausse. Il commence par le titiller
avec le nom du collège et il finit par lâcher un pet.

— Elle est partie à Carrefour.

142

Suzon s'essuie les mains sur son tablier, se tourne vers Georges :

— Tu l'as vu où, Zbig ?

— Il traitait ses hêtres. Ses arbres sont bouffés par les champignons. Ces foutus champignons s'attaquent aux racines et après, *couic*, t'as plus qu'à abattre les arbres ! Ou ils tombent tout seuls.

— Forcément, il a fait très chaud cet été.

— Et c'est là qu'il m'a reparlé du renard et des poules. Il est fumasse. Il en a eu cinquante de croquées !

— Surtout qu'il en vit…

— Sans elles, il a plus rien. Que ses yeux pour pleurer ! Et il a pas sucé la tour Eiffel pour la rendre pointue, lui.

— Dis pas ça. Il est malin.

Tom s'impatiente. Il se moque des poules, des hêtres et de la tour Eiffel. Il veut savoir si sa mère est au courant pour le collège.

Et puis il a faim. Il meurt de faim. Il rongerait bien un quignon de pain. Il va falloir ruser.

— Il se demande si ce sont pas les faucons pèlerins qui ont fait le coup, continue Georges en sortant son canif et en le dépliant. Parce que chez lui, même les poules sauvages ont été massacrées.

— J'y crois pas ! s'exclame Suzon en tapotant sa large poitrine de sa cuillère en bois. C'est pas le renard qui monterait aux arbres tout de même ! On n'a jamais vu ça.

Georges inspecte la lame de son canif et ne répond pas.

— Je peux prendre un peu de pâté ou de jambon ? dit Tom.

143

— Non, t'attends que ta mère soit rentrée.

— Mais elle revient quand ?

— T'attends, c'est tout. Va te laver les mains. Tu as fait ton travail pour demain ?

— C'est pour ça qu'il a pensé aux faucons pèlerins, dit Georges. Il en a repéré un au-dessus de sa ferme, la semaine dernière. Il tournait en faisant des ronds, très lentement... Du coup, le Zbig, il va battre la campagne avec sa carabine.

Suzon réfléchit. Son menton rentre dans les plis de son cou, la cuillère en bois rebondit sur sa poitrine, elle dodeline de la tête comme s'il allait lui venir une pensée énorme, une pensée à lui emporter le cerveau.

— Ben moi, je pense qu'il boit trop ! À force de vivre tout seul, il picole et il ne sait plus ce qu'il raconte. Un faucon pèlerin ! Non mais... Pourquoi pas la Mort en bigoudis pendant qu'il y est !

Tom louche sur un morceau de camembert en équilibre au bord du plateau à fromages. Un morceau bien coulant. Il étend le bras, laisse courir sa main sur la toile cirée, fait semblant de gratter des miettes, profite d'un moment où Suzon s'échauffe avec les faucons, la Mort et ses bigoudis, et rafle le camembert. L'enfourne. Ferme les yeux. Aussitôt la pression tombe, le camembert l'apaise. Léonardo a tout inventé. C'est comme le pet, c'est juste pour l'énerver. Donner le nom de Ray Valenti à son collège ! Pas possible. Léonardo ne peut pas s'empêcher de balancer des mauvaises nouvelles. Comme si c'était toujours les choses tristes qui devaient arriver et pas les belles.

— Vous savez pour le collège ? demande Tom qui veut en avoir le cœur net.

Suzon fronce les sourcils.

— T'as eu des mauvaises notes ? Tu vas plus avoir le diplôme d'élève-citoyen ?

— C'est dans le journal de ce matin, il paraît.

— J'ai pas eu le temps de le lire.

— On dit qu'il va être baptisé collège Ray-Valenti.

Suzon saisit sa cuillère en bois et la brandit, menaçante, vers Tom.

— Toi aussi, tu t'y mets ! Les faucons pèlerins et maintenant un collège Ray-Valenti ! C'est quoi, la prochaine invention ? Un karaoké sur la Lune ? Comme si la vie, elle était pas assez compliquée ! Comme s'il fallait en rajouter des louches !

Georges contemple ses ongles qu'il nettoie à l'aide du canif et secoue la tête, triste, malheureux.

— Il a raison, Suzon. Le collège va s'appeler Ray-Valenti.

— Dis pas ça !

— Mais si…

Suzon étreint sa cuillère en bois.

— C'est pour ça que le notaire veut les voir ?

— Ça sent pas bon…

— Stella est au courant ?

— J'ai pas eu le courage de le lui dire… Et je crois bien que je suis pas le seul. Ça fait un moment que la rumeur court et elle sait toujours rien.

— Mon Dieu ! soupire Suzon en croisant les doigts comme pour une prière.

— Vaudrait mieux que ce soit papa qui le lui dise, suggère Tom.

— Y a que lui pour lui faire avaler la couleuvre, dit Georges.

— Sauf qu'on est pas obligés de l'avaler, la couleuvre ! éclate Tom.

Georges écarte les bras en signe d'impuissance.

— Et tu veux faire quoi, hein ?

— Je veux pas que mon collège s'appelle Ray-Valenti, je veux pas !

— C'est pourtant ce qui va arriver, Tom.

Georges le contemple, fatigué. Le drame est revenu dans la maison. Un drame qui porte toujours le même nom, Ray Valenti.

Quand il était enfant, le monde était simple. Il y avait le Ciel, l'Enfer et le Purgatoire. On avait le choix entre gagner la vie éternelle ou rôtir en Enfer. On se conduisait en brave homme ? On montait au Ciel. On faisait des bêtises ? On stationnait au Purgatoire. Et si on agissait en salopard, on grillait en Enfer. Les flammes nous léchaient les pieds, les fers nous brûlaient le derrière. On n'en sortait plus jamais.

Il sait que Dieu existe. Quelque part, dans le plus grand silence. Il se cache car Il ne veut surtout pas donner de preuves. C'est à nous de lui faire confiance, de parier sur son existence. Dieu est au-dessus de la preuve.

Toute sa vie, il a fait attention à ne pas aller en Enfer. Il s'est tenu à carreau. Aujourd'hui, tout se mélange : le Paradis, l'Enfer, les bons et les salauds.

Un salopard va donner son nom à un collège.

*

Sur le parking du supermarché, Stella se dirige vers le Kangoo rouge. Elle cligne des yeux et peste

146

c'est pas vrai, mais c'est pas vrai ! Se redresse, bloque le caddie. Elle va retourner à la caisse, faire répéter chaque mot à Stéphanie.

Elle entend au loin un rire de dément qui braille je t'ai bien eue, hein, je t'ai bien eue ! Tu croyais être débarrassée de moi, sache que Ray Valenti est INDESTRUCTIBLE ! Jolie petite Stella, ça ne finira jamais, toi et moi. Et le collège portera mon nom ! Ah ! Ah ! Ah ! Je te tiens par la barbichette, le premier de nous deux qui rira…

Elle s'arc-boute, pousse le caddie jusqu'au Kangoo tout en retenant les sacs de pain qui menacent de verser.

Les trois types sont adossés à leur voiture, celle avec la décalcomanie à tête de mort, à côté du Kangoo. Ils fument et picolent. Remuent sur une musique qui sort de la voiture. Tournent la tête vers elle, sifflent tssst, tssst, tssst en battant la mesure sur la portière de leur poing fermé.

On dirait qu'ils attendent quelqu'un. Ils consultent leur montre, leur téléphone. Au loin, la petite dame a rangé ses courses et s'engouffre dans sa Clio blanche.

Stella ouvre le coffre du Kangoo. Collège Ray-Valenti, ce n'est pas possible, qu'est-ce qu'il a, le Ciel, à me balancer sans arrêt des enclumes sur la tête ?

Les hommes roulent des épaules et marquent le tempo.

De plus en plus fort.

Ils la dévisagent, surpris. Quoi ? Elle n'a pas peur ?
Le tatoué aux trois vipères lance, railleur :

— Tu veux un coup de main ?

— Ou un coup d'autre chose, ricane un autre en
tétant sa bière.

Stella coince un gros paquet de Sun Lavage dans
un coin du coffre et lance, fatiguée :

— Qu'est-ce qu'il vous resterait si on vous la coupait ?

— Elle nous cherche, là ! gueule P'tite Bite. Vas-y,
mec, vas-y… Si t'y vas pas, j'm'y colle.

Le Tatoué détaille Stella, essaie de deviner si elle
va dégainer.

Ils se consultent du regard.

— Dites, les mecs, c'est pas Riton qui arrive ? aboie
P'tite Bite en montrant les phares d'une voiture au loin.

La voiture vient se garer à la hauteur de Stella. Un
type en descend. Vêtu d'un long manteau de cuir noir
et d'un chapeau noir.

C'est Riton l'Africain. Baptisé ainsi parce que
chaque été il passe ses vacances en Tunisie. À Djerba.
Il dit qu'il y est en sécurité. Que les blindés protègent
les touristes, qu'il y a des miradors, des barbelés,
que les prix sont si bas que ce serait con de s'en
priver et qu'à mourir pour mourir autant avoir la
bite au soleil.

— Je vous cherche partout ! gueule Riton.

— On avait rencard, non ? dit le Tatoué.

— À la caserne ! Pas ici.

— T'avais pas dit le parking ?

148

— Le parking de la caserne, pas celui du super-marché !

Stella fait un pas, prise dans les phares de Riton l'Africain.

— Stella ! Qu'est-ce que tu fous ici ?

— Tu la connais ? demande P'tite Bite, stupéfait.

— Ben oui… C'est la fille de Ray Valenti.

— Ray Valenti ! LE Ray Valenti ?

— Oui.

Il se tourne vers Stella qui attend, les bras croisés.

— Elle nous a rien dit.

— Elle a peut-être ses raisons.

— Putain ! La fille de Valenti ! Excusez-nous, madame ! Je vous jure que…

Le rire de Ray éclate à nouveau dans la nuit. T'as vu comme ils parlent de moi ? Maximum respect ! Je te tiens, tu me tiens par la barbichette, le premier de nous deux qui rira me fera une pipette !

Stella enfonce les poings dans ses poches et rugit :

— Je ne suis pas la fille de Ray Valenti !

— Ben… tu devrais être fière, au contraire ! dit le Tatoué.

— Venez, les gars, on se casse, elle est folle ! ordonne celui qui tète encore sa bière.

— Je ne suis pas la fille de Ray Valenti ! Je ne suis pas la fille de Ray Valenti !

— Stella, calme-toi, dit Riton l'Africain. Ils sont nouveaux. Ils viennent d'arriver à la caserne.

— Justement ! Dis-leur que c'était un salaud !

— Allez, dit le Tatoué, on décanille !

Stella suit des yeux les voitures qui s'éloignent, les feux arrière qui s'allument et s'éteignent. Elle se penche sur le capot du Kangoo, étend les bras et, la bouche contre le métal froid, elle murmure j'en peux plus, j'en peux plus, je veux que ça s'arrête.

Il est dix heures du soir quand elle gare le Kangoo devant la ferme. Au premier étage, une lumière brille dans la chambre. L'air sent l'oiseau, le frais, le musqué. Les oies s'agitent et cancanent, Costaud et Cabot s'avancent vers elle en chaloupant tels des matelots en permission, elle leur caresse la tête.

Georges les a mis dehors pour donner l'alerte si le renard revenait.

La cuisine sent le feu de bois. Hector, le perroquet, s'agite dans sa cage. Il gratte les barreaux et caquette, furieux. Il ne s'endort jamais avant que Stella soit rentrée.

Elle tapote la couverture posée sur le dessus de la cage.

— Dors, mon vieux, dors. Je suis là.

Il grogne, pousse un cri perçant, elle l'entend se dandiner parmi les croûtons de pain, les graines, les épis de maïs qui jonchent la cage. *Crrrrccc, Crrrrccc, no way, no way.*

— T'es pas content ? Moi non plus ! Mais moi, j'ai une raison.

Il fait courir son bec le long des grilles de la cage et proteste *no way, no way*.

Elle ôte ses lourdes bottes, son pull à col roulé, défait les bretelles de sa salopette, ébouriffe ses cheveux, se masse la nuque, pousse un long soupir que l'animal en cage reproduit à l'identique.

— Je vais me coucher. Dors bien.

Hector glousse et module *good night, sleep tight, good night, sleep tight.*

Elle monte au premier étage. Pousse la porte de la chambre de Tom.

Il dort ou fait semblant de dormir. Il n'a pas mis son haut de pyjama, jeté en boule au pied du lit. Juste le bas et un tee-shirt. En novembre, les nuits sont fraîches, il pourrait attraper froid. Elle est trop fatiguée pour vérifier.

— Dors bien, mon amour, elle chuchote en s'appuyant au cadre de la porte.

— M'man !

Il se dresse dans son lit. Le rayon de lumière venant du couloir éclaire l'inscription sur son tee-shirt, *Reinvent Yourself.* Le même tee-shirt que ce matin. Il n'a pas pris de douche.

— Pourquoi est-ce qu'on croit toujours que ce sont les choses tristes qui vont arriver et pas les choses heureuses ?

— Je sais pas, mon amour. Dors, demain tu vas être fatigué.

Adrian est allongé sur le lit. Tout habillé. Il tient sur ses genoux une pile de dossiers. Il a les yeux cernés de celui qui compulse des papiers et fait des additions. Il tourne et retourne un stylo entre les doigts.

Il lève la tête, sourit.

— Tu étais où ?

— Carrefour.

— Si tard ?

— Oui.

— Pourquoi t'as pas appelé ?

Elle s'abat sur lui, muette.

Il passe un bras autour des épaules de Stella. Caresse la peau dans le cou. Touche son sourire.

— Je me suis inquiété.

— Pardon.

— Tu veux en parler maintenant ?

— Non.

Il tâte ses épaules, ses bras, ses jambes.

— Rien de cassé, souffle Stella.

Il dépose un baiser sur son index et l'appuie sur les lèvres de Stella.

Elle roule contre lui, tasse sa colère, ça ira, ça ira, il ne s'en sortira pas comme ça ! Le ressort de la révolte se tend, vibre, elle se plaque contre Adrian.

— Qu'est-ce que tu as, liouba ? Tu as de la fièvre ?

Elle soupire. Elle voudrait limer les barreaux de sa tête.

— Je suis là, il dit. Parle-moi.

Elle est trop lourde. Elle pourrait cracher des pierres.

Adrian réfléchit. Faire attention, signer d'autres contrats pour ne pas dépendre du Russe. Aller voir la mairie peut-être. Un accord « bois de chauffage » ? Cela assurerait dix pour cent de mon chiffre d'affaires. Oui, mais j'ai pas encore le broyeur à bois.

Parler à Edmond. Ne pas prendre le risque que…

Son regard balaie la commode. Le chapeau de Stella gît posé sur une paire de gants de chantier et un gros chandail blanc effiloché aux poignets. Revient au chapeau. Les bords sont déchirés. Un parfum raffiné, poivré, lui monte à la tête, il fronce le sourcil, intrigué.

Ferme les yeux pour respirer les derniers effluves du parfum qui s'évanouit.

— Je voudrais tellement que…, marmonne Stella.

Il se souvient d'un escalier obscur, d'un geste qui dérape et fait déraper l'autre, d'une étincelle, une rixe peut-être, non, un affrontement feutré, une demi-mesure.

— Marie-moi, s'il te plaît, marie-moi…, balbutie Stella.

— Qu'est-ce que tu dis, liouba ?

La fille dans l'escalier au Fouquet's ! Il revoit les yeux furieux, respire la peau poudrée, les lèvres gonflées, les sourcils épais, le nez parfait, qu'est-ce qu'elle a dit après ? Il tente de faire revenir le parfum pour entendre les mots.

— Adrian… s'il te plaît…

— Je t'écoute, liouba…

Elle déjeunait à la table voisine. Borzinski mâchait son entrecôte et essuyait ses lèvres grasses. Il cherchait une pute. Borzinski… Une idée tombe dans sa tête. Comme une enveloppe dans une boîte aux lettres. Mais c'est évident ! Pourquoi n'y a-t-il pas pensé avant ? C'est ce qu'il doit faire. Il pourra ainsi jouer sur tous les tableaux à la fois.

Il glisse son bras dans le dos de Stella, la ramène contre lui.

— Marie-moi, elle murmure. Marie-moi.

Il esquisse un sourire, fixe le globe en verre opaque au plafond. On ne pourra l'accuser de rien. Bien au contraire ! Il avancera masqué, progressera dans l'ombre et tirera les marrons du feu.

Son sourire se creuse. Il ne doit plus s'inquiéter, le

temps va devenir son allié. Il resserre son bras autour de Stella. Liouba ! Liouba ! Il voudrait pousser un cri de joie. Il se retient, serre les lèvres. Il faudra changer ce plafonnier, cette lumière blafarde est lugubre. Elle lui donne le cafard.

*

Madame Filières semble croire que son heure de gloire est arrivée. Elle a une seule idée en tête : l'inauguration du collège Ray-Valenti. L'article paru dans le journal l'a enchantée. Elle rayonne à l'entrée de son établissement et remercie chaque parent qui la félicite.

Devant la grille du collège, Tom attend Dakota en faisant semblant de ne pas l'attendre. Il ouvre et ferme son cartable, discute avec Noa qui veut lui échanger une paire de baskets contre trois exercices de maths, mais ses yeux ne quittent pas le coin de la rue où ELLE est censée apparaître.

Comment sera-t-elle habillée aujourd'hui ? Ses cheveux seront-ils attachés ? Elle aura la bouche heureuse qui sourit ou celle de la vieille femme qui mendie ? Je marche vers elle ou je joue l'indifférent ? Et si elle me zappait, coupe, coupe, je te calcule pas ?

Adam Vaillant, le débile de la classe, l'apostrophe :
— Hé, Valenti ! Tu vas avoir ton collège, trop cool !
Adam est un petit grassouillet qui porte des lunettes aux verres épais. Son père est boulanger. Il distribue des bonbons à tous les copains de son fils. Haribo Oasis, Love Pink, Twizzlers, Ice Breakers et Big Baby

154

Pop passent de main en main et Adam a plein de copains.

Tom ne répond pas.

Tom ne bouge pas.

Tom ne respire pas.

Dakota vient d'apparaître au coin de la rue.

Elle descend d'une grosse berline aux vitres teintées. Une Audi. Tout habillée de noir, la jupe qui volette, le col roulé, les longs cheveux qui pendent, les yeux noirs, la bouche rouge qui brille. Elle porte son mystère.

Le cœur de Tom s'emballe. Il tente d'attraper le regard de Dakota. Il ne sait pas comment se tenir. Il doit avoir l'air con avec ce foutu blouson. Pas flamboyant pour deux ronds. Elle revient vers la voiture. Une vitre se baisse. Un homme aux cheveux blancs passe la tête. Cravate noire, chemise blanche. Des lunettes de soleil, des cheveux épais coupés très court, très blancs. Une large bouche. Un long nez. Dakota rectifie son nœud de cravate, l'embrasse, l'homme mime un baiser, elle lui lance quelques mots joyeux, il sourit et découvre une rangée de dents blanches. Oh ! On dirait qu'elles sont fausses ! note Tom, déçu.

Dakota aime son père. Elle voudrait pouvoir rester dans la voiture, l'accompagner toute la journée. Ils le faisaient parfois à New York. Quand ils venaient d'arriver, qu'elle était effrayée par la ville, les gratte-ciel, les sirènes des ambulances, les trépidations du métro sous le macadam, les trous dans la chaussée où elle se tordait la cheville. Toujours la même, la droite. Son père soupirait, agacé. Alors elle demandait pour faire la fière ça veut dire quoi la cheville droite, papa ? Ça doit avoir un sens ? Il l'emmenait partout. Il la présentait, disait c'est ma fille, elle va assister à la réunion, et ne donnait aucune explication. Elle s'asseyait sur une chaise un peu à l'écart, les mains sur les genoux, avec son cardigan bleu et son col blanc et l'écoutait parler. C'était l'homme le plus beau, le plus intelligent, le plus brillant de l'univers. Elle avait l'insigne honneur d'être sa fille. Et pendant qu'elle formait cette pensée, un sentiment de crainte venait se mêler à l'amour qu'elle éprouvait pour lui. Et si elle n'était pas à la hauteur ? Et s'il s'en apercevait et décidait de l'échanger ? Donnez-moi une autre petite fille, j'ai fait le tour de celle-ci, elle m'ennuie. Aiguillonné par cette peur secrète, toujours sur le qui-vive, son amour redoublait. Elle aurait tout donné pour qu'il tourne la tête à cet instant, que ses yeux se posent sur elle et qu'il dise devant tous les costumes gris *it's okay, baby ! I love you !* Il ne se retournait pas. Quand il cherchait une idée, il se levait et faisait semblant de frapper une balle de golf. Il balançait les bras, s'étirait à droite, s'étirait à gauche, il envoyait la balle sur le green et se rasseyait. Cool, si cool. Les costumes gris mordillaient leurs stylos en attendant qu'il décide. Elle essayait d'attraper des bouts de phrases pour les jeter ensuite dans la conversation, *capital markets*, *central bank*, *deferred interests*, *floating rate loans*. Elle n'avait d'autre désir que de lui plaire. Il la regardait avec tendresse, certes, avec amusement, parfois, mais ce qu'elle désirait plus que tout, c'était qu'il la regarde comme une partenaire. Il fallait qu'elle devienne exceptionnelle. Qu'elle fasse oublier cette main en pince de homard. Non, non, il n'en avait pas honte ! Ce n'était pas ce genre d'homme. Mais il aurait aimé que sa fille soit parfaite. Parfois ses yeux tombaient sur le foulard et elle devinait la rage sous son sourire. C'est cela qu'elle voulait corriger.

Elle y arriverait. Elle ne savait pas comment mais elle y arriverait. Plutôt que de me concentrer sur ce détail, il vaut mieux que je pense à autre chose. Ce qu'il y a dans ma tête, par exemple. Ce qui me permet de ne ressembler à personne.

Qui peut dire je suis parfait, je marche sur le chemin de l'excellence ? Personne.

Il oubliera la pince de homard.

Elle caresse doucement la joue de son père, murmure *see you tonight*, *daddy* doux, *I love you*.

Il ne répond pas, s'abandonne dans un sourire si attentif qu'elle ferme les yeux pour le graver en elle. Puis elle se reprend, pose la main sur l'épaule de son père et promet :

— Ne t'en fais pas, *daddy*, tu peux avoir confiance en moi !

Il sourit encore. Amusé. Indulgent.

Elle tourne les talons, dépitée.

Tom la suit dans la foule des élèves qui se ruent vers l'entrée. Da-ko-ta. Da-ko-ta. Tu danses en moi, tu tangues, tu roules, je vais fermer les yeux et tu vas m'embrasser, Da-ko-ta, Da-ko-ta, ta petite langue pointue frappe sur mes dents, frappe contre mon palais, va fouiller, fouiller, on ira où tu voudras, Dakota.

— Ouais ! Valenti ! T'es grave ! T'es dans le journal ! Mon père a vu ton nom, crie Kamil en léchant un Jawbreaker.

— Pas sûr que ce soit vrai ! répond Tom, énervé, chassant l'intrus d'un revers de la main.

Dakota a disparu, il ne la voit plus.

— C'est dans le journal, je te dis !

— Vas-y bouge ! Tu me soûles, fous-moi la paix !

Je suis en train de rêver à mon prochain baiser, je me demande à quoi va ressembler mon bonheur aujourd'hui. S'il va être aussi grand qu'hier.

— Valenti est dans le journal ! Valenti est dans le journal ! Et même que le collège…

Dakota marche vers lui, le bras dans son foulard aux canards verts, aux herbes folles et bleues. Tom entend l'eau clapoter, les canards cancaner, les herbes frissonner sous le vent. Cette fille, c'est un grand écran.

Elle l'aperçoit, sourit. Elle fait danser sa jupe noire autour de ses hanches. Ses cheveux volent, son blouson claque au vent. Elle remplit l'air. Tom recule pour la laisser passer.

Sur son tee-shirt noir est écrit en lettres argentées *Today is the Day.* Oh là là, qu'est-ce qu'elle prépare encore ? Il ouvre grand les yeux, il ne veut pas perdre une seconde de Da-ko-ta. C'est un beau matin, les arbres roux et jaunes de la place du collège forment une haie qui réchauffe le ciel, le bonheur brille partout. Bientôt elle le touchera, il sentira son souffle, sa peau douce.

Elle est devant lui.

Elle s'arrête, plonge ses yeux dans les siens.

— Je suis contente de te voir, Tom.

Il ne parle pas, il exhale. Un petit nuage s'échappe de sa bouche. Il voudrait que le nuage ne s'évapore pas. Qu'il devienne LEUR nuage. Qu'ils en reparlent plus tard en enlaçant leurs doigts.

— Si tu veux, tout à l'heure, tu peux venir déjeuner à la maison. Je suis seule et…

— C'est que… ma mère vient me chercher pour… Mais c'est pas grave, elle comprendra, elle est sympa.

— Cela me fera très plaisir.

Elle secoue ses longs cheveux, ils courent dans le ruisseau de son foulard, servent de plumes aux canards, frémissent comme les roseaux effleurés par le vent… et elle sourit, telle une princesse très gracieuse qui convie un gueux à sa table.

Today is the day, today is the day. Elle va m'embrasser, m'embrasser.

Ils restent face à face, l'air devient plus blanc, les recouvre d'une couche de nacre. Elle, rayonnante, apaisée. Lui, tremblant, à moitié asphyxié. Il a oublié comment on respirait. La sonnerie de l'école retentit. Il faut rentrer. Il n'arrive pas à faire un pas. Où va-t-elle s'asseoir dans la classe ? Est-ce qu'on lui aura attribué une place ?

Si seulement elle pouvait…

— Hé, Valenti ! T'as lu le journal ? Putain ! Valenti ! Alors c'est ta go, Dakota ? Tu nous avais pas dit ça !

Et ils détalent en éclatant de rire.

C'est Kamil qui est revenu à la charge et mène les autres comme un troupeau de zèbres mal rayés.

Tom hausse les épaules. *Today is the day, today is the day !* Elle m'a invité à déjeuner. Son regard revient se noyer dans les yeux liquides de Dakota.

Ses yeux sont fermés à double tour. Des portes grises hérissées de pointes et de grilles. Deux poches de fiel palpitent autour de sa bouche, on dirait qu'elle va cracher son venin.

— Valenti ? Tu t'appelles Valenti ?

— Ben… oui.

— Valenti comme Ray Valenti ?

— Oui.

— C'est…

— Mon grand-père.

Elle lève la main droite, tend le bras, pointe un flingue imaginaire sur lui, son œil gauche se ferme, elle vise entre les deux yeux et imite le bruit des balles, *dum-dum*.

Dum-dum, je te tue.

Dum-dum, je te parle plus.

Dum-dum, t'es mort.

— Oublie-moi.

— Dakota…

— OUBLIE-MOI.

— Qu'est-ce que j't'ai fait ?

Elle a lâché un démon en elle. Il lui brûle la bouche, les prunelles. Lui tord le visage, hurle sa haine, mais aussi sa douleur. Elle a des larmes dans les yeux et tremble de tous ses membres.

Elle virevolte, balance la petite jupe noire, balance son cartable, balance ses longs cheveux et s'éloigne sans se retourner.

La sonnerie de l'école sonne et sonne encore. Monsieur Gelser le hèle hé, Valenti ! Il faut rentrer, allez, allez, bouge ! Les bras le long du corps, Tom n'entend plus, ne respire plus, ses yeux sont brûlés au vitriol, il frôle monsieur Gelser qui hurle ton cartable, Valenti ! Ton cartable ! Il dit c'est parce que je m'appelle Valenti, c'est pour ça ?

*

La salle d'attente du notaire, décorée de plantes vertes et éclairée par une rangée de spots au plafond, est peinte en beige, des rideaux marron pendent à l'unique fenêtre. Léonie frissonne sur sa chaise, pourquoi tu crois qu'il veut nous voir, maître Béraud ? Stella écoute la musique d'ascenseur que diffusent des haut-parleurs dissimulés derrière les plantes vertes.

— Ce sont toujours des palmiers et des caoutchoucs qu'on met dans les salles d'attente, elle remarque.

Le notaire ouvre la porte de son bureau, tape sur le cadran de sa montre et traverse la salle d'attente au pas de charge en leur faisant signe de le suivre.

— Bonjour ! Je vous avais convoquées dans mon bureau pour vous mettre au courant, mais on n'a plus le temps. Le serrurier nous attend. Je vous expliquerai dans la voiture.

Léonie et Stella le suivent, étonnées. Stella tourne la tête vers le caoutchouc. La terre dans le pot est sèche et craquelée.

Le notaire leur enjoint de passer devant lui. Sort les clés de l'étude de sa sacoche, une pochette écossaise avec une fermeture éclair jaune, et ferme la porte à double tour.

Stella suit des yeux le mouvement du notaire qui coince sa sacoche sous le bras. J'aime pas les hommes avec des sacoches et j'aime pas ce notaire. J'aime pas son nom non plus, maître Béraud. On dirait une maladie vénérienne.

Léonie porte la main à son visage et se frotte l'œil d'un doigt. Elle s'est habillée de noir. Ce n'est pas la peine de jouer les veuves éplorées, a bougonné Stella. Tout de même, a protesté Léonie, que penserait cet homme ? Ça ne fait pas trois mois que Ray est décédé.

Ils se dirigent au pas de course vers une grosse Citroën noire dont les pare-chocs et les carénages sont couverts de boue. Le notaire ouvre la portière avant à Léonie. Stella monte à l'arrière.

— On a rendez-vous à la banque, il lâche en bouclant sa ceinture.

— Quelle banque ? demande Stella qui a décidé de ne pas faire d'efforts puisqu'il n'en fait aucun.

— Une des banques de votre père…

— Parce que Ray Valenti avait plusieurs banques ?

Le notaire pousse un soupir comme s'il était déjà fatigué d'expliquer.

— Il est d'usage, lorsque quelqu'un meurt, que le notaire se mette en rapport avec les établissements bancaires où le défunt possédait des comptes. Au bout d'un certain temps, trois, quatre mois environ quand tout se passe bien, ces établissements répondent en indiquant ce qu'il y a sur le compte du défunt…

— Mais ça, on l'a su très vite !

— Oui. Pour les comptes de monsieur Valenti, ce fut facile. Mais il restait l'histoire du coffre-fort.

— Il n'avait pas de coffre-fort, affirme Stella.

— Vous vous trompez. C'est sa mère, madame Fernande Valenti, qui nous a mis sur la piste. Elle a parlé de lingots d'or. Elle voulait les récupérer. Elle refusait qu'ils tombent entre vos mains. Or c'est contraire à la loi.

— C'est pour cela que vous vouliez nous voir ?

— Oui. Nous allons à la banque ouvrir ce coffre…

La joue contre la vitre, Stella aperçoit la devanture du magasin de cycles où elle a acheté le vélo de Tom. Déjà un an et demi ! Tom l'avait repéré. Un tout-terrain jaune à selle très haute, pourvu de larges roues à crampons et d'un cadre robuste. Dix-huit vitesses. Il avait fait un dessin et le contemplait le soir en s'endormant. Et puis un soir de Noël, au pied du sapin…

Pourquoi Tom n'était-il pas au petit-déjeuner ce matin ? Elles ont quitté la maison vers onze heures. On est samedi. Ce n'est pas une raison.

— Tu as vu Tom, ce matin ? elle demande à sa mère.

— Non. Il devait dormir.

— La banque m'a écrit il y a une dizaine de jours pour me prévenir que monsieur Valenti avait un coffre

163

chez eux et qu'il fallait que l'on procède à l'ouverture. Votre présence à toutes les deux est nécessaire ainsi que la mienne et celle d'un commissaire-priseur.

— Un commissaire-priseur ? s'étonne Stella.

— Oui. S'il y a des biens à expertiser. J'ai supposé d'autre part que vous n'aviez pas la clé de ce coffre…

— Non, dit Stella. Puisque nous en ignorions l'existence.

— J'ai convoqué un serrurier. Il va, devant le responsable de la banque, le commissaire-priseur et nous, forcer le coffre.

— On va être obligées d'assister à cela ? tremble Léonie.

— C'est la loi, madame. Vous devez être présentes et nous devons être témoins. Je dois vous signaler à cette occasion que la facture du serrurier s'élèvera à neuf cent vingt euros.

— Neuf cent vingt euros ! Il ne s'ennuie pas, souffle Stella.

— C'est le prix, mademoiselle Valenti.

— Mon Dieu ! gémit Léonie en faisant craquer ses mâchoires.

— Arrête, maman… arrête !

Arrête ce bruit qui me rappelle l'hôpital, les couloirs blancs, les torgnoles de Ray, les cris. Elle ravale sa salive et dit comme pour se convaincre elle-même :

— Il est mort, maman, il est mort. C'est fini.

Qu'a dit Tom l'autre soir ?

« Pourquoi est-ce qu'on croit toujours que ce sont les choses tristes qui vont arriver et pas les choses heureuses ? »

164

Et pour la deuxième fois, elle se dit je n'ai pas vu Tom ce matin.

Et cette fois-ci, elle pense ce n'est pas normal.

Quand vous apprenez quelque chose qui vous bouleverse, vous avez deux manières de vous comporter. Soit vous comprenez tout de suite et vous réagissez, soit vous ne comprenez pas et vous restez inerte. Vous attendez que l'information monte au cerveau, que votre cerveau la déchiffre et qu'il donne à votre corps l'ordre de pleurer, de rire, de crier ou d'attaquer.

Personne ne réagit de la même manière et celui qui a les yeux secs a peut-être plus de peine ou de joie que celui qui verse des larmes chaudes.

Ce matin-là, devant le coffre-fort de Ray Valenti, Léonie et Stella sont stupéfaites en découvrant cinq lingots d'or enveloppés dans du papier journal, posés sur une feutrine verte. Elles demeurent muettes. S'interrogent du regard, contemplent les lingots alignés au cordeau. Elles se regardent à nouveau, cherchant dans l'œil de l'autre une réponse. Devant les mines graves du banquier, du notaire et du commissaire-priseur, elles comprennent que c'est sérieux mais ne savent pas quoi penser.

Le notaire tend la main pour vérifier qu'il n'y a rien d'autre. Parfois, explique le commissaire-priseur à Stella, on trouve des bijoux, des miniatures en ivoire, des toiles de maître roulées dans un tube. Il faut alors expertiser les objets et les déclarer dans la succession.

Le notaire passe la main, cherche, cherche, la moue

sur son visage dit non, non, il n'y a rien d'autre, quand son sourcil se hausse et il murmure je crois bien que…

Sa main a heurté une enveloppe qu'il tend à Léonie. Léonie la remet à Stella, elle ne veut plus avoir affaire à Ray Valenti.

Sur l'enveloppe est écrit SALOPE. De la main de Ray. Stella en sort trois photos d'une petite fille. Des photos jaunies, découpées dans des journaux, un magazine. Quel âge peut-elle avoir ? Sept, huit ans ? Quand ont-elles été prises ? Il n'y a pas de dates.

Une petite fille joyeuse, qui fait la roue, tend les bras, fait les marionnettes, éclate de rire. Mange de la barbe à papa, serre un énorme panda en peluche bleue.

Il y a quelque chose de plus dans ces photos. Quelque chose de sinistre, d'intriguant dans la façon dont elles ont été découpées. Des coups de ciseaux brutaux qui les ont taillées comme pour les massacrer. Ce n'est pas le travail attendri d'un père qui détoure en faisant bien attention les traits, les attitudes, les pitreries de son enfant. Ce n'est pas non plus l'œuvre d'un homme rendu minutieux, attentif, par les courbes d'une nymphette en socquettes. Ce sont les coups de ciseaux d'un dément qui a pris cette enfant pour cible et la recherche.

Stella devine la colère, la rage dans les encoches faites aux photos. Son doigt caresse les bords écorchés, elle entend une voix grincer j'aurai ta peau, je te retrouverai, tu te crois en lieu sûr mais tu te goures.

Elle entend ou elle croit entendre ?

Chaque fois qu'elle observe sur une photo ou dans la rue une petite fille qui sourit, confiante, à un adulte, les larmes lui viennent, les yeux lui piquent, elle a envie de crier ne lui faites pas de mal, s'il vous plaît !

Qui a placé les photos dans le coffre ?

Ray Valenti ou Fernande ?

Ou les deux ?

Est-ce que Fernande est au courant de l'existence de cette petite fille ? Est-ce qu'elle sait ce qu'il lui est arrivé ? Qu'était-elle pour Ray ?

Le regard de Stella retombe sur les photos. La petite fille fait des cabrioles, mange le sucre effilé rose, serre son panda bleu. Elle a un épi de cheveux sur le front qui dessine un tourbillon et fait voltiger sa frange noire, raide. Dérange la belle ordonnance des cheveux lisses. Moi aussi, j'avais ce tourbillon sur le front et je le détestais. Je le passais à l'eau oxygénée pour qu'il devienne blanc, se fonde avec les cheveux et qu'on ne le voie plus. La petite fille a l'air de s'en moquer.

Elle s'offre, naïve et douce.

Est-ce que les petites filles s'offrent toujours ainsi ou est-ce qu'elles le font plus tard lorsqu'elles sont devenues femmes et que la malédiction des femmes leur est tombée dessus ? Parce qu'une femme finit toujours par être maudite. On s'habitue, c'est tout. À la brutalité de l'homme, à la brutalité du monde, à la brutalité du monde des hommes. On prend la brutalité en soi, on l'apprivoise, on lui dit *tutt-tutt*, arrête de me faire mal ou fais-le doucement, à bas bruit. Que je ne souffre pas trop, que je ne sois pas étourdie.

C'est ce qu'elle avait fait avec Ray Valenti.

Stella se penche sur la dernière photo où la petite fille tend son visage barbouillé de barbe à papa. Son attention est attirée par des trous faits au-dessus de l'œil droit. Des petites coupures bien nettes opérées par des pointes de cutter. Elle retourne la photo. Au dos du papier journal, au feutre noir, on a dessiné une cible et, au milieu de la cible, une tête de mort.

DEUXIÈME PARTIE

— C'était comment ton déjeuner avec monsieur Carter, ma chérie ? demande Joséphine en ôtant ses lunettes et en se frottant les ailes du nez.

Sur la cuisinière, un clafoutis clapote et répand une odeur de fruits rouges et de sucre chaud. Un pot de gelée de groseilles est ouvert à côté d'un paquet de sablés au sésame.

Joséphine et Zoé, assises à la table en bois achetée aux puces de Vanves un dimanche, examinent à la loupe quelque chose qu'Hortense ne peut pas voir.

Et c'est tant mieux.

Sa mère et sa sœur ont parfois des centres d'intérêt qui, au mieux, la font bâiller, au pire, l'horripilent. Zoé depuis sa rupture avec Gaétan affiche des airs de carmélite qui lévite et Joséphine a en permanence sur le visage un sourire si doux qu'Hortense a envie de la barbouiller de cirage. Elles entonneraient «Il est né, le divin enfant», une couronne de lys sur la tête, qu'elle ne serait pas surprise. Et pourtant je les aime, je les aime, que se passe-t-il pour que je les déteste en ce moment précis ?

Elle ouvre le robinet et remplit un verre d'eau.

— Tu as un problème ? dit Joséphine.

— Non, pourquoi ?

— Tu as l'air perplexe…

Perplexe et contrariée. Joséphine ravale le second mot. Elle a appris qu'il ne faut pas approcher sa fille de trop près sinon elle crie à l'agression. Lundi dernier, elle a eu l'imprudence de lui demander des nouvelles de Gary, Hortense a hurlé qu'elle ne supportait plus qu'on viole son intimité, que ces intrusions étaient intolérables, qu'on devait la respecter. Elle a claqué la porte, boudé trois jours. Joséphine n'osait plus feuilleter un livre ni rincer une tasse à café de peur de l'irriter et d'encourir la peine capitale. Encore moins demander à voix basse qu'est-ce qui ne va pas, ma petite chérie ? Il faut être deux pour parler. Deux et apaisées.

— T'as pas aimé le Fouquet's ? dit Zoé en levant la tête.

— Si.

— Je crois que je vais prendre des cours de cuisine et devenir chef. Je ferai des Restos du cœur trois étoiles. Y a pas de raison que la bonne bouffe soit réservée aux gros pleins de sous. Ça m'irait bien la toque ? T'as mangé quoi ?

— Je me souviens plus.

— Quoi ! Tu vas dans un trois-étoiles et tu zappes les plats !

— Elle n'a peut-être pas envie de nous en parler, dit Joséphine, intriguée par la conduite de sa fille aînée qui tient son verre d'eau comme un bâton de rouge à lèvres qu'elle passe et repasse sur ses lèvres, les yeux dans le vide.

— Je ne te demande pas si tu as rencontré l'homme

172

de ta vie, continue Zoé, je veux savoir si tu as pris des langoustines rôties ou du jambon-purée ! C'est pas indiscret, ça !

— Si, justement. C'est très indiscret.

Joséphine fait signe à Zoé de ne pas insister. Zoé pique du nez sur sa loupe, mais qu'elle est belle, cette fleur, maman, ce cœur de soleil entouré d'épines noires, posé sur un velours blanc ourlé d'un moiré violet, c'est une pensée ?

Ce ne peut être que l'œuvre de Dieu.

Pourquoi cherche-t-on des preuves de Son existence alors qu'il suffit de cueillir une fleur pour en avoir l'indicible preuve ? Il existe, Il brûle en moi, je chavire, paisible, heureuse, oh, si heureuse… et puis… Il s'enfuit.

Et je Le cherche à nouveau.

Je L'attends, je Le guette, je me penche à ma fenêtre. Il revient, me fait signe, mon cœur s'emplit de joie.

Il est là.

La preuve ? Je parle comme un psaume.

Peut-être que cette fleur apaiserait Hortense ?

Hortense n'entend pas, Hortense ne pipe pas, Hortense fait rouler le verre sur sa bouche en fixant le rideau blanc de la fenêtre de la cuisine où voguent des petits bateaux rouges brodés au point de croix.

Hortense cherche une réponse qu'elle ne trouve pas.

Pourquoi suis-je devenue toute molle ?

Sans trompette ni boussole.

Elle est entrée au Fouquet's sur un char de guerre, elle en est repartie à pied et sans rapière. Les nerfs épluchés. Elle a remonté les Champs-Élysées, descendu l'avenue Victor-Hugo jusqu'au Trocadéro, tourné à droite dans l'avenue Paul-Doumer, emprunté l'allée Buffon, marché jusqu'à l'avenue Raphaël où se trouve l'appartement familial.

Elle a marché sans noter un seul détail qui aurait pu lui donner l'idée d'un pli à la taille, d'un col tailleur ou d'une poche en épi. Sans épingler la silhouette d'une fille mal attifée qu'elle aurait photographiée et rectifiée dans son blog. « Avant », « après ». C'est sa marque de fabrique, le « coup de griffe » d'Hortense Cortès qui change Miss Nobody en Cara Delevingne. Les filles se battent pour se faire rhabiller, coiffer, maquiller par Hortense Cortès. Pour les trucs, les astuces, les adresses qu'elle poste. Elle sait tout de la mode et des mille et une façons d'être parisienne. Elle refuse la publicité pour pouvoir dénoncer et se moquer. Tous les détails, elle les pique dans la rue en marchant.

En sortant de son déjeuner, elle n'a rien vu, rien entendu, rien senti, juste un chien qui la suivait qu'elle a renvoyé d'un coup de pied.

Pourquoi ?

Elle fronce les sourcils, mord le bord du verre. Frotte ses dents contre le bombé poli, le fait grincer, le ronge.

C'est arrivé, je crois, oui, ça y est ! sur les marches de

l'escalier au Fouquet's. Je parlais au téléphone. Mon sac a heurté un homme. J'ai trébuché. Il m'a rattrapée. M'a saisie à pleines mains pour me remettre droite. Quelques secondes. Quelques secondes à peine…

Je veux sa paume sur mes reins, son ventre contre le mien, je veux me jeter dans sa bouche, l'embrasser, l'embrasser…

Les petits bateaux rouges naviguent, insouciants, sur les grands rideaux blancs, quand un vent furieux les précipite dans des creux géants. Une masse sombre déboule dans la cuisine. Du Guesclin se jette contre les jambes d'Hortense, se dresse sur ses pattes arrière, se frotte à sa hanche. Elle se penche, lui tire l'oreille, lui souffle dans les narines, il gémit d'aise et éternue.

Cet homme au Fouquet's…

Il a refermé ses mains sur moi. Bien fort pour me tenir. Froid, dur, une armure qui sourit et ne réchauffe pas. Des yeux gris à trancher le métal. À vous glisser sous la lame de l'échafaud sans cligner.

Je suis tombée, j'aurais voulu tomber encore.

— Je crois que je vais aller voir Henriette, annonce Zoé. Tu viens avec moi, Hortense chérie ?

Hortense dévisage sa sœur comme si elle venait de lui demander de lui prêter son Tampax.

— Ça va pas la tête ?

Elle lève les yeux au ciel.

— Et pourquoi pas tricoter des genouillères pour les amputés de la vallée de la Mort !

— C'est notre grand-mère… Elle vit seule, sans

ressources, elle est concierge pour gagner sa vie, je trouve que…

— Henriette ? Sans ressources ?

— Elle sort les poubelles à six heures du matin, fait le ménage, distribue le courrier, passe l'aspirateur, encaustique les…

— N'importe quoi ! Marcel l'entretient. Et grassement. Elle dort sur un matelas rempli d'or. Ça tinte quand elle se retourne.

— Elle n'a plus de mari, plus d'enfants, elle n'a plus que nous, je veux dire toi et moi parce que pour elle maman ne compte pas. Je ne te fais pas de peine, maman chérie, en disant ça ?

Joséphine sourit en écoutant Zoé parler d'Henriette, sa mère. C'est comme si elle me parlait d'une vieille dame que je croiserais dans la rue.

— Alexandre pourrait aller la voir, proteste Hortense. C'est son petit-fils.

— Il habite Londres, tu sais bien ! Il va pas prendre l'Eurostar ! Tu devrais venir, tu ferais une bonne action.

— Ça pue, les bonnes actions.

— Tu dis ça, mais c'est pour cacher que tu as du cœur.

— Faux. J'aime personne. Je déteste l'amour, ça ne sert à rien qu'à perdre son temps, son énergie, sa force, sa…

L'amour est un gaz. Qui asphyxie.
L'amour est une maladie.
L'amour ne vaut pas un radis.
Sauf celui que j'éprouve pour Gary.

176

Oh, Gary ! Je pourrais t'attaquer en justice pour maltraitance.

— Menteuse ! Tu aimes maman, moi, Du Guesclin…

Zoé compte sur ses doigts.

— Tu aimes Gary…

— Ça te regarde pas.

— Junior…

— C'est pas ton problème.

Zoé sourit, tortille une boucle de cheveux châtains entre ses doigts.

— Je suis passée chez lui hier, il m'a encore dit que vous alliez vous marier. Il est sérieux, tu sais… Ça fait longtemps que tu l'as pas vu ?

— On se parle la nuit sur Facetime quand je dessine… Il dort pas beaucoup. À propos, mon tissu italien est arrivé ?

— Tu le vois pas pour de bon.

— J'ai pas le temps. Je travaille. Maman… il est arrivé ou pas ? Va falloir que je rappelle l'usine sinon… C'est pas à moi de le faire, c'est à Sisteron. Il fout rien, celui-là !

— Il a changé, Junior. Il est bizarre. Limite étrange.

— Non, ton tissu n'est pas arrivé et toi, Zoé, ne parle pas comme ça de Junior, ce n'est pas gentil, proteste Joséphine en s'ordonnant de ne pas toucher au sablé posé devant elle et en se jetant dessus.

— Mais, m'man, je dis pas de mal. Toi-même…

— Qu'est-ce qu'il a ? demande Hortense, intriguée.

— Y a que ses oreilles sont de plus en plus longues et pointues, que son crâne se déforme. Il perd ses

177

cheveux et il a pris douze centimètres en un an. On lui donnerait quinze ans et il en a sept !

— Il grandit, c'est tout, dit Hortense.

— Ben moi, je crois qu'il y a autre chose.

— Quoi ?

— Justement, je sais pas. C'est peut-être les hormones. Ou un troisième sexe qui pousse…

— Zoé ! s'insurge Joséphine. C'est pas bien…

Elle s'étrangle et recrache son sablé. Hortense fait une grimace. Zoé tape dans le dos de sa mère tout en parlant :

— Il est bizarre, je te jure. Avec ses grandes oreilles et son crâne qui fuit en arrière couché par le vent… on dirait une dune sur les plages du Nord avec des herbes par-ci par-là.

— Il n'a jamais ressemblé aux autres enfants, s'étouffe Joséphine qui essaie de dégager le bout de sablé coincé dans sa gorge.

— Il ne va plus du tout à l'école, continue Zoé. Il prétend que c'est une perte de temps, qu'avec tous les concours qu'il remporte, ce n'est pas la peine.

— Il en a encore gagné un ?

— Le prix Incubateur du concours Google. Il a reçu une bourse de dix mille dollars. Il travaille sur une application qui permettra aux enfants différents de communiquer avec les autres. Et sur une autre à base d'émissions de sons qui développent la sérotonine du cerveau et produisent de la bonne humeur. Il a plein d'idées !

— Et plein d'argent ?

— Il se moque de l'argent, il veut qu'on lui foute la paix pour qu'il puisse travailler. C'est ouf, non ?

— Aujourd'hui les très jeunes sont comme ça, dit Hortense. Ils montent leur entreprise et se fichent pas mal des lois, des études, du fais pas ci, fais pas ça. Ça me déprime, je me sens vieille. Je ne vais pas assez vite.

— Mais c'est encore un enfant ! s'exclame Zoé.

— Le monde change à toute allure. Junior a toujours été en avance.

— Au point d'avoir des oreilles télescopiques ? Et un duvet de caneton sur le crâne ?

— Il est déjà entré dans l'autre dimension. On va tous être transformés, on n'y peut rien. Tu vois bien comme ça secoue partout ? Tu sens la violence, le désarroi, la perte de repères ? Ben lui, il a tout compris, tout digéré, il est passé par l'accélérateur de particules.

— Ça, c'est sûr ! Tu sais ce qu'il a fait ?

Zoé brandit sa loupe vers sa sœur en un geste d'avocat qui plaide et fait des effets de manches.

— J'avais besoin qu'il m'explique un truc sur mon nouveau téléphone. Je suis allée le voir. Il a un bureau grand comme la place de la Concorde, des dossiers partout, une secrétaire…

— Une secrétaire !

— Bien obligé ! Avec tout ce qu'il a en chantier ! Il reçoit des dignitaires et des scientifiques de tous les pays. Elle est spéciale. Elle disparaît derrière les dossiers. On n'aperçoit que ses pieds sous le bureau, pieds qu'elle a très grands… Et des bas gris très épais dans des espadrilles orange, hiver comme été. Elle connaît les racines carrées, les horaires des marées, les dates des moissons et des moussons, les capitales,

les plats nationaux, les hymnes, elle parle latin, grec, allemand, russe, italien à cause de Dante, anglais pour mieux goûter Shakespeare et espagnol parce qu'elle est amoureuse de Don Quichotte. Elle a baptisé son scooter Rossinante.

— Elle s'appelle comment ?

— Popeline…

Hortense éclate de rire.

— C'est Mary Poppins !

— Junior l'adore. Il commence une phrase, elle la finit. Donc j'étais chez lui, je lui tends mon téléphone, il me dit de ne surtout pas lui donner mon nouveau numéro, il va le trouver tout seul. Il fait un clin d'œil à Popeline, bave un peu, se concentre. Je rigole, mais lui, très sérieux, pose sa main gauche sur mon téléphone, ferme les yeux, les ferme si fort que ça lui dessine plein de rides autour…

— Et ? demande Hortense.

— De sa main droite il compose mon numéro sur son portable et… mon téléphone a sonné. Ce n'était pas de la télépathie, je ne connaissais pas mon nouveau numéro. Il est fort, non ? Et attends, c'est pas fini !

Zoé regarde sa mère et sa sœur, leurs bouches arrondies, leurs sourcils en arcs tendus, elles sont suspendues à ses lèvres. Elles lui font confiance, elles savent qu'elle va leur livrer une information encore plus étonnante. Zoé sourit, heureuse, la joie déferle, s'étale, la tapisse, fourmille jusque dans ses jambes, elle a envie de chanter, de raconter, d'apprendre un nouveau mot, d'aller explorer le monde, c'est si bon d'avoir la joie en soi.

— C'était l'heure du déjeuner. Josiane nous a

demandé si on voulait manger, elle avait préparé un hachis Parmentier. J'ai dit oui, je mourais de faim et elle cuisine drôlement bien. Junior a répondu que c'était pas la peine, il avait lu la recette et était rassasié. Il m'a confié que la purée était délicieuse ! Il a ajouté que c'était fou tout ce qu'on pouvait faire avec le cerveau humain. On n'en utilise que dix pour cent et lui vise les cent pour cent, voire plus !

— Josiane ne doit plus savoir sur quel pied danser, dit Joséphine.

— Faut dire qu'il n'est pas banal ! s'exclame Hortense. Souvent quand il parle, je comprends rien.

— Tout n'est pas rationnel ici-bas, triomphe Zoé, Junior en est la preuve.

— Je vais aller le voir, décide Hortense.

— Va chez Henriette d'abord. Tu feras une bonne action.

— Arrête avec tes bonnes actions ! Je vise pas le Paradis, moi.

Depuis sa rupture avec Gaétan, sa mention très bien au bac, Zoé se consacre à Dieu. C'est mon divin Époux, elle affirme, les joues empourprées par l'aveu. L'homme a chassé Dieu du monde, moi je l'ai recueilli dans mon cœur. Sans Dieu le monde est désolant. J'ai besoin d'infini, d'idéal, d'harmonie. Vivre tournée vers la lumière et non le nez par terre à renifler la misère sentimentale, Tinder et autres. Je ne veux pas palpiter pour le nouvel iPhone ou un site de rencontres, me consumer pour une tablette ou une chanteuse en string, je veux du grand, du beau, du foudroyant.

Des éruptions de joie. Je veux être un volcan.

C'était un jour de printemps, les arbres tendaient leurs pousses vertes et tremblantes, les oiseaux chantaient en construisant leur nid, la lumière du ciel soulignait la beauté de Paris, elle avait éprouvé un immense besoin d'aimer, de se dissoudre dans l'amour, de devenir une autre avec de grands bras, un cœur toujours ouvert. Elle cherchait sur qui faire retomber cet élan d'amour, serait-ce un homme, une femme, un caniche ? Elle s'était dit non, non, ce sera tous les hommes, toutes les femmes, tous les caniches, et elle avait ressenti une explosion de bonheur dans le cœur comme si elle avait visé en plein dans le mille et décroché la lune et quelques centimes.

— Vous avez terminé les paquets pour mes commandes de tee-shirts ? demande Hortense.

— Oui, dit Joséphine. Iphigénie ira les poster demain.

— Il va manquer des *Easily Bored*, note Zoé. Ils partent à toute allure.

Hortense se détend, ses doigts se relâchent autour du verre. Ses tee-shirts se vendent par milliers. Elle se prépare à entrer sur le marché chinois. Elle a trouvé un agent là-bas. Chaque pièce lui revient à un euro soixante, elle la revend entre cinquante et quatre-vingts euros selon les modèles. Coupe impeccable, pur coton, pure soie, avec ou sans inscription, débardeur, dos nu, long, court. Hortensecortes.com, 875 886 abonnés. Le succès est si grand qu'elle se demande chaque jour comment répondre à la demande.

182

— J'ai mis du papier de soie, dit Zoé, ta petite carte, des berlingots *made in France*, tout comme tu veux qu'on fasse.

Hortense invente les phrases-slogans qu'Iphigénie plastifie au fer chaud :

Easily Bored
Attention ! Je m'ennuie vite
Risk Takers
Spinoza Was Right
Don't Boss Me
Je marche pas dans les clous
I Hate Rules
Pleure pas, tu m'ennuies
Un, deux, trois, FONCE
Riche, belle et célèbre, où est le problème ?
Today is the Day

Son entreprise s'appelle Hortense Cortès Herself. HCH. Siège à Londres. Nicholas, son copain du temps de Saint Martins, s'occupe de l'administration et des finances. Et de la branche anglaise. Il a grossi, il est devenu chauve et efficace. Elle a besoin de lui. Je t'ai à l'œil, t'as pas intérêt à m'entuber ou je te découpe la gorge à l'ouvre-boîte. Elle a embauché Zoé et Iphigénie, leur distribue un pour cent des recettes mondiales. Rentrez-vous ça dans le crâne : pas de grèves, pas de protestations, garde-à-vous et travail impeccable. Iphigénie a acquiescé. Zoé aussi, Joséphine a souri.

Hortense a le menton d'un adjudant.

Iphigénie travaille quand la loge est fermée. Tous

les jours entre treize et seize heures, elle sort la planche à repasser et fait chauffer le fer. Elle est fière de participer à cette aventure. Un pour cent divisé par deux, c'est pas grand-chose, mais c'est bon à prendre. Et puis, on ne sait jamais, c'est peut-être comme ça qu'on devient riche ? Que disait tante Amelia déjà ? « Les petits ruisseaux font les grandes rivières. »

Zoé plie les tee-shirts selon les instructions précises d'Hortense, écrit les adresses sur de très jolies étiquettes dessinées par Hortense, une tour Eiffel bleu-blanc-rouge qui lève les gambettes en dansant le french-cancan.

Elle distribue ses gains aux personnes assises sur des cartons dans la rue. Aux petits vieux, aux petites vieilles. Pour que la vie soit belle, il faut qu'elle déborde.

Chaque jour, une centaine de tee-shirts sont envoyés dans le monde entier. Tout doit être parfait, je joue ma crédibilité, répète Hortense. Cré-di-bi-li-té. Ces cinq syllabes sont les fondements de mon entreprise.

Il n'y a pas que des tee-shirts en vente sur le blog d'Hortense Cortès. On y trouve des pulls, des vestes, des robes, des chemises, des pantalons. Quelques modèles qu'elle lance pour les tester. Elena Karkhova s'occupe de la fabrication. Ou plutôt l'énigmatique Robert Sisteron. Il a trouvé des façonniers dans le quartier du Marais. Des Turcs, des Chinois qui taillent une robe ou un manteau avec le savoir-faire des grands couturiers.

SISTERON. Celui-là, Hortense ne sait pas quoi en penser. Ils s'observent, se mesurent, s'évitent. Dès leur première rencontre, il a été hostile. Hortense s'en méfie, Elena prétend qu'elle fabule, Sisteron est son VALET. Taratata, rétorque Hortense, un valet peut mordre son maître au mollet. Il semble expert, sûr, solide mais il est comment dire… Fade ? Transparent ? Ou inflexible et féroce ?

Elle ne sait pas.

— J'ai trouvé un conseil de beauté pour ton blog ! lance Zoé.

Deux fois par semaine, un petit film donne un conseil de maquillage ou de relooking. Joséphine grimace en entendant le mot, va falloir t'y faire, maman, bientôt on ne parlera plus français. Oh non, proteste Joséphine, ce serait si triste ! C'est Octave, un stagiaire d'Hortense, qui filme. Zoé prête son œil, sa bouche, ses cils.

— Toi ? Un conseil de maquillage ? sourit Hortense.

Zoé frémit d'excitation.

— Je suis allée chez Carla rue de Passy et j'ai demandé comment faire tenir un rouge à lèvres tout l'après-midi…

— Je vais te dénoncer au Carmel !

Zoé souffle un *pff* qui fait voler sa mèche et enfonce une fossette dans sa joue gauche.

— Faut d'abord mettre du fond de teint sur les lèvres, poudrer et ensuite poser son rouge au pinceau. J'ai essayé et… *taaadaaam*, ça a marché. Ça va te faire combien d'abonnées en plus, cette astuce ?

J'aimerais ne plus avoir besoin d'Elena. De l'argent d'Elena. Je voudrais être libre.

Elena m'ouvre toutes les portes, de l'atelier chinois à l'usine italienne, mais pourquoi ? À quatre-vingt-douze ans, elle devrait passer ses journées sur son lit à engloutir des loukoums en lisant des romans sucrés. Verser une larme quand l'héroïne se fait larguer et sangloter quand son amant revient sur son cheval blanc. C'est louche, cette générosité envers moi. Les bonnes fées n'existent pas.

Le prince charmant non plus.

Et l'homme-armure la reçoit dans ses bras.
Elle voudrait ne plus bouger.
Je vais l'oublier. L'amour est un gaz.
Surgit l'idée d'un slogan pour un tee-shirt.
Love Is a Gaz. Blow It Away.

— J'ai une idée de phrase à coller ! s'écrie Zoé. *La beauté de l'amour : plus on en donne, plus on en a.*
— Nul, trop long. Cucul.
— *L'amour, plus on en donne, plus on en a.*
— Mou, guimauve.
— *Aimez, vous serez riche.*
— Ça pue la bonne sœur.
— *Ma sœur me gonfle.*
— Celui-là, je prends !

Zoé se défend bien mieux que moi, elle envoie balader sa sœur, pense Joséphine en calculant le nombre de sablés au sésame qu'elle a engloutis. À

186

cinquante ans, chaque sablé pèse un kilo. À cinquante ans, il faut s'affamer. Selon Hortense. Ne pas sourire pour ne pas creuser les rides. Ne pas pleurer pour éviter les poches sous les yeux. Marcher, courir, dormir. À cinquante ans, on retombe en enfance, on reçoit des ordres, tiens-toi droite, mange pas de sucre, fais pas ci, fais pas ça.

Elle vient d'avoir cinquante ans. Elle fait de l'élastique avec ses émotions. Un jour en plein ciel, le lendemain fracassée. Elle pleure devant un pigeon écrasé, puis gambade et s'achète une minijupe.

Qu'elle n'ose pas mettre.

Elle rit, elle pleure, elle voit tout en noir, repeint tout en rose. Se laisse tomber sur un banc public, regarde ses pieds, se dit que sa vie est finie.

Elle a des fringales de sablés. Hésite entre un traitement aux hormones, des oméga-3 ou de la gelée royale en capsules. Sa gynéco lui conseille d'alterner. Et l'exhorte allez, madame Cortès, il faut lutter. Elle tend sa carte Vitale, rentre ses pieds sous la chaise. Elle a rangé ses baskets, arrêté la course à pied. Du Guesclin a des rhumatismes, il ne quitte plus son coussin. Et puis… Courir ne l'amuse plus. Ni sauter dans les flaques. Ni s'appuyer aux arbres avec un point de côté en regardant les canards se piquer du bec et les labradors sauter dans l'eau glacée.

Philippe ne l'a pas appelée hier.

Avant-hier non plus.

Elle a laissé trois messages.

Parfois le soir, quand elle éteint, elle se dit qu'elle ne rallumera plus.

Qu'il se passera « quelque chose » dans la nuit.

Et que ce sera fini.

Elle ne sait pas quoi.

La semaine dernière, il était tard, elle rentrait d'une conférence à l'université, « Vêtir l'enfant au Moyen Âge », elle avait poussé la porte de la chambre de sa fille. Hortense travaillait. Elle lui avait souhaité belle nuit, mon amour, éteins, tu travailleras demain. Elle ne savait pas pourquoi elle prononçait ces mots. L'habitude peut-être. Ou l'envie d'être encore quelques minutes une maman. Le bout du monde pour sa fille.

Hortense avait levé la tête :

— T'as mauvaise mine, tu devrais mettre de l'anticerne. J'en ai un très bien si tu veux…

— Je suis fatiguée. La soirée a été longue et…

— Fais gaffe ! Tu vis tes dernières belles années. Bientôt tu seras hors d'usage.

Joséphine avait refermé la porte en se mordant la lèvre.

Hors d'usage.

La seule personne que semble craindre Hortense est cette comtesse russe qui l'hébergeait à New York…

Elena avait sonné à la porte, un après-midi, flanquée d'un homme austère qui portait un cartable et s'appelait Robert. Elle s'était présentée, comtesse Elena Karkhova, enchantée de faire votre connaissance, madame Cortès. Avait demandé à Zoé s'il était possible de lui faire un chocolat chaud avec beaucoup de chocolat et du lait de brebis, le temps est si humide

188

à Paris, il transperce les os, ça lui rappelait son enfance à Novgorod, quand elle se réfugiait dans les anfractuosités des remparts pour se protéger du vent glacé, des grêlons qui giflaient les coupoles dorées. C'était il y a longtemps…

Enroulée dans son châle, elle avait égrené tout le bien qu'elle pensait d'Hortense, son don pour dessiner, couper, son originalité, sa volonté, sa puissance de travail, son audace, et enfin la trouvaille de ce tissu incroyable qui avalait la graisse et rendait n'importe quelle femme désirable, dont elle d'ailleurs… alors qu'elle avait depuis longtemps dépassé la cinquantaine, dépassé amplement il est vrai, mais elle n'en dirait pas plus, une jolie femme n'avoue jamais son âge, ni le montant de sa fortune, ni le nombre de ses amants, surtout quand ils sont plus de mille, car il n'y a pas que ce prétentieux de Don Juan qui puisse s'enorgueillir de… non, non, certaines femmes sont des gourmandes, des expertes… n'est-ce pas, Robert ? Pourquoi rougissez-vous, mon cher ? Mais je m'égare, je m'égare, où ai-je la tête ? Ah… chère madame… Appelez-moi Joséphine s'il vous plaît. Chère Joséphine donc, j'ai oublié de vous présenter Robert Sisteron, mon fidèle secrétaire, mon conseiller avisé, mon bras droit, ma main gauche, mes yeux, mes oreilles… Il m'est entièrement dévoué. Il connaît mes états, mes secrets, mes humeurs, n'est-ce pas, Robert ?

Robert Sisteron avait salué Joséphine, le buste incliné, le visage sévère. Cet homme, on dirait une bouteille. Il n'a pas d'épaules, pas de taille, pas de fesses. Une couleuvre habillée, avait pensé Joséphine. Je ne lui ferais pas confiance.

189

La comtesse faisait des mines, des mines de petite fille surprise, étourdie, savante, des mines attendrissantes, et Joséphine contemplait cette auguste douairière en essayant de suivre le fil d'une conversation riche, bondissante. Voire confuse et embrouillée. Novgorod, Moscou, Saint-Pétersbourg, l'exil, Courbevoie, la banlieue, les cheminées d'usine, le réduit humide, noir, qui leur servait de logis, les parents déracinés, misérables, mais sur le radeau de la détresse, la misère n'exploite-t-elle pas la misère ? Et enfin, l'entrée en scène du fringant Jean-Claude Pingouin, oui, j'ai bien dit Pingouin, c'était son nom, il avait acheté le titre de comte Karkhov à un vieux Russe sur le point de presser la gâchette, personne ne l'a jamais su. La vie roulait carrosse, la vie boitait citrouille, caviar ou pâtes à l'eau, des billets plein les fouilles ou le nez dans le caniveau, le comte et la comtesse, gredin et gredine, les bals, les fêtes, les diamants, sa main sur mes fesses, ses yeux de velours sombre, sa bouche chaude, ses baisers me coupaient les genoux, ses fugues m'éclaboussaient de boue, c'était un tourbillon de portes claquées, de pleurs, de cris, de je t'aime sur l'oreiller, la valse des baffes et des baisers, mais on vivait, on vivait ! On faisait voler les fauteuils. On se roulait dans les feuilles. On croquait les billets. Certains se récriaient et se voilaient la face. Je plaignais ces êtres fades piqués à l'ennui, à la vertu. Et puis soudain… patatras ! La trahison. À cause d'une moins-que-rien, une Mimi Pinson. Elle a fondu sur moi et m'a volé mon homme. Et pourquoi ? Parce qu'elle avait vingt ans de moins, la fesse ronde, la poitrine ferme. On ne lutte pas contre ces chiffres-là.

Alors, la tête haute, je suis partie. New York, New York, la fuite, la débâcle, le réchaud où je faisais cuire mes pâtes, les vitres cassées, le carton pour arrêter le vent, la pluie, Robert qui m'appelait, me donnait des nouvelles de Paris, m'envoyait un peu d'argent pour m'acheter une robe, un bœuf en daube, et puis un jour à l'aube, la mort du Pingouin, il n'était pas vraiment sobre, il ne roulait pas lentement, la voiture s'est enroulée autour d'un arbre, lui a donné l'accolade et un baiser mortel. Il n'avait pas eu le temps de modifier son testament. Les millions, les milliards, les Gauguin, les Zutrillo, les Renoir tombèrent dans mes poches et la vie rebondit. Yves Saint Laurent, ah, Yyyyves ! Karl Lagerfeld, ah, Kaaarlito ! Anna Wintour, Coooco Chanel, le tissu du corset, Hortense, Gary, aaah, Gary, quel être exquis ! Et Élisabeth, mon amie Élisabeth qui règne depuis si longtemps sur la perfide Albion, j'ai son 06 et nous buvons le thé sous les plafonds dorés de Buckingham… Je reprendrais bien un peu de ce chocolat velouté et profond, vous l'avez réussi, Zoé, j'en ai rarement bu d'aussi bon, d'aussi mystérieux, vous avez la foi, ma petite ? Ne répondez pas, c'est inutile, Dieu vous habite. Les anges volent au-dessus de vous. Quelle belle âme dans un corps si jeune !

Elle avait repris son souffle et conclu :

— Enfin pour résumer, je fonde de grands espoirs sur Hortense, votre fille, et suis prête à l'aider, la conseiller et surtout la FINANCER. Ça coûte bonbon de lancer une nouvelle maison sur le marché. Vous avez une idée du prix d'un seul défilé de haute couture ? Non ? Trois cent mille euros ! Au bas mot. Sans compter les petits-fours, le jus d'orange et le champagne, l'eau gazeuse et les macarons, le caviar et le saumon pour amadouer les parasites, les journalistes, les vautours affamés de luxe et de paillettes. C'est terrible, torrentiel, terrassant !

Les « r » s'entrechoquaient. Elena plongeait dans les yeux de Joséphine un regard de rapace révulsé.

Troublée, Joséphine avait balbutié des remerciements.

Elle avait cependant une question à poser :

— Est-ce qu'Hortense sait que vous me rendez visite ?

— Non. Pourquoi ?

— Je préférerais que vous le lui disiez.

— Vous avez donc si peur de votre fille ? avait répliqué la comtesse en sortant de son sac damassé en velours rouge un loukoum long et vert qu'elle avait aspiré d'un seul coup. Je vous plains, madame.

Joséphine avait baissé les yeux.

Zoé avait relaté la visite de la comtesse Karkhova à Hortense qui n'avait pas eu l'air étonnée. Elena voulait présenter ses hommages à sa mère.

— Une femme ne présente pas ses hommages à une autre femme, avait corrigé Zoé.

— Oui mais… Elena est un homme. Et elle ne le sait pas.

Hortense se méfie de cet homme-là.

Pourquoi Elena est-elle prête à miser tant d'argent sur une débutante ? Elle pourrait renflouer n'importe quelle maison de couture ou financer un styliste renommé.

Elle a beau retourner le problème dans tous les sens, il lui faut se rendre à l'évidence: elle a besoin d'Elena. La vente des tee-shirts ne suffira pas à payer son premier défilé.

— Tu as entendu ce que je disais? demande Joséphine.

— Non. Je pensais à autre chose.

— Noël est dans quelques semaines…

— On est en novembre!

— Ce serait bien que je rencontre cette femme, tu sais bien…

Joséphine a du mal à prononcer le nom de Stella. C'est presque douloureux pour elle. Elle a l'impression de rentrer dans le lit de son père, de regarder ses fesses nues monter et descendre.

— Tu parles de la fille que ton père, Lucien Plissonnier, a conçue juste avant de mourir? dit Hortense en appuyant sur chaque mot, sur chaque circonstance.

— Oui, dit Joséphine en mordant dans un sablé.

— Stella? Ta demi-sœur?

— Stella. Et sa mère, Léo…

— La maîtresse de ton père?

— Oui, Léo… nie.

Joséphine en bafouille.

— Stella et Léonie. Notre nouvelle famille…, grogne Hortense.

Elle fait tourner le verre contre ses dents.

— On devrait faire comme les animaux, parents et enfants restent ensemble le temps de grandir et puis chacun se tire…

— Oh! Je ne pourrais pas vivre sans vous, moi, proteste Joséphine.

— Il n'y a pas que Stella et Léonie, dit Zoé en riant des yeux.

— Ah bon…, soupire Hortense. Ils sont nombreux ?

— Mais tu sais bien !

— J'ai oublié.

Tout ce qui ne concerne pas sa future collection est effacé de son cerveau. Elle est capable de parler une demi-heure avec une personne et ne pas la reconnaître le lendemain. Les gens se vexent, passent leur chemin. Ce n'est pas son problème.

— Dis-lui, maman, dis-lui, piaffe Zoé.

Joséphine se racle la gorge.

— Mais vas-y, dit Hortense, je vais pas te manger !

— Tu lui fais peur ! s'insurge Zoé.

— Non, Zoé, corrige Joséphine, Hortense ne me fait pas peur, c'est la situation qui… Mon père, à quarante ans, alors qu'il était marié et père de famille, a eu une maîtresse et a conçu un enfant, c'est étrange, non ?

— Il avait quarante ans et il bandait, c'est tout, dit Hortense. Qu'est-ce que vous pouvez être cuculs, Zoé et toi !

— On n'est pas cuculs, réagit Zoé, on a une certaine idée du bonheur. Et si le bonheur c'est cucul, eh bien tant pis ! Il y a beaucoup de gens qui aimeraient être cuculs par les temps qui courent. Tout le monde rêve d'être heureux mais tout le monde s'en empêche de peur d'être cucul justement. J'en ai marre de cette réprobation générale du bonheur !

— Calmos, Zoétounette ! Calmos.

— Tu me gonfles avec tes préjugés et tes sentences.

Joséphine fait celle qui n'a pas entendu et poursuit :

— Il y a donc Léonie, Stella…

Elle compte sur ses doigts et les déplie au fur et à mesure qu'elle prononce les prénoms.

— Adrian, Tom et un couple, Suzon et Georges, d'anciens domestiques des parents de Léonie qui font office de grands-parents si j'ai bien compris.

— Ils se déplacent toujours en groupe ? On leur fait des prix, j'espère.

Joséphine ignore le ton railleur de sa fille et glisse, timide :

— Je pensais inviter Léonie et Stella d'abord…

— Chez nous ? Il n'en est pas question.

— J'irais déjeuner avec elles quelque part et vous passeriez les voir.

— Sûrement pas ! J'ai pas le temps ! s'exclame Hortense.

— Moi, je veux bien, dit Zoé.

— Je connais déjà Stella. Elle m'a fait très bonne impression, dit Joséphine. J'aimerais rencontrer Léonie.

— Tu fais ce que tu veux tant que ça ne se passe pas ici, dit Hortense.

— C'est vrai, constate Joséphine, l'appartement est…

— … un bordel et c'est de ma faute. Tu peux le dire, je me vexerai pas.

Partout des Stockman, des machines à coudre, des tréteaux, des rouleaux de tissu, du papier calque, des photos, des croquis affichés aux murs, des ordinateurs, des imprimantes, des rouleaux de papier blanc, de toile à patron, des crayons, des feutres de couleur, des CD, des DVD, des tasses à café dont le fond est noir, craquelé, des sucres fondus sur des soucoupes, des livres cornés posés à terre, des reproductions de tableaux… tout s'entasse, s'emmêle, monte en colonnes jusqu'au plafond, on habite une forêt, dit Zoé.

Enfin, il y a Octave et Zelda, les stagiaires envoyés par Jean-Jacques Picart pour entourer Hortense. Octave tourne les vidéos qui font le buzz sur la Toile, fait le coursier, le café, remplit les bons de commande, répond au téléphone, étiquette les tissus, les répertorie. Zelda aide à couper, entoiler, coudre, sert de mannequin quand Zoé est absente et Antoinette à New York. Grande, mince, patiente, elle n'a qu'un seul défaut : elle transpire et sent mauvais.

— C'est parce que tu la terrorises qu'elle sue et qu'elle pue, s'échauffe Zoé.

— Arrête de dire que je terrorise tout le monde !

— Mais c'est vrai. En plus, tu fais la gueule tout le temps, tu aboies, tu mords. Tu vas mal ou quoi ?

— Oui, l'appartement est en grand désordre, soupire Joséphine en apercevant la porte des toilettes barrée de cintres portant des manteaux de fausse fourrure.

Les robes, les pantalons, les vestes sont pendus, étalés. Certains modèles rayés attirent l'œil de Joséphine. Au Moyen Âge, arborer des vêtements rayés était mal vu. À cause du verset 19 du dix-neuvième chapitre du Lévitique, *Veste quae ex duobus texta est non indueris*[1].

---

1. « Tu ne porteras pas sur toi un vêtement qui soit fait de deux tissus. »

Seuls les exclus, les réprouvés, les lépreux, les prostituées, les hérétiques, les bouffons, les jongleurs, les traîtres, les félons en portaient, signant ainsi leur infamie. Les rayures étaient l'emblème du Diable comme la couleur jaune, le symbole de la trahison, la tromperie et la maladie.

— Je ne peux pas faire autrement pour le moment. Elena doit me louer un atelier, et j'attends toujours.

— C'est pas grave, sourit Joséphine. On s'est habituées.

— Pensez au jour où je serai célèbre. Qu'est-ce qu'un peu de désordre au regard de la gloire ?

— Nous irons déjeuner dehors, répète Joséphine.

— Elle vient quand à Paris, ta demi-sœur ?

— Elle m'a dit qu'elle accompagnerait son...

— Mari ?

— Son compagnon. Il y vient souvent pour affaires.

— Tu vas peut-être devenir amie avec elle, dit Zoé.

— Dis pas de bêtises ! siffle Hortense. Moins on a de famille, mieux on se porte. La famille est une création du dix-neuvième siècle qui ne sert qu'à corseter et culpabiliser les femmes. C'est une variante de l'esclavage.

— Stella est charmante, proteste Joséphine. Et son ami a l'air...

— Monsieur et madame Je-sors-de-ma-campagne-et-j'ai-du-crottin-dans-mes-sabots ? Il vend des dindons ou des cochons, lui ?

— Hortense ! Tu es odieuse !

— Je me méfie toujours quand tu déclares les gens gentils.

— Parce que ce n'est pas une qualité d'être gentil ?

— C'est ce qu'on dit des gens moches qui louchent.

— Tu dois être très malheureuse pour dire ça, déclare Zoé.

Hortense lève les yeux au ciel.

— N'importe quoi ! N'empêche… je suis sûre que son copain est un gros plouc qui sent le bouc.

— Qu'est-ce que ça te coûte de les voir une fois ? Dix minutes pour un café ? Stella va peut-être t'inspirer ? Maman l'a trouvée très belle.

— C'est vrai, dit Joséphine. Longue, mince. Un vrai mannequin.

— Pfft ! Qu'est-ce que tu connais aux mannequins ?

— Je lis les journaux. Je suis peut-être au bord de la décrépitude physique mais mes yeux voient encore…

La voix de Joséphine déraille, au bord des larmes. Hortense fronce les sourcils, décontenancée.

— Ok, ne pleure pas ! Je viendrai mais dix minutes. Pas plus.

On sonne à l'interphone. Zoé pose sa loupe, décroche. Une voix hurle en américain :

— Bon Dieu de bordel de merde ! À qui il faut tailler une pipe dans cet immeuble pour qu'on vous ouvre ?

— Antoinette ! crie Hortense.

Puisque c'est comme ça…

Puisque Antoinette, top model à New York, Brigitte Bardot noire et pulpeuse, a sonné à la porte…

Puisque Hortense a henni *miss you so much, tell me now*[1]…

---

1. « Tu m'as tellement manqué, raconte-moi… »

Puisque dans la cuisine, on ne parle plus que *fashion week*, Chrysler Building et couverture de *Vogue*…

Elle ira seule rue de Prony rendre visite à Henriette.

*

Il faut s'y résoudre, sa famille diminue à vue d'œil.

Jusqu'en septembre, tout allait bien. Alexandre tenait le rôle de cousin germain et le tenait à la perfection. Il habitait Londres, venait la voir à Paris dans une vieille Traction qu'il avait achetée aux puces de Chelsea pour fêter ses vingt ans.

Ils montaient dans la Traction et partaient s'attabler au Grand Vizir à Belleville. Assis dans un coin de la salle, ils commandaient des thés brûlants, des gâteaux au miel, des flans, des tartes meringuées, des alcools dorés et parlaient de leur avenir. Alexandre voulait faire carrière dans l'art comme son père, elle hésitait à entrer au Carmel. Réfléchis, Lullaby, c'est comme ça qu'il l'appelle, le Carmel, c'est rude. C'est robe de bure, couronne d'épines, flagellations, longues stations de pénitente sur dalles de pierre, sans eau chaude ni chauffage. Pas de Wifi, pas de télé. Pas de DVD de Bob l'Éponge pour te détendre après la messe et les corvées ! Tu crois que je serais enfermée tout le temps ? elle demandait en mâchonnant un bout de tarte au citron.

Ils reprenaient une tarte, un flan au chocolat, un fraisier. Un thé fumé.

Et un grand verre de rhum.

Pour se donner un genre.

Alexandre avait décrété qu'il était très important

de se donner un genre. Ça en imposait. Quand tu te donnes un genre, personne ne sait qui tu es vraiment et tu peux vivre en paix. Quand tu es transparent, on entre chez toi de plain-pied, on te dérange tout le temps. Opacité et distance sont nécessaires pour être respecté.

Il n'avait pas tort. On entrait chez elle comme dans un moulin.

Elle n'y voyait pas d'inconvénient.

Tout avait changé quand il était entré au Sotheby's Institute of Art.

Grâce au carnet d'adresses de son père, il s'était lancé dans le courtage d'œuvres d'art sur Internet. Il traquait les artistes en quête d'un agent et les galeries avec lesquelles négocier. Il rêvait de dénicher le prochain Keith Haring, le futur Basquiat, un improbable Rothko. Et pourquoi pas Jasper Johns ? C'est le plus grand artiste vivant, Lullaby, je rêverais de le représenter.

Il ne quittait plus son campus de Bloomsbury, en plein cœur de Londres.

Il avait vendu sa Traction, acheté un blouson en daim, un nœud papillon et de longs pantalons. Blancs, les pantalons. Il plaquait ses cheveux sur le côté avec du gel vert émeraude de chez Pond's.

Pour se donner un genre.

Il n'a plus beaucoup de temps à consacrer à Zoé même s'il jure qu'il l'aime grand comme un éléphant blanc au volant de sa Ferrari. C'est ce qu'il écrit en phonétique dans ses SMS et elle le croit.

Quand il vient à Paris, c'est la fête.

Ils marchent jusqu'au Grand Vizir. Comptent les ponts, surveillent la hauteur de la Seine, les pieds du Zouave de l'Alma, admirent les réverbères du pont Alexandre-III. Il porte mon nom, il doit être le plus beau, prends-en bien soin quand je suis au loin, il dit à Zoé.

Ils s'assoient en terrasse, posent les coudes sur la table et parlent de fond en comble jusqu'à la fermeture de l'établissement. Grand nettoyage ! lance Alexandre.

Il n'apprécie pas le bavardage, il veut du brassage d'idées et de sentiments. Chaque mot doit me fendre les tripes, vas-y, Lullaby, étripe-moi !

Ça donne toujours à peu près la même chose.

— Je suis si heureux, Zoé chérie, je fais ce que j'aime, je suis à ma place. C'est un luxe inouï. Je jubile du matin au soir. Tu sais ce que c'est que de jubiler du matin au soir ?

— Oui ! dit Zoé en levant les yeux au ciel vers son Bien-Aimé.

— Et j'ai envie de bouffer le monde. Il faudrait qu'on trouve un mot pour ça…

— Jubillonner ?

— Il n'y a pas beaucoup de gens qui jubilent sur terre. *The world is pretty gloomy, isn't it*[1], ma chérie ?

Il se penche vers elle, prend un air pénétré et ajoute :

— Quel dommage que tu ne sois pas un homme ! Je t'épouserais.

— Alex, tu es mon cousin. On ne peut pas se marier.

---

1. « Le monde est plutôt sombre, pas vrai, ma chérie ? »

— Oh, c'est chagrin !

— Je t'aime à l'infini, c'est tout comme.

Elle gratte la corne de pâte tendre dans son assiette et ajoute avec la sagesse d'une vieille nonne :

— Le plaisir est si furtif. Il ne laisse pas de traces. Tu te souviens d'un orgasme, toi ? Moi pas. Et pourtant, en pleine action, on croit toucher l'éternité…

— Mesure tes propos, Lullaby, ou ton Fiancé là-haut va voir rouge.

— Oh non ! Il n'est pas comme ça. Il veut que les hommes s'aiment. Il connaît la puissance et la force de l'amour.

— Il ne connaîtrait pas par hasard la puissance de la livre, de l'euro ou du dollar ? Ou même de la roupie ? J'ai de grandes ambitions mais pas un rond.

— Non. L'argent, il l'ignore. C'est Satan qui détruit le monde. L'argent que je gagne avec les tee-shirts d'Hortense, je le distribue. Je peux te le donner si tu veux…

— Jamais. Pas de ça entre nous !

Alexandre marque une pause, soupire.

— Je ne veux rien demander à mon père…

— C'est une noble attitude.

— De toute façon, il ne me donnerait pas un centime. Il dit que je dois apprendre sur le tas et par moi-même. Il a déjà été sympa de me filer ses contacts, ses adresses.

— Et il paie tes études. C'est pas rien.

— En ce moment, il est dissipé comme un collégien. Je crois qu'il veut monter une autre boîte ou qu'il est amoureux.

— Pas d'une autre femme que maman, j'espère.

— Je n'en sais rien, j'ai juste remarqué son entrain. Quand un homme chantonne en se rasant, c'est qu'il est amoureux, non ?

— De maman. Il est amoureux de maman. De personne d'autre !

— Oublie ! Je dis n'importe quoi. Ce qui est sûr, c'est qu'il ne me financera pas. Il ne me reste plus que le Loto…

— Ou prier Dieu. Tu lui demandes de te donner les moyens de réaliser ton rêve.

— Tu ne veux pas prier pour moi ? demande Alexandre en tripotant son flan au chocolat.

Zoé secoue la tête.

— Tu dois faire l'effort toi-même.

— S'il te plaît, Lullaby… Je te rapporterai du pudding de chez Harrod's et une portion de panse de brebis farcie.

— Pas question. Qu'est-ce que tu risques à dire des prières ?

— J'ai autre chose à faire. Et puis je ne connais pas les mots.

— Va sur Internet…

— J'y passe tout mon temps.

— Trouve le «Je vous salue Marie» et le «Notre Père». Et récite-les.

Il la regarde comme si elle lui recommandait de se laver les dents avec du fumier.

— Essaie avec ton cœur. Sans tricher, sans regarder ta montre, et tu recevras…

— Combien ?

— Ce dont tu as besoin.

— Cinquante mille euros ?

— Parfaitement.

— Comment tu peux en être si sûre ?

— Dieu aime les entrepreneurs.

— Dieu est capitaliste ?

— Il supporte pas les glandeurs, les parasites, les paresseux, les velléitaires.

— T'es complètement ouf ! Garçon ! Deux verres de vieux rhum. Ma cousine délire.

Alexandre plonge son regard dans celui de Zoé et murmure comme un secret :

— Je me demande si finalement ce ne serait pas mieux que tu entres au Carmel… Les deux bras attachés, la poitrine nue, les fesses à l'air. Je viendrai te fouetter, hummmmm, ce serait délicieux.

— Arrête ! s'indigne Zoé. Je suis sérieuse quand je te parle du Carmel.

— Moi aussi ! Tu ne connais pas le plaisir, petite cousine, ton Gaétan ne t'a rien appris. C'est un benêt sexuel.

— Et toi un dévoyé !

— La faute à qui ? Aux bonnes écoles anglaises. J'étais plus sage quand j'habitais en France.

Le garçon apporte deux petits verres et une bouteille de rhum vieux, quinze ans d'âge, importé de Cuba. Sur la bouteille Alexandre a marqué «Zoétounette et Alex le Débauché». C'est leur bouteille.

Alexandre remercie le garçon, lui tapote les fesses. Se sert. Sert Zoé qui proteste tu sais bien que je suis ivre morte après un seul petit verre.

— À quoi va-t-on boire, cousine ?

— À la jubilation !

— Non. Je me sens d'humeur sombre et vipérine…

Il réfléchit, mouille ses lèvres dans la liqueur dorée, les fait claquer et déclare, belliqueux :

— Je bois à la santé de ma mère indigne qui ne m'a ni aimé ni éduqué… encore moins rendu heureux…

— Ah non ! Recommence pas ! Chaque fois que tu bois, tu chouines.

Alexandre continue, le bras tendu vers le plafond en dessinant des arabesques :

— À Iris Dupin ! Ma mère.

Zoé ne lève pas son verre.

— Je voudrais rappeler son absence d'empathie, sa froideur, sa beauté inutile. Cette femme n'aimait personne. Même pas elle. Quelle misère !

— Tatati tata, marmonne Zoé.

— Son cœur était rempli de clichés. Sa mort fut lamentable. Elle m'a rendu sourd, aveugle, cuistre, indifférent à tout et tous. Et, crime absolu : elle a arraché mon cœur.

— Tu es si mélodramatique !

Il boude et se bute, le cou dans les épaules, les sourcils froncés.

— Mets la main sur mon cœur, il ne bat plus. Je ne peux même plus souffrir ! Je suis un vide ambulant. Elle m'a dégoûté de l'amour et des femmes. Sauf de toi. Tu es la seule partie vivante en moi.

Il laisse tomber sa joue sur l'épaule de Zoé. Ferme les yeux, divague, chantonne « *All I need is love…* »

— Je crois que je suis ivre, cousine…

Il se redresse, écarquille les yeux, bat des cils. Se tourne vers Zoé.

— Tu penses vraiment que je peux réussir ?

Il la fixe, sérieux. Son visage est un masque cireux et ses yeux sont entourés de cercles jaunes.

— Réponds-moi, Lullaby. C'est important.

— J'en suis certaine. Tu as grandi entouré d'œuvres d'art, tu connais tous les galeristes importants et tu sais comment on lance un artiste. Personne n'est mieux placé que toi.

— Ce n'est pas faux. Mais ça ne suffit pas…

— Tu es beau, intelligent, rapide, audacieux, rusé. Et puis…

— …

— Tu as de très grands pieds !

Alexandre explose de rire.

— Mais tu as raison ! Tu as complètement raison. Cinquante mille euros, c'est pas le bout du monde. Je vais les trouver.

— Mais oui.

— Et si je te kidnappais ? Je te vendrais à un émir…

Il se reprend, vide son verre.

— Je dis n'importe quoi. Excuse-moi. Je ne suis qu'un goujat !

Et il se gifle à tour de bras.

C'est toujours pareil : Alexandre boit du rhum, recense ses rêves, ses névroses, roule sous la table. Zoé le pousse dans un taxi pour rentrer à la maison.

Elle va descendre l'avenue Georges-Mandel jusqu'à la place du Trocadéro et prendre le bus. Elle aime l'autobus. Les *pom-pschitt* des portes qui s'ouvrent et se referment, le *dring-dring* du carillon, les cahots sur les pavés, les lettres rouges qui affichent « Arrêt demandé ».

Trocadéro est le point de départ de la ligne 30. Zoé est sûre d'avoir une place assise. Par la fenêtre, elle guette les passants, les vitrines, les chiens qui trottinent, les motos, les grincheux. On gronde, on klaxonne, on juronne. Des grues jaunes accrochent les décorations de Noël. Mais c'est dans un bon gros mois ! Pourquoi tant de hâte ?

Elle ferme les yeux, entend des clochettes, voit voler des rennes et des mouettes. Elle aime Paris, les rues de Paris, la pierre blanche des immeubles, les carottes rouges des tabacs, les tabliers blancs des garçons de café, les croix vertes des pharmacies, les grilles noires du Luxembourg, les péniches bleu goudron, les feux orange, les pigeons marron qui donnent un coup de hanche pour éviter une voiture.

Bientôt on dressera le sapin de Noël dans le salon. Hortense fera la tête, à quoi ça sert, ces fêtes ? Ça empêche de travailler, c'est tout. Gary sera-t-il là ? Alexandre a demandé s'il fallait le compter pour les cadeaux au pied du sapin. On ne sait pas, on ne sait rien.

Et Shirley ? Plus de nouvelles non plus. Elle a appelé un soir. Elle partait pour le Venezuela. Elle a dit Venezuela parce que les lettres dansent la samba ? C'est possible.

On ne sait jamais avec Shirley.

J'aimerais avoir une grande famille.

Je voudrais un Noël cucul à mort.

Elle colle son front contre la vitre froide de l'autobus. La nuit tombera tôt ce soir. Les jours d'hiver portent une beauté grise qui l'apaise. Elle ne sait pas pourquoi, le soleil lui donne froid.

Depuis quelque temps elle ne sait plus grand-chose. Elle ne comprend pas comment passe le temps.

Il y a eu le mois de juin.
Le mois du bac avec mention très bien.
Le mois de sa rupture avec Gaétan.
C'était un soir. Ils étaient allongés sur son lit dans sa chambre. Elle lisait une lettre de la marquise de Sévigné. Il tapotait sur son téléphone. Elle ne se demandait pas à qui il parlait, ça lui était égal. Il avait posé sa main sur sa cuisse, elle avait baissé les yeux.

Cette main l'encombrait.

L'homme à qui appartenait la main l'encombrait.

Fin de l'histoire.

D'autant plus que Léa, son amie depuis toujours, traversait une mauvaise passe. Victor, son amoureux, était parti avec une Suédoise qui s'épilait le sexe à la cire froide. Ça le faisait bander comme un âne. Léa avait entraîné Zoé au zoo pour observer la bite d'un âne, mais les ânes ne bandaient pas ce jour-là. T'as pas envie de bander quand t'es en captivité, avait dit Zoé. Qu'est-ce que t'en sais ? avait grondé Léa. Au contraire tu penses qu'à ça !
Elles s'étaient séparées, fâchées. S'étaient réconciliées en grattant des Astroflash, avaient gagné quarante euros qu'elles avaient réinvestis dans des Tac-O-Tac, des Monopoly. Cinq euros, le Monopoly !

s'était exclamée Léa. T'es malade. Il faut prendre des risques dans la vie, avait affirmé Zoé, sinon rien n'arrive jamais.

Elle avait raison : ce jour-là, elles avaient gagné cent euros chacune. Et depuis elles n'arrêtaient pas de gratter.

Une à deux fois par semaine, elles achetaient les tickets chez Farid, croisaient les doigts, commandaient un café, sortaient une pièce de vingt centimes et grattaient, grattaient en poussant des petits cris.

Léa était allée se faire épiler à la cire froide. Elle avait invité Victor à un concert de Vampire Weekend. Après le concert, elle était montée dans la chambre de Victor, l'avait attiré contre elle et lui avait avoué qu'elle aussi… Il l'avait jetée sur le palier en la traitant de pute. Le moral de Léa était tombé très bas. Elle buvait de la Marie Brizard au goulot. Zoé ne savait pas quoi dire. On ne tombe pas amoureux d'une fille parce qu'elle a le sexe glabre.

— Ça ne devait pas être très important entre Victor et toi pour que vous vous quittiez à cause de…

— D'une tarte aux poils ? avait marmonné Léa, la bouche pleine de larmes.

Elles avaient éclaté de rire, avaient fait une bataille de Haribo Croco, avalé une boîte entière de macarons au chocolat et vomi dans le lavabo.

Léa s'était rétablie. Grâce à Henrick. Un Hollandais qui écrivait des poèmes sur les feuilles des arbres qui ne sont plus jamais vertes, le soleil qui n'est plus jamais jaune et la mer plus jamais bleue. Il déclamait, enveloppé dans le drap du lit, un bonnet de laine sur la tête et une écharpe autour du cou.

Il y avait eu le mois de juillet, le mois d'août, le mois de septembre. Ça avait filé comme un seul mois. Zoé ne voulait pas quitter Paris. Elle lisait les *Élégies* de Properce, livre 2 chapitre XII : « Celui quel qu'il fût qui peignit l'Amour comme un enfant, ne penses-tu pas qu'il eut de merveilleuses mains ? Il vit que les amants vivent sans bon sens et que pour de légers émois, de grands biens périssent. » Elle méditait ces mots et félicitait Properce, t'as raison, mon vieux, aucun homme ne pourra me donner un bonheur assez grand. Mon bonheur, je dois le trouver ailleurs…

Mais alors, se disait-elle en pilant net sous les marronniers en fleur du quai de Valmy, où se niche ce bonheur si grand ?

Elle observait le ciel, elle écoutait les oiseaux dans les arbres, elle se baissait pour cueillir une fleur, ramassait des canettes de bière, des mégots, des emballages McDo, les jetait à la poubelle, balayait le trottoir d'un bout de ballerine. Elle avait besoin de faire le vide, de nettoyer. Elle faisait briller l'évier, la baignoire, les fenêtres, le bouton de la porte du salon.

Elle attendait quelqu'un. Elle ne savait pas qui. L'attente la rendait lourde, nauséeuse. Elle posait la main sur son ventre et s'étonnait de n'être pas enceinte.

Elle s'était inscrite en hypokhâgne pour faire plaisir à sa mère. Elle serait professeur. Ou chercheuse au CNRS. Ou autre chose.

Un jour qu'elle était dans l'autobus, c'était au début de l'automne, qu'elle se tenait le ventre à deux mains et le massait en faisant des cercles très doux, le bus s'était trouvé pris dans un embouteillage. Le chauffeur avait beau klaxonner, pousser des cris, se gratter le cou, le véhicule n'avançait pas d'un clou. Elle avait tourné la tête vers l'avenue Kléber et aperçu, en face de l'hôtel Raphaël, une vieille femme aux cheveux mi-longs assise sur un banc. Elle était vêtue d'un ample manteau gris, portait un fichu de paysanne et se tenait les jambes écartées. C'était même étrange à quel point elle écartait les jambes. On aurait dit qu'elle avait été jetée sur le banc en vrac et qu'elle n'avait pas pris la peine de se ramasser. Les gens passaient sans la regarder ou accéléraient le pas. Le bus était bloqué. Zoé contemplait la femme en manteau gris. Elle avait fouillé pour chercher un peu de monnaie, mais n'avait trouvé qu'un ticket de métro, un chouchou pour cheveux, un paquet de bonbons Ricola au réglisse. Elle avait oublié son porte-monnaie à la maison.

Le bus était reparti. Elle avait tordu le cou pour apercevoir le plus longtemps possible le manteau gris. Et quand il avait disparu, elle avait eu l'impression de s'élever, de tourner tel un derviche, de se dissoudre en particules fines et de retomber dans les baskets d'une fille qui s'appelait Zoé aussi. Elle avait le même nez, la même bouche, les mêmes fossettes, la même bouille ronde, les mêmes cheveux châtains emmêlés, mais la tête n'était plus meublée pareil. La nouvelle Zoé avait trié, rangé, jeté. Elle avait pris ses aises.

Et elle argumentait.

Gaétan ? Tu as bien fait de le quitter, il n'était pas intéressant. Tes études ? C'est bien, c'est sérieux. L'argent ? Tu n'en as plus besoin. On le donne. Ne dis rien à ta sœur, elle te traiterait de conne. Tu vas voir, je vais te remplir de joie. Commençons par des choses simples, on fera le difficile après. Tu aimes la crème de marrons ?

Elle était rigolote, la nouvelle Zoé. Au fond de son regard coulait une source d'eau chaude, parfumée, qui se répandait sur les gens qu'elle saluait avec un grand sourire.

Ballottée par le bus, elle avait glissé dans un autre monde. Les larmes coulaient sur ses joues, tombaient sur son manteau. Elle ne pouvait pas se contrôler. Elle pleurait, elle riait et tout le monde la regardait. Jamais elle n'avait autant pleuré. Ou si, quand son père était mort. Mangé par un crocodile[1]. Elle comprenait que, depuis la mort de son père, elle n'avait pas eu son compte de larmes, elle s'était retenue pour ne pas alourdir la peine de sa mère, la peine de sa sœur.

Ce jour-là, dans le bus, elle vidait son réservoir. Elle devenait neuve, propre.

Elle allait recevoir quelqu'un. Elle ne savait pas qui mais il fallait qu'elle fasse le ménage.

Elle avait marché jusqu'à l'immeuble où sa grand-mère, Henriette Grobz, était gardienne.

Mais attention : pas n'importe quelle gardienne.

*

Henriette Grobz n'a qu'une passion dans la vie : l'argent. Pour amasser quelques euros, elle est prête à voler, tricher, menacer. Avec un argument imparable, « la vie ne m'a pas servie, je me sers moi-même ».

Son salaire de gardienne étant maigre, elle doit

---

1. Cf. *Les Yeux jaunes des crocodiles*, chez le même éditeur.

le compléter. À soixante-douze ans, elle n'a plus le temps de patienter. Elle a trouvé cet emploi dans un immeuble cossu du XVIIᵉ arrondissement en falsifiant sa date de naissance sur sa carte d'identité. Un peu de grattage, un peu de feutre noir, un passage à la photocopieuse et le tour était joué. Elle avait rajeuni de vingt ans. Son grand chapeau, ses longs gants fins, son tailleur strict, son air sévère impressionnèrent. Sa plainte de femme digne fit le reste. Mon mari m'a quittée, ma fille est morte assassinée, un fait divers terrible ! Iris Dupin, vous en avez entendu parler[1] ? Je suis seule, sans le sou. Le travail ne me rebute pas, je ne compte pas ma peine ni mes efforts pour faire régner l'ordre dans l'immeuble. Les valeurs se perdent aujourd'hui et c'est bien dommage.

Son logement est confortable, pourvu d'une salle de bains coquette, de toilettes aérées, d'une chambre à fresque rose, d'une grande pièce qui sert de loge et de salon. Par une large porte-fenêtre, elle a accès à une courette où elle a planté bulbes et semis. Mille euros par mois, logée, éclairée, chauffée. C'est honnête. Il ne lui reste plus qu'à compléter.

Car elle a de grandes espérances.

Le jour où elle a pénétré dans le hall du 26, rue de Prony, le démon du luxe lui a mordu le cœur. Elle s'est appuyée contre une colonne de stuc. Trop de marbre, de frises, de corniches, de dentelures. Elle titubait, bouche ouverte, et réclamait sa part. Elle

---

1. Cf. *La Valse lente des tortues*, chez le même éditeur.

venait de mettre la main sur une véritable cassette. Les mille cinq cents euros mensuels que lui versait Marcel Grobz se changèrent en vulgaires piécettes. Mille cinq cents euros, ce devait être l'argent de poche de ce gamin qui dévalait l'escalier sans même la saluer. Ce rapide calcul lui avait donné des idées. Le grand hall de marbre et d'or respirait l'adultère, l'intrigue financière, la trahison, les compromissions. Le terreau était fertile, il ne lui restait plus qu'à l'exploiter.

Ce jour-là était né le « système Henriette ». Système dont le fondement était : la vie est une série de combines, étudions-les, perfectionnons-les et tournons-les à notre profit afin de nous enrichir.

Elle en aurait presque fait une comptine.

Elle ouvre « par mégarde » des lettres recommandées ou assure qu'elles sont arrivées décachetées, la poste, de nos jours, vous savez…, elle y découvre des secrets-boules puantes, des factures indécentes et s'empresse de faire chanter le ou la destinataire. Elle surprend un jeune en train de dealer une barrette de shit dans le local à poussettes et menace de le conduire au poste de police. Ou de tout dire à ses parents. L'adolescent, pour s'amender, se soumet à des corvées. Il sort les poubelles, cire les escaliers, passe l'aspirateur, prétend qu'il veut aider cette vieille femme qui lui fait pitié. Les parents, étonnés, le félicitent. Louent la bonne influence d'Henriette sur leur progéniture. Augmentent ses étrennes à Noël. L'adolescent y trouve son compte : Henriette ferme les yeux sur son trafic coupable et empoche dix pour cent de commission sur les recettes. Il en est de même pour le mari ou la femme adultère, le chauffeur qu'elle surprend à faire des heures supplémentaires avec la voiture de son patron, la bonne qui décolle ses faux cils, essuie le rouge brillant, retire les hauts talons, déroule la minijupe avant d'aller garder les enfants de la prude famille du premier étage, ou celle qu'elle intercepte avec des couverts en argent dans les poches de sa parka… Le crime a de l'imagination, Henriette connaît les scénarios.

Elle excelle en basses intrigues. Une fumée mauvaise s'échappe de ses yeux et, quand elle rit, on dirait une grille rouillée qui tourne sur ses gonds. Elle désire tout, envie tout, abhorre le spectacle du bonheur. Aiguisée par le besoin de faire du mal et la fièvre du gain, elle guette ses victimes sur le seuil de sa loge.

Cette femme sèche, aride, âpre au gain n'a qu'une faiblesse : Hortense. Cette petite lui ressemble tant… Elle aimerait qu'elle lui rende visite dans la loge. Ça la poserait aux yeux des propriétaires. Elle lui fait passer des petits mots par Zoé. « Viens me voir, j'ai une surprise pour toi. » Hortense répond qu'elle n'a pas le temps. Un jour, à bout d'arguments, Henriette gribouille en marge d'un prospectus – elle veille à ne pas gaspiller de papier blanc – « Viens avant qu'il ne soit trop tard, je me fais vieille, ma santé chancelle », Hortense lui répond « Tu vas vivre longtemps, la méchanceté conserve ».

Ce jour-là, Henriette écrasa une larme rance qui perlait d'un bouchon de cire au coin de son œil.

Elle voudrait savoir quel jour sera le défilé d'Hortense. Songera-t-elle à m'inviter ?

À défaut d'Hortense, Henriette reçoit Zoé. Elle est

gentille, la petite Zoé. C'est une pâtisserie fade, une brioche sans beurre. Elle n'a qu'une qualité : elle lui donne des nouvelles d'Hortense.

Parfois de Joséphine.

Elle se moque bien de sa fille, elle ne l'a jamais aimée. Elle voudrait juste savoir combien elle a gagné avec ses deux romans. Le nombre de zéros, les placements, le rendement, ce que prélèvent les impôts. Elle presse Zoé de questions. «On ne parle jamais d'argent, maman et moi.» Quelles idiotes ! Tant de fraîcheur l'irrite. Son regard noir découpe Zoé et la flambe. Une dinde, une dinde parfaite. Avec ses yeux confiants, ses joues de bonne sœur, son nez en bouton de bottine, sa chair pâle et rose. La regarder la fait bâiller. À peine posé sur elle, le regard s'éteint. Alors qu'Hortense ! Il faut faire un effort pour ne pas la contempler. Plus rouée, Zoé aurait été ravissante. Son innocence la rend simplette. Toujours à vouloir faire le bien, à s'émerveiller de petits riens. Elle ressemble à sa mère et ce n'est pas un compliment. Le père n'était pas flamboyant non plus. Sa mort, certes, fut pittoresque, peu de gens périssent mangés par un crocodile, mais c'était trop tard pour rattraper la banalité du reste de sa vie.

*

En arrivant chez Henriette, Zoé aperçoit à l'entrée de la loge une femme en grande discussion avec sa grand-mère. Une vieille femme enveloppée de renards. Un sac en velours rouge damassé pend à son bras droit. Je connais ce sac, se dit Zoé en suçotant sa lèvre, et je crois bien que je reconnais cet accent qui roule des cailloux dans l'herbe des steppes russes. Elle referme doucement la grande porte sur la rue, pénètre dans le hall, se cache derrière une colonne et observe.

Son téléphone vibre, c'est un SMS de Léa, «2vine ce qui arrive», «JCpas», «Si, 2vine», «C Henrick?», «C ouf». Zoé lève la tête pour réfléchir, quand elle reconnaît le profil acéré de la comtesse Karkhova qui émerge des dépouilles de renards. Elle enfouit son téléphone dans sa poche, tend l'oreille. La comtesse chuchote, caresse ses fourrures, ouvre son sac, en sort un long loukoum rose qu'elle aspire et une grosse enveloppe jaune. Henriette jette un regard dans le hall pour vérifier que personne ne la voit, attrape l'enveloppe et la glisse dans la poche de sa blouse.

La comtesse marmonne quelques mots. Griffonne un papier qu'elle tend à Henriette. Rajuste ses renards. Fait gonfler ses maigres cheveux et déclare :

— Il ne faut pas que cette petite réussisse ! Vous m'entendez ?

Henriette s'incline en bredouillant merci.

— Je suis prête à tout, ajoute la comtesse, menaçante.

Elle tourne les talons, se dirige vers la rue. Henriette se précipite, ouvre la porte, se casse en deux et la comtesse sort de l'ombre pour marcher vers le soleil.

Derrière le pilier, Zoé demeure interdite. Suis pas folle, c'était Elena Karkhova. En affaires avec ma grand-mère. Elles sont de mèche ? Dans quel but ? Contre qui sont-elles liguées ? Qui est cette petite qui ne doit pas réussir ? Et réussir à quoi ? Et l'enveloppe jaune ? Elle doit être remplie de billets.

Elle plaque son dos contre la colonne comme si le fait de se tenir droite allait remettre ses idées en place. Henriette doit être en train d'éplucher les billets, de compter, d'additionner. Elle va me détester si je toque à sa porte. Je rentre à la maison et je parle à Hortense.

*

Les jambes allongées sur le grand canapé du bureau, la tête sur les genoux de Junior, Hortense louche sur une mèche de cheveux, en inspecte le bout et grimace.

— Sont fourchus ou pas ? Je vois pas bien.

— Pourquoi tu ne viens pas plus souvent ? demande Junior en caressant l'épaule ronde d'Hortense. Tu es si belle… Tu me fais du bien. Et moi, je suis si seul, je n'ai pas d'amis. C'est triste, tu sais, de ne rien partager. Jamais.

Il porte un pantalon de flanelle grise, un gilet à damier rouge et blanc, une chemise blanche et une cravate noire. Quand Hortense a appelé pour le prévenir de sa visite, il a couru dans sa chambre, renversé cintres et tiroirs, essayé plusieurs tenues avant d'opter pour le damier rouge et blanc et la flanelle grise. Puis il est allé consulter sa mère. Josiane a approuvé, un pincement au cœur, ce n'est pas pour moi qu'il se donnerait tant de mal ! Elle s'est claqué une petite tape sur la joue pour se punir de cette pensée fétide.

Hortense a entendu la remarque de Junior.

— Moi non plus, je n'ai pas d'amis et je m'en passe

très bien. Je n'arrête pas de travailler. Je cherche une première d'atelier pour fabriquer ma collection. Ça urge !

— Une première d'atelier ? Tu ne fais pas tout toute seule ?

— Non. Je dessine, je fais des toiles, je décris ce que je veux exactement et la première d'atelier réalise. Ce sont souvent des retraitées qui ont travaillé chez Chanel, Lacroix ou Dior. Elles connaissent tout jusqu'au moindre bouton.

— Vraiment ? C'est si important, les boutons ?

— T'as pas idée du nombre de variétés ! Bakélite, ivoire, nacre, strass, corozo, émail, métal, verre, plastique, cuir, daim… Et j'en oublie ! La première d'atelier connaît tout ça.

— Il en reste beaucoup ? Elles ne doivent pas être toutes jeunes si elles sont retraitées…

— Une dizaine, peut-être. Elles reviennent travailler le temps d'une collection. Huit semaines pour dix mille euros environ. Elles sont très recherchées.

Hortense s'interrompt, scrute une mèche, l'écrase entre ses doigts et les cheveux crissent.

— C'est bon pour les cheveux, le calcium ?

Junior ne répond pas. Quand il ne répond pas, c'est qu'il ne sait pas. Il trouve inutile de le préciser.

Lorsqu'elle est arrivée, il dictait une lettre à sa secrétaire au sujet du brevet d'une montre qui détecte les humeurs de la personne à qui on est confronté. Un voyant s'allume sur le cadran. Rouge, danger ! Fuyez. Orange, prudence, gardez vos distances. Vert, vous pouvez faire confiance.

— Ça marche comment, ta montre ? a demandé Hortense.

— Une combinaison de la température du corps, du rythme cardiaque, de la sécrétion des glandes salivaires, des tressaillements des paupières, enregistrée par le cerveau, analysée et mise en ondes. La montre reçoit un signal qui se traduit à l'écran par trois couleurs. Tu sais ainsi à qui tu as affaire, si l'individu te veut du bien ou si c'est un prédateur …

La secrétaire tapait sans poser de questions. Elle avait de la buée sur ses lunettes tant elle était concentrée.

— C'est toi qui l'as inventée ?

— Oui. Mais je ne suis pas le seul à travailler sur ce projet. Un groupe de chercheurs a mis au point un robot pour jeunes autistes. Mon invention est plus modeste.

— Tu la fais fabriquer dans les usines de ton père ?

— Oui. Les ventes ont démarré très fort. Casa Mia se diversifie. On devient la marque de l'innovation et du futur. Fini le temps où on ne vendait que des poufs, des assiettes, des canapés, des tabliers. Quel chemin on a parcouru !

Popeline a approuvé en hochant la tête, les yeux brillants. Pas de doute, elle est amoureuse de son patron.

Tout en triturant ses cheveux, Hortense songe à la montre.

— Tu as pensé à qui en inventant cette montre ?

— Aux enfants pas comme les autres.

— Tu veux dire à toi ?

— Peut-être.

— Tu ne vas plus du tout à l'école ?

220

Junior fait la grimace.

— Je n'ai rien à apprendre à l'école. Tout ce qu'on y enseigne est dépassé. Les profs sont fatigués, ils récitent leurs cours d'une voix lasse et comptent les jours jusqu'à leur prochain congé. C'est trop uniforme. On doit tous être pareils, penser pareil, écrire pareil. J'aime les différences. Et puis, je ne suis pas comme tout le monde…

— Tu es mieux que tout le monde !

Il baisse la tête et ajoute dans un sourire triste :

— J'aimerais être beau.

Son visage ressemble à un ballon de rugby, planté d'un duvet jaune orangé. Ses oreilles longues, fines frémissent telles des antennes, ses yeux laiteux, globuleux s'étirent vers les tempes, sa mâchoire se fond dans le menton. Sa peau est transparente. On peut deviner le trajet du sang dans les veines, observer le cerveau qui travaille, les connexions entre neurones, les synapses qui grésillent.

— Dis, t'as pas un briquet, que je brûle mes fourches ?

— Je fume pas.

— Une allumette ? Un chalumeau ?

— T'es dingo ?

— C'est un truc de grand-mère. Brûler les cheveux les fortifie. Il faut enrouler la mèche, la hérisser pour que les pointes se dressent et approcher la flamme…

Il la contemple, émerveillé.

— J'aime tout ce que tu dis. Tu me rends si heureux ! Je te caresse l'épaule et une houle de joie soulève mon corps, me chauffe les reins, me gonfle de…

— Junior ! Arrête ! C'est pas drôle.

221

Hortense se redresse et s'assied, droite contre le dossier du canapé. Elle pose ses pieds nus sur le sol, fouille les longs poils blancs du tapis dans l'espoir d'y trouver un peu de chaleur, un peu de courage pour parler à Junior. Elle sait qu'elle va le blesser et n'aime pas cette idée.

— J'ai quelque chose à te dire. C'est important.

— Remets ta tête sur mes genoux.

Hortense s'exécute de mauvaise grâce.

— Junior !

— Mes sens affleurent, s'ouvrent comme des coquelicots, je te respire, je te goûte, te déguste…

— Junior ! Stop !

Junior ferme les yeux. Un large sourire réchauffe son visage.

— Chut, il ordonne, je vogue.

— Ça te prend souvent ?

— Quand je pense à toi. Mais aujourd'hui, c'est très fort…

— Tu as sept ans, Junior. Sept ans !

— Ne me rabaisse pas, s'il te plaît. Je suis un homme, respecte le mâle en moi.

Hortense l'observe, hésitante. Elle mordille sa lèvre, ouvre la bouche et déclare :

— Il faut que je te parle d'un truc.

Junior revient à lui, se frotte les yeux, ajuste son nœud de cravate.

— Tu quittes Gary ?

— Non ! Quelle horreur ! Comment peux-tu dire ça ?

— C'est une hypothèse, elle est plus que probable vu que…

Hortense l'arrête en lui prenant le bras.

— Tu as vu quelque chose ?

— Hortense, pour la millième fois, je ne suis pas voyant, j'ai simplement développé des circuits dans mon cerveau qui me permettent de me transporter ailleurs et de voir certaines choses, mais je ne prédis pas l'avenir.

— Je ne veux pas quitter Gary.

— Sauf quand on se mariera…

— Mais c'est pas pour demain. Ok ?

Junior la contemple, ébloui.

— Tu ne peux pas m'empêcher de…

— Junior… c'est grave. Je suis en train de perdre la boule…

Elle hésite un peu et achève :

— Pour un homme.

— Je sais. J'espérais seulement que tu aurais la délicatesse de ne pas m'en parler.

Il laisse tomber sa tête, ses bras pendent le long de son corps, il s'enroule sur lui-même, il voudrait disparaître sous les coussins du canapé.

— Comment ça, tu sais ?

Il s'agite, tripote quelques cheveux.

— Combien de rivaux va-t-il falloir que j'élimine ?

— Réponds-moi : comment sais-tu qu'il y a cet homme ? Junior !

Elle a presque crié.

Junior, les yeux baissés, gratte l'accoudoir du canapé.

— L'autre jour, j'avais besoin de te parler. Cela faisait trop longtemps que je n'avais pas eu de tes nouvelles. Ton portable ne répondait pas, j'ai appelé chez toi. Je suis tombé sur ta mère, elle m'a dit que tu avais rendez-vous au Fouquet's pour déjeuner, alors je me suis branché sur le Fouquet's et je t'ai retrouvée.

— Quel besoin elle avait de te dire ça ! Elle est toujours sur mon dos ! Toujours à vouloir savoir comment je vais, patin-couffin. C'est insupportable !

— Elle t'aime. Elle n'y peut rien.

— C'est pas une excuse.

Hortense s'énerve, mordille son pouce.

— Bon… Qu'est-ce que t'as vu ?

— J'ai vu les nappes blanches, les belles assiettes, les jolies carafes, les pois de senteur, j'ai vu monsieur Carter, très bien, monsieur Carter. Il a une belle aura. Pas pourri du tout. Tu peux lui faire confiance. Ce n'est pas un escroc.

— Picart lui a parlé de moi, buzz, buzz, buzz, il veut me faire venir pour une vente spéciale chez Bergdorf Goodman[1] après le défilé. Ma collection présentée aux plus grosses clientes d'Amérique ! Et il n'a vu que des croquis ! Tu te rends compte ? Mieux encore, il est prêt à me trouver un circuit commercial… Un *corner* dans des grands magasins ou une appli pour téléphone portable, il ne sait pas encore.

— Mais surtout… Hortense, j'ai vu l'homme à la table d'à côté. Ce bel homme qu'on aurait dit sanglé dans une armure, froid, dur, mais beau, beau…

— Ah ! murmure faiblement Hortense. Toi aussi !

— Il te mangeait des yeux, il te caressait les cheveux, il t'ouvrait les jambes sous la table…

— Arrête, Junior ! C'est gênant !

---

1. Grand magasin new-yorkais. Très chic. Très cher.

— Il était affamé de toi. Il détaillait chaque centimètre de ton corps tout en discutant avec son interlocuteur. Tu rends les hommes fous, Hortense.

Il pousse un long soupir d'homme accablé.

— Je m'en fiche pas mal, dit Hortense. Et après ?

— Je t'ai suivie dans les escaliers qui mènent aux toilettes. Et j'ai assisté à la scène… L'horrible scène. Je n'ai pas dormi de la nuit. Les larmes trempaient mes draps, ma gorge crachait le feu…

— Tu as vu ? Tu as vu ! Oh, il faut que tu m'aides !

— Sûrement pas !

— Tu ne m'aimes pas alors…

— Comment peux-tu ?

Il la dévisage, indigné, les sourcils furieux.

— Branche-toi sur lui. Tu as gardé son empreinte dans ton cerveau ?

Junior acquiesce.

— Vas-y.

— Maintenant ? Il est huit heures du soir. On va bientôt dîner.

— Ne cherche pas d'excuse. Zoé m'a dit que tu n'avais plus besoin de manger, qu'il te suffisait de lire les recettes. Branche-toi sur lui, dis-moi ce que tu vois…

— Popeline va revenir, nous avons encore du travail ce soir.

— Ça m'étonnerait ! Elle est partie. Elle a pris ses affaires et elle t'a dit à demain.

Popeline avait enfilé son manteau, pris son sac, avait dit « j'ai du courrier à porter à la poste et je m'arrêterai au kiosque pour acheter votre revue ». Espadrilles orange et bas gris. Un fichu en vichy rose et blanc noué sous le menton et un ciré noir verni. Audrey Hepburn carte vermeil. Elle avait ajouté en regardant la pluie tomber, « c'est la soupe à la grenouille, à tous les coups, je me mouille. Foin de carabistouilles, je me grouille ».

Et elle était partie.

— Elle parle toujours en faisant des rimes ? avait demandé Hortense.

— C'est une manière d'évacuer son stress.

— Elle est stressée ?

— Elle connaît mes sentiments pour toi. Un jour, je me suis confié, mon cœur débordait de tristesse, elle m'a consolé. Depuis, dès que je mentionne ton nom, elle avale un Lexomil et prend de la camomille.

— Junior ! Allez ! Branche-toi !

— Hortense, tu ne vois pas que je souffre ? gémit Junior en tenant sa poitrine à deux mains.

— Dis-moi ce qu'il fait, s'il est seul ou pas, en couple et tout ça. Je ne sais rien de lui…

— Tu ne sens pas combien je t'aime ?

Il lève sur Hortense un regard brûlant qui rend ses yeux fluorescents.

— Moi aussi je t'aime, je t'aime infiniment. Tu le sais bien. Et j'ai du mérite parce que franchement tu ne ressembles à rien. Je ne sais pas si j'aimerais te tenir la main dans la rue, par exemple.

— Comme des amoureux ? dit Junior, plein d'espoir.

— Peut-être que oui, finalement, concède Hortense en faisant la moue. Rien que ça, vois-tu, c'est une preuve d'amour.

226

— Mais tu ne m'aimes pas tout court.

— Il faut que tu grandisses…

— J'ai pris douze centimètres ! Je mesure un mètre cinquante et un.

— Que tu te peignes un peu mieux…

— Qu'est-ce qu'ils ont, mes cheveux ?

— Ils sont… Euh… un peu rares peut-être… Tu pourrais acheter une lotion fortifiante.

Un duvet roux orne le crâne de Junior, dessine une rizière brûlée par le soleil d'où émergent de maigres pousses.

— Un peu de gel… pour leur donner une forme.

— Tu m'en achèteras ?

— Promis. Maintenant, s'il te plaît, dis-moi ce que tu vois…

— Tu me montreras comment on le met ?

— Oui, oui.

— Encore mieux… tu le mettras toi-même ?

— *It's a deal*[1].

— On écoutera un disque très doux, très triste, on ouvrira une bouteille de champagne et tu me feras un massage du crâne…

— Promis ! S'il te plaît, Junior…

— Tes doigts sur mon crâne ! Je suis heureux, je revis. Le bonheur n'est pas de posséder mais d'attendre la volupté.

Junior bondit sur le canapé, saute, saute de plus en plus haut, fait un double salto, rajuste son gilet à damier, se racle la gorge, ferme les yeux, les ferme si

_____

1. « Ok. Promis. »

fort que les veines sur ses tempes gonflent et battent lentement.

— Tu es prête ?

— Je suis prête.

— Tu es sûre que tu ne vas pas le regretter ?

— Certaine.

— Je te préviens : quand je parle de ce que je vois, je n'ai aucune émotion personnelle. Je suis comme coupé de moi. Si j'ai des réactions, elles me viennent d'ondes qui me traversent mais qui ne sont pas forcément les miennes. Car, n'oublie pas, tout est une question d'ondes, de vibrations.

— D'accord. Ça me va.

Il tend ses index droit devant lui, tel Moïse face à la mer Rouge, renverse la tête, compte cinq, quatre, trois, deux, un, ZÉRO et professe d'une voix caverneuse :

— Je vois une grande salle à manger-cuisine, à la campagne, deux gros chiens couchés sur un tapis, un perroquet qui jase dans un coin et becquette un quignon de pain, un feu de cheminée. Un gamin de dix, onze ans regarde la télévision au fond de la pièce. Il a les cheveux blonds, un grand tee-shirt, un jean et les jambes jetées par-dessus le bras d'un fauteuil. Il est mignon… Très classe ! Il vient piquer des olives, des tomates sur la table basse et on le gronde. Il rigole, réussit à voler la moitié d'un saucisson ! J'aimerais être son ami. On s'amuserait ensemble. On discuterait de sujets, enfin, tu vois… de sujets d'hommes. Je me demande si ce serait possible. Va falloir que j'y réfléchisse…

— Je me fiche du gamin ! L'homme, tu vois l'homme ?

228

— Il est assis à une table. Il n'est pas tout seul, ils sont quatre.

— Comment ça, quatre ? Tu veux dire…

— Oui, deux couples. Il y a l'homme. À ses côtés, une femme belle, blonde, oh là là qu'est-ce qu'elle est belle !

— Plus belle que moi ?

— Grande, mince, les cheveux en pétard, des yeux très bleus, de longues mains fines, un cou gracieux qui s'incline, pas beaucoup de poitrine. Elle dépose un ramequin de rillettes, un autre de tomates cerises, un troisième rempli de…

— C'est sa femme ?

— Hummm ! Ça sent bon. Dans le coin cuisine, dans une poêle, dorent des coquilles Saint-Jacques et des purées onctueuses, je me demande si elles contiennent de la crème fraîche, tu sais la bonne crème qu'on trouve à la campagne…

— Dis, c'est sa femme ?

— Je ne sais pas encore.

— Qu'est-ce que tu vois d'autre ?

— Un autre couple… plus banal. Ils se tiennent un peu tassés. Lui, quarante-cinq ans environ, presque chauve, pas très à l'aise, il tire sur son col de chemise, il a le cou irrité, les joues rouges, on dirait un bûcheron endimanché. La femme est brune, frisée, boulotte. Elle a l'air gentille. Eux, c'est sûr, ils sont ensemble. Ils se tiennent par la main, se sourient. Il a de grosses mains de boucher, brrr… La femme s'écarte, se frotte le bras. Un peu brutal, le mâle !

— Et les deux autres ?

Junior fait une moue dubitative. Il pointe ses index,

229

tend les bras, les fait tourner comme s'il remuait l'air pour raviver une flamme.

— L'homme n'a pas l'air très expansif. Il est dans ses pensées.

— Ils parlent de quoi ?

— J'entends pas bien à cause du bruit des verres, des bouteilles, de la musique, du perroquet qui piaille. Ils en sont à l'apéritif. Ah si… attends un peu… Ils devaient dîner ensemble la veille mais l'homme a eu un empêchement.

— C'est passionnant ! Rien d'autre ?

— Ils travaillent dans la même entreprise. Je vois des tôles, des boulons, des plaques d'acier, des rails d'autoroute, des carrosseries, des moteurs de voiture, une grande machinerie qui crache du feu.

— C'est un cirque ? Un campement d'Indiens ?

— La petite boulotte doit s'appeler Julie parce que le perroquet n'arrête pas de crier Julie, Julie. Le bûcheron rigole, il lui manque des dents. Le gamin est revenu, il demande quelque chose, mais on lui dit non. Il a vraiment l'air cool. Tu crois qu'il pourrait être mon ami ?

— Ce qui serait bien, ce serait d'avoir le son et l'image en même temps.

— Je ne suis qu'au début de ce procédé. Je tâtonne encore. Avant, j'obtenais des flashs, puis j'ai reçu des diapositives, depuis peu apparaît un film. Un peu flou peut-être, mais il y a du progrès.

— C'est dingue ! Ça marche comment ?

— Avant tout il faut que j'aie une empreinte fraîche de la personne pour la repérer dans l'espace. Puis, j'active les cellules de mon fornix, c'est la substance blanche formée par les fibres nerveuses sous le corps calleux qui relie l'hippocampe à l'hypothalamus…

— Je comprends, sourit Hortense qui ignore tout de son fornix.

— Je fais vibrionner mes cellules comme un moteur au démarrage, je me concentre et j'envoie toute la force centrifuge qui devient centripète quand elle touche et pénètre l'empreinte. Puis une vibration part de l'empreinte et va toucher la personne que je recherche. Ça fait comme un harpon qui traverse l'espace. Le lien vibre très fort, les vibrations rapprochent l'empreinte de l'original, remplissent le vide entre eux, tissent un faisceau d'images et le personnage apparaît sous mes yeux. Je VOIS. C'est épuisant, mais je VOIS.

— C'est grisant, tu veux dire !

— Au début, le film est muet, puis le son arrive, plus ou moins net. Ça ne marche pas encore très bien. Je commence par voir la scène du point de vue de l'homme, puis les autres empreintes se solidifient, se remplissent, se mettent à vibrer et je les perçois aussi. Je peux passer de l'un à l'autre.

— C'est dingue ! Je peux le faire, moi ?

— Il faut de l'entraînement. Tu dois d'abord localiser les différentes parties de ton cerveau afin d'activer la bonne zone. Imagine que tu appuies sans le vouloir sur le chiasma optique…

— C'est quoi, ça ?

— C'est l'endroit où se rejoignent et s'entrecroisent les nerfs optiques de l'œil droit et de l'œil gauche.

— Je deviendrais aveugle ?

— Ou tu te mettrais à loucher. Ou tu aurais un œil qui partirait en haut et l'autre en bas.

— Quasimodo, quoi ! J'ai plus du tout envie d'essayer.

— Il faut très bien connaître son cerveau.

— Dis, la grande blonde, elle s'appelle comment ?

— Sais pas. Le perroquet l'appelle pas. Et si les autres le font, je n'entends pas. Ça se noie dans le brouhaha. Elle parle pas. Elle observe. Elle a les sourcils froncés comme si ce qu'elle voyait lui était pénible et elle s'arrache les poils des sourcils. L'homme lui tape sur les doigts pour qu'elle arrête.

— Ils se disputent ?

— Non. Mais il semble agacé. Le bûcheron endimanché l'énerve. Faut dire qu'il se tient très mal. Il brandit son couteau, parle la bouche pleine, fait du bruit en mâchant. Ça énerve l'homme. La belle blonde a compris. Elle pose sa main sur la cuisse de l'homme pour le calmer.

— Il semble impitoyable, dangereux, dit Hortense, rêveuse.

— Sa tête est remplie de brouillard quand il regarde Julie. Il est divisé. Il l'aime beaucoup, et pourtant elle le gêne.

— Comme si elle l'empêchait de faire un truc dont il meurt d'envie ?

— Oui, c'est ça. Il est impatient de réussir, de gagner de l'argent. C'est un tueur. Et elle se trouve sur son chemin. Oh ! Tu viens de passer dans sa tête !

— Moi ?

— Il repense à la scène dans l'escalier. Quand il t'a reçue dans ses bras. Il sourit, il te tient, il a le sentiment qu'il te possède, je peux même te dire qu'il bande…

232

— Oh ! Junior !

— Il bande très fort. Il a envie de te défoncer…

— JUNIOR !

— Je te dis ce que je vois… Si tu veux, j'arrête.

— Non. Mais bon… c'est gênant. On n'est pas supposés parler de ces choses-là, toi et moi.

— Je t'avais prévenue. De toute façon, il se calme. Il te chasse de sa tête et pense à une grosse machine jaune. Un énorme grille-pain. Bizarre… La belle blonde se coule contre lui. Il y a quelque chose d'animal dans son abandon. Il l'enlace. Son visage se détend, elle rit. Un rire nerveux, un peu forcé. Elle porte la main de l'homme à sa bouche et l'embrasse. Oh ! Princesse ! Leur lien est fort, si fort.

— N'insiste pas !

— Ça fait mal, je sais. C'est souvent mieux de ne pas savoir.

— Tais-toi ! Va voir dans le cerveau de la blonde si j'y suis.

— Attends ! J'ai réussi à attraper un bout de sa pensée. Quand elle a enfoui sa tête contre l'homme. Un petit bout…

— Elle pense à quoi ?

Les yeux de Junior reflètent l'étonnement.

— Ben ça alors !

— Quoi ?

— Ça n'a pas de sens !

— Mais dis, dis !

— Elle est dans une chambre d'asile ou d'hôpital. Elle parle à une femme, genre ancêtre à cheveux blancs, couchée, un gros édredon vert bien épais sur le ventre. Un bonnet gris sale sur la tête. Elle porte une doudoune marron, de grosses chaussettes sur les mains. Comme des gants.

— Des gants?

— Elle les ôte, fouille l'édredon, en sort des billets et les tend à la femme blonde. Avec réticence. La blonde les empoche. Ça fait une grosse bosse dans sa poche.

— Elle est en train de braquer la vieille? Elle a un couteau, un flingue?

— Non. Elle lui parle. Elle réclame plus d'argent. Elle dit qu'«il» en a besoin, qu'une cavale ça coûte très cher. La vieille gigote, proteste, mais elle file le pognon. Et puis elle tend le doigt vers la blonde et la menace…

— De quoi?

Junior secoue la tête et souffle, découragé.

— C'est fini, Hortense. Je n'avais qu'une empreinte pour tout saisir et ça ne suffit pas. On essaiera une autre fois.

— Tu as raccroché?

— Je n'ai plus rien. Que de la neige sur mon écran!

*

À quoi il pense? se demande Stella.

Il a préparé le dîner, il a choisi le vin, serré la main de Jérôme, embrassé Julie, passé un bras autour de mon épaule. Il parle, il sourit, il m'enlace. Tout à l'heure, on se couchera, il parlera, il sourira, il m'enlacera, puis il dira bonne nuit ou me fera l'amour parce que je me serai glissée contre lui.

C'est comme ça depuis…

Depuis que j'ai refusé le bouquet de chaussettes grises ?

Non. Ça a commencé après.

Est-ce une femme ?

Ou autre chose ?

Il est en équilibre. Il ne sait pas de quel côté tomber.

Il songe à prendre son sac et à partir. Il l'a fait si souvent. Elle lit l'envie de fuite dans ses épaules, son sourire qui dérape, mince comme un fil.

Personne ne me le prendra. C'est mon homme.

Et si on me le prend ?

Mourir durera toute ma vie.

Julie porte une robe qui la boudine.

On peut compter les plis sur son ventre, sur ses hanches. Elle l'a choisie une taille en dessous pour s'interdire de manger, elle peut à peine respirer, elle gémit, elle étouffe.

Elle est au bord de l'asphyxie et s'appuie au rebord de l'évier.

— J'essaie de perdre un kilo, je supplie mon corps de lâcher du gras, je l'affame, il ne bouge pas. C'est un âne bâté.

Stella éclate de rire.

— Pourquoi tu ris ? demande Julie, blessée. C'est pas drôle.

— Tu te rappelles qui disait « âne bâté » au collège ?

— Non, boude Julie.

— Miss Turner. Notre prof d'anglais. « Vous n'êtes que des ânes bâtés. » Et elle mettait trois chapeaux sur les « a » d'« âne » et de « bâté » !

— Ah oui… Je me souviens.

— Elle avait beaucoup d'allure, je la trouvais magnifique.

— Tu te souviens d'elle à ce point ?

— Oui… Pour moi, elle était libre, indépendante, belle. Grande, avec des talons plats, de longues écharpes, des manteaux en poil de chameau, des jupes droites, des pulls d'homme en cachemire…

— Et un long nez !

— Elle avait des expressions incroyables. Je ne sais pas avec qui elle avait appris le français… mais c'était pas un gentleman.

— T'as raison ! Quand on l'énervait, elle disait « non mais… vous avez pas fini de me chier sur l'œil ? ». On ne pourra plus jamais lui chier sur l'œil, soupire Julie.

— Pourquoi ?

— Émilie Robinet, je l'ai croisée au Monop, m'a dit que Miss Turner était morte. Y a quinze jours. Cancer foudroyant. À la fin, elle pouvait plus s'asseoir tellement elle avait maigri. Elle venait d'avoir cinquante ans. Ça lui est arrivé d'un coup. Elle est partie en trois mois. Émilie dit qu'elle a subi un choc émotionnel.

Julie lutte pour attraper un peu d'air.

— Défais ta ceinture, souffle Stella, on est entre nous.

— Sûrement pas ! J'aurais l'air de quoi ?

— Tu préfères exploser ?

— C'est facile pour toi, t'es mince et belle.

— Toi aussi t'es belle. Tu m'énerves ! Y a pas qu'une seule façon d'être jolie. On peut être enrobée et charmante. Elle était pas maigre, Marilyn…

— Elle a fait des régimes toute sa vie.

Julie pose une main sur sa robe.

— Je vais picorer ce soir, tu te fâcheras pas ?

— C'est Adrian qui a cuisiné, il est très à cheval sur la diététique, tu prendras pas un gramme.

— C'est nouveau, ça.

— S'il n'y avait que ça, soupire Stella.

Jérôme a apporté un magnum de champagne sur lequel il ne tarit pas d'éloges. À croire qu'il a appris son boniment par cœur.

— C'est la récolte d'un vigneron qui a fait le choix d'une production premium avec une distribution hypersélective, c'est un modèle de précision et de pureté. Rarement un chardonnay aura atteint une telle plénitude.

Son nez luit, il sort son mouchoir pour s'essuyer et reprend Julie par la taille. Ses grosses mains rouges aux ongles courts et noirs font tache sur la robe bleue.

— Le producteur est un type formidable et il m'a à la bonne. Il me fait des prix. Si vous voulez, je peux vous pistonner.

Adrian et Stella hochent la tête pour signifier que c'est gentil mais non.

Il comprend et rougit.

— Il faut que je la traite bien, ma petite caille. Elle est habituée au meilleur, je dois être à la hauteur.

— Pourquoi tu dis ça ? proteste Julie. J'ai été élevée à la dure.

— Tssst… tssst… Je sais ce que je dis !

À table, il lance « bon app » en coinçant sa serviette dans le col de sa chemise, il coupe la salade, lèche son couteau et raconte comment la dernière fois qu'il a porté sa voiture au garagiste, on lui a compté une double vidange. Faut le faire !

— Je leur ai dit que j'étais pas un touriste, j'ai bien rigolé des nerfs.

Adrian ne rigole pas.

Il a préparé des coquilles Saint-Jacques poêlées, des petites purées, des endives braisées, un plateau de fromages et un soufflé au chocolat. Jérôme demande si le soufflé vient de chez Picard. Il trouve ça formidable, les produits Picard. Faut juste qu'ils décongèlent pas pendant le trajet, moi j'ai un sac antifuites. Je suis organisé.

— Un soufflé ! s'exclame Julie. Je vais pas pouvoir y toucher.

— Pourquoi ? demande Adrian.

— Ma robe ! Ma robe de mariée !

— Tu commenceras un régime demain…

— C'est ce que je me dis chaque soir.

— Je t'aime, ma petite caille, avec ou sans kilos, dit Jérôme.

Il répète en réprimant un fou rire :

— Avec ou cent kilos ! C-e-n-t.

Julie rougit, Stella se force à rire, Adrian a un rictus poli.

— Tu dois pas t'ennuyer avec lui, dit Stella. Tu risques pas la dépression !

— J'ai pas eu le temps de faire la dépression, moi, la coupe Jérôme, je suis devenu directement alcoolique. C'était avant que je rencontre ma petite caille. Elle m'a remis d'aplomb. Elle m'a rendu ma dignité. Quand je suis revenu de mon voyage au bout du monde, la queue entre les jambes, après que ma femme, cette salope...

— Jérôme ! dit Julie d'une voix douce.

— Eh ben... à mon retour, Julie n'a pas moufté, elle m'a rien demandé, elle m'a montré mon bureau et m'a dit au boulot. J'oublierai jamais. Et si jamais y en a un qui essaie de lui faire du mal, il fera pas le fier longtemps. Je le zigouille, et sans bavure !

— Mais qui parle de faire du mal à Julie ? dit Adrian en fixant Jérôme d'un regard froid.

— Je dis ça en général. Je vois en avant. Y avait un type qui harcelait ma mère, eh ben je lui ai scié l'essieu de sa caisse et il est allé s'empaffer dans un arbre.

— Il est pas mort, j'espère ? demande Adrian, ironique.

— Non. Mais il a fait un long séjour à l'hôpital. Le temps de réfléchir et de pas recommencer. C'est comme ça que je fais, moi, quand on me cherche des embrouilles.

— Il veut juste dire qu'il m'aime et qu'il me protège, sourit Julie en tapotant le bras de Jérôme.

— Bon..., intervient Stella. On parle d'autre chose ?

— Oui, t'as raison, on va plomber l'ambiance sinon..., répond Julie.

Jérôme avance le menton, menaçant.

— Je dis simplement qu'il faut pas s'en prendre à toi, mon lapin. Je dis ça, point barre. Je dis rien d'autre.

Stella lance un regard à Julie il a bu ou quoi ? Julie ouvre les mains en signe de je ne sais pas ce qu'il lui prend.

Adrian se lève.

— Allez vous asseoir près du feu, je débarrasse.

— Tu veux un coup de main ? demande Jérôme.

— Merci, non. J'aime bien ranger moi-même…

*

— Tu as passé une bonne soirée ? demande Stella, assise en tailleur sur le lit, un flacon de démaquillant dans une main, des carrés de coton dans l'autre.

Son front est dégagé, elle a repoussé ses cheveux sous un large bandeau noir.

— Jérôme t'a énervé. J'ai bien vu.

Adrian sourit. De son sourire qui s'ouvre et se referme à toute vitesse. Essaie de savoir ce que je pense et bonne chance.

— C'est un brave type, dit Stella. Il revient de loin.

Adrian attrape un rapport sur l'avenir du bois et du plastique dans la production énergétique et le feuillette.

— Je sais. C'est même sa carte d'identité. Nom : Brave Type. Métier : revient de loin.

Il attrape un oreiller et le jette derrière son dos.

— Il la raconte à tout le monde, son histoire. C'est son fait d'armes. La chose la plus extraordinaire au monde.

— Ben… c'est pas banal tout de même.

— On n'est même pas sûr qu'il y soit allé sous les palmiers. Si ça se trouve, c'est du pipeau. Il a balancé sa femme dans un étang et a empoché le gain du Loto. Tu parles d'une épopée !

— T'es dur.

— Quelqu'un a vérifié ?

Il donne un coup de poing dans l'oreiller pour le tasser.

— Et sa façon de jouer les petits chefs depuis qu'il est le « fiancé » de la patronne !

Il fait le geste d'accrocher des guillemets au mot « fiancé ».

— Tu devrais le voir ! Dès qu'un camion roule un peu trop vite sur le site, il le siffle et le rappelle à l'ordre en lui faisant un grand discours sur la sécurité. L'autre jour, il était avec Julie dans son bureau à lui faire des baisers dans le cou, et il m'a lancé « tu étais où aujourd'hui ? On t'a pas vu à la Ferraille. Va falloir nous communiquer ton emploi du temps désormais, mon bonhomme ». J'ai pas de comptes à rendre à ce minable qui porte un tee-shirt *Harley-Davidson* trop grand. En plus, il pourrit l'ambiance sur le site.

— Ça m'a pas frappée…

— T'es toujours sur la route.

— N'empêche… ils sont amoureux. Et moi, je suis contente que ma copine soit enfin heureuse. C'est un brave type.

— Je sais. Tu me l'as déjà dit.

— Alors pourquoi tu dis ça comme si tu pensais le contraire ?

Adrian referme son rapport et fixe Stella.

— Et toi, pourquoi tu te démaquilles avec du lait à cent mille dollars ? T'étais pas championne chez Lidl ?

Stella joue avec le bouchon blanc et doré de son lait à vingt-cinq euros.

— T'as un amoureux ?

— Je veux avoir la peau douce, être belle…

— Mais t'es toujours belle !

— Alors on va dire que tu ne me le dis pas assez.

— J'aime pas dire des…

— Ou que tu ne me le fais pas assez sentir.

— C'est ma faute ? il demande en souriant.

— Faut prendre soin de moi, elle dit en baissant la voix.

— T'as besoin de personne.

— Faut prendre soin de moi, elle répète.

Il lance ses papiers par terre, attrape Stella, la soulève, la couche contre lui, l'enferme dans ses bras.

— T'es la plus bandante des femmes. Et je vais te le prouver !

Il a allumé une cigarette, il fume en regardant le plafond. Va vraiment falloir changer ce globe en verre, on se croirait à la piscine municipale. Manque plus que l'odeur de chlore, le pédiluve et l'élastique du slip de bain qui claque. Qu'est-ce qui va pas ? Je pars au quart de tour. Même pas besoin qu'on me titille. Je ne supporte plus d'attendre, de composer, de faire semblant. Je voudrais faire craquer les vitesses. Qu'est-ce qu'elle lui trouve, Julie, à ce blaireau ? Il a la cervelle d'une peluche à piles. Elle n'est pas bête. Ou peut-être l'est-elle devenue ? Et lui. Toujours à lui passer la main dans le dos, à l'appeler ma petite caille, mon lapin, avec un gros sourire de mec qui vient de signer son premier CDI. À quoi il joue ? D'accord, on a tous notre part d'ombre, mais lui, il la nie et préfère se faire plaindre…

— À quoi tu penses ? dit Stella, la tête sur le torse d'Adrian.

Adrian fait tomber la cendre de sa cigarette dans le cendrier posé sur le drap.

— D'habitude, t'as pas besoin de demander.

— Disons qu'en ce moment les ondes sont brouillées.

— Vraiment ?

— T'es pas là. T'es ailleurs.

— Tu as peur ?

Stella passe son doigt dans les poils du torse d'Adrian, respire l'odeur ambrée de sa peau et ne répond pas.

— Tu as peur et tu mets des crèmes de beauté très chères parce que tu crois que ça va chasser la peur.

Stella remue, remonte le drap sur sa hanche, glisse son nez dans le creux de l'épaule d'Adrian comme un petit animal qui cherche la chaleur.

— Tu penses qu'elles coûtent cher, mes crèmes ?

— Un peu, oui.

— Et tu te demandes où je trouve l'argent pour les acheter ?

— Un peu, oui.

— Ça me regarde.

— Je t'ai pas posé de questions.

— C'est vrai.

— Tu dis que tu veux pas toucher au fric de Ray.

— Il est à maman. Pas à moi. Tu m'énerves, Adrian.

— Je fais attention à toi.

— Et ?

— Et quand ma main glisse sous le lit…

Il se penche, tend le bras, balaie le sol de la main, remonte de sous le lit des magazines féminins, *Elle, Grazia, Vogue*, qu'il jette en vrac sur le drap.

— C'est quoi, tout ça ? il demande. Tu ne t'es jamais maquillée, jamais intéressée aux fringues…

Il attrape le *Elle* et le feuillette.

— Tu cherches quoi dans ce fatras ?

Elle repense au blog d'Hortense Cortès. Sa photo de profil montre la blogueuse en plein élan dans un imper beige ouvert sur de longues jambes bronzées, les mains dans les poches, une écharpe écossaise autour du cou, une chevelure de lionne châtain-blond, un visage d'ange qui veut bouffer la vie. Tout chez elle respire l'aisance, l'élégance, la beauté. CETTE FILLE EST SA NIÈCE. Elle ne s'y fait pas. Elle a failli commander un tee-shirt *Je marche pas dans les clous*. Elle n'a pas osé. Intimidée par la fille en imper. Elle ne veut pas qu'Adrian voie la photo. La fille est trop belle.

Elle tend la main et reprend le journal.

Il la regarde droit dans les yeux.

— Tu as peur que j'aille voir ailleurs ?

— On sait jamais…

— Comme si j'en avais envie !

— C'est toi qui le dis.

— Et tu ferais quoi ?

— Je te tuerais.

C'est un soir où tout se fracasse. Un soir de déroute. Il y a des soirs comme ça.

Elle a envie de pleurer. Faites qu'il ne parte pas, faites qu'il ne parte jamais. Faites que je me trompe…

Les yeux de Stella brillent, ses mâchoires se crispent.

— Stella…, il dit comme s'il parlait à une enfant. Je suis là. Je serai toujours là.

Il fait glisser son doigt sur son épaule. Elle ferme les yeux, incline le cou pour que le doigt monte plus haut dans les cheveux.

— Qu'est-ce que tu vas faire pour le collège Ray-Valenti ?

— La guerre.

— Et après ?

— Le collège ne portera jamais le nom de Valenti.

— Tu as besoin de moi ?

— Non. C'est MON problème.

Il se rejette sur l'oreiller. Contemple le plafond, le plafonnier, la lumière glauque de piscine municipale. C'est drôle, avant je ne voyais pas ces détails.

— À quoi je sers ? Tu peux me le dire ?

Elle ne répond pas. Cherche sa main pour qu'il continue à la caresser. Il s'écarte.

— Je sers à rien.

Il se lève, attrape son pantalon, enfile un pull, descend l'escalier. La porte d'entrée claque.

Quand il est en colère, il va au Charly's à Sens. On y vend du mauvais champagne et des filles dansent nues, des paillettes au bout des seins, en faisant tourner des pompons sous le nez des clients et en regardant l'heure à leur poignet.

Elle n'entend pas le bruit du moteur.

Il doit être assis sur le banc, il craque une allumette, tire une bouffée de cigarette.

Il fume trop en ce moment.

Et elle, elle appuie sur le champignon.

*

Adrian contemple le ciel noir. C'est une nuit sans lune, sans vent, sans branches qui se balancent. Une nuit où on se perd. Il attend que ses yeux s'habituent et distinguent des formes. Il aime quand les formes se révèlent. Il apprivoise la nuit.

Il ne comprend pas pourquoi elle le laisse toujours en dehors du cercle. Il y a toujours les mêmes personnes dans ce cercle, Léonie, Georges, Suzon. Et Ray Valenti.

Mais pas lui.

Stella avance sur le chemin, la tête tournée vers le passé. On ne grandit pas en regardant en arrière. Je prendrai des risques, je toucherai le fond ou pas, mais je regarderai devant. Je réussirai même s'il faut enjamber ou tricher. Je déteste cette idée de vertu. Comme si les choses ne devaient se faire que d'une seule façon, noble et juste. La vie ne marche pas comme ça. La vertu est un pendentif pour riches. Les pauvres font des arrangements, s'usent, rusent pour tirer un marron du feu.

Il se souvient de deux copines à Aramil. À peine dix-neuf ans. Elles avaient besoin d'argent. L'une pour une paire de godasses d'hiver, l'autre pour nourrir ses deux petits maigrichons. Une garnison s'était installée en ville. Des gradés avec des barrettes sur la poitrine et des roubles dans les poches. Ils battaient les rues en faisant sonner leurs bottes brillantes. Le soir, ils sortaient en ville et lâchaient les billets par poignées. C'était insultant pour la population. Les deux filles s'étaient choisi un gradé chacune. Pour payer les chaussures fourrées et quelques fanfreluches, remplir

trois frigos et acheter des peluches. Elles étaient reve-
nues des baraquements bras dessus, bras dessous en
rigolant, on va pas en faire une bassine, ils étaient pas
si désagréables que ça, ces deux gars, on y a même
trouvé notre compte, pas vrai ? Et puis c'est fait, c'est
plus à faire. Et mes petits passeront l'hiver ! avait
conclu la plus jolie.

Je croyais avoir trouvé une solution en mettant
Julie dans le coup mais ce soir, je n'ai plus envie. Elle
a la tête prise dans les glaces. Elle ne pense plus. Ou
qu'à Jérôme.
    Demain, lundi, j'appelle Borzinski et je lui dis oui.

*

C'est parce que je n'ai pas voulu m'appeler
madame Kosulino ? Parce que j'ai refusé le bouquet
de chaussettes grises ? Mais on ne peut s'engager que
lorsque tout est réglé, n'est-ce pas ? Sinon on ment.
    Et puis tout de suite après, comme s'il y avait un
lien, comme si c'était évident, elle se dit je vais la
lessiver, la vieille. Il ne lui restera plus un sou.
    Je vais la lessiver et je vengerai la petite sur la photo.
C'est qui, cette enfant ? Est-ce qu'il la recherchait ? Il
l'avait violée ou il voulait la violer ? Pourquoi avait-il
dessiné une cible comme pour la tuer ?
    Elle a l'air si confiante, si joyeuse avec son épi de
cheveux qui tourne sur le front et dérange la frange.
    Elle voudrait tuer tous ceux qui s'en prennent
aux êtres faibles sans défense. La colère est toujours
vivante en elle. Elle prend toute la place.

Tant que je n'aurai pas lessivé la vieille et sauvé l'enfant, je ne serai pas libre. Je dois aller au bout, tout au bout. Même si je dois tout perdre en route.

C'est comme ça.

*

De la fenêtre de sa chambre, Tom observe le dos voûté de son père assis sur le banc et le point rouge de la cigarette qui fait des traces dans le noir. Il a entendu les pas d'Adrian dans la chambre, le bruit des bottes qu'il enfilait, les marches qui grinçaient dans l'escalier, la porte d'entrée qui s'ouvrait et claquait. Ils se sont encore disputés. Il aime son père, il aime sa mère, il ne veut pas qu'ils divorcent. À tous les coups, ils se sont engueulés à cause de Ray Valenti et du collège. Il n'en peut plus de Ray Valenti. Il n'en peut plus de s'appeler comme lui. Quand Ray est mort, on a chanté les louanges du sale type. Les gens bavaient, ils connaissaient un héros. Et après, vite, vite, ils rentraient chez eux voir les images de l'incendie à la télé. C'est fou, il les entendait dire, ça a plus de gueule au journal télévisé, non ?

On croit qu'à onze ans on comprend pas ces choses-là. Qu'on ne relève pas les nuances dans la voix, le faux dans un regard. Pas lui. Sa mère lui a appris. Oh, sans rien dire. Elle est avare de mots mais rien ne lui échappe. Elle chope tout. Ce qui est sûr, c'est que plus il y a de grandes personnes dans une histoire, plus il y a d'emmerdements.

Le père de Noa, il se dispute tout le temps avec sa femme. Des histoires de zizi, dit Noa. Un jour, devant toute la classe, Noa a crié hé, Valenti ! Mon père a vu ton père chez Charly's. La honte ! Parce que le père de Noa, c'est un ramassis. Noa l'a surpris un jour en train de rouler une pelle à une gonzesse. Le père a acheté une paire de Jordan à son fils pour qu'il se taise. Depuis Noa a plein de pompes remarquables.

Et un blouson Goose.

Le père ne veut pas divorcer, sa femme est blindée. Elle possède l'entreprise, la belle maison, la belle voiture, la belle piscine. Lui n'a que sa belle gueule.

Le point rouge de la cigarette s'est éteint.

Son père reste sur le banc.

Et puis il rentre.

Tom préfère.

Ils vont peut-être se réconcilier. Dans le lit. Souvent ça se termine comme ça. Il n'y a plus de bruits de voix, juste des soupirs, des petits cris.

Ça lui fait peur aussi.

*

— Tu le fais souvent ? demande Hortense.

Elle a repris sa position favorite : la tête sur les genoux de Junior, les pieds sur l'accoudoir du canapé.

— Quoi ?

— Espionner les gens…

— Je l'ai fait une fois, mon père soupçonnait un associé de le truander. Ça n'a servi à rien : je n'avais pas le son. Le type parlait et j'entendais que dalle.

— Rien du tout ?

— J'étais dégoûté. J'essayais de lire sur les lèvres

249

du type et je déchiffrais des trucs comme « alerte à mon cul » ou « il faut laisser les fesses faire »…

— Des titres de films pornos !

Hortense se tait et réfléchit. Si elle avait ce don, elle n'arrêterait pas de s'en servir. Comment Junior peut-il rester si sage et ne pas en abuser ? Elle demande :

— Dis-moi, tu as testé Elena comme tu me l'avais promis ?

— Oui, elle est honnête.

— Tu te trompes !

— C'est une belle personne.

— Je ne la sens pas. Et je pense que j'ai raison.

— Personne n'est infaillible.

— C'est elle qui t'a empêché de travailler sur mon tissu… On avait plein d'idées tous les deux. Elle a tout refusé en bloc.

— Elle voulait une direction et une seule. Pour que le message soit clair.

— L'histoire de la gaine qui avale la graisse ?

— Oui, et rien d'autre. Avec nos idées de tissu-recharge de téléphone ou source de chaleur, on brouillait le message. On quittait l'univers de la mode pour le bazar de l'électricité. Elle a du flair, fais-lui confiance.

— Elle est trop vieille pour savoir ce qui plaît aux jeunes.

— Faux. Elle a de l'énergie à revendre. Quand je saisis son empreinte, je m'épuise à la suivre. C'est de la poudre à canon, cette femme…

— J'aimerais bien savoir si les gens qu'on espionne se sentent observés. Si ça les perturbe…

— Ils ne s'en aperçoivent pas.

— Tu es sûr ?

— Je n'en sais rien. Je t'ai répondu trop vite.

— C'est ce que j'aime chez toi, Junior. Tu dis des choses comme «je t'ai répondu trop vite». Tu es honnête. En fait, je crois que je t'aime tout entier.

— Tu aimes trop de monde, Hortense chérie. Quand on sera mariés, j'espère que tu seras moins volage. Tu sais quel est ton problème?

Hortense secoue la tête. Elle n'est pas sûre de vouloir parler de son problème.

— Tu as tellement de féminité qu'il te faut plusieurs hommes pour te contenter.

— Je suis la fille la plus seule au monde! Je dors avec ma machine à coudre, parle à mes ciseaux, caresse mes rouleaux de tissu et j'ai des orgasmes avec mon centimètre! J'ai pas dormi avec un garçon depuis...

Elle lance les bras en l'air pour désigner l'éternité.

— Tu mens, princesse...

— T'es sûr que tu n'as pas un briquet? Il faut que je brûle mes cheveux.

Junior soupire, lassé.

— Tu mens, princesse, tu mens.

— Je mens pas... Je ne veux pas y penser. Si j'y pense...

Elle noue les bras sur son ventre en un geste de rage. Junior tire sur son gilet à damier, sur son nœud de cravate trop serré, pose un doigt délicat sur la joue d'Hortense. Une larme a coulé.

*

La dernière fois qu'elle a vu Gary...
C'était à l'aéroport.

Dans les toilettes de l'aéroport.

C'est là qu'ils avaient abouti.

Il avait pris un vol de nuit. Édimbourg-New York avec escale à Roissy. Six heures à attendre dans un hall vitré, des plantes vertes anémiées, des banquettes froides en skaï, des voyageurs qui aèrent leurs chaussettes et ronflent la nuque renversée.

Il l'avait appelée.

— Hortense Cortès ?

Elle avait regardé l'heure sur son ordinateur. Minuit quarante-cinq. Elle venait de finir un manteau sur lequel elle avait travaillé quatre cents heures et demie. Elle les avait comptées.

— Hortense Cortès, tu dors ?

Quand il l'appelle Hortense Cortès, c'est sérieux.

— Non. Je travaille. Tu es où ?

Elle l'avait rejoint au terminal 2 E, hall K.

Ils s'étaient aperçus de part et d'autre de la paroi vitrée. Elle, sur le trottoir, lui, à l'intérieur. C'était à la mi-novembre, une douceur étrange traînait dans l'air, semant des bouffées d'été. La nuit tiède sentait le kérosène. Les néons faisaient de grands traits dans le noir. Ils avaient plaqué leurs mains sur la vitre jusqu'à ce qu'elles coïncident. Avaient collé leur front, leur nez. Ils coïncidaient aussi. Elle avait fait glisser sa joue. Il y avait des traces de boue, de cambouis, des mégots, des papiers sales à ses pieds. Les joints en caoutchouc étaient pourris et se décollaient sur le côté. Elle avait enfoncé un doigt dedans. Pour vérifier qu'elle ne rêvait pas. Que Gary était bien là.

Il était sorti, avait lancé un bras, l'avait attirée dans le hall K.

L'avait serrée contre lui, enfermée dans son caban, il la berçait en chaloupant. Elle s'amollissait, disait j'ai envie de toi, tellement, tellement. Son pull sentait le froid de la nuit et le col de son caban lui grattait le front.

Une femme de ménage noire, massive traînait un chariot hérissé de balais, de brosses, de produits d'entretien. Elle portait une blouse bleu ciel avec « Aéroport Charles-de-Gaulle » brodé en rouge et des gants en caoutchouc orange. Elle leur avait dit d'une voix lasse salut, les amoureux ! Son œil s'était allumé, elle avait balancé ses hanches.

La lumière du hall était blafarde, presque verte. Un gros ventilateur soufflait au-dessus de leurs têtes, faisant voler des affichettes. Elle s'était demandé qui pouvait poser des petites annonces sur un panneau à Roissy.

Personne ne les lisait.

Et puis elle ne s'était plus rien demandé.

Ils avaient fait l'amour dans les toilettes réservées aux handicapés.

Il avait étalé son caban bleu marine sur le sol, roulé son pull pour en faire un coussin, s'était allongé sur elle. D'une main, il écartait les cheveux d'Hortense, les peignait, les rangeait sur le côté. Il voulait voir ses yeux. Hortense, tu m'as manqué et je ne le savais pas ! Rien n'aurait pu la distraire de ce moment-là. Elle ne voulait pas en perdre une demi-seconde. Garder le goût de café au lait au coin de sa bouche, son regard sous la mèche de cheveux, ses lèvres pleines, chaudes. Ils refaisaient connaissance. Petit bout par petit bout. Il enfonçait son visage dans son cou, répétait Hortense, Hortense, de sa voix sourde qui voulait mordre. Il l'embrassait comme s'il mourait de faim. Son genou entre ses jambes nues faisait un bruit d'étoffe froissée.

Elle avait la tête noyée de plaisir, avait accroché ses bras autour de son cou, ses jambes autour de ses hanches et l'avait suivi.

Je peux mourir maintenant, je me fiche pas mal du reste, je deviendrai son ombre pour qu'il me prenne encore. J'ai besoin de son corps, de son odeur, de sa bouche sur mes seins, mon ventre, mes cuisses. Je le veux. Je le veux dans ma peau. Pourquoi toutes ces nuits en solitaire, la bouche remplie d'épingles ? À quoi ça rime ?

Sa tête avait aussitôt répondu que le plaisir dure trente secondes, voire deux minutes et demie si le type est doué, alors que le travail t'occupe toute ta vie et te fait exister.

Sa tête avait souvent raison.

Des hommes étaient entrés.

Ils avaient pissé dans les lavabos en jurant en anglais *fucking plane, fucking place, fucking beer, fucking French, fucking girls.*

— On est chez les hommes ? avait chuchoté Hortense.

— Je ne sais pas, j'ai pas fait attention, avait dit Gary.

Il avait posé ses bras autour de son visage et la contemplait.

Il soulevait une mèche, la déroulait, la lissait, en

prenait une autre, la soupesait, la rangeait, il faisait l'inventaire, elle tremblait de l'attendre encore.

— Ils peuvent pas nous voir, ils sont trop bourrés…, elle avait murmuré en regardant de côté pour s'efforcer de cacher son trouble.

Pourquoi la dévisageait-il comme ça ? Il l'avait vraiment oubliée ?

Elle regardait la barre en acier chromé, le plafond, les murs. La peinture marron s'écaillait, elle remarqua des retouches jaunâtres par endroits. Ils avaient dû hésiter entre le jaune et le marron ou ils n'avaient plus assez de peinture marron, ils avaient fini en jaune.

Les types essayaient de se laver les pieds dans les lavabos. Ils perdaient l'équilibre, juraient putain de lavabos français ! C'est pas ces tarés qui ont inventé le bidet ? De toute façon ça ne sert à rien, faudrait laver nos chaussettes aussi. S'était ensuivie une conversation tatillonne sur la nécessité de se laver les pieds ET les chaussettes. Gary avait soupiré, c'est pas possible, tant pis, je prendrai le prochain avion, on se casse.

Ils s'étaient réfugiés dans la chambre 736 de l'hôtel Sheraton.

La chambre sentait le parfum d'ambiance à la cerise et les draps repassés au pressing.

Il avait refermé la porte, laissé la carte magnétique sur le meuble de la télé, posé son doigt sur les lèvres d'Hortense. On ne parle pas, d'accord, on ne parle pas. On n'a qu'une seule nuit, ne la gâchons pas.

Elle avait hoché la tête.

Il y avait tant de choses à dire, autant rester muets.

Ils avaient passé la nuit à nager l'un vers l'autre, ruisselants, haletants, aveugles, léchant la sueur de l'autre, se jetant dans une étreinte dont ils ressortaient essoufflés pour reprendre un peu d'air avant de replonger dans le grand lit de la chambre 736 du Sheraton. Ils n'avaient plus de force, ils soufflaient des questions entre deux étreintes.

Des mots en forme de bulles de poisson rouge.

Toujours ? Oublié ? Toi ? Moi ? Serment ? 66e Rue ?

Prends-moi encore…

Ma femme, ma petite femme…

Au petit matin, engourdis, lourds, ils avaient aperçu la lueur du soleil à travers les lamelles des stores de la chambre, ils avaient attendu, tristes, soumis, la sonnerie du réveil.

Le lendemain, il avait pris la navette pour rejoindre son terminal. Avant de partir, il lui avait entouré le cou avec son écharpe. Trois tours, trois colliers. Il avait fini par l'annulaire gauche. Elle avait baissé la tête, regardé la bague en laine. Elle avait eu envie de pleurer. Un dernier baiser long, violent, il prenait son temps. Le chauffeur du bus klaxonnait, il avait passé la tête par la fenêtre et rigolait.

— Hé, mec ! Tu veux que je te remplace ?

Il était monté dans la navette.

Le bus était parti.

Elle s'était assise sur une borne blanche, les yeux dans le vague. Elle essayait de calculer quand ils se reverraient ; les chiffres dansaient, filaments flous qui s'effaçaient.

Elle avait oublié de lui dire que son duffle-coat était trop petit.

Il avait l'air ridicule.

*

— Voilà, tu sais tout, elle murmure à Junior. C'était notre dernière nuit et elle n'a duré qu'une nuit. À Roissy. Cet été, dans son château en Écosse, il n'y avait ni Internet, ni réseau, ni téléphone. Juste un vieil appareil qui drilingue-drilingue aussi faiblement que le souffle d'un fantôme. Tout a été refait, pourtant. À mon avis, sa grand-mère…

— Tu veux dire Sa Majesté la reine d'Angleterre…

— … ne sait pas qu'Internet existe. Elle a fait réparer les murs, les toitures, fait installer le chauffage, un piano mais le reste…

— C'est déjà pas mal, princesse. Il doit y avoir des kilomètres de murs et des hectares de toitures !

— Il fallait qu'il aille en ville pour me téléphoner. On se donnait rendez-vous et quand l'heure arrivait, on ne savait plus quoi dire. On débitait du vide, ça me déprimait. J'ai arrêté de l'appeler. J'avais besoin de travailler. Il a dû ressentir la même chose. Ce serait bien si tu pouvais te brancher sur lui… Tu me dirais où il en est, ce qu'il fait…

— Je refuse d'espionner Gary. C'est mon rival, je le respecte, je me battrai à la loyale.

— *Pfft !* Des mots, des mots !

Junior se rebiffe :

— Tu devrais te sentir honorée d'être aimée par un preux chevalier. Je parle de moi, bien sûr.

Hortense remue la tête, énervée.

— Depuis qu'il est retourné à New York, avec le décalage horaire, nos conversations sentent le formol. Deux cadavres qui se parlent d'un cercueil à l'autre. Comment ça va chez vous, c'est bien capitonné ? Pas de courants d'air ni de clous qui dépassent ? Alors je n'appelle plus, il n'appelle plus. On ne se fait pas la gueule… on s'est juste interrompus.

Elle roule une fourche de cheveu entre ses doigts, louche dessus.

— Et puis il voyage tout le temps… Des concours, des concerts. Je le soupçonne de bouger pour se trouver un alibi.

— Tu es malheureuse ?

— Je travaille. Je fais des essais de peinture, de broderies, de tissus, matelassés, peints, décolorés, j'imagine des imprimés, j'essaie une coupe, Octave me montre un assemblage, je dis oui, je dis non, je dis peut-être…

— Octave, c'est qui, celui-là ?

— Mon assistant. Il s'habille en vert et violet, se décolore en blond platine et porte un rouge à lèvres noir. Il aime les garçons.

— Un de moins à combattre !

— On cherche, on tâtonne, soudain j'ai une idée et tout se cristallise. Plus personne ne bouge. J'interdis qu'un sourcil se lève ou qu'une narine palpite. Silence total. J'ai trouvé LE truc que je cherchais. Ça peut être une petite veste en piqué vichy chartreuse et blanc à basque et col de gazar portée sur une jupe droite en

258

lamé chartreuse ou un bon vieux tailleur en tweed revisité par un ou deux détails qui vont le faire décoller. C'est l'extase, je suis heureuse jusqu'au fond de l'âme…

— Ah ! J'aime cette idée !

— Je n'ai besoin de personne, et surtout pas de Gary. S'il était à Paris, il faudrait aller à la Philharmonie, au cinéma, traîner dans les rues, ce serait mortel. On finirait par se détester. Enfin…

Elle soupire, passe la main dans son cou, se masse la nuque, renverse la tête.

— Depuis que l'autre a déboulé dans l'escalier du Fouquet's…

— Attention à tes mots, Hortense. À sept ans, les peines de cœur… on ne s'en remet jamais.

— À sept ans, on lit *Mickey* et on se couche avec son nounours.

— Comme tu es cruelle ! Comme tu dois souffrir !

— Je suis paumée. Tu comprends ? Ça ne m'est jamais arrivé de perdre le nord. D'habitude…

D'habitude…

Je suis championne pour obtenir ce que je veux, avancer à grands pas, rembarrer les gêneurs, garder mes secrets enfermés dans mon poing. Je porte un masque qui colle à mon visage comme du maquillage. Et je ne me démaquille jamais.

Et il faudrait que j'aille m'allonger sur un divan ?

Une fois, on a voulu m'envoyer chez un psy. Cette folle de Rosie. Elle m'avait provoquée alors qu'on passait un week-end de filles à Sag Harbor et qu'on jouait au jeu de la vérité. *Truth or Dare.*

— Tu sais ce dont tu souffres, Hortense ?

— Arrête ! Je sais même pas ce que le mot veut dire !

— Tu souffres du complexe de l'abandon.

— C'est quoi, ça ?

— Tu as peur qu'on t'abandonne et tu verrouilles tout pour ne pas souffrir. Du coup, tu ne ressens rien.

— Je ne ressens rien ? Et Gary ? Tu appelles ça comment ?

— Gary est ton alibi. Tu te dis je suis une femme, je suis une amoureuse, la preuve. J'ai Gary. Un alibi !

— Ha ha ! Je me jette par terre et me gondole ! Et par qui j'aurais été abandonnée d'après toi ?

— Par ton père.

— Mon père ? C'est la nouvelle la plus drôle de ma vie !

— Ça ne te plaît pas mais c'est comme ça.

— Mon père ne m'a pas abandonnée. Mon père a été bouffé par un crocodile avec qui il voulait être ami. Il lui a offert l'accolade, l'autre a ouvert sa grande gueule pleine de dents et… Je sais, c'est rare dans les statistiques mais c'est tombé sur lui.

Rosie m'avait regardée, bouche bée.

— Oh ! Je suis désolée ! Je ne voulais pas te blesser.

— Mon père avait un seul amour : moi. Et si j'ai un ego aussi bien trempé, c'est JUSTEMENT parce que mon père ne m'a jamais, jamais abandonnée, mais au contraire TOUJOURS, TOUJOURS aimée, vénérée. Alors ton psy, il peut toujours m'attendre et faire des cocottes en papier !

— Mais je voulais juste t'aider, moi !

— Je n'en suis pas si sûre, tu vois.

— Tu insinues que je suis perfide?
Perfide ET sournoise. Les pires.

— Pourquoi tu ne vas pas voir Gary à New York?
— Je ne PEUX pas, Junior. Je ne PEUX pas.
— Pourquoi?
— À cause du serment.
— Quel serment?
— Le serment de la 66e Rue.

Un jour qu'ils étaient assis sur le rebord de la fenêtre de la maison d'Elena, à l'angle de Colombus et de la 66e Rue, Gary avait pris la main d'Hortense. Il avait écrit au Bic noir le long de son poignet, « tout faire pour avoir la niaque et n'emmerder personne ».

— Merci beaucoup, avait pesté Hortense, quel beau poème!

— C'est un contrat.

— Tu peux développer?

Gary avait souri de cette façon étrange qu'il avait parfois, comme s'il souriait à quelqu'un à l'autre bout de la pièce.

— Cela signifie: il ne faudra jamais que tu t'empêches de faire quelque chose à cause de moi.

— Je comprends pas.

— Je veux pas que tu renonces à quoi que ce soit pour ne pas me blesser…

— Une chose ou une personne?

— Les deux.

— Même un homme?

— Même un homme.

— Tu préfères que je suive un homme dont j'ai

envie plutôt que de m'en empêcher pour ne pas te faire souffrir ?

Ils s'étaient regardés avec le sérieux et la solennité de deux mariés aux marches d'un autel.

— Si tu renonces à ce rêve ou à cette personne, tu seras amputée d'un morceau de toi et tu perdras la niaque. Tu ne feras plus rien, tu deviendras aigrie, injuste, laide.

— Tu n'exagères pas un…

— Je ferai les frais de ta mauvaise humeur et je n'en ai aucune envie.

— Et si je veux à tout prix te ménager ?

— Je te quitterai.

— QUOI ? elle avait hurlé en le repoussant. Ne dis jamais ça, Gary Ward !

Elle lui avait lancé un coup de pied.

— On ne se séparera jamais, tu as compris ? Mets-toi bien ça dans la tête. Et ce ne sont pas tes serments imbéciles qui me diront comment me comporter avec toi ! Je ferai ce qu'il me plaira, comme il me plaira, aussi longtemps qu'il me plaira.

Il avait voulu se rapprocher d'elle, mais elle s'était débattue, menaçant de le faire basculer dans le vide. Il avait baissé les bras, murmuré Hortense, s'il te plaît, elle avait hurlé laisse-moi ! Laisse-moi !

D'une voix douce, il avait expliqué :

— Je ne veux pas qu'on devienne comme ces couples qui se haïssent et se font des reproches en cherchant leurs clés, en garant la voiture, en mâchant leur colin froid-mayonnaise. Qui font payer à l'autre leurs lâchetés, leurs peurs, leurs trahisons. Je veux que les gens se retournent sur nous dans la rue, qu'ils chuchotent comme ils ont l'air heureux ! Et nous, dans un sourire, on leur répondra on n'a pas l'air, on EST heureux, on craque de bonheur, de vie, d'énergie, on a vingt mille idées, vingt mille chantiers en tête. Tu comprends ?

Hortense avait réfléchi.

— Et le serment marche pour toi aussi ? elle avait dit d'une voix à peine audible. Toi non plus tu ne te priveras ni de quelqu'un ni de quelque chose pour moi ?

— Bien sûr.

Il avait posé la main sur son cœur et récité :

— Je m'engage à ne renoncer à rien qui pourrait me nourrir, me faire du bien à cause de toi, Hortense Cortès. Je m'engage à dévorer la vie, à être grand, généreux, curieux de tout, avide de beauté…

— Et toujours à mes côtés.

— Et toujours à tes côtés. Ainsi nous grandirons en âge et en génie, à défaut de sagesse, et nous resterons ensemble aussi longtemps que nous en aurons envie.

L'idée lui plaisait. Elle s'était dit je vais compter jusqu'à quatorze. Si un taxi jaune tourne au coin de la rue avant quatorze, je dis oui. Elle avait commencé à compter et à huit et demi (elle trouvait que les demis ajoutaient du piment à l'affaire), un taxi jaune était venu se garer sous leurs fenêtres. Un gamin portant un sweat vert avec le nombre 14 dans le dos en était descendu.

Ils avaient tapé dans leurs mains, craché par la fenêtre. Promis, juré, craché. Un type avait hurlé. Il allait porter plainte. Il était chauve et s'essuyait le crâne. Ils avaient juste eu le temps de rouler sur le parquet, souffle et jambes emmêlés.

C'est ainsi qu'était né «le serment de la 66e Rue».

— C'est beau, c'est très beau, soupire Junior, légè-rement envieux et pensant qu'il lui faudra trouver mieux.

— C'est pour ça que je peux rester des mois à Paris pendant qu'il joue du piano en Écosse ou à New York. Nous respectons le serment de la 66e Rue.

— Et tu n'imagines rien de terrible ?

— Quand tu ne sais pas, tu ne souffres pas. Quand tu fouilles, tu dérouilles.

— Dis-moi, il compte vraiment vieillir avec toi ? Tu ne lui as pas dit qu'on allait se marier ?

— Junior ! Réfléchis un peu. Je ne peux pas vivre une histoire d'amour en sachant que la fin est pro-grammée.

— Il faudra qu'il se retire en gentleman et me laisse la place.

— Provoque-le en duel. Je ne vois pas d'autre solu-tion.

Junior réfléchit, retrousse ses manches, croise les bras sur sa poitrine d'un geste décidé.

— Demain, je m'inscris à des cours de pistolet et d'épée. Je tâcherai de ne pas le tuer.

— C'est gentil de ta part. J'apprécie.

La porte du bureau s'ouvre. Josiane Grobz s'im-mobilise sur le seuil. Elle se frotte les mains comme si elle n'osait pas pénétrer dans l'antre de son fils et se cherchait une excuse. Elle porte un col roulé noir très fin, une jupe en laine grise, des collants noirs, des escarpins bordeaux à talons hauts. Son rouge à lèvres s'est effacé et sa bouche délavée la vieillit, elle le sait, elle se mouille les lèvres pour récupérer un peu de rouge. Elle fait attention à toujours être apprêtée face à son fils. Alerte, agile, «pleine d'entrain», a dit son psy. Il doit oublier qu'il est l'enfant d'un homme de soixante-quatorze ans. Elle tripote une chaîne en or au bout de laquelle pend un papillon en jade.

— Il est tard. Vous venez dîner avec nous? Cela ferait plaisir à Marcel.

— Nous n'avons pas fini, mère.

La bouche de Josiane retombe. Triste comme celle de quelqu'un qui se force à être gai. Les commissures de ses lèvres tentent de se relever pour esquisser un sourire, mais elles échouent et s'effondrent en une grimace douloureuse.

— Ça fait longtemps qu'il ne t'a pas vue, Hortense. Il serait content. J'ai cuisiné un tagine de poulet aux citrons confits.

— Royal! dit Hortense. Je meurs de faim!

Du fond du canapé, Junior lève un sourcil.

— Mère, ne te formalise pas, je ne mangerai pas.

Le cou de Josiane se crispe.

— Tu dois manger! On passe à table dans dix minutes.

— Je m'abstiendrai, je dois sculpter mon corps.

— C'est absurde! s'agace Josiane en triturant le papillon de jade.

Elle tire sur la chaîne et fait passer le papillon de gauche à droite, de droite à gauche. Le papillon se met à tourner comme un pendule devenu fou.

— Junior, dois-je te rappeler que tu es à l'âge où…

— N'insiste pas, mère. J'ai programmé mon

cerveau. Il ne peut plus rien avaler jusqu'à demain midi trente.

— C'est de la folie ! En pleine croissance !

— Ma tête a enregistré ma demande, c'est trop tard. Tous mes circuits sont bloqués. Ce serait dangereux que j'ingurgite le moindre grain de riz.

— Mon Dieu ! s'écrie Josiane en joignant les mains. Cet enfant me rendra folle !

— Je ne suis pas un enfant, je suis un homme.

— NON. TU AS SEPT ANS. TU ES UN ENFANT. MON ENFANT ! s'emporte Josiane en tirant sur sa chaîne comme sur un signal d'alarme.

— Un homme. Et bien membré, si tu veux savoir la vérité. Pas loin d'être priapique. Ce n'est pas moi qui le dis, c'est…

— Stop ! Je ne veux plus rien entendre !

Josiane titube et s'appuie à la porte.

— Junior ! Je t'interdis de…

— Oui, mère ?

— De faire état du développement de tes organes. Ce ne sont pas des propos qu'on tient devant sa mère.

— Bien, mère. Je te prie de m'excuser.

— Et appelle-moi maman ! Je ne supporte plus ce ton poli, je veux de l'amour, de la tendresse, des baisers !

— Un mot est souvent un masque pour cacher une chose et dire son contraire…

— Et lave-toi les mains avant de passer à table. L'épidémie de gastro est à son pic.

Josiane, vaincue par la superbe de son fils, se retire. Ses pas résonnent dans le couloir. Ils ne vont pas droit et heurtent un mur puis l'autre.

— Je vais venir goûter ton tagine, Josiane ! crie Hortense.

Elle se retourne vers Junior et le sermonne :

— T'exagères ! Tu peux pas parler de ton sexe à ta mère !

— Je ne veux plus qu'elle me traite comme un bébé. Je suis un homme, je veux qu'on me respecte en tant qu'homme.

— Mais c'est impossible !

— La dame du quatrième dit pas ça.

— Quoi ? articule Hortense, stupéfaite.

— La dame du quatrième me donne des cours illustrés de sexualité contre des leçons de maths à son fils, un imbécile remarquable. Je fais des progrès alors que l'imbécile végète.

Hortense se dresse, comme propulsée par un ressort.

— Mais c'est une timbrée !

— Disons qu'elle est sensible à mon charme.

— Elle pourrait aller en prison ! Junior, s'il te plaît… Redescends sur terre. Toutes ces expériences sur ton cerveau te détraquent.

— Pas du tout.

— Tu fais quoi avec cette femme ?

— Je te demande ce que tu fais avec Gary ?

— Non, concède Hortense.

— Alors comprends que je ne te réponde pas.

Hortense, abasourdie, lui saisit le bras et insiste :

— Tu veux dire que vous… copulez ?

— Tu as dit que tu avais faim, n'est-ce pas ? Allons-y.

— Réponds-moi, Junior. Quels sont tes rapports avec cette femme ?

— C'est ma vie privée.

— Attends une seconde.

Elle attrape le menton de Junior entre ses doigts, le force à la regarder.

— C'est parce que tu as trop souvent entendu ton père et ta mère forniquer à travers les cloisons que tu es obsédé par le sexe ?

— Je ne suis pas obsédé, je suis alléché. C'est la vie. Ou les hormones, tu choisis. Je vis entre deux grands fauves qui n'arrêtent pas de se monter dessus, comment veux-tu que je demeure chaste et pur ?

— Ils font encore des galipettes, tes parents ?

— Comme des bêtes. Je les soupçonne même de vouloir procréer.

— Ta mère a quel âge ?

— Quarante-six ans… Elle est encore fertile, hélas ! L'autre jour, elle disait à mon père que le moule n'était pas cassé. Je croyais qu'elle parlait cuisine, non ! Elle faisait allusion à son utérus.

Sa voix se brise, il serre les poings. Son front qui part en arrière, ses yeux obliques et brillants, son petit nez froissé, ses oreilles-antennes, tout se met à vibrer. Il ferme les yeux pour maîtriser son chagrin.

— Junior… ça te rend triste ?

Il se renfrogne, sa lèvre inférieure bloque la supérieure, il tremble de plus en plus et parle en hoquets :

— J'ai… l'impression… que je ne suis pas… à la bonne place et… qu'ils ne m'aiment pas. Je ne corresponds pas… à ce qu'ils attendent… d'un enfant. Je suis… un échec, Hortense.

— Mais non !

— Ma mère… me regarde… comme un

phénomène… de foire. Elle est… tendue, à bout… de nerfs. Elle change de… breloque chaque… semaine tellement elle… la tripote, elle va… voir un psy tous les… deux jours… elle… n'a plus d'ongles parce… qu'elle les mange… et je ne sais pas… si tu as remarqué, elle… perd ses cheveux. Je suis… une menace pour… sa santé.

Ses yeux éclatent de larmes, il lutte pour les retenir et torture les boutons de son gilet à damier rouge et blanc. Il se tend et crie comme s'il expulsait un monstre glaireux, turpide :

— L'autre jour… je l'ai entendue dire… Marcel, fais-moi un petit… mais un normal, cette fois-ci… UN NORMAL, HORTENSE !

Il a rugi et reste tendu tel un arc sur le canapé.

— Et… mon père lui a… répondu « c'est… de ma faute, Choupette… j'étais trop vieux quand on… l'a fait ! »

— Oh ! Junior ! C'est horrible.

— C'est dur… très dur… et at… tends, ce n'est… pas fi… ni.

Il passe la main dans ses rares cheveux, tapote son crâne, sa nuque, son thorax, bloque sa respiration, prend un grand bol d'air et lâche d'un seul trait :

— Je les soupçonne de vouloir se débarrasser de moi.

— Tu délires ! Ils t'adorent !

— Je crois que mon père a compris qui j'étais mais ma mère… MA MÈRE, elle m'échangerait si elle le pouvait !

— C'est pour ça que tu ne veux pas manger ce qu'elle cuisine ?

Il fixe ses pieds, essaie d'attraper le bout de ses chaussures. Pour se balancer, bercer sa douleur. Il se met à osciller de droite à gauche en émettant un chant sourd, désespéré.

— Tu as peur qu'elle t'empoisonne ?

Il hoche la tête et murmure très bas :

— Je l'aime tant. Elle est vaporeuse, crémeuse, douce, tendre, mais je n'arrive pas à le lui dire… Les mots me terrassent. Je suis leur esclave.

— Mais dis-lui, dis-lui ! Il n'y a rien de pire que de ne pas dire les choses.

— On se bloque tous les deux, chacun sur sa position, il ne reste plus que la hargne, les piques, les accusations.

— Alors tu as inventé une autre manière de te nourrir…

— J'ai tellement de chagrin, Hortense chérie. Si mon cerveau marche bien, parfois même au-delà de mes attentes, c'est au détriment du reste… Ma vie est un désert de cailloux. Pas le moindre palmier pour l'égayer ni d'oasis où me désaltérer. Je suis étrange, je dérange, je n'ai pas de collègues, pas d'amis et il va falloir que je me batte en duel pour obtenir la femme que j'aime. Triste destin que celui de l'homme différent.

Il renifle, rentre la tête dans les épaules. Ses lèvres se tordent, son nez se fronce, il frotte ses mains sur son pantalon et se recroqueville. Parfois un hoquet vient ébranler sa poitrine, un spasme le plie en deux. Il gémit, bourdonne une plainte semblable à un chant presque funèbre qui saisit Hortense, l'étreint d'un sentiment inconnu, la pitié.

Et la pitié se fait amour. Suscite en elle le désir de prendre l'enfant dans ses bras, de le bercer.

Le cœur féminin a de ces convulsions étranges qui convertissent soudain un cœur de pierre en cœur de mère.

Elle n'a jamais connu cet élan pur, désintéressé. L'envie de faire du bien, de donner, de soigner. Junior n'est pas un homme, elle n'est plus une femme, ils sont deux âmes qui s'enlacent.

— Mais c'est justement parce que tu es différent que je t'aime ! Tu crois que je passerais l'après-midi avec toi si tu étais un gamin de sept ans comme les autres ?

Il relève son visage, esquisse un sourire.

— C'est vrai ?

— Je t'aime, Junior. Peut-être pas comme tu le voudrais mais il y a mille façons d'aimer. Enfin… je ne suis pas une spécialiste. C'est même un sujet qui me dégoûte assez.

— Tu m'aimes ? il balbutie. Tu ne dis pas ça pour me faire plaisir ?

— Non.

— Ni par pitié ?

— Non plus.

— Ni parce que ça t'énerve de me voir chagriné ?

— Écoute, Junior… on va pas disserter deux heures sur le verbe « aimer », le pourquoi et le comment. Je t'aime, point barre, et ne me demande pas pourquoi.

Elle a un haussement d'épaules exaspéré, lève les yeux au ciel.

— C'est toujours pareil avec les sentiments, on se

retrouve englué dans du goudron ! Je te jure, il en faut du courage pour se lancer là-dedans !

Hortense assiste alors à la plus étonnante des transformations.

Le visage de Junior se déplie, devient un éventail des *Mille et Une Nuits*, se colore de rose, de pourpre, de soleil levant. Ses épaules se redressent, son nez se dilate, des perles de sueur glissent le long de son front, il est congestionné de bonheur et bredouille, le visage baigné de larmes :

— Ô joie ! Ô délices ! Joie qui brûle, délices qui fortifient. Je suis un homme ! J'existe puisqu'elle m'aime !

— Et t'estime.

— Hortense m'estime !

— Je tiens à toi, quoi.

— Je défaille…

— Je ne veux plus jamais que tu sois triste.

— Je ferai tout mon possible, il promet en tournant vers elle un regard d'amour infini.

Il a compris. D'une douleur jaillit toujours un morceau de bonheur. Le bonheur est une sécrétion de larmes et d'épines. Sinon c'est du carton-pâte. Comme dans les mauvais films. Il ne sera plus jamais triste ou quand il sera triste, il se dira patience, patience, ma peine va se transformer en or.

Son cœur s'emballe, ses pieds pédalent, il tressaille, envahi de vapeurs, de palpitations.

— Tu te sens bien ? demande Hortense, inquiète.

— Oui, oui. C'est juste que…

Il ouvre son col de chemise, défait sa cravate, s'évente.

272

— J'ai chaud ! J'ai chaud ! Je bouillonne !

— Tu es malade ?

— Non. C'est mieux que ça, Hortense. Bien mieux !

Elle le regarde, intriguée, se retient de poser la main sur son front, il est un peu mouillé, elle n'aime pas les gens qui transpirent.

— Je peux te demander un truc ? il dit en triturant les lacets de ses chaussures.

— Oui.

— Je peux t'embrasser ? J'ai trop de bonheur, je vais exploser, il faut que je décompresse.

Hortense recule, surprise.

— M'embrasser ?

— Sur la bouche.

— Sur la bouche !

— D'habitude on dit je t'aime et après on s'embrasse sur la bouche. C'est la procédure. Et comme tu m'as dit…

— Oui c'est vrai…

— À moins que tu ne le penses pas vraiment…

— Mais si ! Mais si !

J'aurais dû le savoir ! Toujours ce fichu problème avec le sentiment, vous lui donnez une rognure d'ongle, il vous arrache le bras.

— Ce serait pour moi une sorte d'apogée, la confirmation de ma félicité. Qu'est-ce qu'un baiser sinon un scellé, un affidavit pour l'éternité ?

Hortense le contemple, soucieuse.

— Ça va ? Tu es sûr ? Tu n'as pas la tête qui fume ?

Il a la gorge si serrée qu'il ne peut plus parler et émet un son rauque, incompréhensible.

— Tu ne m'embrasses pas comme la dame du quatrième, promis ? dit Hortense.

Il déglutit, avale l'air.

— D'accord, il dit. On va fermer les yeux, se prendre la main et tu vas répéter que tu m'aimes. Lentement, en articulant. Je vais enregistrer ce moment et me le repasserai quand je serai chafouin.

Il se rapproche, lui prend la main. Hortense se raidit, un peu tendue, beaucoup méfiante. C'est pas normal tout de même ! Je vais EMBRASSER un gamin de sept ans ! Oui mais…, dit une petite voix dans sa tête, le monde change à toute allure, on va vers un autre monde peuplé de Junior, de télétransmission, de cerveaux qui crépitent, ouvre ton esprit, dis oui. Bientôt il y aura deux catégories de gens, ceux qui suivront le mouvement et ceux qui le refuseront, bien abrités derrière leurs habitudes.

Comme un écho à sa pensée, elle entend la voix presque grave de Junior :

— Laisse-toi aller, Hortense. Je suis l'homme, c'est moi qui t'embrasse…

— Mais tu n'en profites pas pour…

— Je serai très chaste. Aie confiance.

Hortense presse la main fluette de Junior.

Il s'approche encore, sa respiration se fait lourde. Il sent la crème à la rose, son col de chemise exhale le savon en paillettes. Leurs lèvres s'effleurent, se caressent, se pressent, font ventouses. Junior ferme les yeux et fait entendre un petit râle.

274

Hortense murmure je t'aime, Junior. Il répond je t'aime, Hortense. Puis s'écarte, ému.

Il saute sur ses pieds, tourne sur lui-même, exulte :

— Je t'ai embrassée, Hortense, je t'ai embrassée ! J'ai touché le firmament et je ne suis pas près d'en redescendre.

Il tend les bras vers le plafond, les veines de son cou gonflent, ses poings se serrent, tout son être remercie le Ciel. Il n'est plus un enfant souffreteux au crâne de poisson, mais un homme vigoureux qui convie la Terre et le Soleil au banquet de son bonheur.

— Mais tu es beau, Junior ! Tu es beau ! s'exclame Hortense.

— Et ce n'est pas fini, princesse. Je vais t'étonner ! Rien ne m'arrêtera désormais. Je ferai rigoler les pierres et danser les bossus !

*

Dans la salle à manger à plafond très haut et boiseries sombres, Hortense dévore le poulet aux citrons confits.

Elle demande la permission de manger avec les doigts, elle ne veut rien en perdre. Elle s'extasie, le menton gras, sur la chair tendre, l'onctueux de la sauce, le goûteux des citrons, le caramélisé de l'oignon, un régal, Josiane, un régal ! Josiane balance doucement son papillon de jade.

Marcel Grobz débouche un château-simone et récite une litanie d'expressions fleuries, en voiture Simone, c'est moi qui conduis, c'est toi qui klaxonnes !

Tu me les sonnes, Simone ! Gare ta gondole, Simone, et viens que je te ramone ! Josiane tousse en montrant Junior, Marcel freine net et se cache sous sa serviette. Ils ont peut-être un peu trop bu mais ils sont heureux. Sans façons ni chichis. Josiane pense cela fait combien de temps qu'on n'a pas autant ri ?

À minuit et demi, Hortense déclare qu'elle va rentrer, j'ai pris un après-midi en ton honneur, Junior, mais je dois retourner travailler. Junior appelle un taxi, je n'aime pas te savoir seule dans la nuit de Paris.

Sur le palier, alors qu'elle relève le col de son imperméable, il réclame un baiser mais elle se dérobe.

— Il ne faut pas que cela devienne une habitude. La routine tue l'amour, mon amour.

À ces mots, Junior a la tête qui tourne. Tant de raffinement, de délicatesse, d'intuition féminine !

Avec la voisine du quatrième, c'est purement sexuel.

Il revient à table où son père digère en tétant un cigare. Sa mère est en cuisine.

Il défait les boutons de son gilet. Il se sent lourd, congestionné. Pour honorer sa mère, il a goûté le poulet, saucé, trempé le pain, et son cerveau, dérouté, ne comprend plus rien. Pourquoi a-t-il coupé le circuit « appétit » pour le rétablir sans préavis ? Cette interrogation provoque un courant biphasé qui chauffe ses neurones. Sa tête grésille et dégage une odeur de cochon grillé.

Marcel s'en étonne.

— Ça ne sentirait pas un peu le brûlé, fils ?

Dans la cuisine, Josiane congèle son tagine. Demain

elle fera un lapin chasseur. Et après-demain un canard à l'orange.

Elle remplit d'eau bouillante sa cocotte afin qu'elle dégraisse pendant la nuit. Junior a pris et repris du tagine. Il est redevenu son petit, tout petit, si aimé, si chéri, le fruit de ses entrailles, la chair de sa chair, son scarabée d'Autriche, sa plume de paon magnifique. S'il a mangé de si bon appétit, c'est qu'il m'aime, n'est-ce pas ?

— C'était une belle soirée, père. Que d'émotions !

Marcel Grobz émet un rot si puissant qu'il en est tout secoué.

— Bravo, père ! Belle performance !

— C'est le remords de l'estomac…

Les deux hommes écoutent, recueillis, le galop du rot sous les lambris.

— Cette Hortense est épatante, dit Marcel.

— Et la tête brillante, bien charpentée ! Jamais elle n'énonce un lieu commun, un cliché. Elle fouette l'esprit. Père, je ne sais pas si tu es de mon avis, il n'y a rien de plus épuisant que les gens qui énoncent des évidences. On n'a aucun mal à les suivre et pourtant ils épuisent.

— Ils sont légion, mon enfant !

Marcel tire sur son cigare, rêveur. Puis il baisse la voix et demande :

— Dis-moi, fils, as-tu abusé d'elle ? Elle avait un petit air alangui qui trahit la femme comblée.

— Je l'ai embrassée et ce fut délectable.

— Embrassée comme un cousin, un frère, un Alsacien ?

— Non, père ! Comme un amant bouillant des steppes chaudes.

— Sur la bouche ?

— Lèvres contre lèvres, souffle contre souffle…

— Nom d'une trompette en bois ! Femme, apporte le calva !

Junior ferme les yeux pour aller quérir le souvenir précieux. Il le cherche avec tant d'ardeur que le souvenir prend feu et enflamme sa tête.

Il pousse un cri, tombe de sa chaise, roule sur le parquet.

— Junior ! crie Marcel. Josiane ! Junior se trouve mal. Fais venir les pompiers et la lance d'incendie !

Josiane aperçoit son fils à terre, pâle comme un jeune mort.

— Mon fils ! Mon amour ! Ma beauté ! Que lui as-tu fait ? Il est sensible et tendre, il ne faut pas le brusquer…

— Mais je n'ai rien fait ! Il m'a parlé d'un baiser avec Hortense, un baiser sur la bouche, il a fermé les yeux et j'ai entendu un bruit dans sa tête comme le fil d'une ampoule qui pète. Il est tombé droit à terre. Ma pauvre femme ! Va chercher le vinaigre pour lui tamponner les tempes, je vais déboucher un alcool qui le ramènera à lui. Ciel ! Je titube et chancelle. Dieu, si tu m'entends, j'entretiens tes curés pendant vingt ans et fournis le vin et les hosties !

Et le père et la mère tournent comme deux toupies devenues folles, l'une vers la cuisine et la bouteille de vinaigre, l'autre vers le salon en quête de vieux bourbon.

Ils reviennent vers leur fils qui gît sur le sol, le tapotent, le bécotent, font couler l'alcool entre ses lèvres, frottent ses tempes au vinaigre, lui chauffent les narines.

Chancelant, Junior revient à lui. Il ouvre les yeux et se tient le front.

— Ma tête ! Ma pauvre tête !

— Ne bouge pas, mon amour, ma beauté, ma racine carrée, dit Josiane. Tu as eu un malaise.

Elle lui fait respirer le vinaigre. Junior se détourne, écœuré.

— Je sais ce qu'il s'est passé ! s'écrie Marcel en brandissant un index savant, tu as voulu impressionner Hortense en faisant marcher ton fornix à fond. T'as lancé le cinéma sur grand écran avec tous les flonflons. T'as mis l'image ET le son.

Junior remue faiblement.

— Combien de fois t'ai-je dit de te ménager ? Tu lui demandes trop, à ta pauvre tête. Forcément elle prend feu.

— Je sais, père, mais…

Il rougit comme un fiancé qui tendrait un bouquet à sa promise.

— Hortense voulait savoir quelque chose, c'est ça ? Et tu as voulu faire le malin. Le son ET l'image ! Je t'ai dit cent fois que ce n'était pas raisonnable. Que tu ne maîtrisais pas encore le procédé…

Junior s'appuie sur un coude, fronce les sourcils.

— Tu sais, père, c'est la vidéo qui m'épuise.

— Mais quelle vidéo ? demande Josiane. De quoi vous parlez ?

— Je suis rincé après… Le son, ça va. Mais l'image !

Je me demande si je vais y arriver un jour... Il me faudrait trouver d'autres ondes. Un réseau pour le son, un autre pour la vidéo.

— Mais oui ! Ce sera un bond en avant pour la science. Et tu décrocheras le Nobel. D'ailleurs il faut que je pense à me faire tailler un habit pour la réception... Une queue-de-pie dans le droit fil... avec ou sans revers ? On voyagera tous les trois en première jusqu'à Stockholm et je réserverai une suite royale dans le meilleur hôtel.

— Le prix Nobel ? Junior ? s'exclame Josiane. Mais pourquoi ?

— Femme, tu as enfanté un génie !

— Je m'y ferai jamais, soupire Josiane en buvant au goulot une lampée de vieil alcool.

— Il faudrait peut-être, réfléchit Junior, que je mange du fer, du magnésium, du potassium afin de me fortifier...

— Et que tu apprennes à dire non aux femmes ! tonne Marcel. Hortense ne te désirera jamais si tu te plies à ses caprices. Les femmes n'aiment pas les élastiques, elles préfèrent les robustes qui résistent.

— Ça lui faisait tellement plaisir. Tu aurais vu comme elle me goûtait des yeux...

Junior marque une pause, sourit et répète, ébloui :

— Je l'ai embrassée ! Je l'ai embrassée !

Il se relève, se hisse sur une chaise, croise les jambes, pose les mains sur ses genoux et, toujours dans son rêve, il murmure :

— Je l'ai subjuguée par mon charme, mon intelligence, mon panache. Je suis un homme admirable.

Josiane, n'y tenant plus, s'énerve :

— N'empêche que tu as failli foutre le feu à ton cerveau !

Marcel lui fait les gros yeux.

— Ne crains rien, mère. Mon cerveau va s'habituer. Le cerveau est extensible. Ce sont les gens immobiles qui le rendent fragile à force de ne pas l'utiliser.

Josiane entraîne son fils vers une méridienne en tissu écossais et lui ordonne de s'allonger.

— Arrête de penser, mon poussin, ça va chauffer à nouveau. Je vais te faire une tisane et poser une compresse sur ton front.

— Oh, maman, tu es si bonne ! Que la vie est belle quand nous cheminons ensemble… Je t'aime et je t'aimerai toute ma vie. Tu es la plus chérie des mamans chéries.

Josiane attrape chaque mot d'amour et se le roule en bouche.

*

Pendant qu'Hortense ferme les yeux et embrasse le jeune Junior, un baiser fort chaste, mais un baiser tout de même, Zoé retourne avenue Raphaël dans l'autobus 30, terminus Trocadéro, soixante-deux minutes jusqu'à l'arrivée, annonce le bandeau lumineux en lettres rouges.

Assis à ses côtés, un homme âgé mais fringant lit *Le Figaro*, muni d'une paire de gants blancs. Il manifeste son accord ou sa contrariété par de grands coups de menton accompagnés de grognements. De temps en temps, il lève les yeux du journal, poursuit un dialogue imaginaire, puis replonge dans les pages imprimées.

Que j'aime ces personnes âgées ! Elles portent notre histoire sur leur visage. Leurs rides racontent les conflits, les crises, la mise en vente de la pilule, la fin du service militaire, l'essor de la biscotte industrielle et du collant, le déclin du timbre-poste et de la femme au foyer. Elles donnent envie de les feuilleter. Cet homme me semble bien vert et déterminé.

Il va me distraire de mon souci.

Elle a le sentiment désagréable d'avoir assisté rue de Prony à une scène qui va faire du grabuge. Et d'en être responsable. Comme si elle n'aurait pas dû voir ni entendre ce qu'elle a vu et entendu.

Que va dire Hortense ? Comment va-t-elle réagir ? Doit-elle lui rapporter EXACTEMENT la scène ? Elle ne sait que faire et prie le Ciel. Il est souvent prompt à lui répondre et ne la laisse jamais au milieu du guet.

Elle se remémore les mots terribles : *Il ne faut pas que cette petite réussisse ! Vous m'entendez ? Je suis prête à tout.* Le message était clair, menaçant. Mais de qui parlait-il ? Voilà la question. Dire ou ne pas dire, travestir ou ne pas travestir, que FAIRE ? supplie Zoé en mordant le bout de son pouce alors que l'aïeul fringant s'agite et tempête mais bien sûr qu'il faut y aller ! Les gens sont des mauviettes. Allons-y ! Fonçons ! Faisons la guerre à ces barbares sanguinaires !

Zoé tressaille, l'observe, attrape son regard vif et reçoit ses mots en plein visage il faut savoir mourir pour ses idées. Et il conclut en giflant son journal quel manque de courage ! Quelle tiédeur, quelle lâcheté !

Le mot « tiédeur » balaie les dernières hésitations

de Zoé. Que dit Jésus dans l'Apocalypse de saint Jean, chapitre III ? «Ainsi parce que tu es tiède, que tu n'es ni froid ni bouillant, je te vomirai de ma bouche. »

Il n'y va pas avec le dos de la cuillère !

Elle parlera à Hortense.

*

Avenue Raphaël, assise devant la machine à laver qui tourne, remplie de torchons, de serviettes, de jeans et de chaussettes, Joséphine tient son portable entre les mains. Philippe le lui a offert pour son anniversaire. Il n'y a pas si longtemps. Ils étaient allés dîner chez Prunier, avaient remonté l'avenue Victor-Hugo à pied. Main dans la main, en humant l'air frais. Ils admiraient les illuminations de l'Arc de triomphe, bleu, blanc, rouge, vive la France et la liberté, même pas peur, vous ne nous empêcherez pas de vivre et de jubiler. Ce soir-là, elle avait remercié le Ciel d'être vivante et sur ses deux pieds.

Elle avait eu une pensée pour tous ceux qui...

Avait murmuré une prière.

Et puis...

Elle avait aperçu son reflet dans une vitrine.

Elle s'était demandé si elle n'avait pas grossi. Et ses cheveux ! N'importe quoi ! Ils partaient dans tous les sens. Elle serrait la main de Philippe. Si beau, si élégant, si facilement beau et élégant. Un vieux refrain tournait dans sa tête «un homme si beau ! Il va se raviser et te laisser tomber». Les mots riaient, se moquaient. Elle était habituée. Ils la houspillaient depuis qu'elle était enfant. Elle les avait effacés mais parfois ils revenaient. Elle était sur le point de dire d'accord, d'accord, vous avez raison, je vous le rends, cet homme trop bien pour moi !

Le bonheur, c'est quand on n'a plus peur.

Ce soir-là, chez Prunier, il lui avait offert ce téléphone, muet dans sa paume.

Pourquoi n'appelle-t-il pas ?

Pourquoi ne répond-il pas à mes messages ?

Hortense a prévenu qu'elle dînait chez les Grobz.

Zoé ne va pas tarder. Elle veut travailler toute la nuit.

Elle est seule. Seule dans la cuisine. Les cuisines sont les seules pièces qui consolent.

Il ne décroche pas le téléphone.

Cinq jours maintenant.

Il m'oublie ?

Elle se recroqueville. Un vent froid souffle dans sa poitrine.

Je vais réfléchir à l'introduction de ma prochaine conférence à Montpellier. « Le statut social de la femme au Moyen Âge ». Vierge, épouse ou veuve. Pas d'autre choix. Célibataire après vingt-cinq ans était une disgrâce. On vous enfermait dans un couvent. Les femmes se mariaient jeunes, et le mari avait le « droit de correction jusqu'à effusion de sang ».

Pourquoi n'appelle-t-il pas ?

Les filles étaient majeures à douze ans, les garçons à quatorze.

Est-ce qu'il me cache quelque chose ?

Elle pose le téléphone sur la table, fixe le hublot de la machine, regarde le linge tourner.

Ou alors je commence par quelques mots sur les femmes au travail. Dans les campagnes, les paysannes n'avaient pas le droit de semailles car la terre étant femme, seul l'homme pouvait l'ensemencer. Mais elles assuraient des travaux plus rudes. En temps de guerre, elles aidaient à construire les remparts, charriaient des pierres, la chaux brûlante, la boue, les poutres, tout en allaitant l'enfant qu'elles portaient dans le dos.

Vais-je raconter que pour châtier celles qui avaient avorté, on les enfouissait en terre jusqu'à ce qu'elles périssent ?

Pourquoi tant de lugubres pensées ?

*

L'interphone grésille. Joséphine revient à elle, se lève pour répondre.

— Mamounette ! J'ai oublié mes clés !

Joséphine appuie sur le bouton rouge, file dans la salle de bains, se repoudre le nez. Il ne faut pas que Zoé devine, le vent froid a soufflé dans sa poitrine.

— Ça va, mamoune ? Je suis allée chez Henriette.
— Elle va bien ?

Henriette va toujours bien. Hiver comme été, elle fait du vélo d'appartement et du rameur, appareils qu'elle a récupérés dans le local à poubelles et installés dans un coin de la cour sous un auvent protecteur en aggloméré jaune.

— Henriette est en airain.

— Elle a été aimable ?

Il lui arrive de dire à Zoé tu ressembles à une amphore grecque ou à une courgette. Zoé sourit. Si elle veut être méchante, c'est son problème, pas le mien ! Il faut plaindre les gens méchants, ils sont malheureux.

— En fait, mamounette, je ne l'ai pas vue.

Et de raconter l'attente derrière le pilier, Henriette, Elena, les mots qu'elle a entendus. *Il ne faut pas que cette petite réussisse ! Vous m'entendez ? Je suis prête à tout.*

Elles ont ouvert des boîtes de sardines de la Belle-Îloise, les meilleures sardines du monde, assure Joséphine comme un rituel chaque fois qu'elle en ouvre une, débouché une bouteille de château-franc-pipeau, Gary en a envoyé une caisse, six bouteilles qui sont arrivées ce matin, livrées par DHL, «Pour Hortense mais aussi pour Jo et Zoé, les deux autres femmes de ma vie», il a écrit au Bic rouge. Il n'a pas dû avoir le choix, c'est un garçon raffiné qui connaît l'importance du détail.

Elles dégustent leurs sardines. Et parlent.

Surtout Zoé.

Elle a une dissertation à rendre sur *Quatrevingt-treize*, le roman de Victor Hugo.

— Ce que j'aime chez Hugo, c'est qu'il étudie le problème du bien et du mal et se demande d'où vient le mal. Comment, si on croit en Dieu, on peut expliquer les abominations des guerres, des viols, des tortures, de l'injustice sociale. Il dit que nous sommes TOUS coupables, plus ou moins. Que les horreurs de la Révolution sont de vraies horreurs, que les révolutionnaires sont responsables, mais les royalistes aussi parce que c'est à cause de leur arrogance, de leur insouciance qu'il y a eu ces horreurs. Et il pose le problème de la conscience dont plus personne ne parle aujourd'hui. Pourquoi ?

— Parce que tout le monde rejette la faute sur l'autre, plus personne ne veut être responsable.

Zoé reprend une sardine et enchaîne :

— Tu te souviens du poème « La conscience » et de cette phrase qui le termine, « *l'œil était dans la tombe et regardait Caïn* ». Tu ne peux pas savoir comme ce poème m'a marquée !

— Je vous le lisais souvent quand vous étiez petites. Je le trouvais puissant, très imagé pour des enfants. Vous étiez mortes de peur. Vous vous cachiez sous la table de la cuisine !

— Hugo refuse de classer les gens en tout bons ou tout mauvais. C'est ce que j'aime chez lui. Si tu étudies chaque homme au cas par cas, tu t'aperçois que l'homme est une merveille. Dans son corps, dans sa tête. C'est quand il rejoint un groupe que ça se gâte. Soudain il n'est ni bon, ni doux, ni charitable. Il veut dominer, mordre, blesser, de peur qu'on le prenne pour un benêt. La violence pose un homme. La douceur, jamais. Sauf Gandhi. C'est l'exception qui confirme la règle. Moi, je voudrais que l'homme soit aussi bon en groupe que tout seul.

Elle a de la sauce tomate sous le nez et sourit, perplexe.

J'aimerais poser la tête sur son épaule, lui raconter les cinq jours sans téléphone. Zoé aurait une explication. Elle comprend et décortique le moindre problème.

Je ne peux pas. C'est ma fille, pas ma copine.

— J'adore ces sardines, surtout celles à la tomate.

— Je les ai achetées exprès pour toi.

— Merci, mamoune. C'est la fête ce soir ! Tu vas bien, tu es sûre ? Tu as l'air triste.

— Je pense à ce déjeuner… Tu sais, avec Léonie et Stella, Stella m'a appelée. Nous avons arrêté une date.

— On ouvre une autre boîte ?

— Mais oui ! rit Joséphine, émue par la gourmandise de sa fille. Elles sont dans le placard au-dessus de l'évier. Le compagnon de Stella nous rejoindra pour le café. Il a un déjeuner d'affaires mais a promis qu'il viendrait.

— J'ai hâte de les connaître.

— Tu pourrais insister auprès d'Hortense pour qu'elle soit là ? Si c'est moi qui le fais, ça va l'énerver.

— Bien sûr qu'elle sera là ! Elle joue les dures à cuire mais c'est une tendre poulette.

— Tu crois ? sourit Joséphine.

Zoé opine, la bouche pleine.

— Te fais pas de souci. C'est pour ça que tu as petite mine ?

— J'ai eu une journée difficile. Les étudiants, les collègues, les cours à préparer, les conférences…

— T'as pas envie d'écrire un autre livre ?

— Il faudrait que je trouve un sujet. Ça ne tombe pas du ciel, tu sais.

— Je peux t'en trouver un, si tu veux…

— C'est plus compliqué. Ce n'est pas moi qui trouve le sujet, mais le sujet qui me trouve. Je dois être patiente et attendre.

— Chacun de tes livres a été un succès…

— C'est vrai ? dit Joséphine, absente.

— Mais enfin, maman, tu as écrit DEUX livres ! s'écrie Zoé.

— Oui mais…

— Mais quoi ?

— Je suis fatiguée, je vois tout en noir.

— Tu veux que je te raconte une histoire drôle ?

Joséphine secoue la tête. Les histoires drôles la rendent triste.

— Tu as déjà vu un poireau chanter ?

— Non…

— Parce que moi j'ai vu une carotte « rapper ».

Joséphine se force à rire. Un petit rire distrait, égaré. Zoé fait glisser la dernière sardine dans l'assiette de sa mère et lui beurre une tartine.

— Mange ! Ça va te ragaillardir.

— Dis-moi… tu as des nouvelles d'Alexandre ?

— Aucune. C'est bizarre d'ailleurs… Je vais lui laisser un message. Il n'est peut-être pas à Londres.

Zoé sort son portable et constate qu'il est éteint.

— Zut ! J'ai plus de batterie !

Elle le branche, le portable se met à sonner, sonner. Elle jette un œil sur l'écran et constate que beaucoup de messages viennent de Léa.

— J'ai complètement oublié ! Elle m'a appelée quand j'étais chez Henriette, ça avait l'air très important.

— Appelle-la, je vais débarrasser, propose Joséphine.

— Non. Elle doit avoir un bouton sur le nez ou elle s'est engueulée avec son copain… À chaque fois, c'est un drame !

— Tu me diras comment il va ?

— Henrick ? Tu le connais ?

— Non. Alexandre.

— La dernière fois qu'on s'est parlé, il avait l'air surexcité. J'entendais des voix derrière lui comme si des gens faisaient la fête. Et Philippe n'avait pas l'air plus calme ! J'ai essayé de cuisiner Alex mais il a raccroché, pas le temps, Zoé, pas le temps ! Un vrai homme d'affaires. Toujours speed. Il est mal barré. Il va perdre son âme.

— Ah…, dit Joséphine en jouant avec la dernière sardine et un morceau de pain qu'elle pousse mollement dans la sauce tomate.

Combien de calories ? ne peut-elle s'empêcher de penser.

— Mamounette ! Tu me caches quelque chose.

— Mais non…

— Promis ?

Joséphine sourit de son vieux sourire héroïque qui assure ça va bien, très bien, alors qu'elle s'émiette et cherche la pelle et la balayette.

Zoé se lève, débarrasse. Joséphine regarde sa fille racler les assiettes, les rincer, les ranger dans le lave-vaisselle. Prendre une éponge. Nettoyer la table.

Repousser une mèche de cheveux qui la gêne. Rincer l'éponge. Tout en bavardant.

— Pour ton déjeuner avec Stella et Léonie, vous devriez aller chez Hansan, avenue Victor-Hugo. C'est un chinois succulent.

— Comment tu le connais ? parvient à articuler Joséphine.

— J'ai un copain qui y travaille. Il fait la plonge mais avant de laver les assiettes, il les sauce et il paraît que ça vaut vraiment le détour.

Zoé se frotte le ventre. Elle pourrait devenir chef. Ou carmélite. Ou chef ET carmélite. Ou chef ET carmélite ET Victor Hugo.

Une clé tourne dans la serrure de l'entrée et Hortense se jette sur une chaise.

— Je suis crevée ! J'ai bu et mangé comme un porc. Demain j'aurai une queue en tire-bouchon et un groin rose.

Elle ôte son Burberry, défait sa longue écharpe, fait tinter les multiples bracelets à ses poignets, soulève ses cheveux à pleines mains. Les secoue. S'ébroue. On entend des clochettes, trois petites notes de beauté, on se croirait dans une pub pour Fille Magnifique.

— Vous n'êtes pas couchées ? Vous fêtez quelque chose ?

Son regard tombe sur la bouteille de château-franc-pipeau. Elle se fige et interroge d'une voix mal assurée :

— C'est un hasard ou c'est…

— Taadaam…, s'écrie Zoé. Cadeau de Gary ! Avec

un petit mot. Écrit au Bic rouge, d'accord, mais on s'en fiche !

Hortense regarde l'étiquette de la bouteille et hurle de joie. Ses poings se serrent, elle les brandit en l'air, fait des haltères en criant YES ! YES ! YES ! I AM THE BEST ! BIM BAM BOUM J'AI GAGNÉ ! À MOI LES QUEUES D'HIRON-DELLES ET LES MOUSTACHES DE CASTOR LUSTRÉ !

— Tu peux traduire ? dit Zoé, intriguée.

Hortense n'entend pas. Elle a un sourire de médaille d'or autour du cou, elle tend les bras, les jambes, continue à vociférer YES ! YES ! YES ! I'M THE BEST, WAOUH, WAOUH, JE DÉGOMME TOUT, QUEUES D'HI-RONDELLES ET MOUSTACHES DE CASTOR LUSTRÉ !

— Okay ! hurle Zoé. Ça va, on a compris, on n'a pas des bananes dans les oreilles. Tu traduis ? Sinon la prochaine fois que j'ai un truc incroyable à annon-cer…

Hortense s'arrête net et se tourne vers sa sœur.

— Comme quoi, Zoétounette ? Que tu entres chez les bonnes sœurs et que tu vas sonner matines avant d'aller récurer les latrines ? Ça me fera pas bouger un cil.

— T'es méchante, dit Zoé en faisant la moue. VRAI-MENT méchante. Je te parle plus.

— Non. Honnête. Je trouverais ça complètement débile mais tu es responsable de ta vie. Cherche autre chose si tu veux me faire taire. OULÀLÀLÀLÀ ! TACOS Y PASTILLAS !

Et elle reprend sa danse indienne tournée vers le ciel.

Zoé réfléchit et se ravise :

— J'ai un scoop ! Qui te concerne plein pot. Du

292

croustillant grillé baguette. Et pas de la rigolette. C'est même menaçant. Ça donne le frisson. Alors on échange, le tien contre le mien…

— Je te crois pas. C'est de la bluffette de chez Buffalo.

— T'aurais bien tort, n'est-ce pas, maman ?

Hortense s'arrête de gesticuler et interroge sa mère du regard.

— Zoé a raison, dit Joséphine. C'est un drôle de truc. Je ne sais pas quoi en penser…

— Ah ! C'est pas du tout bon, tout cuit, tout rôti ? dit Hortense, un soupçon dans l'œil.

— Loin de là, lâche Zoé, pas mécontente de moucher sa sœur.

Hortense a rangé l'olifant, les maracas et tangue, les bras ballants.

— Et si j'étais toi…, poursuit Zoé, je tendrais l'oreille.

— Bon, tranche Hortense en s'asseyant. On met cartes sur table et chacune livre sa came. Qui commence ?

— Toi, parce que moi, c'est du lourd.

— À ce point ?

— Oui, ma chère.

Hortense n'a pas le dessus, elle le sent. Elle condescend à baisser sa garde. Marque une pause, puis démarre :

— Pourquoi j'ai craqué en apercevant la bouteille ?

Nouvelle pause. Un petit sourire. L'œil qui se baisse à moitié et la joue qui rosit. Un souvenir revient, embrase ses reins.

— Parce que…

Elle respire. Souffle. Respire encore. Rejette les épaules en arrière. Les fait pivoter.

— Alors voilà… Le franc-pipeau est le vin qui m'a accompagnée une nuit à New York, la nuit où j'ai dessiné ma première collection. Gary était sorti, je l'attendais, j'ai débouché une bouteille que j'avais achetée au *liquor store* pas loin de chez nous et je l'ai descendue en travaillant. Quand il est rentré, j'étais cuite. Il m'a prise dans ses bras, m'a portée jusqu'au lit et on a passé une nuit d'amour TORRIDE ! Donc… s'il m'envoie cette bouteille, cela veut dire… TAADAAM !

Joséphine et Zoé l'écoutent avec tant d'intensité qu'elle en est presque gênée.

— Cela veut dire… qu'il est prêt à reprendre les nuits d'amour inoubliables, qu'il m'aime et que j'ai gagné la partie !

— Quelle partie ? demandent Joséphine et Zoé qui ne peuvent pas IMAGINER qu'Hortense ait une rivale ou soit en danger.

— Ça, ce sera pour plus tard ! Faut bien que je garde quelques atouts dans mon jeu.

— Tricheuse ! dit Zoé.

— Non. Fine stratège… Si jamais ce que tu me livres ne vaut pas un centime…

— Ça m'étonnerait !

Et Zoé de raconter à son tour. Le pilier, la comtesse, Henriette, la loge et… *il ne faut pas que cette petite réussisse ! Vous m'entendez ? Je suis prête à tout.*

— Je le savais ! Je le savais ! siffle Hortense. Elle et Sisteron ne jouent pas franc-jeu. Ça sent la trahison.

Elle frappe sur la table de la cuisine. La bouteille

de franc-pipeau branle, gîte, menace de verser, elle la rattrape. Se calme. Ne pas m'emporter. Rester calme. Penser noix de coco, sable blanc, mer qui lèche les doigts de pied, coquillages nacrés.

Peut-être qu'Elena ne parlait pas de moi ?

— Pourquoi elle me flinguerait ? C'est pas son intérêt, réfléchit Hortense à voix haute.

— Non, disent Joséphine et Zoé.

— Elle perdrait tout l'argent investi...

— Ou alors la collection est un prétexte et elle se sert de toi pour... Mais pour quoi ? dit Zoé.

— Je ne sais pas, elle a tellement d'argent ! À quoi rêvent les gens très riches ?

— Ils rêvent pas. C'est leur problème.

Hortense, les yeux dans le vague, essaie de comprendre.

— Elle vend un Zutrillo, comme elle dit, et finance deux, trois, dix collections. Et comme elle en a plein sa cave, des Zutrillo, des Renoir, des Degas, des Manet, des Toulouse-Lautrec.

— Si tu étais venue avec moi, dit Zoé, tu aurais pu lui parler.

— J'ai passé l'après-midi avec Junior.

— Et alors ? Tu l'as trouvé comment ?

— Pas loin d'être beau.

— Beau ? T'avais fumé un bout de rideau ?

— Je te jure, il a un truc étrange, il m'a émue...

— Oh là là ! T'avais vraiment fumé !

— Arrête, Zoé ! Tu sais très bien que je ne fumerai jamais. Ni ne prendrai aucune substance. Je tiens trop à mon cerveau. À ma peau, à mes cheveux, à mes dents.

— Oui mais. Junior BEAU ?

— Une beauté différente peut-être, mais une beauté quand même. Il a une vraie lumière intérieure.

— C'est TOI qui dis ça ? articule Zoé.

— Il t'a parlé de ses expériences télévisuelles ?

— Il a tellement de trucs en tête ! J'arrive plus à suivre. Tu savais qu'il recevait chaque semaine des savants hollandais, suédois, américains, japonais, des profs d'université ? Il a appris le finlandais en huit jours, le norvégien en quinze. Il veut aller au pays des rennes et des aurores boréales.

— Il m'a juste fait le coup de la télé en direct… Mais il s'est peut-être gouré pour Elena. Il m'a dit qu'elle était aussi pure que les neiges du Kilimandjaro.

— Tu verras bien. De toute façon, ce qui arrivera sera bon pour toi.

— T'as lu ça où ? Dans les Évangiles ?

Zoé hausse les épaules.

— Si Junior a dit qu'elle était neige éternelle, elle l'est.

— Vraiment ? dit Hortense d'une petite voix.

— Réfléchis. Non seulement elle paie TOUT mais elle te cherche un atelier et une ancienne première pour t'assister. C'est qu'elle croit en toi.

— Mais pourquoi a-t-elle prononcé cette phrase, alors ?

— Elle devait parler de quelqu'un d'autre. Si tu veux, je retourne chez Henriette et je l'interroge. Mais en échange… tu me diras pour Gary ?

— Ah, tu perds pas le nord ! Passe-moi le pinard ! MON pinard de MA nuit d'amour torride ! Et dis donc, tu continues à t'occuper de mon blog ? Parce que moi, en ce moment, j'ai pas une minute pour ça !

Joséphine écoute ses filles. Elles ont l'air de trouver la vie si facile ! Moi, j'ai toujours un pied qui boite. La vie, elles la font mousser, la montent en crème fouettée, en blancs caramélisés. La gourmandise lui mouille les lèvres. Elle se détend, elle salive, un fraisier ? une banane flambée ? un tiramisu de chez Androuet ? Depuis que Philippe n'appelle plus, elle remplit son frigidaire de sucreries. Parfois, elle les mange avec les doigts tant elle est affamée de lui.

— J'ai acheté un fraisier chez Clérardin cet après-midi. Ça vous tente, les filles ?

— À deux heures du mat' ? s'étonne Hortense. Que se passe-t-il, maman ? T'es amoureuse ?

— Oui, dit Joséphine. Et heureuse.

*

Après s'être douchée, lavé les dents, brossé les cheveux et avoir enfilé son long tee-shirt de nuit rayé rose et blanc, Zoé lit les messages de Léa.

« Urgent ! Qu'est-ce que tu fous ? Faut que je te parle ! Merde ! Zoééééééé ! Réponds ! »

Trente-quatre fois.

Elle répondra demain. Il faut qu'elle fasse son plan pour sa disserte. Elle a trouvé un passage dans *Quatrevingt-treize* qui l'intéresse. Elle va établir un parallèle entre ce qu'écrit Hugo et la situation de la France aujourd'hui. C'est en lisant un reliquat de *Quatrevingt-treize* qu'elle a eu cette inspiration. Victor Hugo l'avait écrit puis enlevé. Il le trouvait trop

dangereux pour son époque. Un passage à mettre en
réserve pour les lecteurs d'un autre siècle.

Elle ouvre son livre et plonge dans l'extrait choisi.

*Toute la révolution, rien que la révolution, voilà
Danton et Robespierre. Toute la révolution, c'est
Danton ; rien que la révolution, c'est Robespierre.*

Marat est autre.

*Robespierre et Danton, chacun à leur façon, veulent ;
Marat hait.*

*Marat n'appartient pas spécialement à la révolution
française ; Marat est un type antérieur ; profond et terrible. Marat c'est le vieux spectre immense. Si vous
voulez savoir son vrai nom, criez dans l'abîme ce mot :*
Marat, *l'écho du fond de l'infini vous répondra :* Misère !

Le gouffre, questionné sur Marat, sanglote.

Marat est un malade.

(…)

*Marat n'est pas seulement malade, il est malsain. Il
cherche à donner son mal. Il y a de l'hydrophobie en
lui. Une rage inouïe lui tient lieu d'intelligence. Le
propre de cette rage, qui n'est autre chose qu'un total
de désespoirs, c'est, même rassasiée, de ne pas s'éteindre
et, après avoir dévoré, de continuer à mordre.*

(…)

*Marat croit. Marat n'a pas souffert et pourtant il est
la souffrance : on ne lui a pas fait de mal ; et pourtant
il se venge. Il se venge de quoi ? De tout le mal qu'on a
fait au genre humain. Où ? Partout. Quand ? Toujours.
Quant à lui, il n'a pas à se plaindre et il écume.*

(…)

Ces hommes, plus ou moins qu'hommes, sont des fonctionnaires de la ruine ; ils ont une mission, qui est l'écroulement. L'horreur les environne et les enveloppe, et les garde jusqu'à ce qu'elle les tue. Un matin l'horreur publique se fait femme, prend un couteau, entre dans leur chambre, et les poignarde dans leur baignoire. On guillotine Charlotte Corday, Bruto major, *et l'on dit : Marat est mort. Non, Marat n'est pas mort. Mettez-le au Panthéon ou jetez-le à l'égout, qu'importe, il renaît le lendemain.*

Quelle beauté ! soupire Zoé. La phrase s'élève en prophétie. Les mots s'unissent, rebondissent, chargés de sinistres augures et de noires folies.

Aurai-je le droit de lire Victor Hugo dans mon couvent ?

Le téléphone sonne.

C'est Léa.

— T'es dingue ou quoi ? Trente-quatre messages au moins !

— Zoé ! Qu'est-ce que tu foutais ? C'est vachement important !

— J'étais chez ma grand-mère, j'avais plus de batterie. Et je suis avec Victor.

— Victor ? Mon ex ?

— Victor Hugo. Le Grand, l'Immense.

— Putain ! Zoé ! Tu me soûles grave !

— Dis-moi, ça t'arrive de travailler ? On dirait pas.

— Je stresse à mort ! Faut que je te raconte…

— Vas-y, dit Zoé en triturant ses doigts de pied.

Elle va me dire que sa nouvelle crème de jour lui a dessiné deux traînées bleues sous les yeux, qu'elle est allergique mais elle ne sait pas à quoi ou qu'elle n'a pas eu le temps de finir sa disserte, est-ce que tu peux me donner des idées, juste pour cette fois, Zoé, je te promets.

— Je te préviens, dit Léa. Ça déchire. J'ai la tête en lamelles, une vraie fondue.

Zoé entend Léa tousser, s'éclaircir la gorge puis se lancer :

— Tu te souviens des tickets qu'on achète pour les gratter ?

— Oui.

— Tu te souviens bien de tout ?

Une heure quarante du matin ! À cette vitesse-là, elle aura l'info vers quatre heures, quatre heures et demie.

— Oui, Léa. On les achète chaque mardi et vendredi au tabac, on va dans le bistrot de Farid, on commande un café allongé avec un petit pot de lait et on gratte, on gratte, sauf que mardi dernier on n'a pas eu le temps de tout gratter, et tu as glissé les tickets restants dans la poche de ton imper en disant on verra plus tard…

— C'est ça. C'est bien ça, c'est exactement comme ça que ça s'est passé, dit Léa, comme si les mots de Zoé étaient autant de bouées auxquelles elle se raccrochait.

— Léa ? Ça va ? Tu m'inquiètes.

— Et tu te rappelles qu'on prend deux billets de Monopoly à cinq euros pièce parce que tu as décidé que même si c'est cher, ça vaut le…

— Léa ! On est au milieu de la nuit ! Demain, j'ai cours à huit heures, j'ai pas fini ma disserte et j'ai sommeil.

— Bon d'accord… On a gagné.

— On a gagné? C'est pas la première fois qu'on gagne. T'es barge ou quoi?

Zoé entend Léa déglutir.

— Demande-moi combien on a gagné.

— Léa! T'es soûlante!

— Il faut que tu te prépares, je veux dire que tu te prépares au choc.

— Vas-y, balance!

— Cent mille euros! AVEC UN MONOPOLY! crie Léa, et la fin de sa phrase se finit en dérapage pas contrôlé.

Zoé lâche le téléphone, se couvre les oreilles. Elle a les yeux qui brûlent, les paumes des mains qui transpirent et la racine des cheveux mouillée.

— Zoé? T'es là?

Zoé récupère le téléphone. Se racle la gorge.

— Ouiiiii, elle dit d'une petite voix de colibri écrasé par un autobus.

— Soit cinquante mille euros chacune, précise Léa.

Elle claironne comme si, en la refilant à une autre, elle avait enfin digéré l'information.

Zoé essaie de se rappeler. Qu'est-ce qu'elles avaient dit un jour chez Farid en trempant un sucre dans leur café pendant que les clients au bar s'étripaient devant une rencontre OM/PSG? Si on gagne, on donnera de l'argent à nos parents, à nos frères et sœurs, aux pauvres échoués dans la rue, à la recherche contre le cancer, contre la tuberculose, contre le sida, à l'enfance malheureuse, aux Restos du cœur et on gardera le reste pour nous.

Oui mais combien?

Le marchandage avait commencé.

Jour après jour, la part des autres diminuait.

Elles étaient parties à cinquante-cinquante et étaient arrivées à quatre-vingt-neuf-onze. Enfin, Léa. Zoé, elle, ne savait pas si elle donnerait tout ou pas. Elle avait fini par conclure que… si jamais… un jour… elle gagnait beaucoup d'argent, ce serait un test. Je saurai alors quel genre de fille je suis.

Formidable ou pas.

Ça l'avait empêchée de dormir.

Elle avait prié le Seigneur que ce jour-là n'arrive jamais.

Et voilà qu'il était arrivé.

— Cinquante mille euros, chacune ! Mince alors ! s'exclame Zoé, désemparée.

— Je te dis, ça déchire.

Zoé réfléchit, tire son long tee-shirt sur ses pieds, le coince sous ses orteils, ça fait comme une tente, elle plonge le nez dans l'ouverture. Respire, renifle. Et quelque chose la percute de plein fouet. Une pensée qui n'a rien à voir avec l'argent, le Monopoly, le café allongé, les petits chocolats que Farid leur file en piles à chaque fois. Une pensée mille fois plus réjouissante. Mille fois plus réconfortante.

— Léa…

— Oui ?

— Tu as vu qu'on avait gagné cent mille euros et tout de suite tu as pensé à m'appeler ? Tu as insisté, insisté… trente-quatre fois !

— Ben oui…On les a achetés ensemble, ces tickets.

— Mais tu aurais pu les garder et rien me dire ! J'avais complètement oublié !

— Ben non. Ça se fait trop pas.

— T'es GÉNIALE. Je suis si heureuse d'avoir une amie GÉNIALE.

— Ok, Zoé, mais faut qu'on parle sérieux…

— Dis, tu les as retrouvés où, les Monopoly ?

Zoé veut TOUT savoir. Comme si le fait qu'elle entende l'histoire à voix haute la rendait garantie, certifiée, VRAIE.

— Ils étaient restés dans la poche de ma parka. Tu sais, celle que ma mère me force à mettre quand il pleut et qu'il y a du vent… La rose moche.

— Oui, t'as raison, elle est moche.

— Ce matin, elle m'a encore forcée à la mettre. En faisant un chantage minable. Genre si tu refuses, je te supprime ton argent de poche et je te reprends la paire de Repetto que je t'ai offerte. Tu vois, quoi… J'ai râlé, elle a refusé de m'écouter, j'ai dû enfiler la parka, alors rien que pour l'emmerder, j'ai acheté des Carambar. Parce que le dentiste m'interdit de manger des Carambar et que ma mère adore le dentiste, elle devient accordéon devant lui, je suis sûre qu'elle veut se le faire ! Donc j'achète plein de Carambar, je les enfonce dans ma poche et…

— T'es la meilleure, Léa, la meilleure !

— … et je suis tombée sur les deux Monopoly. J'ai gratté dans le métro… SUR MES GENOUX… DANS LE MÉTRO… tranquille. Y avait un trop Gosse Beau assis en face de moi, je le léchais des yeux et je grattais mollo. J'étais sûre de perdre. Et puis j'ai cru que j'allais mourir. J'avais des abeilles dans les oreilles. On avait gagné ! GAGNÉ !

— C'est DINGUE !

— Je suis morte de trouille. Qu'est-ce qu'on va FAIRE ?

— Ben, on va aller chercher l'argent.

— J'ai peur de le perdre, j'ai peur qu'on m'agresse.

— Mais non !

— J'ose plus prendre le métro, j'ose plus regarder les gens, j'ose plus sourire, j'ai peur que ça se voie.

— C'est pas écrit sur ton front !

— Et comment tu le sais ? elle crie en montant dans les aigus comme si elle était poursuivie par un maniaque avec une hache.

— Arrête, Léa ! Je vais te dire un truc, si on a gagné, c'est un clin d'œil du Ciel, on est protégées.

— Protégées ?

— Oui, par les anges là-haut.

— Zoé, sérieux, viens pas mettre des anges là-dedans !

— Mais si ! Justement…

— Non, Zoé, NON. Dis… Je le dis à Henrick ?

— Tu le dis à personne, tu gardes le secret.

— Je sais pas garder les secrets ! Faut jamais rien me confier. Si t'as un secret un jour, SURTOUT me le dis pas.

— Tu parles à personne, c'est plus simple. Et pour Henrick, tant qu'on s'est pas vues, t'as la grippe, t'es contagieuse. Et cet hiver le virus est mortel.

Léa se tait, Zoé l'entend qui fait des bruits de bouche, elle doit se manger les lèvres.

— Cent mille euros, Zoé ! Cent mille euros ! Moi, je garde tout pour moi.

— Il faut que tu en donnes une partie. Faut partager…

— Sûrement pas ! Je disais ça avant, mais là, ça change tout.

— On en reparle. En attendant, range-le bien. Ne le perds pas.

— Ça y est ! J'ai peur ! T'aurais jamais dû me dire ça.

— Calme-toi, Léa. Calme-toi.

— Mais si jamais…

— On se dira que ce n'était que de l'argent… et j'aurai découvert que j'ai une amie incroyable et ça, je t'assure, c'est encore mieux que l'argent. Tu l'as planqué où ?

— Dans une chaussure. Une vieille.

Zoé gronde et s'échauffe.

— Imagine que ta mère veuille ranger tes affaires et trie tes vieilles chaussures. Elle range tout le temps, ta mère, c'est une maniaque. Cache ce fichu ticket AILLEURS !

— Dans ma boîte à secrets avec le gros cadenas ?

— Parfait.

— On se voit quand ?

Elles sont dans la même classe mais n'ont pas choisi les mêmes options. Zoé fait latin, Léa littérature allemande.

— Demain après-midi, dit Zoé. Ça te va ?

— Tu as cours jusqu'à quelle heure ?

— Seize heures.

— Ok. Je t'attends à la sortie et on file à la maison… Tu sais, je me disais que je pourrais m'acheter une tonne de fraises Tagada… Ce serait très beau, une montagne de fraises Tagada dans ma chambre.

— Tu sais quoi, Léa, tu n'as aucune élévation d'âme.

— Si. Justement ! J'ai l'âme très élevée. J'aurais pu rien te dire et je l'ai pas fait. J'ai même pas PENSÉ à le faire. Tu vois comme elle est haute, mon âme ?

Cinquante mille euros ! Y a trop de zéros.

Zoé tire sur son tee-shirt, enfouit à nouveau sa tête dans l'encolure. Respire son odeur de gel douche et de shampoing.

Cinquante mille euros !

Elle va pouvoir dépenser du bonheur.

Elle a vu ça un jour dans un film américain. Un millionnaire distribuait son argent. Un million par-ci, un million par-là, il marchait dans la rue et faisait le bonheur des gens. Et le type, après avoir tout donné, sifflotait, les doigts dans les bretelles. Heureux. En paix. Parce qu'il avait sorti des gens du pétrin ? Peut-être bien, mais surtout parce qu'il était d'accord avec lui-même, d'accord avec la vie qu'il entendait mener.

En sortant du cinéma, elle avait ressenti la même allégresse. Il pleuvait à verse, elle n'avait pas d'imper, ni de parapluie, les gens se bousculaient. Les voitures éclaboussaient les piétons trop près du trottoir. Elle s'était dit la vie est tellement belle quand on est d'accord avec elle.

Elle s'était arrêtée, avait répété la phrase… la vie est tellement belle quand on est d'accord avec elle, la vie est tellement belle quand on est d'accord avec elle, la vie est tellement belle quand on est d'accord avec elle, et c'était comme si elle avait les doigts dans les bretelles et qu'elle marchait sous le soleil.

Elle la chantait sous la douche, elle la chantait dans la rue, elle la chantait en sautant les marches du métro.

Ça avait duré quinze jours.

Et puis elle l'avait oubliée.

*

Ce même soir, alors que Zoé découvre la magie d'un Monopoly et la force de l'amitié, Hortense se glisse dans ses draps en souriant. Trop heureuse pour passer la nuit à travailler. Trop pleine de bonheur serait plus juste. Pleine à craquer.

Elle vient d'échapper à un grand malheur.

ELLE A FAILLI PERDRE GARY.

Et si elle avait perdu Gary...

Son sourire se brise, ses sourcils dessinent trois plis, elle émet un grognement et secoue la tête.

Le message du château-franc-pipeau est clair : Gary Ward est revenu.

Hortense Cortès ne se demande jamais si elle est intelligente, avisée, astucieuse, talentueuse, ingénieuse, perspicace, brillante, jolie, attirante, éblouissante, unique au monde. Elle est Hortense Cortès et ça comprend tout ça. Elle ne s'excuse pas non plus d'être en bonne santé, énergique, chanceuse, douée. Il ne faut pas compter sur elle pour en douter. Le doute est un rongeur redoutable qui transforme la plus belle fille du monde en serpillière dans un seau d'eau sale.

Elle plaint les filles qui se comparent aux autres, qui craignent d'être « trop », « pas assez », « moins bien », qui comptent les centimètres, les kilos qui les séparent de leur idéal. Comme s'il existait un verre doseur pour mesurer les humains ! On EST ce qu'on DÉCIDE d'être. Certes, cela demande du travail. Décréter JE VEUX ÊTRE ÇA et viser en plein dans le mille. Ne pas manquer la cible. Gary lui a expliqué un jour que la signification première du mot «péché» était «manquer la cible, viser à côté».

Le péché, c'est de passer à côté de soi.

Ne pas connaître sa propre valeur.

Comme sa mère.

Elle l'avait accompagnée un jour à l'assemblée des copropriétaires. Joséphine avait demandé d'une voix tremblante qu'on change le chemin de moquette de l'escalier, usé, déchiré par endroits. Elle avait failli trébucher plusieurs fois. Les propriétaires avaient refusé, frais inutiles ! Hortense avait été stupéfaite par le manque d'aplomb de sa mère qui avait battu en retraite et s'était excusée.

Sur le chemin du retour, elle lui avait demandé :

— Tu trouves que ta présence ce soir a été constructive ?

— Euh… c'est-à-dire que…

— As-tu obtenu que ton point de vue soit considéré ?

— Nnn… non.

— Est-ce que tu repars déçue et frustrée ?

— J'ai peur de parler devant ces gens, avait soupiré Joséphine.

— Si tu veux qu'on te respecte, exige qu'on t'entende. Menace-les d'un procès. Ils auront peur et changeront le tapis vite fait. Ce jour-là, tu seras fou-droyée par le frisson « j'ai osé et j'ai gagné ». Tu le connais celui-là ?

— Non.

— C'est le plus grand frisson du monde, et il est À PORTÉE DE MAIN.

— Je vais essayer, avait promis Joséphine.

— Merci beaucoup ! avait dit Hortense avant de s'enfermer dans sa chambre pour travailler.

Ce soir-là, elle avait grommelé longtemps, assise par terre, la bouche pleine d'épingles devant l'our-let d'une robe. Elle pétrissait le bourrelet de tissu en marmonnant CETTE FEMME EST-ELLE VRAIMENT MA MÈRE ?

*

Oui mais…

Parfois la vie pouvait devenir compliquée.

Une nymphe antique vous jetait un sort.

Et…

Une dénommée Calypso, violoniste émérite avec une tronche de musaraigne plantée au bout d'une pique. Mince presque maigre, pâle presque blafarde, des cheveux rares et noirs tirés en arrière, une natte ficelle sur le côté, de grandes oreilles décollées, un nez qui surplombait un museau pointu. Calypso était fort laide ET fort gracieuse.

Inutile d'essayer de comprendre ou de mesurer. Calypso ne rentrait dans aucun verre doseur. Elle défaisait les centilitres, les décilitres, les grammes et les kilos. Elle avait visé en plein dans SA cible et décroché le cœur d'un homme beau, noble, charmant, généreux, talentueux.

Un homme qui s'appelait Gary Ward.

Calypso n'agissait pas toute seule. Elle avait des complices. Une bande de copains du nom de Mozart, Bach, Brahms, Beethoven, Schubert, Schumann, Dvořák et beaucoup d'autres encore qui l'accompagnaient, lançaient sur son passage des noires, des blanches, des croches et des soupirs, des andante *ma non troppo*, des allegretto, des *fa* dièse, des *si* bémol. Ces notes bruissaient dans la robe de la violoniste et jetaient des charmes à celui qui s'approchait trop près.

De la même façon que la beauté d'Hortense saisissait les hommes et les grillait sur place, le charme de Calypso les enveloppait et les emportait au ciel.

Gary avait été enlevé sous les yeux d'Hortense lors d'un concert donné à la Juilliard School[1]. Quelques coups d'archet de Calypso sur une sonate de Beethoven et Gary avait… disparu !

Elle s'en était à peine aperçue.

Elle avait travaillé à s'en étourdir. Ne pas penser à Gary et Calypso. Gary et Calypso en Écosse. Gary et Calypso passant des concours en Europe ou en Amérique. Gary et Calypso à New York. Gary et Calypso traversant Central Park main dans la main. Gary posant sa bouche sur celle de… Cette simple évocation enfonçait des aiguilles sous ses paupières.

---

1. Cf. *Muchachas*, tome 3, chez le même éditeur.

Elle se raidissait. Fermait les yeux. Flinguait l'image en laissant éclater un *bang-bang* dans sa tête, ses index pointés en forme de pistolets.

Tout se brouillait. Elle vacillait.

Mais jamais elle n'était tombée, certaine qu'elle aurait le dessus.

Parce que Hortense Cortès croyait au BONHEUR. Elle avait décidé d'être heureuse, persuadée qu'on pouvait fabriquer du bonheur comme de la dentelle ou du caramel.

Et elle voulait croire à l'amour sublime. Celui qui enjambe les épreuves et se rit du danger. Pénélope et Ulysse, Chimène et Rodrigue, Heathcliff et Catherine, Cyrano et Roxane. Elle était Chimène, Catherine, Roxane et Gary l'homme magnifique à ses côtés.

Pour la vie.

Elle était reconnaissante à Gary de ne pas lui mentir. Il ne disait rien, mais il ne mentait pas. Elle ne lui posait pas de questions. Le principal, c'est que j'aie gardé toute ma CONSIDÉRATION pour lui. Elle faisait exprès d'employer ce mot désuet, solennel, pour illustrer à quel point il était rare d'éprouver du respect pour quelqu'un qui se comportait comme… Non ! Je n'ai pas à rougir de lui. Et elle le remerciait de lui parler de la forme des nuages ou de la couleur des remparts de la ville où il se trouvait, les rares fois où ils se téléphonaient.

Et puis, s'il l'épargnait, c'est qu'elle comptait pour lui, n'est-ce pas ?

Ce soir, il était revenu.

Par l'intermédiaire de six bouteilles de vin fin serrées dans une caisse en bois, envoyées de New York. Six

311

bouteilles qui avaient fait le voyage pour lui dire hé, Hortense Cortès ! RAPPELLE-TOI LE SERMENT DE LA 66ᵉ RUE.

Demain elle l'appellera.

Une voiture roule sous ses fenêtres. Et s'arrête.

Le moteur continue de tourner.

Hortense entend la voix d'une femme qui supplie s'il te plaît, me laisse pas, s'il te plaaaaaaaît !

Une portière claque. La femme pleure dans la nuit. Gémit je t'embêterai plus, promis !

Pauvre femme ! Elle n'a rien compris.

Demain je l'appellerai…

Ou après-demain. Ou le jour d'après.

Et d'après.

On verra bien.

Ce serait trop facile. Il envoie une caisse de vin et je rapplique ? Je vais ajouter une clause au serment de la 66ᵉ Rue : L'OFFENSÉ(E) SE VENGERA ET PLUTÔT CENT FOIS QU'UNE.

Gary attendra. Il s'inquiétera.

Il se dira pourquoi n'appelle-t-elle pas ? Et un peu plus tard… ce n'est pas normal, que se passe-t-il ? A-t-elle rencontré un bel étranger dans la pénombre d'un escalier ? Est-elle en train de le coucher dans son lit, de gémir sous lui ?

Il plaquera les mains sur ses yeux pour NE PAS VOIR.

Et s'effondrera sur le piano.

Elle sourit d'aise.

Étale la crème nourrissante sur ses mains, insiste sur les doigts, les poignets.

Éteint sa lampe de chevet. Glisse sous le drap léger.

Se trémousse, sort un bout de langue, signe qu'elle réfléchit, affine sa vengeance.

Gary Ward attendra… le temps qu'il faudra.

*

Gary Ward n'attend pas.

Il n'est ni perdu ni désespéré.

Il n'est même pas malheureux.

Il a pris une décision.

Une caisse de franc-pipeau a signé sa reddition.

À Hortense de décider. Pardonner, ne pas pardonner ? Faire comme si rien ne s'était passé ?

Il s'en fiche. Il est revenu à SA place.

Comment a-t-il pu vivre sans Hortense pendant ces longues, longues semaines ?

Oh, comme elles lui semblent longues maintenant !

Presque six mois.

Le désir frémit en lui. Hortense ! Hortense ! Envie de la déplier, de la détailler, de se perdre en elle. Vivre la vie qu'elle invente. En grand, en couleurs.

Hortense Cortès invente la vie comme personne.

Il la pare de toutes les vertus. Généreuse, souveraine, magnanime. Jamais elle n'a évoqué Calypso, jamais elle ne l'a égratignée d'un méchant mot.

Elle l'a IGNORÉE.

Aurais-je eu le même sang-froid, la même élégance face à un homme qui me l'aurait ravie ?

Il a envie de parler d'elle aux murs, aux miroirs, à la

cheminée, aux tapis épais, aux bouquets de fougères dans leur jardinière argentée.

La définition de l'amour selon Hortense Cortès, vous la connaissez ?

« L'amour, c'est quand deux personnes sont capables de vivre chacune de leur côté mais qu'elles décident de vivre ensemble parce qu'elles s'aiment. »

Et elle ajoute en versant la tête sur son épaule, « c'est notre histoire, hein, Gary ? ».

Et cette phrase qu'elle lui avait envoyée sur WhatsApp ?

Qui dit… ? Qui dit quoi, déjà ?

Il s'était figé sur le trottoir en la lisant, il poussait la porte de Duane Read pour acheter du dentifrice, il avait rougi comme si elle le montrait du doigt.

Oui, oui, il se souvient.

CE QUE TU FAIS TE FAIT.

Rien d'autre.

CE QUE TU FAIS TE FAIT.

Si je mens, je suis un menteur ?

Si je triche, je suis un tricheur ?

Si je fais du mal à Hortense Cortès, je suis un mal-faiteur ?

Un soir. À New York…

C'est ce soir-là qu'il avait DÉCIDÉ.

Il était rentré la veille d'un concours en Écosse. À Glasgow exactement. Ils avaient concouru, Calypso et lui. Une sonate de Brahms qu'ils avaient travaillée tout l'été.

Ce soir-là, à New York…

Ils marchaient avec Rico tout en bas de la ville dans Orchard Street. Le froid de décembre leur piquait le nez, les oreilles, leur sculptait des mâchoires de glace. Rico n'arrêtait pas de frapper dans ses mains pour les réchauffer ; il avait oublié ses gants. Il avait plu des orages et le coin des rues disparaissait sous des mares noirâtres. Ils étaient obligés de sauter par-dessus les flaques et faisaient attention à ne pas glisser.

— Manquerait plus que je me pète un poignet ! maugréait Rico.

Ils avaient dîné au Russ and Daughters. Gary avait choisi un saumon fumé avec de la crème, des oignons, des petites tomates. Et un gros gâteau au chocolat en dessert. Rico avait pris un hareng-pommes de terre avec un petit verre de vodka. Et un *noodle kugel*. Ils avaient commenté leur plat, expliqué leur choix, attribué des notes.

— On est comme un vieux couple, avait dit Gary. On mange sans se parler et après, on commente. Faudrait penser à divorcer...

— Laisse-moi trouver un bon avocat qui te plumera. Tu vas bien toucher quelques royalties avec ton CD ?

— Tu rigoles ? Je touche un pour cent du prix de vente ! Ce sont les concerts qui rapportent. Pas les CD. Tu le sais bien...

Rico essuyait la crème dans son assiette.

— T'aurais dû faire gigolo. Avec tes yeux de braise et ta dégaine de grand brun romantique, les femmes sont folles de toi.

— Arrête, vil flatteur. Tu as quelque chose à me demander?

Ils étaient sortis dans la rue déguisée aux couleurs de Noël.

Orchard Street avait un air de fête. Des lampions rouges et verts se balançaient sur de gros câbles électriques. Un Père Noël en chiffon s'accrochait à une fenêtre. Il avait perdu une botte; on apercevait son mollet qui pendait dans le vide. C'était grotesque. Les gens le montraient du doigt et rigolaient. Ils prenaient des photos en tendant le bras pour attraper la jambe dénudée.

Gary avait détourné le regard.

Rico sortait du studio. Enfermé tout l'après-midi avec Calypso pour répéter en vue d'un concert à Cleveland, Ohio. Il avait fallu trouver un autre pianiste. Gary avait refusé. Il ne le « sentait » pas. C'est elle que tu ne « sens » plus, avait rétorqué Rico.

Rico, amoureux silencieux de Calypso. Avec qui il allait passer trois jours. Cette perspective le rendait fébrile. Il avalait les comprimés d'Advil comme des Smarties et ses regards vers Gary demandaient tu en es où avec elle? Gary faisait semblant de ne pas comprendre.

Rico s'était enhardi. Ses yeux noirs brûlaient de savoir. Il ajustait son bonnet rouge et demandait, comme pour faire le point, pour tenter de comprendre le mystère de cet homme convoité par deux femmes, Hortense, ça va? Toujours à Paris? Gary répondait oui, oui, elle a beaucoup de travail.

En passant sous le Père Noël débotté, Rico avait formulé une fois de plus la même énigme:

— Si un jour un feu ravage ta maison, que Calypso et Hortense s'y trouvent enfermées, que tu ne puisses en sauver qu'une…

Et là, toujours, il marquait une pause. Donnait des petits coups de menton en avant. Murmurait un truc que Gary ne comprenait pas très bien, *vamos, hombre! Ármese de valor*[1]!

— … laquelle tu choisirais?

Et puis il rentrait la tête dans les épaules, étonné de son audace.

— Toujours la même, avait dit Gary en tournant à l'angle de Mott et Prince Street devant Little Cupcake Bakeshop.

La meilleure adresse de New York pour les gâteaux, les gaufres et les glaces.

— Et… ? Ce serait… ?

— Arrête avec ton histoire d'incendie! C'est fatigant.

— Parce que tu ne VEUX pas répondre. Si tu répondais, tu serais libéré. Tu aurais CHOISI. Ne pas choisir t'épuise. Et ne te rend pas très aimable, je dois ajouter.

Rico n'avait pas tort.

La nuit passée à Roissy avec Hortense à son retour d'Écosse l'avait décalé.

Il ne marchait plus du même pas avec Calypso.

Il se hâtait. Vers quoi? Il l'ignorait. Il n'avait pas envie de ralentir pour l'attendre. Bien au contraire. Il accélérait pour disparaître au bout de la rue.

Il se disait je suis injuste, elle m'aime, elle m'est

---

1. « Vas-y, mon vieux! Un peu de courage! »

entièrement dévouée et tout de suite après, qu'elle est lente ! Comme elle pèse lourd à mon bras ! Parfois quand il se tournait vers elle, il devait faire un effort pour la reconnaître. Son regard se posait sur elle et devenait flou comme s'il cherchait à la remettre. Et ce n'était pas tout ! Chaque jour, le désaccord s'amplifiait. Ils ne voyaient plus le même bleu, le même vert, n'entendaient plus le même *do*, le même *mi*, ne souriaient plus quand les cygnes du Parc se disputaient un morceau de pain rassis ou qu'ils apercevaient un écureuil appuyé contre le tronc d'un arbre en train de grignoter un vieux McDo oublié dans l'herbe.

Ils étaient désaccordés.

Même leurs instruments ne se répondaient plus.

Il leur arrivait de jouer un morceau et de ne plus s'entendre.

Il laissait tomber ses mains, ses épaules. Faisait le dos rond sur son tabouret de piano. Elle s'interrompait, l'interrogeait de ses grands yeux écarquillés presque douloureux. Et cette douleur muette, à peine voilée, l'insupportait. Il songeait mais elle a des yeux de batracien ! S'en voulait, se mordait les lèvres, disait c'est rien, c'est rien, on reprend, et reprenait, agacé.

Et alors… c'est lui qui jouait trop vite, avalait une mesure, oubliait une nuance, trébuchait sur un accord, s'énervait. S'excusait. Elle tentait de l'apaiser en levant une main douce, murmurait ce n'est pas grave, tu es fatigué, on reprendra plus tard, il se rebiffait mais non ! Mais non ! Je joue comme un pied. DIS-LE, mais DIS-LE, c'est énervant, cette manière que tu as de toujours m'excuser. On dirait une mère avec son enfant !

C'était l'éclat de trop.

Des larmes embuaient le regard de Calypso, sa gorge s'étranglait, une sorte d'humilité résignée passait dans ses yeux. Elle baissait la tête et contemplait ses pieds en grattant le grain de l'informe jupe marron qui lui recouvrait les genoux. Il suivait l'ongle des yeux, l'ongle déformé par une corne dure, l'ongle sur la jupe qui grattait, l'ongle sur la jupe MARRON, TROP LONGUE, MAL COUPÉE, et trouvait que tout cela manquait de goût, d'élégance, de… je ne sais pas, moi ! Manquait d'HORTENSE CORTÈS ? Il arrachait son caban sur le dos de la chaise, se ruait hors du studio en disant il faut que je prenne l'air !

Il marchait, l'épaule en avant comme s'il allait donner des coups de bélier dans la foule. Se heurtait à ceux qui remontaient Broadway, passait une main dans ses cheveux en broussaille, son poing se crispait, il tirait, tirait sur une touffe. Quand la douleur devenait trop vive, il relâchait et soufflait tel un noyé qui retrouve la plage et se répand sur le sable.

Il n'en finissait plus de monter et descendre Broadway. Il tournait sur Colombus Circle. Buvait des *cafés con leche* dans de hauts gobelets blancs de chez Whole Foods Market. Engloutissait des muffins aux raisins. Écoutait les sabots fatigués des chevaux de calèche qui claquaient, *plong-plong-plong*, sur le macadam. Levait la tête vers le ciel, qu'est-ce que je fais maintenant ? Je ne vais pas retourner à Roissy et louer une chambre d'hôtel.

Elle me rira au nez.

Un jour sur Colombus, il aperçoit la vitrine du *liquor store* à l'angle d'America's et de Central Park South. Hortense aimait s'y rendre. Le propriétaire est taciturne. Il laisse les clients faire leur choix sans parler. Au milieu de la vitrine, sur un présentoir recouvert d'un velours bleu roi, trône une bouteille. Il s'approche. Cligne des yeux. Remonte le col de son caban. Le vent souffle des flèches glacées.

Il déchiffre l'étiquette, «Château Franc-Pipeau 2012». Franc-pipeau, cela lui dit quelque chose. Mais oui, bien sûr! Un saint-émilion qu'Hortense apprécie. Une nuit où il répétait, elle avait bu une bouteille entière en dessinant. Il l'avait retrouvée, endormie sur la table, le coude enlaçant la bouteille. Il l'avait portée jusqu'à leur lit, l'avait déshabillée, couchée, bercée.

Cette nuit-là, elle avait fait un cauchemar. Elle VOYAIT son père en train de se faire dévorer par un crocodile. Elle s'était réveillée en transe, avait sangloté qu'elle aurait voulu sauver son père, mais j'étais trop petite, Gary, trop petite quand il est mort, et tu sais pourquoi il est mort? Il était faible, gentil. Pour réussir, il faut être dur, égoïste, ne penser qu'à soi, qu'à son travail et OUBLIER tout le reste.

Elle voulait venger son père. Lui offrir le succès, la fortune dont il avait rêvé, tu comprends, Gary?

Il l'avait consolée, lui avait promis qu'elle réussirait, qu'elle deviendrait une grande, une très grande Hortense Cortès et qu'il l'emmènerait survoler Manhattan en hélicoptère.

Cette nuit-là, Hortense Cortès était une petite fille avec un gros chagrin.

Hortense. Hortense Cortès. Hortense bim bam boum.

Il avait choisi.

Il ne restait plus qu'à le dire à Calypso.

C'était une autre affaire.

Ils se retrouvaient à la Juilliard School. Rico, Mark, Calypso et lui. Ils avaient formé un quatuor. Ils étudiaient, déjeunaient, jouaient, elle au violon, lui au piano. Rico allait de l'un à l'autre, anxieux, prudent. Mark racontait des histoires drôles.

— Vous connaissez l'histoire de la grenouille à laaaarge bouche ?

Il tirait sur ses lèvres avec ses index, tirait jusqu'à ce que sa bouche se déforme en une laaaarge grimace.

— La grenouille rencontre un crocodile et elle lui demande «et toi qu'est-ce que tu manges ?» Et le crocodile répond… Ah j'arrête. Vous êtes nuls. Vous pourriez m'encourager, me chauffer un peu ! Vous êtes vraiment pas drôles. Si seulement Hortense était là…

Et d'un même mouvement Gary, Calypso, Rico piquaient du nez.

— Quoi ? J'ai fait une gaffe ? En parlant d'Hortense ou des larges bouches ?

— On reprend ? À la troisième mesure, *do, do, mi* ! décrétait Gary. Un, deux, trois…

Mais le soir…

Quand ils sortaient de l'école…

Il s'abritait derrière sa mèche brune et disait j'ai besoin d'être seul. Ou j'ai une idée, je voudrais travailler.

Sans un regard pour Calypso.

Il ne la raccompagnait plus jusqu'à la 110e Rue et l'immeuble de briques rouges au milieu des jardins bariolés où les bicyclettes pendent comme des grappes de glycine. Il s'arrêtait à l'entrée de Central Park West à la hauteur de la 72e Rue, devant le jardin de John Lennon, «Strawberry Fields Forever». Il se penchait, lui donnait un baiser distrait et disait en regardant le ciel gris, lourd de neige, on se voit demain ? *Take care*[1].

Même la *Valse en* fa *majeur* de Giuseppe Verdi, qui était LEUR morceau, leur réveille-matin, leur hymne matinal, n'arrivait plus à les rapprocher.

Il était lâche. Oh, comme il était lâche !

Tout lui était prétexte à fuir. Il se sentait l'âme d'un prisonnier qui scrute le ciel pour s'évader.

Il marchait le nez en l'air, étudiait les nuages. Des gros, bien pommelés. Celui-là ressemblait à une sorcière édentée avec un ventre de femme enceinte. Un peu plus loin, un lévrier afghan se pavanait, une licorne prenait la pose, deux potirons se culbutaient.

Ce n'est pas ma faute…

Ce n'est pas ma faute si le désir s'en est allé.

Ce n'est pas ma faute si j'ai eu envie de passer par Roissy.

Ce n'est pas ma faute si Hortense a sauté dans un taxi.

---

1. «Prends bien soin de toi.»

Ce n'est pas ma faute si on s'est retrouvés sur le sol des toilettes.

Et tous les soirs, en sortant de la Juilliard School, il part saluer le château-franc-pipeau sur son trône de velours bleu roi, ça va, majesté ? Il se moque de son air compassé, chantonne un nocturne de Chopin et songe en mâchonnant son muffin comment faire pour qu'ELLE sache qu'ELLE me manque ?

Un soir, à force de fixer le velours bleu roi qui brille sous le tube de néon, surgit l'idée de choisir le franc-pipeau comme messager. Il ira parler pour moi à Hortense, à Paris, France. Il lui dira que je veux la revoir. Qu'elle me manque, que j'ai du mal à respirer, à dormir loin d'elle. Que j'ai besoin de sa peau, de sa chaleur, de son odeur. QUE JE VEUX QU'ELLE REVIENNE.

Il pousse la porte de la boutique d'un air résolu, pose les mains sur le comptoir et apostrophe le caviste :

— Je veux que vous m'envoyiez une caisse de ce nectar en France. Six bouteilles.

— Mais…, bredouille l'homme derrière le comptoir.

— Ça va me ruiner ?

— Ça va vous coûter très…

— C'est un acte d'amour, mon cher. Un peu de panache, s'il vous plaît ! On a des valeurs ou on n'en a pas. J'ai été élevé comme ça. Je vois grand, je vis grand, j'aime grand.

— Comme vous voulez ! maugrée l'homme en secouant la tête pour montrer qu'il déclinait toute responsabilité.

Il n'a pas tort. Gary s'est ruiné. L'argent mis de côté pour tenter avec Rico l'escalade du Kilimandjaro s'engouffre dans une caisse de vin voguant vers la France.

— Le point le plus haut d'Afrique contre le sourire d'une femme ! déclare Gary en tendant sa carte de crédit.

La lettre écrite au Bic rouge ternit le panache de l'envoi.

Mais l'homme n'a rien d'autre et il faut bien joindre un mot au colis.

*

Calypso, silencieuse, attend.

Elle tente de s'effacer, de disparaître.

Elle observe les absences, les silences de Gary. Les regards qui s'échappent. Les bras collés au corps.

Elle se dit il a un souci et ne veut pas me l'imposer. Elle se tait et lui offre l'immensité de son amour dans un regard de dévotion totale.

Ce don encombrant irrite Gary. Il tourne la tête, cherche un prétexte pour s'enfuir. Cherche, cherche. Devient girouette.

Elle comprend qu'elle l'agace.

À l'aéroport d'Édimbourg, c'était hier ou avant-hier, il était attentif, empressé.

Ils étaient arrivés premiers au concours de la Royal Academy of Scotland. Ils avaient reçu des félicitations, des messages d'agents, des propositions de travail, et se les lisaient, la fièvre aux joues, s'exclamant écoute, c'est incroyable, non ? Pince-moi, pince-moi !

Ils avaient acheté des Cadbury Fingers et les

grignotaient en poussant des cris de joie. On aurait dit deux lutins hilares sur une banquette d'aéroport.

Le concours avait eu lieu à Glasgow, mais ils avaient fait un détour par Édimbourg pour rendre visite au fermier qui s'occupait du château de Gary. À la dernière minute, Gary avait décidé de prolonger son séjour. Calypso devait rentrer à New York. Elle passait une audition pour entrer dans l'une des meilleures agences artistiques des États-Unis.

— Je vais faire le tour du domaine, avait expliqué Gary. Je dois m'en occuper, tu sais, je ne veux pas tout laisser aux soins de ma grand-mère. Elle est âgée. Quatre-vingt-douze ans, tu te rends compte ? C'est déjà très gentil de sa part d'avoir entrepris ces travaux, je ne voudrais pas abuser alors je…

— Tu n'as pas à t'excuser, elle avait dit en lui passant la main sur la joue. Je comprends très bien.

— Oui, oui, tu as raison. Ce n'est pas grave. C'est juste que…

Il avait l'air si préoccupé en prononçant ces mots. Préoccupé et, elle le sait maintenant, déjà absent.

Elle s'était mise à rire et à parler, parler, pour empêcher un mensonge qu'il aurait formulé pour lui faire plaisir. Pour atténuer l'annonce d'une mauvaise nouvelle. Elle le sentait prêt à partir, à courir vers d'autres villes, d'autres merveilles. Le succès au concours de Glasgow avait déplié ses ailes.

Et puis, pris d'un remords soudain, il l'avait enfermée dans ses bras pour la mettre à l'abri du malheur.

— C'est l'affaire d'un jour ou deux. Il vaut mieux que je sois seul. Ça ne serait pas très amusant pour toi. Marcher dans la boue et…

— J'ai compris, Gary, j'ai compris.

Mais rien ne pouvait arrêter le flot de ses justifications.

— Tu vas commencer tes répétitions pour ton audition chez Grobster & Co. C'est très important. Il faut que tu sois fraîche et reposée.

Il souriait, du soleil plein les yeux. Il faisait tout son possible pour être convaincant.

Il avait soulevé sa valise pour l'enregistrer afin d'épargner ses doigts, ses poignets. Avait choisi une place près du hublot. Lui avait acheté son soda préféré, un Barr's Irn-bru orange, et les gâteaux qu'elle aimait, les Dean's Shortbread. Avait ôté son pull pour le poser sur ses épaules. Cette prévenance la bouleversait. Il la traitait toujours avec délicatesse, mais ce jour-là, elle avait eu l'impression qu'elle était la personne la plus importante au monde. Incapable de se retenir, elle s'était serrée contre lui en murmurant tu vas me manquer, tu vas me manquer ! Il avait ri, lui avait tapoté l'épaule et ajouté je t'appelle mardi dès que je suis à New York. Il l'avait embrassée devant les voyageurs qui les regardaient, attendris, d'un baiser si tendre qu'elle s'était dit qu'il durerait toute la vie.

Quand l'avion avait décollé, elle avait soupiré c'est impossible d'être plus heureuse que je ne le suis. IMPOSSIBLE. Et si on avait chacun une portion de bonheur pour toute la vie ? Et si je l'avais dévorée en une seule bouchée aujourd'hui ?

Elle avait resserré le pull de Gary autour d'elle. S'était interrogée sur cette peur du malheur qu'ont tous les amoureux.

«Bonheur» rime toujours avec «peur», tu n'y peux rien.

Elle avait passé son audition. Avait joué *Le Printemps* de Beethoven en clin d'œil à Gary. C'était leur sonate. Était repartie en dansant sur les pointes, sûre d'être choisie.

Avait ignoré le bus M1, le bus M2 qui remontaient Madison. Non, j'irai à pied, passez votre chemin ! J'ai trop de joie en moi pour l'enfermer dans la cohue d'un bus.

Demain mardi, il revient.

Demain mardi, nous dormirons ensemble et je détaillerai ses cils de profil dans la pénombre.

Son Guarneri battait sur sa hanche, elle remontait vers East Harlem.

Elle souriait en apercevant sur Lexington et la 98ᵉ Rue le camion de glaces décoré de ballons, stationné devant l'école.

Elle souriait en passant devant le Llyod's Carrot Cake à l'angle de la 100ᵉ Rue et de Lexington. La boutique qui vend les meilleurs gâteaux aux carottes du monde.

Elle poussait la porte étroite de la boutique orange, commandait *one carrot cake* avec noix ET raisins secs.

Mordait dans la couche de sucre qui lui piquait les lèvres.

Remontait l'avenue vers la 110ᵉ Rue et Madison.

Demain il sera là, demain il sera là… et je dormirai dans ses bras.

Est-ce que je retourne lui acheter un *carrot cake* ou pas ?

Toute la soirée de mardi, elle attend son appel.

Le mercredi, il n'est pas présent à l'école. Son avion a eu du retard. Il n'a plus de batterie pour m'appeler.

Le jeudi non plus.

Elle attend le soir et compose son numéro.

Il décroche. Son cœur fait un bond, elle pose la main sur sa poitrine.

— Tu es rentré ?

— Oui.

— Pourquoi tu m'as pas appelée ?

— Parce que.

Son ton bref, presque dur, l'effraie.

La télé braille dans la pièce à côté. Mister G. regarde *The Voice* sur NBC, il hausse le son pour ne rien manquer. Elle joue avec le bord de la table, passe et repasse ses doigts sur l'arête, repousse les miettes laissées par le sandwich au thon qu'elle a grignoté en attendant d'avoir le courage de téléphoner.

— Tu veux qu'on se voie ?

— Je suis fatigué. J'ai dû attraper un truc dans l'avion.

— Tu n'as besoin de rien ? Tu es sûr ?

— Non. Je vais dormir.

Toujours le même ton distant, hostile.

— Je peux venir te…

Elle mendie le droit d'aller le retrouver. Elle se mord les lèvres pour ravaler les mots.

— Non, c'est pas une bonne idée, il répond, agacé.

— Alors… à demain. Dors bien.

Elle a habillé sa réponse d'un air de faux entrain. Sa voix retombe, elle raccroche.

Elle voudrait comprendre. Elle ressent une telle peur qu'elle ne peut plus se lever ni tendre la main vers le verre d'eau devant elle afin de défaire le nœud dans la gorge.

C'est la pause publicité. Mister G. entre dans la cuisine en marmonnant quelque chose qu'elle ne comprend pas. Il ouvre le frigidaire, cherche une bière. Calypso le regarde mais ne le voit pas. Un vent froid lui glace le dos.

Il jette un regard sur elle et s'exclame :

— T'es toute blanche. T'as mangé de la craie ?

Le lendemain, elle arrive en retard à l'école et s'assied au fond de la classe. Une master class avec Itzhak Perlman. Une œuvre pour piano et violon, une sonate de Brahms en *ré* mineur, décortiquée par le maestro :

— Laissez du souffle, de l'espace dans votre jeu, il faut jouer comme si vous improvisiez, le poignet souple, les doigts équidistants, attention à votre pouce.

Elle aperçoit Gary assis au premier rang. À côté de Rico. Il se penche vers lui, lui parle. Puis tend le cou vers Itzhak Perlman. Son cœur bat à tout rompre, des gouttes de sueur perlent sur ses tempes, ses oreilles se bouchent, elle n'entend plus rien. Elle ferme les yeux afin qu'on croie qu'elle écoute.

Elle reprend ses esprits à la fin du cours, quand le maestro conclut :

— … et la note se tient, se poursuit, attendez qu'elle soit finie !

Finie.

Finie ?

Est-il possible que sa belle histoire soit finie ?

Elle s'approche de Gary, sourit d'un air de s'excuser, reste à distance pour ne pas le menacer. Referme ses bras autour d'elle. Elle grelotte d'un froid qu'elle a inventé. Rico lui demande si elle est d'accord avec la dernière remarque du maestro. Oui, elle dit en hochant la tête, c'était si beau, si fort ! Elle est parvenue à dire ça sur un ton à peu près normal, mais elle a fait un tel effort qu'elle entend son sang battre dans ses oreilles. Rico la regarde, étonné par la banalité de son propos, et elle rougit.

Gary s'est retourné très vite comme pour l'éviter mais elle a eu le temps de lire dans ses yeux l'impatience, l'énervement, la lâcheté de celui qui sait qu'il fait du mal sans pouvoir s'en empêcher. Il parle à une fille qui passe et s'accroche à lui. Il éclate de rire et la fille l'imite d'un hennissement qui dit oui, quand tu veux.

Elle frissonne à nouveau. Elle ne veut pas tomber. Elle veut rester debout, souriante. Intacte.

Elle ne savait pas que le temps pouvait être si lent.

Il passe la main dans ses cheveux, elle reçoit une bouffée de son eau de toilette. De la mousse verte, un bouquet d'herbes, du vétiver, une fleur de jasmin, une pointe de draps froissés, des jambes nues sur les siennes, des mains qui la caressent, l'eau du plaisir qui monte dans sa tête et...

Elle prend la fuite, les larmes aux yeux. User les heures. Les vaincre une à une. Triompher du malheur qui insiste.

Toute la journée, elle le fuit. Elle relit des notes,

s'enferme dans un studio pour travailler la *Chaconne* de Bach. Bach l'a écrite à la mort de sa femme, c'est lent, solennel, c'est une marche funèbre, chaque accord éponge les larmes qui coulent à l'intérieur. Elle bloque sur la première page, la succession d'accords à trois ou quatre sons, la main gauche qui se crispe, l'archet trop raide, la douleur dans le bras, la main en torsion et le défi de produire trois sons à l'unisson. Elle s'acharne, répète, recommence, elle ne lâchera pas.

Quand elle quitte le studio vers vingt et une heures, la musique a absorbé sa peine. Bach l'a épuisée. Elle a tout oublié.

Même LUI.

Elle dévale les escaliers en répétant dans sa tête la position de l'archet et des doigts, en fredonnant les notes lentes. Bach voyageait loin de chez lui quand sa femme mourut. Il était resté sans le savoir pendant trois, quatre mois. À cette époque où le téléphone n'existait pas, on pouvait gagner trois, quatre mois sur le malheur.

Elle est arrivée à passer la première page de la *Chaconne*. C'est un signe de bon augure. Une sorte de porte-bonheur.

Elle fait un petit bond en tournant dans l'escalier et… se heurte à Gary.

— Ça va ? il demande, soulagé de ne pas l'avoir vue de la journée et de la trouver si gaie.

Elle lit la gratitude sur son visage. Laisse échapper un soupir exténué. Elle s'est torturée pour rien. Il était préoccupé par autre chose. AUTRE CHOSE.

— Oui. J'ai bien travaillé. La première page de la *Chaconne*.

— Et ton audition pour Grobster & Co ? Ça s'est bien passé ?

— Ils vont me prendre, c'est sûr. J'ai été brillante.

Elle force son entrain en priant pour qu'il ne sonne pas faux.

— T'es la meilleure !

Il ne sourit pas en prononçant ces mots. Il est sérieux.

— Merci, elle dit en rougissant.

— Tu es si douée, si douée…

Il module ces voyelles, les remplit de tendresse. Elle les entend, en fait des notes qu'elle pose sur une portée, *do-uu-ée. Do-ré-ré.* Enfant, elle se consolait en chantant des gammes.

Ils marchent vers la sortie. Il pousse la porte en verre, la laisse passer, elle et son Guarneri.

— Sacré Guarneri ! il plaisante. Toujours là, à s'incruster !

C'est un rite entre eux de se moquer du violon et de la place qu'il prend. Par cette simple phrase, il vient de renouer avec elle.

Elle marche en dansant, son violon sur sa hanche.

— Tu as vu ? elle chantonne sur trois notes. Il fait nuit !

— On est en décembre. Les jours les plus courts de l'année.

Il a pris un ton de professeur pour lui rappeler la marche des saisons.

Elle enchaîne, gourmande :

— Partout on sent Noël, les vitrines des magasins, les *ding-dong* quand on pousse la porte, les marrons qui croustillent, le Rockefeller Center, la patinoire et…

Elle s'arrête net. Elle a failli dire ON ira voir les patineurs tourner en espérant qu'ils trébucheront pour qu'ON éclate de rire, toi et moi. Toi, mon amour, et moi, ton amour.

Pas encore, pas encore, il est trop tôt pour glisser ma main dans la poche de son caban.

Elle se retient au flanc du violon.

Ils n'ont pas fait de plans pour Noël.

Mais elle avait compris qu'ils le passeraient ensemble.

BIEN SÛR QU'ILS LE PASSERONT ENSEMBLE !

Quelle résignation suspecte l'a fait douter hier et avant-hier ? Quelle folle elle a été !

Un baiser, un seul baiser et tout redeviendra simple, savoureux, lumineux. Un peu bête aussi mais c'est si bon d'être bête quand votre amoureux vous embrasse. C'est si bon de prononcer les mots idiots que l'amour trouve inspirés et brillants. Nos mains s'enlaceront, nos corps plieront ensemble, nos âmes s'interrogeront dans le même silence étonné, que s'est-il passé pour que je te croie perdu ? Mais *Chuuuut* ! Il faut que je me taise. Que je ne parle de rien qui pourrait nous fâcher, ni d'hier ni de demain qui a failli nous séparer. Nous sommes convalescents. De quoi ? Je ne sais pas. Ça ne doit pas être grave puisque mon Guarneri a repris sa place entre nous.

Un grand repos envahit son corps.

Elle met ses pas dans ceux de Gary et le suit dans la nuit de New York. Elle respire l'odeur chaude

333

d'une bouche de métro, l'odeur de la rue lavée par une pluie fine, l'odeur de pop-corn sucré de la petite cahute jaune qui dit «Bagels, Saucisses, Hot-dogs, Coca-Cola».

Il m'embrassera encore et ses lèvres parleront puisque sa bouche se tait. Qu'elle sera douce, cette bouche sur la mienne, et comme elle m'écrasera pour me dire sa colère! Qui l'a irrité? Qui l'a contrarié? Son baiser me dira tout. Et je répondrai en le mangeant des lèvres tu peux tout me faire, tu peux tout me dire, tu es mon amoureux. Il froissera mon cou de ses mains chaudes et fermes, et dans un soupir coupable murmurera je te demande pardon, tu veux bien oublier?

— Fais attention! crie Gary. Tu vas te faire écraser!

Une voiture l'a frôlée en raclant son violon. Elle se jette en arrière.

— Je suis désolée.

— T'es folle!

— Je crois que je rêvais…

— Et ton violon? Tu y as pensé?

Elle le regarde, étonnée. Pâle, les bras tremblants. Il se penche, l'attire contre lui.

— Ça va? T'es sûre?

— Oui.

Et l'odeur de son eau de toilette lui monte à la tête.

— Calypso…

— Oui, Gary.

— Je peux te laisser là? Tu ne feras pas de folies? J'ai rendez-vous avec un ami…

— Un ami ?

— Oui.

— Mais je croyais…, elle balbutie.

Elle s'accroche à lui et l'enlace.

— Non, il dit, non.

— Embrasse-moi, elle supplie, embrasse-moi.

— Calypso, regarde-moi.

Il prend son visage entre ses mains.

— Calypso…

— Embrasse-moi !

Elle a presque crié comme pour faire revenir son rêve.

— Calypso, c'est fini.

— Fi… ni ?

— J'ai revu Hortense à Paris.

Elle entend « Hortense », elle entend « Paris », elle perd pied et glisse dans un long tube lisse qui l'emmène sous la terre, sous les arbres, les racines, les herbes et les fleurs, loin, loin, dans un merveilleux cimetière.

Elle s'affale sur le sol. Endormie.

Gary se baisse, la prend dans ses bras, tente de la faire tenir debout. Elle s'écroule. Il la rattrape. Souffle sur ses yeux, souffle sur sa bouche. Appelle Calypso, Calypso. Elle n'entend pas. Il lui tapote la joue. Elle se répand, liquide, inutile. Sans vie. Il lui prend le pouls. Compte lentement. Un souffle tiède sort de ses lèvres. Elle dort, la tête versée sur son épaule, son violon à ses pieds.

Il la porte jusqu'au petit muret qui longe le Parc. Cherche des yeux un taxi.

Il va la ramener chez elle.

Chez Mister G.

Calypso lui a souvent parlé de lui.

C'est un ami de son grand-père, Ulysse Muñez. Ils se sont connus dans les années quatre-vingt dans un cabaret miteux sur Biscayne Boulevard à Miami. Mister G. jouait de la batterie, Ulysse Muñez du violon. Mister G. assure qu'il est le cousin du grand Duke Ellington. La preuve ? Il en a l'élégance.

Il loue à Calypso une chambre en échange d'heures de repassage. C'est un homme coquet. Il a une collection de chemises à jabot que Calypso s'épuise à repasser.

*

Quand Gary sonne à sa porte, Mister G. s'apprête à sortir. Il porte un large chapeau en feutre marron, des lunettes de soleil noires, un manteau en cuir jaune et des bottes en croco vert et jaune.

Il contemple Gary qui porte Calypso dans ses bras et demande :

— Elle n'a pas perdu son violon, j'espère ?

Gary montre l'étui noir dans son dos.

— Que s'est-il passé ?

— Elle s'est évanouie, je crois.

— Elle a eu un accident ?

— Non.

— Vous lui avez dit quelque chose qui l'a blessée ?

Gary rougit.

— Que c'était fini ou un truc comme ça ?

Gary serre Calypso contre lui pour qu'elle n'entende pas.

— J'en étais sûr ! C'est une grande émotive.

Il pousse un long soupir et fixe Gary.

— Et ça fait longtemps qu'elle est comme ça ?

Gary hoche la tête, embarrassé. Les muscles de ses épaules lui font mal, son nez le démange. Il aimerait déposer Calypso sur un lit ou un sofa.

— Ça devait arriver… Cette fille est trop intense. Je l'ai toujours dit.

Gary se frotte le nez contre le col de son caban.

— C'est vous, Gary, je suppose ?

— Oh ! Excusez-moi, je ne me suis pas présenté.

— Elle vous aime trop et vous plus assez, c'est ça ? C'est d'une banalité…

Il fait la moue.

Une odeur d'eau de Cologne bon marché étourdit Gary. Il grimace et s'écarte pour respirer sur le côté.

— Vous avez essayé de la ranimer ?

— Oui. Je l'ai même souffletée… Oh, très doucement…

Mister G. n'a toujours pas fait le moindre geste pour lui montrer où étendre Calypso.

— Vous croyez que je pourrais…, dit Gary en cherchant des yeux un canapé.

— C'est que… j'allais sortir…

Gary l'interrompt en se raclant la gorge :

— Excusez-moi. Il faudrait l'allonger et qu'elle se repose…

— Vous croyez que…

— Ce ne doit pas être très grave, mais…

— On sait jamais. Ça peut se compliquer. C'est pas évident, ça, pas évident du tout. Saloperie de vie de merde !

337

Il ôte ses gants, son manteau, garde son chapeau. S'il pouvait ôter ses lunettes, pense Gary, c'est difficile d'avoir une conversation avec Stevie Wonder.

— Venez, suivez-moi.

Gary resserre son étreinte autour de Calypso et s'engage dans un couloir sombre, humide, qui sent le vieux papier moisi.

La chambre de Calypso donne sur un terrain vague envahi de sièges de voiture, de frigos, de radiateurs, de télés défoncées, de chaises cassées. Un escalier en fer rouillé barre la fenêtre. Un édredon blanc recouvre un lit étroit. Une table de nuit. Une lampe de chevet à abat-jour bleu. Des partitions entassées sur le sol. Une chaise en paille et un pupitre.

— Je sais, marmonne Mister G., c'est pas le Ritz, mais y en a pas beaucoup qui peuvent se payer le Ritz.

— Je peux l'allonger sur le lit ?

— Déshabillez-la. Mettez-la sous les draps. Vous comprenez, je veux pas la toucher. Ce serait pas correct.

Il se retourne pendant que Gary enlève les chaussures de Calypso, sa jupe marron, son pull marron et la recouvre de l'édredon blanc. Elle se laisse manipuler, sa tête roule d'une épaule à l'autre.

Mister G. se penche sur elle.

— Hummm… elle est pas morte ? Vous êtes sûr ?

Gary sursaute, effrayé.

— Non ! Vous voyez bien qu'elle respire.

— Pas beaucoup…

— Oui, mais elle respire.

— Saloperie de vie de merde ! Venez, on va à côté.

Il referme la porte. Tourne la poignée plusieurs

fois jusqu'à ce que la fermeture s'enclenche. Allume la lumière dans le couloir.

— Qu'est-ce que je vais dire à Ulysse? Il va bien falloir que je l'appelle si elle se réveille pas…

Il pousse Gary dans le corridor sombre. Une ampoule dénudée projette une lueur pâle sur les murs et dessine une ombre au chapeau de feutre marron qui devient soucoupe volante, vaguement menaçante. Quel étrange bonhomme, se dit Gary, comme il est mal assorti à Calypso!

Mister G. s'est laissé tomber sur une chaise et observe Gary en tapotant la table de sa longue main brune ornée d'une grosse bague en argent portant un aigle aux ailes déployées.

— Ainsi vous êtes son homme…, il dit au bout d'un moment.

Gary rougit et hausse les épaules pour cacher son embarras.

— On peut dire qu'elle vous aime, ça, elle vous aime. Elle fait jamais les choses à moitié. Vous venez d'où? Européen, je suppose? Anglais?

— C'est un peu compliqué à expliquer…

— C'est un mélange?

— On peut dire ça…

Les murs sont couverts de photos d'artistes. Louis Armstrong, Ella Fitzgerald, George Gershwin, Charlie Mingus, Coleman Hawkins. Mister G. lève la main, montre un homme élégant assis au piano dans un club de jazz.

— Duke Ellington. Mon cousin. C'était un génie.

Compositeur, chef d'orchestre, pianiste, cinquante ans de carrière, cinquante ans de succès.

— Oui, je connais sa musique.

— Il a écrit mille morceaux qui sont devenus mille standards. «In a Sentimental Mood», vous connaissez? Il me fait chialer à chaque fois, ce morceau-là.

— Je l'ai joué au piano.

— Duke est mort à New York, pas loin d'ici. Y a sa statue au bout de la rue.

— Calypso me l'a montrée.

— Ah! Elle vous a parlé de lui. Ça me fait plaisir. Un grand bonhomme! Vous avez vu comme il en jette? Un vrai Duc, non?

Cheveux gominés, fine moustache, nœud papillon, chemise blanche, veste de smoking, sourire éclatant, c'est vrai, l'homme a de l'allure.

— C'est pour ça qu'on l'avait baptisé Duke. Et moi, j'essaie d'être aussi élégant que lui. Pour honorer sa mémoire.

Gary approuve en silence. Il se demande si Calypso a ouvert les yeux et jette un regard vers le couloir.

— Vous vous faites du souci pour elle?

— Je voudrais savoir si...

— Ben... allez la voir!

Calypso, sur le lit, respire faiblement, les yeux clos, les bras le long du corps. Son violon est posé à côté d'elle.

— Elle dort toujours, il dit en revenant dans la cuisine.

— C'est le choc. Un choc d'adrénaline. Le corps provoque un court-circuit pour se protéger lors d'une émotion trop forte. Sinon le cœur explose. J'ai connu ça une fois. Avec Duke, justement. Une femme avec laquelle il venait de rompre est tombée à ses pieds. Comme ça !

Il claque des doigts.

— *Drop dead.* Une flaque. On pouvait se baigner dedans. On a vraiment cru qu'elle était morte.

Il se mord les lèvres, reste un instant silencieux.

— Ce qui m'ennuie, c'est Ulysse. Calypso pour Ulysse, c'est la lumière de ses yeux. Il va vous en vouloir. Il s'est endetté jusqu'au cou pour payer ses études, vous savez ça ?

Il souffle. Étend ses longues jambes, sort une cigarette qu'il roule entre ses doigts.

— Et il lui a donné son propre violon ! Le Guarneri qu'il avait acquis de façon rocambolesque. Un jour si on se revoit, je vous raconterai. Un violon à deux millions de dollars ! Faut le faire. C'était un grand violoniste, Ulysse. Premier prix au conservatoire de La Havane. Promis à une carrière extraordinaire. Et puis l'exil à Miami, le mariage avec Rosita, la vie…

Il répète plusieurs fois la vie, comme s'il la connaissait très bien et ne l'estimait pas beaucoup.

— La vie… On peut lui faire confiance pour tout foutre en l'air. Vous êtes jeune, mais attendez et vous verrez. Elle détruit tout.

— C'est pas toujours vrai, dit Gary que la prophétie de Mister G. met mal à l'aise. Le bonheur existe.

— Calypso, c'est un bonheur tombé du Ciel. Et regardez dans quel état vous l'avez mise !

Il hausse une épaule pour souligner la vanité du bonheur.

La cigarette roule entre ses doigts, il la triture, pensif.

— Remarquez… j'aimerais bien que ça marche pour elle. Elle le mérite. C'est pas une poule mouillée. Elle se bat pour gagner ses sous.

Il secoue la tête, fixe un point dans le vide.

— Il n'a pas d'enfants, Ulysse Muñez ? demande Gary. Je veux dire pour tout reporter sur sa petite-fille…

— Si. Mais ils valent pas grand-chose. Surtout son fils, Oscar, une crapule. Il a essayé de liquider son père ! Il a mal fini, il est parti on ne sait où. Au Mexique, sans doute. Ulysse, il s'est tué la santé pour sa famille. Et résultat, pas la moindre reconnaissance. Tragique ! Tragique ! L'amour, le véritable amour, il l'a trouvé avec Calypso. Alors là, c'est de la folie. J'ai jamais vu ça.

Gary a le sentiment étrange qu'il pourrait partir, Mister G. continuerait à parler tout seul. C'est peut-être ça, devenir vieux, parler dans le vide en triturant une cigarette, en oubliant qu'on a toujours son chapeau sur la tête.

— Vous savez comment il l'appelle, Calypso ? *Mi corazoncito, mi amorcito, mi cielito tropical.* Rosita, sa femme, m'a raconté que quand il lui faisait travailler son violon, on entendait les mots d'amour monter comme les cantiques à la messe.

Gary comprend qu'il ne sait pas grand-chose de Calypso.

— À six ans, on lui a massacré la gueule à coups de clé à molette[1]. Elle a été défigurée. Hospitalisée un mois. On lui a recousu un œil, greffé de la peau, mis

---

1. Cf. *Muchachas*, tomes 2 et 3, chez le même éditeur.

des broches dans la mâchoire. Elle a souffert l'enfer. Jamais elle n'a pleuré. Jamais elle ne s'est plainte. Elle défie les dragons, cette fille-là.

Il porte la cigarette à sa bouche et la tète.

— On pourrait lui donner un petit verre de rhum? suggère Mister G. Peut-être qu'une bonne rasade la ramènerait à la vie?

— Je crois pas. Elle a surtout besoin de dormir.

— Vous risquez vraiment d'avoir des ennuis avec Ulysse…

— Je l'aime beaucoup, Calypso, vous savez, murmure Gary.

— Ôtez le « beaucoup », ça casse tout. Et ça m'énerve… Allez! Rentrez chez vous, je vais m'occuper d'elle.

Et il le pousse vers la porte comme s'il avait hâte qu'il s'en aille.

Il va chercher la bouteille de rhum, se verse une rasade dans une tasse marquée «JE SUIS LE COUSIN DE DUKE ELLINGTON». Qu'est-ce qu'il va faire de la petite? Il se verse une autre rasade. J'aviserai demain. Quand on ne sait pas quoi faire, faut pas se presser.

Il enlève son chapeau. Se lisse les cheveux d'un geste lent.

Il était temps qu'il le fiche à la porte, le petit Blanc, sinon il lui lâchait toute l'histoire de Calypso. Sa naissance au Jackson Memorial Hospital à Miami, sa mère, Emily, dont les parents si chics habitent Park Avenue et financent le Parti républicain, Emily qu'on envoie chez un oncle à Miami parce que les parents sont sur le point de divorcer, qu'elle a dix-sept ans, qu'il faut la tenir à l'écart, Emily qui tombe amoureuse d'Ulysse, oui, d'Ulysse, un bel homme de cinquante ans qui fait l'ouvrier sur des chantiers pour nourrir sa famille. Et arrive ce qui devait arriver : elle se retrouve enceinte d'Ulysse, qui n'est pas le grand-père de Calypso mais SON PÈRE ! SON PÈRE. Elle accouche et abandonne l'enfant. Ce n'est pas encore le plus terrible dans cette affaire. C'est après que ça se complique, que ça devient sanglant[1]…

Comme la vie, quoi.

Enfin, un dimanche soir, à la télé, l'émission *60 minutes* diffuse un reportage sur un concert à la Juilliard School où Calypso joue du violon. Emily est en train de faire une pipe à son amant italien, Giuseppe Mateonetti. C'est un beau parti, Giuseppe. Alors elle suce, elle suce. Ce soir-là, elle relève la tête et aperçoit sa fille à l'écran. Ma fille ! Mon amour ! Elle ne pense plus qu'à la retrouver, remue ciel et terre et vient frapper à ma porte.

Mister G. avait vu rouge. Il l'avait rembarrée, mais elle revenait toujours. Mister G. lui avait interdit de parler à Calypso, IL NE FALLAIT PAS QU'ELLE SACHE. Mais un jour, Emily était tombée sur Calypso, et vas-y que je fais copine, vas-y que je blablabla, vas-y que je te maquille et que je te dis que tu es belle. Heureusement il était intervenu avant qu'elle ne passe aux aveux. Ça aurait été un beau pataquès !

N'empêche que… s'il appelle Ulysse, c'est le début des emmerdements. Ulysse va vociférer, prendre un

---

1. Cf. *Muchachas*, tome 2.

avion, débarquer. L'accuser de négligence. Et pourquoi pas d'homicide? Calypso pourrait mourir. Ça lui ressemblerait. Elle ne fait jamais les choses à moitié.

Le lendemain matin, Calypso ne bouge toujours pas.

Il entrebâille la porte de la chambre, siffle deux ou trois notes. Referme la porte.

Le soir, il s'approche du lit. Elle gît, blanche, immobile. Le sang semble s'être retiré de son visage. Et de ses mains. Elle a le bout des doigts presque verts. On dirait un cadavre. Il n'a pas envie de soulever la couverture. Des fois qu'elle soit toute froide.

Il prend un bras, le lève, le lâche, le bras retombe.

Il tire sur la paupière, l'œil de Calypso apparaît, blanc, révulsé. Il chuchote Calypso, Calypso, elle ne cille pas et la paupière se referme.

Il saisit sa main, la pose sur le violon, fait glisser les doigts sur les cordes.

Elle ne bronche pas.

Inanimée. Absente. Sourde.

MORTE?

Il attrape son chapeau, son manteau, ses gants, met ses lunettes noires et descend dans la rue. Il a besoin de grand air, de grandes enjambées. Il va aller voir Duke au bout de la rue.

Il lui demandera hé, Duke, comment ça marche, une femme?

Duke se tient debout près de son piano au sommet d'une colonne de sept mètres au milieu de la place. Il salue la foule qui se presse à ses pieds.

Aujourd'hui, il n'y a personne.

Mister G. lève la tête et parle. Parfois Duke lui répond. Ou il imagine que c'est lui. Il se sent moins seul dans l'adversité.

— Elle dort depuis hier soir. Elle n'a pas bougé d'un centimètre et quand je lui ouvre l'œil de force, il est blanc. Tu te rappelles quand Onassis a largué la Callas pour Jackie ? Tu m'avais raconté que la Callas était devenue muette. Elle avait perdu sa voix. Elle restait cloîtrée chez elle sans bouger, elle attendait la mort. Tu crois que Calypso veut mourir ? Duke, qu'est-ce que je dois faire ?

Mister G. s'enroule dans son manteau, essuie les verres de ses lunettes, tente d'écouter ce que lui dit son cousin. Il tend l'oreille, se hisse sur la pointe des pieds. Duke ne répond pas. Duke se fiche pas mal de lui. Duke cherche des yeux la foule de ses fans et ne comprend pas que la place soit déserte. D'habitude on se bouscule à mes pieds, où sont-ils passés ? Ils ne m'aiment plus ?

— Ok ! J'ai compris. Je m'en vais. Je vais me démerder tout seul.

Il ne veut pas retourner à l'appartement.

Il ne veut pas rester en tête à tête avec une MORTE.

Ça veut dire qu'il va traîner dans la ville au milieu des Pères Noël et des boutiques qui chantent « Mon beau sapin » trois semaines à l'avance ? Tu parles d'une soirée !

Il ferait mieux d'aller dans un bar et de se soûler.

*

Gary est rentré chez lui. Il a branché son iPod sur la chaîne. Mister G. lui a donné envie d'écouter «In a Sentimental Mood». La version avec Coltrane. Il passe derrière le comptoir de la cuisine, fait chauffer la bouilloire, choisit son thé, pense à sa mère, au rituel du thé selon Shirley, longtemps que j'ai pas eu de ses nouvelles...

Il compose son numéro.

— *Hi, mum !*

— Gary ! C'est toi ! Tout va bien ?

— J'avais envie d'entendre ta voix.

— Oh ! Je suis contente que tu appelles... Tu fais quoi ?

L'eau de la bouilloire chante, il la verse dans la théière. Étape numéro un : ébouillanter la théière.

— M'man, tu te souviens de cette fille dont je t'avais parlé... Calypso... celle qui m'a rejoint en Écosse cet été...

— Tu l'aimais bien, je crois.

— Oui. Et ça a été très bien tout l'été et un peu plus même. Et puis c'est parti.

— L'amour ? Le désir ? Le frénétique ?

— Tous ces trucs-là. Parti comme c'était venu. Sans que je fasse quoi que ce soit. Je n'y peux rien.

— Elle va mal ?

— Très mal.

— Et tu culpabilises ?

— C'est-à-dire que...

— Tu ne te vois pas continuer mais tu n'as pas envie de lui faire de peine ?

— Je lui ai dit que j'avais revu Hortense, que c'était fini et elle est tombée dans un sommeil profond. J'ai rien pu faire pour la réveiller.

— Elle va dormir cent ans.

— Cent ans !

Shirley éclate de rire. Elle a entendu la frayeur dans la voix de son fils.

— À moins qu'un prince charmant ne vienne la réveiller. Mais ça n'existe pas, les princes charmants…

— Tu crois qu'elle peut mourir ?

— Elle se réveillera, c'est sûr.

— Sûr ?

— Oui, mon chéri. Ça s'appelle le premier chagrin d'amour, on croit qu'on va mourir, on frôle le gouffre, c'est nécessaire pour grandir, devenir quelqu'un de bien. Ceux qui n'ont pas connu ce chagrin restent des nains.

— Et elle va m'oublier ?

— Oui. Et elle aura changé pendant son sommeil. Ce sera une femme nouvelle. Elle aura changé toute seule, pas besoin d'un prince qui l'embrasse.

Étape deux : mettre trois cuillerées de thé dans le filtre de la théière, verser l'eau frissonnante. Laisser infuser trois minutes et demie, retirer les feuilles de thé.

— Et sinon, toi, ça va ? il dit en remettant le couvercle sur la théière.

C'est une théière anglaise offerte par sa mère.

— Oui, mon amour. Très bien.

— Tu ne devais pas partir pour le Venezuela ?

— Je suis restée à Londres. J'ai compris que ce n'était pas en voyageant qu'on réglait ses problèmes.

— On les emporte avec soi ?

— Exact. Alors je suis restée et je rumine.

Il sourit en imaginant Shirley en train de ruminer,

de se faire des litres de thé et de choisir la prochaine cible de sa colère. Sa mère a un sens aigu de la justice et passe son temps à pourfendre les méchants. Ses adversaires préférés : les vendeurs de malbouffe qui refilent du gras et du sucré aux pauvres gens qui n'ont pas les moyens de manger cinq à six légumes ou fruits par jour.

— Je t'aime, m'man.

— Je t'aime, mon fils.

Il raccroche, heureux.

Retire les feuilles de thé. Sa mère est une femme formidable. Abrupte, fragile, mais formidable. Elle l'a embarqué dans ses colères, dans ses galères. Mais elle l'a toujours respecté. Elle ne s'est jamais servie de lui.

Il prend dans le placard un paquet de *chocolate and pecan cookies*. Pose le plateau sur le piano. Hume l'odeur du thé. S'assied sur le tabouret. Le fait tourner. Étire les bras, fait craquer ses doigts. Est-ce qu'il aime les femmes dociles et douces ? Écoute le début de «In a Sentimental Mood». *Mi-ré-mi-ré-mi-ré.* Calypso. C'était un voyage doux, tendre, un récital de musique. *Mi-ré-mi-ré-mi-ré, mi-fa-sol-la-mi-ré.* Mais il ne peut pas se passer d'Hortense. *La-sol-la-sol-la-sol-LA !*

Hortense. Elle n'a pas appelé pour dire que la caisse de vin était arrivée. Il pose ses coudes sur le clavier et produit un accord dissonant.

Pourquoi n'a-t-elle pas appelé ?

LA-SOL-LA-SOL-LA !

— Hortense Cortès ?

— Qui est à l'appareil ?

— Comme si tu ne le savais pas ! il gronde, énervé.

— Excusez-moi, j'ai décroché sans regarder le nom. Je suis en pleine réunion de travail et…

— C'est moi, GARY, il hurle, furieux.

— Gary ? Comment ça va ? Il fait beau à New York ?

— Hortense ! Arrête ! Tu as reçu ma caisse de vin ?

— Ta caisse de quoi… il y a du bruit, je suis en pleine réun…

— MA CAISSE DE PINARD !

— Ah oui… Avec un mot gribouillé au Bic rouge. Pas très élégant, le Bic rouge.

— C'est tout ce que j'avais sous la main.

Et il s'excuse en plus ! Cette fille le rend fou.

— J'eusse préféré que le mot fût écrit en bleu ou en noir.

— HORTENSE !

— Oui, Gary ?

— Arrête ! C'est idiot.

— Je trouve le bleu ou le noir plus élégant. C'est une question de style, un je-ne-sais-quoi de charmant, et vois-tu, j'aime les hommes qui ont du char…

— Tu veux te venger ?

— Je ne vois pas à quoi tu fais allusion.

— Hortense !

— Écoute, Gary, tu es pathétique. Tu n'as que trois mots à la bouche dont mon prénom et tu…

— HORTENSE, JE TIENS À TOI.

— Je n'ai pas bien entendu.

— JE TIENS À TOI.

Suit un long silence. Gary secoue le téléphone de peur que la communication soit coupée.

Puis la voix d'Hortense claironne :

— Prouve-le !

— Mais… mais… Hortense ! Tu… tu me…

— PROUVE-LE.

Gary entend le *clic* du téléphone qu'on raccroche. Ça devait arriver. Elle allait lui faire payer Calypso. Cher, très cher. Elle lui écorcherait la peau et s'en ferait un manteau. Elle ajouterait une clause au serment de la 66ᵉ Rue : ce que tu m'as fait, je te le ferai payer un million de fois.

Il s'y attendait.

Mais ce à quoi il ne s'attendait pas, c'est à cette pointe désinvolte dans la voix, cette note joyeuse, un peu traînante qui dit la langueur, la volupté, *mi-ré-mi-ré-mi-RÉ*, qui chantonne prends garde à toi, qu'est-ce que tu crois, il y a d'autres hommes autour de moi et…

Il se fige sur le tabouret, arrête le trajet du cookie vers sa bouche. HORTENSE A UN AMOUR, HORTENSE A UN AMANT, HORTENSE A UN HOMME DANS SA VIE.

*

Mister G. descend la Cinquième Avenue, longe l'hôpital Mount Sinai, le Jewish Museum, le Guggenheim, traverse au niveau de la 86ᵉ Rue, aperçoit un Dunkin' Donuts éclairé et vide, laisse passer les limousines noires qui ramènent les très riches dans leurs appartements très vastes, très chauffés, et, sans l'avoir fait exprès, s'arrête devant l'immeuble d'Emily Coolidge. Elle avait griffonné son adresse un jour. Si tu changes d'avis, viens me voir, on parlera, c'est ma fille tout de même.

Est-ce bien raisonnable de faire appel à elle ?

Et pourquoi pas ? Après tout, c'est sa MÈRE. Calypso est sortie de ses entrailles.

Le *doorman* n'est pas derrière son comptoir. Il a dû aller chercher quelque chose au sous-sol.

Il n'aura pas à donner son nom, à se faire annoncer. Il surprendra Emily. Elle serait capable de refuser de lui parler.

La dernière fois, il a été un peu rude avec elle. Violent même. Elle n'a pas dû garder un bon souvenir de lui.

Il se glisse dans l'ascenseur et appuie sur le bouton 17.

Il traverse un petit hall décoré d'un guéridon beige, de fleurs artificielles, d'une sculpture de bergers et bergères qui jouent du pipeau, pieds nus, des fleurs dans les cheveux.

Cherche l'appartement, 17 B. Le dernier sur la gauche.

D'abord lui faire bonne impression. Il se tient droit, enfonce son chapeau. Resserre son nœud de cravate. Tend la main pour appuyer sur la sonnette.

Entend des cris, de la musique, un bruit de fête. Il hésite à sonner. Il va déranger. Il reviendra demain.

Et puis il pense au corps glacé de Calypso, à ses bras inertes, aux bouts de ses doigts verts, et il sonne. Il sait que ce n'est pas une bonne idée, mais la partie de lui qui n'a pas envie de s'occuper de Calypso, qui veut avoir la paix, lui dit qu'il peut tenter le coup.

*

C'est un grand soir pour Emily Coolidge.

Giuseppe Mateonetti a enfin fait sa demande, elle va SE MARIER.

Il lui a donné rendez-vous le lendemain à dix-sept heures au City Hall, *downtown*. Ils feront la queue, signeront un papier officiel établissant leur état civil, affirmant qu'ils ne sont pas bigames, lèveront la main et diront je le jure devant un employé pressé, donneront trente-cinq dollars et l'affaire sera réglée. Après ce sera le grand mariage en Italie avec la *mamma*, la *famiglia* et les amis.

Giuseppe l'a prévenue que, la veille du mariage, il ne fallait pas compter sur lui ; il enterrerait sa vie de garçon avec *petites femmes* et libations. Elle a demandé de sa voix enfantine moi aussi je peux faire la fête avec mes copines ? Il a répondu oui, *mais pas de petits garçons pour toi*. En français.

Quand il veut faire chic, il parle français.

Ce soir, elle a réuni ses amies. Elles lui ont apporté des sex-toys, des strings, des jarretelles. Certaines bavent de jalousie en louchant sur son diamant de fiançailles. Une seule est heureuse pour elle. Gina. Elle jette ses bras autour d'Emily. Emily s'échappe et fait les cent pas dans le salon sans parvenir à s'asseoir ou à boire une coupe de champagne.

— Arrête, Emily ! Tu me donnes le tournis !

— J'ai peur, Gina, j'ai peur qu'il annule.

— T'es dingue ! Il t'a demandée en mariage, c'est pour de vrai.

— Qui te dit qu'il n'a pas proposé le mariage à trois ou quatre filles et qu'il se tâte en ce moment pour savoir laquelle il va FINALEMENT épouser ?

— REGARDE TA BAGUE, IDIOTE ! On n'offre pas un caillou aussi gros à une fille qu'on va larguer. Assieds-toi.

— Je peux pas. J'ai envie d'aller aux toilettes tout le temps, j'ai le trac.

— Moi, quand j'ai le trac, je suis constipée.

— J'ai un truc génial pour faire popo, hurle Charleen en se glissant entre elles, vous voulez savoir ?

— Non ! crient les autres. On mange du caviar, c'est pas le moment.

— On va où après ? J'ai envie de danser, lance Terry.

Emily poursuit sa course en cercles serrés dans le salon. Elle trébuche sur ses talons de quatorze centimètres et se rattrape aux murs.

— C'est ma dernière chance, les filles. Ma toute dernière chance... Ils me reprennent pas à la télé. Ils ont trouvé plus JEUNE que moi, MOINS RIDÉE. Je suis virée. Il faudrait se suicider à la première ride, mais j'ai pas eu le courage.

Elle s'écroule sur un pouf, les jambes écartées, les bras entre les chevilles. Laisse tomber ses chaussures. Se masse les pieds, au bord des larmes, quand on sonne à la porte.

— Qui c'est ? rugissent les filles.

— C'est peut-être Giuseppe ?

— Ou une grosse bite en cavale !

— Oh non ! On avait dit pas de mecs, pas de bites !

« *Les mecs ça craint, les mecs ça pue, les mecs y zont de grosses bites qu'ils fourrent dans nos bouches à coups de trique !* »

C'était l'hymne qu'elles chantaient à tue-tête quand elles partaient en camp l'été dans les Catskills.

Emily se lève avec difficulté, ses Louboutin à la main. Elle titube jusqu'à l'entrée. Rentre le ventre comme chaque fois qu'elle ouvre la porte, écarte une mèche collée sur ses yeux.

Les filles derrière elle, vautrées sur la moquette, se donnent des coups de coude, gloussent, plongent leur cuillère dans la boîte de caviar d'un kilo et demi qu'a fait livrer Giuseppe et cherchent à deviner qui peut bien être l'intrus.

Emily enlève la chaînette de sécurité qui barre la porte. Elle serre ses Louboutin contre ses seins, son rimmel a coulé, son rouge à lèvres déborde, un sein s'échappe de son décolleté.

— C'est un homme ! hurlent les filles.

— Un bel homme noir avec une belle grosse…

— Mister G. ? s'exclame Emily, ébahie.

— Il faut que tu viennes. Calypso est malade.

— Calypso… ?

— Oui. Calypso, TA FILLE.

— Calypso est malade ?

— Elle a besoin de toi.

Emily le regarde comme si elle voyait flou. Cligne des yeux, se penche en arrière, se redresse. Elle cherche à se rattraper au mur, mais ne le trouve plus. Tout flotte autour d'elle. Mister G. a prononcé le nom de Calypso et une tristesse immense s'est abattue sur elle. Une tristesse si lourde qu'elle n'est pas sûre de pouvoir la porter sur ses épaules.

— Toi seule, tu peux faire quelque chose…

— Moi ?

— Tu es sa mère.

— Tu sais qu'ils veulent plus de moi à la télé ? Ils disent que je suis trop vieille. Ils m'ont virée, je l'ai appris par le *Post*. Page 6. J'ai plus d'émission, finie, foutue. Poubelle, la vieille !

Elle balaie l'air de ses Louboutin.

— Oh, Mister G., la vie, elle est inique !

— Emily, Calypso est chez moi. Elle dort depuis hier soir. Elle bouge pas, elle mange pas, elle est peut-être morte. Je sais pas quoi faire.

— Je me marie demain, Mister G. Avec mon Italien, tu sais ? Giuseppe… il m'a demandée en mariage. Tu comprends ?

— Je peux pas rester seul avec elle.

— Je me marie demain. C'est mon MARIAGE, *capito* ?

Les filles entendent le mot « mariage » et reprennent en chœur « *les mecs ça craint, les mecs ça pue, les mecs y zont de grosses bites qu'ils fourrent dans nos bouches à coups de trique !* »

Et elles éclatent d'un rire méchant.

— Elles sont dans un drôle d'état, tes amies.

— On a un peu bu et…

— Tu regardes juste comment elle est, tu lui parles, tu la forces à manger, tu lui tiens la main, je sais pas, moi… tu fais ce que font les mamans !

— Je viendrai après, je te promets.

— T'as pas le temps, quoi…, dit Mister G.

— Je lui ai pas dit que j'avais une fille.

Emily pose la main sur le col du manteau jaune en cuir. Le caresse doucement.

— Il faut que je garde la tête froide, que je pense à moi. C'est ma peau que je joue… Ils m'ont virée, ils m'ont virée…

Mister G. l'entend mais on dirait qu'il ne l'entend pas. Il la salue d'un signe de tête qui n'en finit pas de balancer dans le vide et fait demi-tour, triste, mécanique.

Il appelle l'ascenseur, sort une allumette de sa poche, la met dans la bouche, la mâchonne.

Il ne lui reste plus qu'à prévenir Ulysse.

*

Le samedi matin, Ulysse arrive à l'aéroport de La Guardia.

Mister G. a pris l'autobus M60. Deux dollars soixante-quinze le trajet. Ulysse connaît mal la ville. Il s'énerve et marche difficilement. Autant de raisons pour aller le chercher à l'aéroport.

Mister G. l'aperçoit de loin dans la foule des voyageurs. Ulysse porte une chemise à fleurs, une minuscule valise noire, un chapeau de paille et un pull en coton jeté sur les épaules comme s'il était superflu. Il boite légèrement et s'appuie sur une canne. Mais c'est l'hiver ici, mon vieux ! Tu vas attraper la crève. Qu'est-ce que je vais faire, moi, avec deux malades sur les bras ?

Quand il aperçoit Mister G., Ulysse brandit le bras en lasso au-dessus de sa tête et l'apostrophe d'une voix tonitruante *hola, hombre !* Mister G. est gêné. Il se fond dans la foule qui attend les passagers du vol Miami-New York. Mais Ulysse continue à gueuler en espagnol. Les gens se retournent sur lui et finissent par le laisser passer, effrayés par ce bonhomme qui gesticule et les menace de sa canne.

— Je fais toujours ça quand il y a du monde, dit Ulysse dans le taxi. Les gens s'écartent, je leur fais peur.

Il a refusé de prendre le bus. Il n'a plus l'âge. Il a hélé un taxi en passant devant tout le monde, en montrant sa canne et sa jambe folle.

— Alors comment elle va, ma petite ? il demande, enfoncé dans la banquette du taxi, sa petite valise noire sur les genoux.

— Trois jours qu'elle dort. Sais plus quoi faire. Je suis même allé voir Emily…

— La mère ? dit Ulysse d'une grosse voix menaçante. Tu es allé voir cette…

Il se frotte le menton de son index tendu.

— Je me suis dit qu'elle pouvait peut-être la…

— Calypso, c'est un diamant. Il faut agir avec doigté. Faut être un artiste pour la ramener à la vie. C'est de la psychologie.

— Pas de la médecine ?

— Non. Il faut la réveiller en douceur… Et cette Emily, c'est une rien-du-tout.

— Pourtant tu l'as aimée…

— Je l'ai pas AIMÉE. J'ai eu envie de la BAISER. Grosse différence. Mais elle m'a donné Calypso, et…

Il se gratte la gorge, ses doigts jouent avec la serrure de la petite valise. Se retourne vers la fenêtre et sa voix s'étrangle :

— Calypso, je ne veux pas qu'il lui arrive malheur… JE NE VEUX PAS !

Dans la chambre, Calypso dort.

À son côté repose le violon.

Ulysse se précipite. Il ne prend pas le temps d'ôter son chapeau ni de boire une bière. Il se penche au-dessus de Calypso, lui caresse les joues, les paupières, le front. Écarte les cheveux, *amorcito*, c'est moi, *amorcito*, réveille-toi. Et comme elle ne répond pas, il croise les doigts, ferme les yeux et murmure une prière à son oreille, *mi amor, mi esperanza, mi flor de gardenia, mi pasado, mi futuro, mi riqueza en el mundo, te amo, te adoro, beso tus dedos, tus pies. Calypso, mi amor, vuelve! Vuelve al mundo. No me dejes solo, no me abandones, me moriré si te vas! Sonríeme, extiende tus manos hacia mí, y dime estoy aquí pero no tengo fuerzas, sopla tu amor sobre mí, y transformaré este simple aliento en un tremendo tornado.*

Sa voix devient un chuchotement rauque. Il répète reviens, mon amour, ne te laisse pas entraîner par la mort, c'est une menteuse, elle te jure que tu ne souffriras plus jamais si tu la suis, mais elle te MENT! Et ton violon? Tu l'as oublié? Et tous ceux qui se pressent autour de toi, Mozart, Bach, Beethoven, Ravel, Brahms, Schumann, Schubert, ils sont tous là, ils te supplient de revenir. Tu ne les entends pas?

Calypso repose, le teint aussi pâle que la chair poudrée d'un lys, le bord des yeux jaune cireux, les lèvres fardées de blanc. Le sang se retire de son corps, son souffle n'est plus qu'un filet et sa poitrine se soulève à peine.

Mister G. sur le seuil ne peut retenir ses larmes.

Elle est en train de partir. Elle a revu son *abuelito* et elle s'en va.

— Sors le violon, Ulysse ! Sors le violon, joue !

— Mais que veux-tu que je joue ? Elle ne m'entend pas ! hurle Ulysse en jetant son chapeau à terre.

— Joue !

— Je sais plus jouer. J'ai pas touché un violon depuis que je lui ai donné le mien, il y a vingt ans. Regarde mes doigts, regarde mes mains, ce sont des pognes de maçon.

— Joue, Ulysse, JOUE !

Mister G. sort le violon de l'étui, prend l'archet, tend le violon et l'archet à Ulysse qui les repousse.

— On ferait mieux de l'emmener à l'hôpital...

— Joue d'abord.

— Ce n'est pas sérieux. On va l'emmener...

— Tu es lâche, Ulysse. Tu lui balances des mots d'amour mais quand il faut prendre sur toi, tu fuis. C'est facile de parler. Jouer, c'est autre chose. Ça demande des couilles. T'en as plus. Tu peux gueuler à l'aéroport, mais face à elle, t'as rien dans le pantalon, tu me fais de la peine...

Ulysse baisse la tête. Son menton touche sa poitrine. Sa tête tombe, désarticulée. Ses bras reposent, inutiles, en anses sur ses cuisses. Un vieil homme cassé en deux.

Mister G. glisse le violon dans ses bras. Ulysse tend une main hésitante. Caresse le bois. Frotte l'archet contre sa joue.

— Prends le violon et avec l'archet, recouds sa blessure. La musique, c'est pas seulement joli à entendre, ça fait danser les morts, ça les ramène chez les vivants... Vas-y, Ulysse, vas-y !

— Tais-toi ! FOUS LE CAMP !

Mister G. referme la porte, va dans la cuisine. Ouvre la bouteille de rhum, se sert un verre. L'amour n'apporte que du malheur. Il le sait, lui qui s'en est toujours tenu éloigné. L'amitié, oui. Mais l'amour, c'est un bâton d'explosif dans la poche, allumé en permanence.

Ulysse contemple le bois lisse et doré du Guarneri. Ses doigts pincent les cordes. Ses gros doigts sur ces cordes si fines. Il les effleure, effrayé. Effleure les ouïes, le chevalet, les chevilles du *ré*, du *sol*, du *fa*, du *mi*. Le bout de ses doigts se dégourdit.

Il porte le violon au menton, le cale contre l'épaule. Se met debout. S'assure qu'il tient sur ses pieds. Se balance lentement, le violon bien tenu sous le menton. Détend les épaules, les bras, détend tout son corps. Relâche la mâchoire, la nuque, prend l'archet, le pose sur les cordes, ferme les yeux.

Et il entend à nouveau le son de son violon. De son Guarneri. Ses yeux se mouillent. Il fait glisser l'archet, s'élance, le fait glisser encore, premier pas, premier chassé, paupières fermées, sourire comme une figue éclatée, et le premier accord s'élève… Celui de la « Méditation de Thaïs » de Jules Massenet.

Comme il est loin, cet air-là !

Il avait douze ans et son premier pantalon long.

Il pleure et rit à la fois, il pleure sa fille qui s'en va, il rit au violon qui revient, il s'ouvre, il frémit, il ne veut pas que ce soit fini.

Il avait oublié l'archet qui recoud les blessures.

Il joue. Il n'a plus de femme, il n'a plus d'enfant. Il n'a plus peur. Il a vingt ans. Ma princesse, je vais tout te dire puisque tu as décidé de partir. Je t'ai menti. Je vais te dire la vérité et tu ouvriras les yeux, tu me promets ?

— Calypso…

L'archet monte, monte, arrache les notes.

— Je suis ton père, et ta mère, c'est Emily, cette femme qui t'a poursuivie et que j'ai eu la bêtise de vouloir éloigner de toi. Je ne voulais pas que tu saches, j'avais honte de m'être laissé aller, j'ai été une bête, une brute. Je ne suis qu'un homme, *amorcito*. Je t'aime de toutes mes forces d'homme imparfait…

Il tourne autour du lit, il joue, il lui parle, ma fille, mon amour, ma beauté de fille, pourquoi t'ai-je menti ? Mon mensonge n'a entraîné que du malheur.

Calypso entend *ma fille*, mon amour, ma beauté de *fille*.

Elle entend *ta mère, Emily*.

Elle entend le violon. La « Méditation de Thaïs ».

Elle ouvre les yeux à demi, aperçoit Ulysse qui tangue dans la chambre en jouant. On dirait un danseur des rues, un avaleur de violon. Il renverse le cou, se grandit, hausse les coudes, plie les poignets, se hisse sur ses pointes, puis redescend comme une voile qui s'affale. Pour s'élever encore, majestueux. Elle a l'impression de le regarder derrière une vitre. Puis le son du violon fracasse la vitre, elle lève sa main et sa main BOUGE. Elle ferme les yeux, retourne vers le monde derrière la vitre, le monde blanc du sommeil et de la mort. Mais le chant de Thaïs la reprend, la pénètre, elle se dit je ne suis pas morte et elle lève la main, lève le bras, Ulysse aperçoit le bras tendu qui flotte dans l'air, qui va se détacher du corps peut-être et voler dans la chambre…

Il s'arrête, tombe à genoux, remercie Dieu, remercie Massenet, remercie le violon de ramener Calypso du royaume des endormis. Se frappe le front sur la couverture, tu es là, tu es là? Calypso, ma fille, mon amour de fille.

Il a dit *ma fille*?

Dans quel monde suis-je alors?

Dans celui des vivants ou dans celui des morts où tout est pardonné, tout est aboli, où il ne reste plus que l'amour, qu'il soit permis ou interdit.

Il a dit *ma fille* et je suis à peine étonnée.

Je le savais. L'amour que je lui porte est si grand, si puissant, qu'il ne peut être que l'amour d'une fille pour son père. *Mi papá.* Je suis revenue sur terre. Et *mi papá* joue la «Méditation de Thaïs».

Elle ouvre les yeux.

Elle réclame de l'eau. Mister G., caché derrière la porte, court chercher un verre, le rapporte, la redresse, lui incline la tête, la fait boire à petites gorgées.

Calypso boit, sa tête retombe sur l'oreiller.

— Je le savais.

— Tu le savais! s'exclame Ulysse.

— J'avais compris, *abuelo*, j'avais compris mais ce n'était pas mon histoire. Mon histoire, c'était Gary. Emily et toi, vous appartenez au passé.

— Tu m'en veux?

— Tu seras toujours mon *abuelo* chéri. On n'a pas besoin d'un père, on n'a pas besoin d'une mère, on a besoin de quelqu'un qui vous aime sans condition, qui s'assied au premier rang et qui applaudit.

Elle tourne la tête vers la fenêtre.

— Gary…

— Ne me parle pas de lui ! s'emporte Ulysse en brandissant les poings.

— Je l'ai aimé sans condition mais c'était trop lourd à porter pour lui.

— Tu l'oublieras. TU L'OUBLIERAS.

— L'oublier ? elle dit d'une petite voix qui lui glace le cœur. Si je l'oubliais, c'est que je serais morte. Je le suis déjà peut-être… Et je ne le sais pas.

— Non, tu n'es pas morte, *amorcito*. Tu te réchauffes lentement. Regarde tes mains ! Elles sont roses et tièdes.

Calypso baisse les yeux sur ses mains. Ses mains posées sur la couverture. Ses mains inutiles puisqu'il ne les tiendra plus, ne les embrassera plus.

— Il va falloir que j'apprenne à vivre sans lui.

Elle aperçoit sur la chaise le pull de Gary. Celui qu'il avait mis sur ses épaules au départ d'Édimbourg. Elle tend le bras vers le pull, Ulysse le lui donne, elle le prend, le froisse, le respire, à la recherche de son odeur, de son odeur quand il l'aimait.

Parce qu'il m'a aimée, n'est-ce pas ?

On peut donc arrêter d'aimer ?

Le lendemain matin, dans la cuisine, Ulysse sort de sa valise un gros Tupperware jaune.

— C'est quoi ? demande Mister G. qui se prépare

des œufs au bacon et au piment rouge en buvant une bière.

— La *ropa vieja cubana* ! s'exclame Ulysse, un torchon noué autour des reins. Le plat qu'a cuisiné ma Rosita pour ramener la petite à la vie.

— On dirait un vieux ragoût.

Mister G. décolle les tranches de bacon de leur emballage plastique, coupe le piment rouge au-dessus de la poêle où l'huile frétille.

— Il faut qu'elle mange, dit Ulysse.

— Pas ça ! C'est trop épais, trop lourd, ça va la tuer.

— Et qu'est-ce que tu en sais, *gringo* ? De la bonne viande, de l'oignon, un poivron vert, trois gousses d'ail, du cumin, des tomates, du vin blanc, un régal pour l'estomac ! C'était son plat préféré quand elle était petite, elle va laper son assiette.

— Ulysse ! Elle se remet à peine !

— Et demain, je l'emmène.

— Où ?

— À Miami. Au milieu des gardénias, des lilas, des mimosas.

— Mais son école… C'est sa dernière année. Elle est sur le point de…

— J'ai des projets pour elle. J'ai tout organisé. Je l'avais déjà fait avant cet…

Il se racle la gorge.

— Quand elle est passée à la télé, un type m'a contacté. Il voulait la représenter. C'est le meilleur agent du monde. Il s'occupe des plus grands.

Mister G. ne répond pas. Il sait que dans ces cas-là, il ne sert à rien de tenir tête à Ulysse.

— Il avait eu mon numéro par l'école parce qu'à la Juilliard School, sur le dossier de Calypso, il y a MES coordonnées. MON nom et MON téléphone !

— Je sais, Ulysse.

— Parce que je suis son PÈRE.

— Je sais, Ulysse.

— Quel con j'ai été ! *Qué cabrón !* Mais quand j'y pense !

Il se frappe le front du plat de la main et rajuste le torchon.

Mister G. acquiesce et le relance :

— C'est un bon agent, le type qui t'a appelé pour Calypso ?

— Le meilleur, je te dis. J'avais dit oui, mais j'avais ajouté quand elle aura fini son école. Maintenant il n'y a plus d'école. Il ne faut pas qu'elle revoie ce garçon. Elle serait capable de glisser à nouveau dans le coma. Dans un an, je te le dis, elle fera salle comble au Carnegie Hall ! Et ce sera le début d'une immense carrière.

— Mais voyons…

— Et l'autre petit con quand il passera devant Carnegie Hall, il sera obligé de lever la tête vers elle et elle l'écrasera du haut de son affiche et de son talent. Tu verras !

*

Gary est assis au piano dans le studio 21 du premier étage.

Calypso n'est pas revenue à l'école.

Dans les couloirs, on raconte qu'elle est partie pour

Miami, qu'elle a signé un contrat avec cet agent, vous savez, ce type qui a les plus grands dans son écurie, mais oui, et elle va se produire à Chicago, premier violon, oui, premier violon. Elle remplace au pied levé Hilary Hahn qui a eu un contretemps. On dit qu'elle a sa force, son talent. Hilary Hahn ! C'est énorme ! Et la rumeur enfle, enfle.

Parfois les rumeurs disent vrai.

Il n'ose pas appeler Mister G.

J'appellerai demain, il m'aurait prévenu si son état avait empiré.

Il joue la *Sonate numéro 5* de Baldassare Galuppi. Le premier mouvement. La musique semble sortir d'un vieil ours en peluche et égrène des notes pour endormir les enfants.

On dirait que Calypso se retourne et lui dit au revoir en agitant sa main légère, si légère.

On dirait qu'elle lui sourit, qu'elle murmure je t'aime, prends bien soin de toi.

On dirait que c'est fini.

Un jour, il fait le numéro de Mister G.

Il demande si Calypso va mieux. Il demande aussi quand elle reviendra à l'école.

— Pourquoi ? Elle te manque ?

Il ne sait pas répondre.

— Elle est partie à Miami, petit con.

*

Farid s'est lancé dans le chocolat maison et montre fièrement la machine installée sur le bar qui brasse un flot épais de liquide foncé, chaud, odorant. Il sert le chocolat avec deux spéculoos posés en oreilles sur la soucoupe.

Zoé et Léa dégustent, les yeux fermés.

— Vous le trouvez comment ? s'impatiente Farid derrière le bar.

— Succulent, dit Zoé, j'en reprendrais bien un peu.

— Cadeau de la maison ! clame Farid, rassuré – il a investi un max dans cette machine. Un chacune ?

— Un pour moi en tout cas, dit Zoé en se léchant les babines.

— Alors ? demande Léa en baissant la voix. Tu t'es renseignée ?

— T'as LE ticket ?

— Oui, dans mon soutif. Alors ? QU'EST-CE QU'ON FAIT ?

On dirait que Zoé s'en fiche d'avoir gagné cent mille euros.

— J'ai appelé la Française des jeux. Il faut d'abord faire vérifier par un buraliste qu'on a un ticket gagnant…

— Tu veux dire que…, bégaye Léa, la bouche pendante de surprise.

— Que peut-être tu t'es gourée et qu'on n'a rien gagné du tout.

— C'est pas possible !

— Ensuite on file rue de Turbigo et, avec une pièce d'identité et un RIB, on encaisse le chèque. Tu as un compte en banque ?

— Oui.

— Moi aussi. Tout baigne.

— Si ça se trouve, dit Léa, j'ai mal vu et on n'a pas gagné. Tu crois que j'ai pu me gourer ?

Elle se mange les doigts, s'épluche le nez puis tente :

— On serait punies parce que j'ai dit que je voulais pas partager ?

— Vois ça avec ta conscience.

— Dis… si j'abandonne tout de suite, disons trente pour cent de mes gains, ça va aider pour qu'on gagne ?

Léa réfléchit puis se ravise :

— Vingt-cinq pour cent. C'est décidé. Je donne vingt-cinq et je garde soixante-quinze.

— Ok. On y va ?

— J'ai peur, Zoé, j'ai peur. Tu vas prendre par chèque ou par virement, toi ?

— Attends d'abord de voir si on a gagné !

Le ticket est gagnant.

Léa se jette sur Zoé et l'étreint avec la force d'une pieuvre gloutonne.

— Qu'est-ce qu'on va faire de tout ce fric ?

Zoé contemple sa mère qui écrit, penchée sur la table de la cuisine. Sa mère a toujours travaillé dans la cuisine. Elle a le truc pour ranger ses livres et ses papiers en un tour de main. Maman, si tu savais, je suis riche et, pour la première fois, elle ressent une morsure de plaisir à cette idée. Elle peut changer la vie des gens si elle veut.

Se rendre importante.

Qu'on lui baise les mains.

Qu'on la considère.

Elle peut tout faire.

Elle se le reproche aussitôt et se promet de tenir l'argent à distance. Méfiance. L'argent a vite fait de vous manger la tête et le cœur.

Et pourquoi pas s'en débarrasser ?

Elle descend voir Iphigénie dans sa loge. C'est l'heure où elle travaille pour Hortense et colle au fer les slogans sur les tee-shirts, note les adresses sur les étiquettes. Zoé sent une odeur de brûlé.

— Tout va bien ? elle demande en tournant autour de la planche à repasser.

— Parfait. Et toi ? Toujours en contact avec Dieu ?

— Oui. Il va bien, Il t'embrasse. Ça marche, les affaires ?

— Regarde sur la table, je viens d'acheter le dernier Mac avec toutes les options. Pour les enfants.

— Ah… et toi, t'as besoin de rien ?

— Non, ma mignonne. Je travaille et je gagne. C'est pas beau, ça ?

Iphigénie repose le fer et regarde Zoé avec suspicion.

— T'as gagné au Loto ?

— Pas du tout. Je venais juste prendre de tes nouvelles.

— Tu fais pas de trafic ? Parce qu'y en a partout maintenant, des jeunes comme toi qui se retrouvent à dealer pour payer leur propre consommation.

— T'es folle !

— Je préfère. T'as un petit air bizarre… Louche, même.

— Pas du tout.

— Alors laisse-moi bosser. Je peux pas me payer le luxe de bavarder. Je suis pas encore riche, moi.

Zoé pousse la porte de l'appartement et entend des

rires, des exclamations, des non ! Mais si ! Puisque je te le dis ! C'est pas possible ! Mais où est Zoé ?

Il y a des manteaux qu'elle ne connaît pas dans l'entrée. Deux sacs de voyage qui portent les étiquettes de l'avion. New York, New York. Elle s'arrête un instant, reconnaît les voix de Philippe et d'Alexandre.

Elle fait un bond dans le salon, ouvre grand les bras et...

— Je suis là !

Elle embrasse Philippe, saute au cou d'Alexandre qui l'étreint, la pétrit, la léchouille. Parfois elle se demande si son cousin n'aime pas AUSSI les filles. Ou alors il se prend pour un chien.

— Lullaby ! T'étais où ?

— Chez Iphigénie.

Si seulement je pouvais lui raconter l'histoire du ticket de Monopoly ! Si je dis mon secret à Alexandre, tout le monde le saura et l'argent existera POUR DE BON. Alors que je peux encore L'IGNORER.

— Mais pourquoi tout ce raffut ?

— Elle ne sait pas ! Elle ne sait pas ! s'exclame Alexandre en faisant semblant de se lacérer les joues. La pauvre enfant ! Assieds-toi, on va te raconter.

Et il raconte avec des gestes de sénateur romain en toge.

Il se promenait aux puces de Vanves, c'était le petit matin. L'odeur de café montait des gobelets qui chauffaient les mains des marchands. Les types déballaient leur marchandise sur des couvertures crasseuses. Du bric et du broc lorsque soudain...

— Je tombe nez à nez avec un tableau. Pas vraiment

un tableau mais… un fragment. La main et le bras d'Holopherne sur un drap blanc dans le tableau dit *Judith décapitant Holopherne.* J'ai reçu un coup de poignard dans la poitrine.

Il se poignarde, s'écroule sur un fauteuil et agonise, provoquant les rires. Se redresse, et reprend :

— J'ai tout de suite su que j'étais en face d'un chef-d'œuvre. Le type en voulait cinq cents euros. Je suis allé au distributeur, j'avais trois cent dix euros sur mon compte. Tu te souviens, Zoé ?

Zoé se souvient. Elle avait dû retirer de l'argent.

— Je suis rentré à Londres. J'ai montré le fragment à papa et figure-toi, Lullaby, que c'est un morceau de tableau peint par le Caravage que les experts recherchaient depuis quatre cents ans.

— Ce bout de toile sale… ? Je trouvais que c'était cher payé.

— Parfaitement, il dit en levant le menton, en roulant des yeux exorbités pour montrer l'énormité de la chose. Un bout de Caravage, c'est un étage de la Banque de France.

— Tu es allé le vendre ou tu l'as gardé pour le contempler ?

— Attends, tu vas trop vite !

Il soupire, découragé par le manque de dramaturgie de sa cousine.

— J'étais étourdi comme si j'avais reçu une enclume sur la tête. On a réfléchi avec papa et… on a filé à New York, le fragment sous le bras, pour le faire expertiser.

Philippe reprend le récit pour lui donner un tour plus sérieux :

— J'ai un ami là-bas, il travaille au Met. C'est le chef du département d'art européen.

— Monsieur Silverstone, l'interrompt Alexandre, il a un nez de pomme de terre mal épluchée…

— Il a fallu faire des radios de la toile, poursuit Philippe.

— On l'a nettoyée, analysée, passée aux infra-rouges. On a vu un tas d'experts, papa les connaît tous, et pendant une semaine, on a attendu le verdict. Ils se penchaient sur les riches empâtements utili-sés par le maître il y a quatre cents ans, parlaient de «clair-obscur», de lumière oblique, de «repentirs», de la théâtralité de la pose…

— Et la toile petit à petit dégageait son mystère. C'était exaltant.

— … comme si on entrait en elle. On était sous son charme. Le temps n'existait plus. On ne dormait plus, on faisait des rêves, des suppositions, on construisait des rebondissements. On se couchait en ayant hâte d'être au lendemain, on se levait en ayant hâte d'être au soir pour en savoir plus.

— Alexandre a été parfait. Il a mené l'opération de main de maître.

— Ça a été facile de prouver que le morceau appar-tenait à la toile ? demande Zoé.

— Le Caravage ne faisait aucune esquisse, dit Philippe, aucun croquis avant de peindre, il peignait directement sur la toile et d'ailleurs, il y a un repentir sur le tableau…

— Un quoi ?

— Une retouche. C'est quand le peintre se trompe et rectifie à même l'œuvre.

— Et hier matin, enchaîne Alexandre, le verdict est tombé, le fragment était reconnu authentique. J'ai failli m'évanouir.

— Alexandre va pouvoir monter sa boîte, lancer des artistes en qui il croit et…

— Je voudrais remercier Zoé, dit Alexandre, soudain solennel. C'est elle qui m'a emmené aux puces de Vanves ce dimanche-là. À sept heures du mat'. Je râlais, je traînais les pieds. Elle avait promis à un vieux monsieur de lui donner un manteau chaud et des gants.

— Sainte Zoé, priez pour nous ! rit Hortense.

Zoé tire la langue à sa sœur.

— Et ce soir, comme tu es devenu très riche, tu nous invites au restaurant ! Chiche ? dit Hortense.

— Ok. On va où ?

— J'en connais un très très bien, dit Zoé.

— Lullaby, je peux te parler une minute ? Très important.

Zoé le regarde, étonnée. Elle avance le menton, ouvre grand les yeux, l'air de dire c'est quoi, ce mystère encore ?

Elle a à peine le temps de se reprendre qu'Alexandre l'entraîne dans sa chambre, ferme la porte et lance :

— Alors là, je suis mal. Je suis très mal.

— Pourquoi ?

— Tu peux me filer de l'argent ?

— T'exagères ! Tu viens de gagner des millions avec le coude du Caravage et tu me tapes.

— J'ai rien gagné encore et j'ai bluffé pour pouvoir mener cette opération jusqu'au bout. J'ai pas un rond. J'ai un découvert énorme à la banque. Je ne suis pas sûr que ma carte passe ce soir. Et si je suis démasqué, je perds ma dignité et, pire que tout, l'estime de mon père. Tu travailles toujours pour Hortense ?

— Ben oui…

— Prête-moi de quoi payer le resto.

— Le resto pour cinq personnes !

— Sinon je suis obligé de tout avouer. J'ai dit à papa que ma petite affaire roulait sur l'or, que j'avais pas besoin de SON argent !

— Et pourquoi ?

— Parce que je veux me débrouiller tout seul.

Il fait le petit chat, frotte sa joue contre son bras, miaule.

— S'il te plaît, Lullaby chérie…

— T'es gonflé !

— Merci, Lullaby.

— Mais comment tu vas faire pour le reste ? Pour payer ton découvert, les frais de l'expertise et tout et tout ?

— Je vais aller taper les banques. J'ai un argument de poids tout de même ! S'ils ne se mouillent pas, ce sont des enfoirés. T'as vu comme il est fier de moi ?

— Qui ça ?

— Mon père ! Il me regarde avec des yeux montés sur roulements à billes. Je suis si heureux ! Tu m'aimes ?

— Oui.

— À la folie ?

— Encore plus.

— Ça n'existe pas.

— Si. Chez moi. En amour, on ne compte pas.

*

Hortense a entraîné Philippe dans sa chambre pour lui montrer son « atelier ». Joséphine est restée dans la cuisine et se regarde dans une petite cuillère. Elle fait sa moue habituelle et la petite cuillère l'avertit attention, geste à supprimer, sinon les coins de ta bouche vont tomber, tu vas avoir l'air VIEILLE et AMÈRE. Elle sursaute, se reprend, remonte les commissures de ses lèvres pour feindre un sourire de femme heureuse.

Il est revenu. Il n'a pas pris l'avion pour retrouver une vahiné vêtue de fleurs et de colliers. Elle sourit à la petite cuillère quand elle sent les bras de Philippe enserrer ses épaules.

— Ça va, ma douce ?

— Très bien.

— Dis, c'est encombré chez toi. On peut pas faire un pas sans se heurter à un rouleau de tissu. Pourquoi tu ne viendrais pas vivre chez moi à Londres ?

Elle pose la tête contre sa veste, se renverse.

— J'aimerais tant ! Mais Zoé a encore besoin de…

Il appuie sa bouche contre sa bouche et un bonheur qu'elle reconnaît l'envahit. Il est là. Elle n'a plus peur. Une confiance qu'on n'imite pas les relie.

— Tu t'es fait du souci parce que je ne t'ai pas appelée ?

— Un petit peu…

— On était tellement excités, Alex et moi. On n'a pas vu le temps passer. L'émotion de tenir ce morceau de tableau, de se dire qu'il avait été peint par le Caravage, c'était si…

Il la serre contre lui.

— Tu n'as pas douté de moi, j'espère…

— Non ! Je savais bien que tu préparais une surprise. Mais je ne savais pas laquelle…

Elle fait des progrès, elle a appris à mentir.

*

Après avoir reçu les instructions de Julie, Stella quitte la Ferraille et prend la direction de Sens. Elle aperçoit la grue qui gîte à l'arrière. Elle a oublié de resserrer les écrous. Elle le fera demain.

Il faut qu'elle pense à prendre du pain pour ce soir. Qu'elle passe chez le véto acheter une pommade pour les ânes. Qu'elle aille parler à la directrice du collège…

ELLE N'IRA PAS PARLER À LA DIRECTRICE.

Cette histoire a réveillé en elle une terrible colère. Elle a envie de crier QUI VOUS A SOUFFLÉ L'IDÉE ? VOUS L'AVEZ TROUVÉE TOUTE SEULE ? VOUS SAVEZ QUI ÉTAIT RAY VALENTI ?

Et elle entend le rire cinglant de Ray, sa voix qui grince tout de suite les grands mots, ma petite chérie ! La colère des révoltées ! J'aime quand tu es noire, sauvage, que ta haine déborde. Tu sais pourquoi ? Il éclate de rire. Parce que je gagne toujours, et que je vais encore une fois te baiser !

Elle hurle NON, c'est moi qui vais gagner, cette fois. Tu ne m'auras pas.

Et la petite fille en photo dans l'enveloppe ? C'est une autre victime ? TOUTES LES FEMMES devaient y passer. La petite t'a échappé et ça t'a rendu fou ?

Il n'y a pas de date sur la photo. Rien qui permette de résoudre le mystère. Mais elle est sûre que c'est encore une saloperie de Valenti. Vous ne savez pas tout ça, madame la directrice.

Elle se mord la langue pour ne pas hurler. Il faut que ça s'arrête, ce boucan dans sa tête. Qu'elle fasse comme lorsqu'elle était petite. Qu'elle retourne la douleur et s'en fasse une alliée. C'était son truc.

Elle l'a fait si souvent qu'elle peut recommencer.

Elle tend la main vers la radio, entend un flash d'informations, inondations, attentats, massacre dans une école américaine. Elle coupe aussitôt. Prend un CD sans pochette qui traîne dans le vide-poches, une voix nasillarde mais puissante emplit la cabine, *« je voudrais passer l'océan, croiser le vol d'un goéland, penser à tout ce que j'ai vu ou bien aller vers l'inconnu, je voudrais décrocher la lune, et pourquoi pas sauver la terre, mais avant tout, je voudrais parler à mon père, parler à mon père »*.

Qui écoute Céline Dion dans MON camion ?

Qui a utilisé MON camion récemment ?

À part Julie ou Boubou, Maurice ou Houcine qui s'en servent à l'occasion. Mais toujours ils me préviennent. Toujours.

Bizarre. Très bizarre.

Elle déplie le papier que lui a donné Julie et relit l'adresse. Elle doit se rendre chez Charpentier pour charger des gravats et les déposer chez Dantin qui a une butte à renforcer. Dantin est un armurier qui a construit un champ de tir où ses clients peuvent s'exercer. Champ de tir, club-house, alcool à foison et vert gazon pour donner un air anglais. C'est devenu *the place to go* pour les Rambo qui rêvent de faire le coup de poing ou la guerre… au gibier. Ils crament des cartouches. Stella se demande quel peut être l'intérêt de livrer des gravats pour l'édification d'UNE BUTTE de deux mètres sur deux. Bénéfice : des clopinettes. Ou alors Julie a un projet en tête. Elle ne sait plus ce que pense Julie. Depuis le dîner où Jérôme et Adrian se sont heurtés, Julie l'évite.

Elle charge chez Charpentier, décharge chez Dantin. En un tour de benne. Tout a marché comme sur des roulettes. Ça la met de bonne humeur. Elle va aller faire un tour en ville, acheter du pain, passer chez le véto. Et puis… si elle veut se rendre à Paris, il faut qu'elle s'habille. Elle a remarqué une paire de boots dans le *Elle*. Elle les trouvera sûrement chez San Marina dans la Grand-Rue de Sens.

Elle gare son camion au parking. Explique aux chiens qu'elle en a pour une heure. Leur donne deux biscuits, les embrasse sur le museau. Gardez la voiture ! elle dit en tendant un index qui ordonne de se tenir à carreau et de veiller.

Ils se couchent sur la banquette arrière et soupirent. Ils connaissent la chanson.

Elle enfonce les mains dans les poches de sa salopette et marche en regardant les vitrines. L'agence immobilière au pied de la cathédrale affiche des photos de maisons à vendre et les prix. Sauf quand ils sont trop élevés. Ça pourrait décourager le chaland. Elle s'arrête un instant. Lit l'annonce pour une belle maison à vendre 19, cours de la République. Une maison blanche avec une grille noire, une pelouse verte. Elle détaille la photo. Oui mais il y a une statue horrible devant la maison ! Un cheval hérissé de lames coupantes avec un cow-boy qui lui éperonne les flancs. Je veux bien la maison, mais pas le cow-boy. Elle se penche, cherche le prix. Pas de prix. La maison doit être chère.

Devant les vitrines, elle hésite, jupe, pull, veste ? Repère les boots chez San Marina. Pousse la porte, les essaie, retrousse le bas de sa salopette, les paie à la caisse. Frappe du talon les pavés de la rue piétonnière. Se voit dans la porte vitrée d'un magasin de fleurs. Cent vingt euros. Ce n'est pas raisonnable. Et Tom qui a envie d'un blouson Goose pour Noël. Il ne lui a pas dit, mais elle a deviné. Elle se mange les lèvres, saisit son sourcil, arrache un poil et puis zut, j'ai bien le droit !

Prendre le pain.

Passer chez le véto. Acheter la pommade. La fille à l'accueil lui tend un tube gratuit, en promotion, et lui fait un clin d'œil. Elles étaient à l'école ensemble. Elle sait, elle, qui était VRAIMENT Ray Valenti. Un soir elle avait invité Stella chez elle. Une veille d'examen. Pour qu'elle puisse dormir sans être dérangée.

La colère revient. Son cœur bat à toute allure.

Elle entre chez Sephora. Essaie des parfums. Un rouge à lèvres. Une vendeuse lui propose de la maquiller. Un macaron sur sa blouse annonce qu'elle s'appelle Gina. Gina a des faux cils et ça se voit. Trop de fond de teint, et ça se voit aussi. Elle parle en faisant saillir les muscles de son cou, on dirait qu'elle soulève des haltères. Mais Gina a un bon sourire et j'ai envie qu'une BONNE personne s'occupe de moi. Je suis sûre qu'elle est mal payée. Peut-être que ça va lui donner un bonus de me maquiller ? Peut-être que son chef va passer et se dire chouette, elle a chopé une cliente, je lui accorde une prime.

Stella s'assied sur une chaise haute, Gina la placarde de Kleenex et commence son baratin. Vous avez des yeux si beaux, si bleus, on va les mettre en valeur. Oh ! C'est drôle, ce petit épi sur le front, ça vous fait comme un accroche-cœur, c'est rigolo, votre peau est un peu sèche, on va l'hydrater. Vous connaissez cette crème de jour ? Multivitaminée. Une merveille. Stella se détend, s'abandonne aux mains papillons de Gina qui lui parle d'hydratation, de fixation, de tenue de fond de teint, de *CC cream*, de *BB cream*, de couche lipidique, de blush à appliquer avec un PINCEAU. Tout est dans le PINCEAU. Elle ne connaît pas la moitié des mots, mais la vendeuse au cou d'athlète babille et ses gestes sont doux, enveloppants. Pourquoi on ne se parle plus avec Adrian ? On passait des nuits entières à discuter. Et à faire l'amour. Pourquoi ? Elle ouvre les yeux, détaille ses ongles noirs, les dissimule dans les manches de son pull.

— Vous faites les ongles ?

— Ah non…, dit la fille en souriant aussi grand qu'un écran de télévision. Moi, c'est beauté du visage.

Elle recule pour contempler son travail et demande :

— Alors vous vous trouvez comment ?

Stella se tourne vers le miroir et aperçoit une femme si belle qu'elle ne la reconnaît pas.

— C'est moi ?

— Mais oui !

Gina éclate d'un rire qui tend si fort les cordes de son cou que Stella a peur qu'elles se cassent.

— Je devrais venir vous voir tous les jours.

— Que voulez-vous prendre ? La crème de jour pour BIEN hydrater ? Le fard à yeux, le blush, le PINCEAU ? Dites-moi… Cette CC crème va vous changer la vie. Elle nourrit la peau, la réchauffe, la protège. In-dis-pen-sa-ble.

— C'est cher ?

J'aimerais bien garder des sous pour le blouson Goose de Tom.

Gina énumère les prix avec son sourire de télévision. Stella se tasse sur le tabouret. Fixe le bout de ses boots pour regagner un peu d'estime.

— Je vais réfléchir.

Le sourire de Gina vire à la grimace. Elle arrache les Kleenex, les jette à la poubelle d'un geste qui signifie tout ça pour rien. Gina n'est pas une BONNE personne.

— Si vous changez d'avis, je suis là, elle dit, les lèvres pincées.

Et elle se tourne vers une autre proie.

Stella descend du tabouret. Un dernier regard vers la glace pour se féliciter.

— Stella !

C'est Amina. En train de payer à la caisse. Elle lui fait de grands signes de la main.

— On va prendre un café ? dit Amina.

Elles s'installent dans un bar, juste à côté du flipper, et commandent deux cafés.

— T'avais disparu ! Plus aucune nouvelle de toi depuis cet été. Je t'ai laissé des messages mais…

— Après la mort de Ray, on a été débordées, maman et moi.

Amina sourit.

— Tu sais que j'ai quitté l'hôpital ? Il y a un mois. J'en avais ras le bol !

Stella fait signe que non, elle ne savait pas. Amina est infirmière.

Amina boit son café du bout des lèvres. Elle a les lèvres gercées. Heures supplémentaires jamais payées, RTT en pagaille jamais prises, elle en a eu marre.

— Et tu fais quoi maintenant ?

— Je travaille à la maison de retraite de Saint-Cyr. Quand on m'a dit qu'il y avait une place, j'ai foncé. Les vieux sont gentils, le travail tranquille, j'ai mon dimanche et un jour de repos dans la semaine. Le mercredi. J'aime bien le mercredi. Ça me rappelle quand j'étais petite.

Sa bouche s'arrondit en un petit tube pour ménager ses lèvres. Elle parle pointu.

— Résidence les Pâquerettes, c'est joli, non ? Sauf qu'il n'y a pas de pâquerettes !

Elle veut rire mais hésite. À cause de ses lèvres.

— Les chambres sont grandes, belles, ensoleillées…

— Je sais. Fernande, la mère de Ray, y vit.

— Je ne savais pas si tu étais au courant. Je voulais pas te l'apprendre. Ça pouvait te faire un choc.

— Officiellement, c'est ma grand-mère. Je vais la voir de temps en temps. Le mercredi justement. C'est pour ça qu'on s'est jamais croisées.

— Tu sais qu'elle reçoit des visites ? Son notaire et une femme un peu bizarre. Moi, je l'ai pas vue mais tout le monde dit qu'elle est chelou.

Elle mime les épaules d'un camionneur, gonfle les joues, rentre la tête dans les épaules et avance le menton tel un dogue furieux.

— C'est Hulk ! sourit Stella.

— Très grande, un foulard sur la tête, des lunettes noires. Elle va direct à la chambre. On a demandé à Fernande qui c'était. Elle a aboyé que c'était pas notre affaire. Alors on a laissé tomber.

— On y entre comme dans un moulin, dans cette maison de retraite. On ne m'a jamais posé de questions.

— Ils doivent savoir que tu es de la famille.

— C'est pas écrit sur mon front, dit Stella.

— Pourquoi tu vas la voir, Fernande ?

— À cause de ma mère. Elle y tient.

— Elle y va pas elle-même ?

— Je crois qu'elle a peur, et en même temps sa conscience bien catho lui murmure qu'elle doit s'en occuper… C'est compliqué. Alors j'y vais. On se dit pas grand-chose. J'ai jamais pu la saquer et elle a pas été tendre avec moi.

— Je sais, dit Amina en posant sa main sur le bras de Stella.

— T'es au courant pour le collège ?

Amina secoue la tête.

— Ils veulent lui donner le nom de Ray Valenti.

— Mais non !

— Si, je te jure.

— T'as la rage ?

— Je pourrais crever les yeux du premier qui trouve ça bien.

— Mais qui a eu cette idée ?

— Sais pas. Je suis en train de digérer la nouvelle. Et ça passe pas. PAS DU TOUT.

Ses doigts arrachent les poils de son sourcil. Amina lui prend doucement la main. La déplie.

— Te fais pas de mal, Stella.

Stella retire sa main.

— Sinon, ça va, toi ? elle dit d'une petite voix haut perchée qui tremble. Tu vois des gens ? Tu fais la fête ?

— J'ai vu Marie hier soir. On a dîné ensemble et…

— Marie Delmonte ?

— Oui.

— J'ai pas de nouvelles depuis la mort de Ray.

— Elle t'en veut un peu. Et quand je dis « un peu ».

Amina fait une moue qui signifie « elle t'en veut beaucoup ».

— Mais pourquoi ? s'étonne Stella.

— Elle dit que tu lui as forcé la main pour Ray[1]… Qu'elle aurait pu se faire pincer et renvoyer du journal.

— Elle exagère ! Elle travaille toujours pour *La République libre* ?

— Oui.

— Ils ont pas déménagé ?

— Non. Mais si tu veux la voir, envoie-lui des fleurs d'abord… Elle risque de t'envoyer péter.

Stella sourit. Elle vient d'avoir une idée. Elle lève la main pour demander un second café. Amina commande un déca, sinon son cœur s'emballe et elle ne dort pas.

Le garçon pose les deux tasses et demande à être

---

1. Cf. *Muchachas*, tome 3.

payé. Stella sort son porte-monnaie, mais Amina fait *tututt* avec ses lèvres en tube.

— C'est pour moi, je t'invite.

Elle paie, laisse la monnaie en pourboire, sort un baume pour les lèvres, s'en tartine.

— N'empêche qu'elle a de la chance, Fernande, de finir aux Pâquerettes. On s'occupe bien d'elle. Elle a beau être cul-de-jatte, elle se balade partout sur les fesses. Faut la voir ! Elle a une de ces forces dans les bras ! Tu as remarqué comme elle se cramponne à son édredon ? Elle ne s'en sépare jamais. Elle refuse qu'on le lave. Elle descend regarder la télé enveloppée dans l'édredon. Elle ne fait pas d'extras, ne dépense pas un sou. Sais pas ce qu'elle fait de son argent.

Amina se penche vers Stella et ajoute :

— Maître Béraud, le notaire… Il vient souvent. Et toujours avec une petite mallette. Remplie de billets, à mon avis. La vieille doit avoir un magot plus que confortable.

Ray avait amassé beaucoup d'argent avec tous ses trafics. Il le partageait en deux. Un paquet pour lui, l'autre pour sa mère. Il voulait qu'elle ne manque de rien s'il lui arrivait quelque chose. Et puis ça l'arrangeait. Grâce à ce partage, ses revenus passaient inaperçus.

— L'autre jour, Sofiane a entendu le notaire lui dire mais enfin, madame Valenti, vous en faites quoi de cet argent ? Elle a grogné ça vous regarde pas. Il a pas moufté.

— Elle doit lui filer une commission.

— Il la ravitaille, c'est sûr. Mais pourquoi ?

— Aucune idée, Amina. Ça m'intéresse pas.

Amina change de sujet, elle a rencontré un type. Un Américain. Veuf. Avec une petite fille. Gros négociant en vins. Il achète directement au producteur et revend dans le monde entier. C'est pour ça qu'il s'est installé à Saint-Chaland. Entre la Bourgogne, la Champagne, les vins de Loire, Paris. En un coup d'avion, il est à Bordeaux. Il a son propre jet. Il le loue peut-être.

— Si j'ai bien compris, il a eu des problèmes avec sa femme. Elle s'est suicidée. Il s'est passé un truc pas clair du tout… Bref, je crois bien que je suis amoureuse.

Amina pose sa main sur son cœur et parle comme si elle faisait déjà partie de la famille. Elle semble souffrir en évoquant le drame.

— Je l'avais croisé à l'hôpital il y a deux ans. Je quittais mon service quand il est arrivé. Beau mec ! Il venait retrouver sa petite fille salement blessée. C'est Ray qui avait amené la petite aux urgences.

— Ray ? Il travaillait encore comme pompier ?

— Je ne sais pas, mais c'est lui qui l'avait déposée. Avec la mère d'ailleurs. Elle portait de grandes lunettes noires qui lui mangeaient le visage, elle était en état de choc, elle ne disait pas un mot. Il avait fallu lui administrer des calmants. La petite avait du sang partout, c'était horrible. On n'a jamais su ce qu'il s'était passé. Le père n'en parle jamais et je ne lui pose pas de questions. C'est un drôle de type, il me plaît. Je suis bien avec lui. Et puis ça me change des gars de Saint-Chaland. À propos, tu as eu des nouvelles des copains de Ray ? Turquet est toujours en chaise roulante et croupit dans sa masure et Gerson, j'ai entendu dire qu'il se lançait en politique, il est devenu conseiller municipal, non mais tu le crois, ça ? Je me demande qui va s'occuper du garage…

Stella n'écoute plus. En babillant, Amina lui a donné une idée qui la rend toute gaillarde. Un plan à exécuter. Elle tient un fil. C'est la première fois depuis longtemps qu'elle entrevoit un début de solution.

En attendant, elle va passer braquer Fernande, puis elle retournera chez Sephora, demandera Gina et achètera TOUS les produits de maquillage et des PINCEAUX.

Et un blouson Goose pour Tom.

Ce sera Noël pour tout le monde.

*

Deux cents mètres avant les Pâquerettes, elle se gare sur un parking de supérette, enfile un long imperméable qui couvre sa salopette, noue la ceinture, rassemble ses cheveux sous un foulard. Elle aperçoit dans le rétroviseur le tourbillon de cheveux qui refuse de s'aplatir. Repense à la photo de la petite fille dans le coffre de Ray. Pourquoi a-t-il écrit « Salope » sur l'enveloppe ? On ne traite pas une gamine de salope. Elle met ses lunettes noires. Elle se camoufle chaque fois qu'elle rend visite à Fernande. Elle ne veut pas qu'un jour, on puisse faire le lien entre l'argent qui disparaît de l'édredon et elle.

Prudence aussi : ne se rendre aux Pâquerettes que le mercredi.

Elle a eu du nez de choisir le mercredi pour ses visites.

Dans l'entrée, Stella franchit un embouteillage de fauteuils roulants, de déambulateurs. C'est le jour des esthéticiennes. L'une coiffe, l'autre fait les ongles. Des petites vieilles attendent les doigts écartés que le vernis sèche. Elles commentent la couleur de leurs ongles. Celle, plus hardie, qui a choisi abricot rigole en admirant ses doigts. Un couple, la main dans la main, assis sur une banquette en skaï jaune, contemple l'aquarium où tournent des poissons. Une affiche sur le mur annonce que ce soir à dix-huit heures il y a karaoké, un CD sera enregistré et mis en vente dix euros. Un petit vieux vocalise «Tombe la neige» dans la salle à manger en se dressant sur la pointe des pieds et en enlaçant une partenaire imaginaire.

Sur la table de chevet de Fernande il y a des photos de Ray. Ray bébé, Ray à quatre ans, Ray en CM1, en CM2, Ray en sixième, cinquième, quatrième, troisième. Ray dans son uniforme de pompier, Ray décoré, Ray à l'Élysée serrant la main de Chirac. Ray tenant sa mère dans ses bras. Ray embrassant Fernande et Fernande fermant les yeux comme si elle recevait l'hostie.

Fernande veut tout savoir. Comment va Ray depuis la dernière fois ? A-t-il changé de planque ? A-t-il assez d'argent ? Est-ce qu'il se nourrit bien ? Il a des amis ? Il ne s'ennuie pas trop ? Il sort un peu ?

— Mais il n'est pas au Club Med, ton fils. Il est en cavale.

— Il a quand même le droit de s'amuser… J'aimerais bien aller le voir. Ma vie n'a plus aucun intérêt sans lui. Si je te donnais beaucoup d'argent, tu me conduirais ?

Stella la reprend d'un ton sec. Il ne faut dire à personne qu'elle voit Ray sinon les flics vont l'arrêter.

— Ils le cueilleront et le jetteront en prison. Parce que je te rappelle qu'il était mal barré quand il a fait semblant de se jeter dans le feu et qu'il a pris la fuite. Il avait une tripotée de procès qui lui pendaient au nez. Alors… vaut mieux que tu la fermes.

Stella la rudoie. La vieille est maligne. Elle flairerait l'embrouille si Stella se montrait gentille. Déjà qu'elle se demande pourquoi Stella sert de messager. Parce que tu me paies ! Tu penses bien que je ferais pas ça gratos !

Fernande, furieuse d'être réprimandée par une enfant qu'elle a longtemps maltraitée, se renfrogne, remonte son édredon sous le menton et lance d'une voix rogue :

— Tu m'as apporté ce que je t'avais demandé ?

Elle veut une preuve que l'argent qu'elle donne à Stella va bien à Ray. Elle se méfie. Elle se demande si Stella n'invente pas ce boniment de cavale pour lui rafler son pognon. Ça fait deux mois que Stella visite et dépouille Fernande. Deux mille, trois mille euros chaque fois. Une cavale, ça coûte cher ! Très cher. Faut payer plein de gens. Stella tend une photo de Ray qui pose avec Fernande à côté d'une décapotable rouge aux chromes rutilants. Léonie voulait la déchirer. Stella s'en était emparée, ça pouvait servir.

— Il m'a dit «donne ça à maman, ça lui rappellera des souvenirs». C'est la seule photo qu'il a de vous deux. Il avait les larmes aux yeux.

Fernande retourne la photo.

— Il a pas mis de mot derrière?

Elle dévisage Stella de ses petits yeux vifs et méchants.

— T'es folle ou quoi? Tu veux qu'il inscrive son adresse et son téléphone aussi? Et qu'il dessine un plan pour qu'on le retrouve plus facilement?

Fernande fronce les sourcils.

— Parce que c'est dangereux d'écrire à sa mère?

— Oui. On prouve beaucoup de choses avec l'écriture. L'âge de celui qui écrit, son état de santé, son niveau de stress. Tu sais pas ça, peut-être? Tu vas jamais sur Internet?

La vieille laisse échapper un *psstt* d'exaspération.

— Ben tu devrais…

Fernande se tait, mauvaise. Elle fait grincer ses dents. Peut-être que Stella dit vrai. Dans *Cold Case* qu'elle regarde tous les lundis à la télé, on arrive bien à retrouver des assassins vingt ans après avec leur ADN, alors…

Elle plisse les yeux, se penche sur la photo.

— Donne-moi ma loupe.

Stella ne bouge pas.

— DONNE-MOI MA LOUPE.

— On dit «s'il te plaît, Stella».

Fernande lui lance un regard noir.

— Donne-moi ma loupe, s'il te plaît.

— Stella.

— Stella.

— Et maintenant tu reprends en entier…

Stella fait le geste de diriger une chorale. Elle tend les bras, pointe les index, dessine une arabesque dans l'air, remonte les mains.

Fernande frappe sur l'édredon, ça fait un bruit de papiers froissés. Elle remue, se contorsionne.

— Petite garce ! elle crache.

— Tant que tu n'auras pas dit la phrase en entier, tu n'auras pas ta récompense.

— Aussi bête que ta mère. Ah ça, vous faites bien la paire toutes les deux !

— DONNE-MOI LA LOUPE, S'IL TE PLAÎT, STELLA. Vas-y répète ou je déchire la photo. Il serait triste, tu sais…

Fernande gigote, donne des coups d'épaule et finit par éructer :

— DONNE-MOI LA LOUPE, S'IL TE PLAÎT, STELLA.

— C'est bien. Tu montres du respect pour moi. Et ça me plaît.

Fernande arrache la loupe des mains de Stella et scrute la photo. Son visage change. Ses traits se détendent, elle pousse un long soupir d'admiration.

— Il est beau, mon fils, il est beau ! On ne meurt pas quand on est beau comme ça.

Elle repose la loupe. La reprend. Regarde encore son fils.

— Il vit seul ?

— Sais pas.

— Avec tout l'argent que je te donne, tu pourrais parler un peu. Je vais finir par me lasser.

— Tout ce que je sais, c'est qu'il habite près de

la porte de Clignancourt à Paris. Rue des Petits-Foulards.

— Porte de Clignancourt ?

— Je ne devrais pas te le dire mais bon… Il a des plans pour vous deux. Partir. Loin. Au Mexique. Il a des contacts là-bas, il dit que vous serez à l'abri.

Fernande sourit. Elle ferme les yeux, tend son visage comme si elle voulait attraper un rayon de soleil mexicain.

— Au Mexique. Lui et moi, elle murmure, heureuse.

— Seulement tout ça coûte cher. Il va falloir de faux papiers, payer les billets d'avion et puis… il voudrait acheter une petite maison sur la plage près de Mérida. Il dit qu'il te porterait dans ses bras et te ferait prendre des bains de mer…

La vieille bave de bonheur. Son cou qui ressemble à un bol de gelée anglaise ondule. Elle se répand contre les oreillers.

— Je lui ai dit que je ne savais pas si tu pourrais allonger autant d'arg…

Fernande se ressaisit. Attrape son édredon. Dézippe un coin. Fouille. Sort des liasses et des liasses de billets.

— Combien ?

*

Quand Stella rentre à la ferme, Léonie l'accueille en bourdonnant autour d'elle. Elle a deux ronds rouges sur les joues et serre un tissu dans ses bras qu'elle tente de dissimuler.

Suzon est affalée sur le canapé devant la télé où passe une émission de téléréalité. Un groupe de filles avec un QI d'éponges de mer se disputent un string en s'insultant.

— Tu regardes ça, Suzon ?

— Elles sont si bêtes que je me sens intelligente. Ça fait du bien en fin de journée.

— Tom est là ?

— Dans sa chambre. Il est rentré bizarre. Tu devrais lui parler.

— Et Adrian ?

— Dans sa chambre aussi. Il travaille. Homme studieux, temps pluvieux.

Stella montre ses boots à Léonie.

— Je suis prête pour aller à Paris…

Léonie touche le cuir, évalue le talon, approuve.

— Et moi, je t'ai fait une surprise…

Elle tend le paquet qu'elle serre contre elle.

Stella l'ouvre.

— Une minijupe ?

Mais pas n'importe laquelle ! Léonie a mêlé imprimés et couleurs, bouts de tissu et cuir. Une grosse ceinture et deux petites poches dans le biais sur le côté. C'est à la fois épais, moulant. Et SEXY.

Stella l'examine, la tourne et la retourne.

— Elle est trop bien, maman ! C'est toi qui as fait ça ?

— À l'atelier de patchwork. J'ai eu l'idée en feuilletant les journaux.

— Avec une paire de collants noirs, dit Stella, ça va être…

— … très beau et ça va très bien t'aller, dit une voix dans son dos.

C'est Adrian.

Il a descendu les escaliers sans faire de bruit. Parfois Stella a l'impression de vivre avec un chat.

— Je la mettrai pour aller à Paris…

Adrian sourit, tend le bras pour attraper Stella qui s'échappe en riant.

— … avec toi. La prochaine fois que tu y vas, je t'accompagne. J'emmène Léonie aussi. On ira déjeuner avec Joséphine, et tu nous rejoindras pour le café. On a déjà tout décidé, elle et moi.

— Tu es belle… Qu'est-ce que tu as fait à tes yeux ?

Stella retrousse le bas de sa salopette et laisse apercevoir ses boots. Adrian a un sifflement admiratif et lève le pouce.

— Aujourd'hui, je suis devenue une vraie FILLE. Je suis allée me faire maquiller, j'ai fait du SHOPPING, j'ai traîné dans la rue piétonne, j'ai pris un café avec une COPINE. On a parlé des GARÇONS ET DES FILLES.

Elle tourne sur elle, papillote des yeux, montre son teint velouté, sa minijupe. Se laisse tomber sur une chaise et éclate de rire.

— C'est drôlement bien d'être une FILLE OISIVE !

Adrian la contemple, attendri.

Il a appelé Borzinski ce matin. Il lui a dit oui.

Ils ont pris rendez-vous pour déjeuner à Paris et sceller leur accord. Ne reste plus qu'à décider sur quelle base ils vont collaborer, cinquante-cinquante comme il le veut, lui, ou quatre-vingts-vingt comme l'exige Borzinski. Dans ce cas, je ne marche pas. Je veux égalité sinon rien.

Et je ne lâcherai pas.

Stella monte en chantonnant dans la chambre de Tom pour lui dire que le dîner est prêt. Elle écoute la chaudière qui ronronne, Georges a dû la réparer, pas besoin de la changer, et c'est tant mieux. Parce que l'argent de la vieille, elle aimerait bien que ça serve à autre chose qu'à changer la chaudière. Et puis il faudrait expliquer d'où il vient et il n'en est pas question.

Elle ramasse une chaussette, un tee-shirt sale sur les marches de l'escalier. Cherche l'autre chaussette, ne la trouve pas. C'est le mystère des chaussettes, elles ne restent jamais longtemps en couple.

Tom est assis sur son lit et suit des yeux le vol d'une mouche qui se cogne au Velux. Il mâchouille sa manche de sweat.

— Tom… ça va ?

Il ne répond pas. Il a le front buté de celui qui veut garder un secret mais n'est pas sûr d'y arriver.

— Je connais cette grimace, sourit Stella, allez parle !

— Pas la peine. Tu vas pas me croire.

— Si. Je t'écoute. Vas-y.

— Jimmy Gun est revenu.

— Jimmy Gun ?

— Oui, tu te souviens, mon ami que j'avais inventé ?

Stella fait un effort et se souvient.

— Il est revenu. J'en suis sûr.

— Mais t'es plus un bébé, tu es grand, tu n'as plus besoin de…

— C'est pas pareil qu'avant… Il me parle dans ma tête.

— Dis pas n'importe quoi, Tom !

— Mais c'est vrai. Il m'a dicté une rédaction entière.

— Elle a intérêt à être drôlement bien écrite !

— Eh ben, tu vas voir…

— Tu veux pas qu'on en parle demain ? Le dîner est prêt.

— Non, t'as voulu qu'on parle, on parle. Assieds-toi. Bouge pas et écoute.

Stella s'assied sur le lit et sa main se porte à ses sourcils.

— Je t'explique…

— Ça va être long ?

— M'man ! il crie, indigné.

— Ok. J'ai rien dit, vas-y.

Il s'installe en tailleur face à elle. Il semble tout excité.

— Cet après-midi, notre prof de français, madame Mondrichon, était inspectée et elle stressait grave. L'inspecteur s'est mis au fond de la classe et madame Mondrichon a bredouillé qu'elle avait prévu une rédaction. Très bien, il a dit, je vais pouvoir vérifier le niveau de vos élèves en orthographe et en grammaire. On a sorti nos cahiers et nos stylos. Le sujet c'était, « Vous parlez à la Lune ». On était là, à se gratter la tête, à se manger les ongles, même la petite nouvelle qui d'habitude lâche des bombes en rédac mordait son stylo. Ça trifouillait dans les trousses, ça zippait, ça dézippait. Et puis… j'ai entendu une petite voix qui disait t'en fais pas, je vais t'aider. J'ai regardé pour voir si quelqu'un me parlait, mais non. Je me suis remis à réfléchir. Et ça a recommencé, la petite voix a dit laisse, je vais t'écrire ça. Dans ma tête, j'ai répondu mais t'es qui, toi ? J'étais tout rouge, je me disais que tout le monde allait l'entendre. Personne me regardait alors, je sais pas pourquoi, j'ai laissé aller mon stylo sur la feuille blanche et c'est parti. La prof a relevé les copies. Elle a tendu la mienne à l'inspecteur. Un truc de ouf, m'man ! L'inspecteur était soufflé. Il regardait madame Mondrichon et répétait ben, madame... Il est venu vérifier si j'avais pas planqué un livre sur mes genoux ou un truc comme ça.

Stella fait une moue incrédule.

— Tu me crois pas ? Attends, je vais te la lire. La prof m'a mis vingt plus plus plus et me l'a rendue.

Il ouvre son cartable, cherche sa rédaction.

— Attends... Ah, voilà. T'es prête ? C'est pas évident, faut te concentrer... Moi, j'ai pas tout compris.

Il se gratte la gorge, repousse sa mèche et se lance :

J'observai la Lune autour de la maison
Jusqu'à ce qu'elle s'arrête
Sur une vitre
Pour se reposer
Privilège des voyageurs
Et sur elle je me retournai
Comme on fait devant une étrangère
Ne pensant pas être impoli quand elle braque
*   son lorgnon*
Sur elle.

— Là j'ai pas bien compris, j'entendais mal, ça grésillait, j'ai un peu écrit au pif.

Mais jamais une étrangère ne suscita une curiosité
Comme la mienne
Car elle n'avait ni pieds ni mains
Ni forme définie...
Mais comme une tête qu'une guillotine
Aurait tranchée par inadvertance
Indépendante, couleur d'ambre
Elle flottait dans le ciel.

— Tu trouves ça comment ? dit Tom.
— C'est dingue beau !
— La voix m'a épelé les mots difficiles et les participes passés. Et y avait des coupures parfois.

Stella regarde son fils. A-t-il une vie parallèle dont elle ignore tout ? Un univers à part où il évolue ? C'est un enfant unique. Il a souvent demandé un petit frère ou une petite sœur. En revenant avec sa mère de chez le notaire, elle a eu peur qu'il ait fugué. Elle l'a cherché partout. Elle a retrouvé un paquet de Petit Écolier dans son refuge, la plate-forme fabriquée par Adrian dans le grand chêne devant la maison. Un album de *Super Mickey* et une bouteille de Coca planqués sous la nacelle. C'est peut-être là qu'il écrit ses poèmes, il n'ose pas dire que c'est lui, alors il invente la petite voix, l'ami imaginaire.

À moins qu'il n'ait triché ou copié.

Elle fronce les sourcils, les gratte, arrache un poil, grimace.

— La petite voix a dit que c'était d'une poétesse américaine, une certaine Emily Dickinschose, j'ai pas bien retenu son nom.

— Mais on va t'accuser d'avoir copié !

— Elle a dit que plus personne ne la lisait, qu'elle est tombée aux oubliettes, qu'à Saint-Chaland en tout cas, je risque rien. J'ai eu vingt plus plus plus !

— Oui mais c'est pas bien, tu as triché.

— J'AI PAS TRICHÉ puisque je te dis la vérité. La petite voix a dit que c'était exceptionnel, que c'était pour faire connaissance, que ça ferait du bien à tout le monde de lire Emily Dickinschose et que de toute façon l'école, ça ne servait à rien, alors autant faire des blagues savantes.

— Des blagues savantes ? C'est comme ça qu'il appelle tricher en classe, ton ami imaginaire ?

— Ah ! tu vois, tu y crois aussi. Tu parles de lui comme s'il existait.

— Tu me fatigues, Tom, va prendre ta douche, mets-toi en pyjama et on dîne.

— T'es pas drôle, il se passe un truc de ouf dans ma vie et tu parles de douche et de pyjama !

— Tom ! Tu o-bé-is !

*

Tom n'a pas tout dit.

Il ne peut pas raconter ce qui est arrivé dans la cour de récré après le poème sur la Lune. Ça a un rapport direct avec Ray Valenti et il préfère ne pas évoquer le sujet avec sa mère. Elle est trop IRRITABLE.

Pourtant il aimerait parler de Dakota. Ça le soulagerait.

Il pourrait se confier à son ami Jimmy?

S'il a réapparu, c'est qu'il a une bonne raison. Il est venu lui donner un coup de main pour Dakota. Pas seulement pour la dictée. D'ailleurs, la dictée lui a permis de regagner un peu de terrain auprès de Dakota. Elle lui a avoué qu'elle avait BEAUCOUP aimé le poème. Bon d'accord, après elle s'est refermée comme une huître acariâtre, mais... c'est un début.

Depuis qu'elle a appris qu'il s'appelle Valenti, Dakota l'ignore. À la sortie des cours, son père vient la chercher dans sa grosse voiture aux vitres teintées et elle disparaît.

Je l'épie, je tente d'attraper son regard, je dois me retenir tellement j'ai envie de l'embrasser, mon cœur palpite comme du maïs éclaté.

Oui mais voilà, j'y connais rien aux filles.

Cet après-midi, juste après la rédaction du poème, ils étaient dans la cour de récré, ils échangeaient des Twizzlers, des Big Baby Pop, des Ice Breakers, tout un trafic de bonbons, ils avaient la bouche pleine de bruits, de bulles, de froid, de couleurs. Ça leur faisait des frissons partout et ils se tordaient pour les arrêter. Elle, dans son coin, lisait. Quelqu'un a lancé, «et pis, Dakota, c'est naze comme prénom, sais pas où ses parents ont trouvé ça», «peut-être qu'ils savaient pas lire!», «ou qu'ils étaient pétés quand elle est née». Elle a attrapé un bout de grillage qui traînait et l'a lancé sur les débiles. Elle a failli crever l'œil de William. Il s'est écarté juste à temps. Et puis elle a crié, «Dakota, c'est le plus bel immeuble de New York, c'est là où habitait John Lennon!» Oh là là, j'ai pensé, elle va pas se rendre populaire et j'ai enfoncé la tête dans mes épaules pour ne pas assister au massacre.

— C'est qui, John Lennon? Un chewing-gum à la fraise? a lancé Noa.

— Ou une plante verte qui donne des boutons? a ricané Anaïs.

— Je parle pas aux ploucs de chez Ploucland! elle a répondu en se replongeant dans son livre.

Elle tenait serré contre elle un sac en tissu à l'effigie de Violetta, elle l'avait retourné pour cacher le dessin.

— T'as un sac Violetta? T'es grillée! a crié Noa.

— Oh! la meuf! Elle a un sac Violetta! La honte!

— On va te le faire bouffer, ton sac!

Ils commençaient à former un cercle autour d'elle en faisant *ksss-ksss*.

J'ai eu tellement peur que j'avais le cœur qui partait jusqu'en Amérique du Sud. Je me suis dit qu'il fallait que je bouge. Ça sentait mauvais.

— Elle a le droit de kiffer Violetta, j'ai dit. À New York tout le monde a des sacs Violetta.

William m'a regardé du genre comment tu sais ça, toi? J'ai pas développé.

— Tu l'as rapporté de NEW YORK? a demandé Mila, la petite blonde sucre d'orge qui lève toujours le bras comme pour se protéger d'un coup qui pourrait tomber.

— Je l'ai retrouvé ce matin au fond d'une valise, a

lâché Dakota sans quitter son livre des yeux. Je sais pas qui l'a mis là, je le trouve moche.

— MOCHE ? a protesté Mila. Tu l'échanges ?

— Si tu veux.

— Tu aimes quoi comme musique ?

— Ceux que j'aime, tu connais pas.

— Moi, j'aime pas les chanteurs français. Je préfère les américaines, Rihanna, Beyoncé…

Dakota n'a pas répondu.

Les garçons avaient lâché l'affaire. Ils avaient trouvé un autre sujet pour s'exciter.

La fin de la récré a sonné, on est rentrés. Je me suis approché de Dakota. J'ai senti l'odeur d'herbe coupée, je me suis dit que j'aimerais bien l'emmener dans mon arbre. Je pensais qu'elle allait me dire merci, c'était la moindre des choses. Elle a tourné la tête.

— Y a un problème ? j'ai dit.

— Je t'aime pas, c'est tout. J'ai pas envie de te parler.

— Mais tu me parles quand même !

— À cause de ton poème. Après je t'efface, t'existes plus.

— Tu pourrais au moins m'expliquer.

— Pas la peine, Valenti.

Et c'était comme si elle me crachait à la gueule. Je me suis dit que la petite voix allait devoir m'en souffler un paquet, de poèmes, pour qu'elle m'embrasse encore.

Quand il en a l'occasion, il passe devant la maison au perron blanc en se cachant dans la capuche de son sweat. Il essaie de l'apercevoir derrière les fenêtres avec sa petite jupe noire, son col roulé, ses longs cheveux, sa bouche rouge, ses yeux fendus, noirs, ses pommettes hautes et bombées. Il voudrait savoir si elle écoute de la musique, si elle regarde la télé, si elle mord son Bic en faisant ses devoirs, si elle est pieds nus, et qui fait la cuisine chez eux. Il examine la belle façade blanche, les grilles noires, la pelouse impeccable. 19, cours de la République. Le quartier chic. Le quartier des gens qui ont du blé. Qui peuvent s'acheter des blousons Goose. Et des filles qui lisent des livres dans la cour de récré sans craindre les garçons qui font des cercles autour d'elles.

C'est le nom de VALENTI qui a tout déclenché.
POURQUOI ?
Il n'y a aucune raison qu'elle ait connu Ray Valenti. Elle devait être à New York quand il est mort. C'était l'été dernier. Elle n'était pas encore rentrée en France.
Et avant ?
Elle l'a peut-être connu avant ?

Il regarde la sculpture du cheval qui se cabre dans le jardin. Drôle de cheval. Il a des prothèses orthopédiques en guise de pattes et un régime de bananes accroché à la queue. Un cheval hérissé de lames tranchantes. Faut pas tomber dessus, c'est sûr. On l'a peut-être mis là pour découper les cambrioleurs. Il l'a pris en photo, est allé voir sur Internet. C'est l'œuvre de John Lopez, originaire du Dakota du Sud.
Dakota…
Il ne sait pas pourquoi, mais il se dit que la clé de l'énigme est dans ce cow-boy et son cheval.

*

C'est un grand jour pour Stella et Léonie.

Elles partent pour Paris déjeuner avec Joséphine.

Elles se sont levées tôt et toute la maison s'est réveillée avec elles. Il faisait encore nuit. Les chiens restaient pelotonnés près du poêle à bois. Le perroquet dormait dans sa cage sous sa couverture.

Au petit-déjeuner, Adrian a promis à Stella de les retrouver pour le café.

— Je ne peux pas annuler mon déjeuner, c'est important pour moi, pour nous, notre avenir…

— Notre AVENIR ? a relevé Stella. Dis donc, ça doit être drôlement sérieux.

Elle a dit ça sur un petit ton ironique et méchant comme s'il était toujours le type crasseux qui avait débarqué un jour avec son sac à dos. En tout cas, c'est comme ça qu'il l'a entendu.

Et puis elle a ajouté :

— Je trouve que tu vas trop vite. T'as les dents qui s'allongent et j'aime pas ça.

— Tu préférais le petit gars d'avant ?

— Oui.

— Ben, il n'existe plus. T'aimerais pas dormir dans des draps si doux que tu ne saurais pas si ce sont mes mains ou les draps qui te caressent ?

— Je préférais quand t'avais des ampoules et que ça m'égratignait.

Il n'a pas ri.

Ils n'ont plus parlé. Ils avaient chacun un train à prendre. Pas à la même heure. Huit heures vingt-six pour lui, neuf heures vingt-six pour elle.

Tom est rentré en disant qu'il avait nourri les bêtes

et changé l'eau, est-ce qu'il pouvait aller avec eux à Paris ?

*

— Le grand bouleversement du métier dans des pays comme la France, c'est l'environnement. Et malheureusement les normes imposées par les nouvelles lois vont écarter les petites affaires. Seules les grosses survivront…

— Et la Ferraille d'Edmond Courtois n'est pas une grosse affaire ? dit Adrian.

— Non. C'est fini, ce temps-là. Edmond Courtois n'a pas vu venir deux choses. Les normes écologiques ET les nouvelles matières que sont le plastique, le bois, le carton, le papier. C'est là qu'il y a de l'argent à gagner. Pas dans l'acier qui est passé de deux cent cinquante euros la tonne, il y a cinq ans, à cinquante euros aujourd'hui. Pareil pour le cuivre qui a perdu la moitié de sa valeur. Mais vous savez tout ça !

— Oui.

FAUX : il s'en doute mais il ne sait pas EXACTEMENT. Parce que Edmond ne le tient pas au courant de ces choses. Il va laisser parler Borzinski et apprendre. Comme il a appris le français dans les livres de grammaire.

— Le carton, on l'achète usagé à vingt, trente euros et on le revend retapé à cent. On va avoir besoin de plus en plus d'emballages pour transporter les jouets chinois vers l'Europe, par exemple. Ou les télés, les canapés, les frigos, toute cette camelote qui se déverse ici. Le business se passe en Inde, en Russie, en Asie.

L'Europe garde encore son savoir-faire. Pas pour longtemps mais…

— Encore pour un moment…

— Oui. Par exemple, je vous enverrai une péniche de mille cinq cents tonnes de papier usagé que j'aurai acheté quatre cents euros la tonne à Taïwan, vous la transformerez en feuilles de papier A4 que vous me renverrez et que je vendrai mille cinq cents euros la tonne. On partagera les bénéfices.

— Et pour le plastique ? demande Adrian. C'est là qu'il y a le plus d'avenir, non ?

— Le plastique, ça va être le jackpot de demain. C'est le truc très chaud. Comme une belle fille qui ouvrirait les jambes… Tout le monde se précipiterait, la langue en feu, la bave aux lèvres, pour la bouffer.

Adrian sourit. Il pense à Stella. Elle a raison, il change trop vite. Oui, mais pour devenir riche, il faut agir vite. Avoir le bon réflexe. Pas perdre son temps à se poser des questions j'y vais, j'y vais pas.

— Passage obligé, le plastique. Tout le monde va s'y mettre. Nous, on aura de l'avance si on s'y prépare dès aujourd'hui.

Adrian hoche la tête comme s'il savait ça AUSSI.

— Pour le plastique, poursuit Borzinski, c'est très simple. Avec le broyeur, vous triez le plastique, vous gardez le propre pour l'Europe et moi je revends le sale en Asie ou en Inde. On se complète, je vous dis. Vous le savoir-faire, la carte de visite, moi les pays à qui on peut fourguer n'importe quoi… Le plastique aujourd'hui, c'est la ferraille d'Edmond Courtois autrefois. Il y a beaucoup, beaucoup d'argent à se faire.

— Je veux gagner de l'argent. Beaucoup, sourit Adrian.

— J'aime quand on dit la vérité. Je peux tuer si on me ment…

Et il ne sourit plus. Adrian est prévenu.

Le taxi s'arrête devant un établissement boulevard de Clichy. Le Petit Paris. Une tente rouge avec deux femmes nues placardées sur les côtés. Un larbin en frac usé s'avance pour ouvrir la portière et recevoir son pourboire.

C'est Borzinski qui a choisi ce restaurant près de Pigalle. Un cabaret. Spectacle toute la journée et petites femmes à volonté. Borzinski montre la tente rouge, les deux filles nues, lui donne un coup de coude dans les côtes et s'engouffre dans les lieux.

— Ici, c'est très bien, il ricane. C'est très facile de trouver des filles. Et c'est moins cher que sur les Champs-Élysées.

La fille du vestiaire lui plaque un baiser rouge gras sur la bouche, il lui donne cent euros pour ranger son manteau.

— Quand tu veux, chéri ! elle lui lance en faisant un clin d'œil à Adrian à qui elle chuchote en passant l'écharpe dans la manche du manteau pour toi, c'est gratuit.

Borzinski salue, claque les fesses d'une fille, cherche le maître d'hôtel, montre du doigt la table qu'il veut. Le spectacle n'a pas encore commencé, les garçons circulent, distribuent les menus, font péter les bouchons, servent le champagne, et la musique monte crescendo.

— Votre broyeur, il a une capacité de combien ? demande Borzinski à peine assis. Faudra très vite en acheter d'autres. Et le hangar ? Faudra l'agrandir. C'est possible ?

— Pour le moment, je le loue. Au black. Mais trouver des hangars ne devrait pas être difficile dans la région.

— Je viendrai voir ça.

— Je ne fais que commencer… Vous risquez d'être déçu.

— Vous avez parlé avec Courtois ?

— Pas encore mais je vais le faire.

— Vous êtes sûr ? C'est pas une bonne idée. C'est un homme fini.

— Je ne veux pas agir dans son dos. Cet homme m'a recueilli quand j'avais rien…

— Vous êtes sentimental ! C'est mauvais pour les affaires.

— J'ai besoin d'être en règle avec ma conscience.

— Conscience ? C'est qui, celle-là ?

— C'est la petite voix à l'intérieur qui vous dit c'est bien ou c'est pas bien.

— Connais pas.

Il éclate de rire en se raclant la gorge.

— Moi je sais quand c'est bien pour moi ou pas, c'est tout.

Borzinski lève le bras pour appeler le garçon. Commande une bouteille de champagne et des « petites choses grasses ». Le garçon fait claquer son nœud papillon et répond champagne supérieur ? Borzinski hoche la tête et le garçon repart en criant YES, SIR !

— J'ai envie de devenir riche mais pas d'être un salaud, dit Adrian. J'aurais l'impression d'avoir du cirage sur la gueule.

— Toujours votre problème de conscience !

— Je vais parler à monsieur Courtois. Je vais lui proposer de s'associer. S'il veut participer, il entre dans l'affaire, sinon on la monte, vous et moi.

— Et pour les bénéfices ?

— On partage les bénéfices cinquante-cinquante, lance Adrian.

Borzinski pose sa main sur le bas de son visage et prend la pose du type qui réfléchit. Il devient double, mi-vautour, mi-hibou. Les secondes s'écoulent, lourdes, lentes. Adrian ne bouge pas. Il ne voit plus que les petits yeux ronds et doux du hibou.

— Pas d'accord, dit Borzinski.

— Alors, pas de contrat, assène Adrian d'une voix sèche.

Borzinski se frotte le menton du plat de la main et redevient le vautour carnassier.

— On boit le champagne, on mange le foie gras et on reparle après ?

Adrian hoche la tête. Il a peut-être été trop brutal. En Russie, il ne faut jamais brusquer son interlocuteur. Toujours lui laisser l'impression que c'est lui qui gagne.

— Vous dites toujours tout ce que vous faites à monsieur Courtois ? demande Borzinski avec un petit sourire moqueur.

Adrian le regarde droit dans les yeux.

— Oui.

— Vous mentez, crache le Russe, les lèvres serrées, le regard perçant.

Il ne peut pas savoir pour l'achat du broyeur. Je n'ai rien dit à personne. Ni Maurice, ni Boubou, ni Houcine n'ont pu lui parler. Ils ne le connaissent pas. Quand il venait sur le site, c'est arrivé deux ou trois fois, il ne restait jamais longtemps. Il traitait avec Edmond et repartait. Mais alors... que sait-il vraiment ?

Leur discussion est interrompue par un homme qui arrache un micro et se présente : Freddo. L'œil vert électrique, la bouche écarlate, les joues fardées de rose sur sa peau noire, il bondit sur la petite scène encombrée de rideaux rouges. Le spectacle va commencer *ladies and gentlemen, welcome to* Le Petit Paris, *the best place to be, with the most beautiful girls and...* roulements de tambour... *boys too !*

Une serveuse en bas résille et seins à l'air dépose devant eux une mousse carrée rose fluo décorée d'une rondelle de citron et d'un petit triangle rouge. Elle annonce avec une bouche de canard qu'on force à sourire FISH, *gentlemen.* Adrian a l'impression d'être un analphabète à qui on apprend l'anglais. Il regarde la mousse de poisson chimique plantée d'un morceau de betterave. Ou de poivron. Ou de plastique.

À sa gauche, une fille tirée d'un épisode de *Sous le soleil* se frotte contre le mec qui l'accompagne. Un chauve à lunettes comprimé dans un costume gris. Elle met des lumières dans ses yeux pour faire croire qu'elle est amoureuse, arbore une grosse bague sertie de diamants blancs sur ses doigts manucurés. Elle s'amuse à faire jouer la lumière des spots sur la bague et s'exclame ben dis donc ! C'est une vraie, tu t'es pas foutu de moi, mon gros loup. Le gros loup rougit. Il porte une alliance, pas la fille.

Ils parlent Club Med et paillotes sur la plage quand Freddo s'approche, soulève la petite étiquette sur leur table et annonce qu'ils ont gagné une bouteille de VRAI champagne en direct de Reims, le berceau du royal nectar.

Le gros loup pique un fard, sa louloute applaudit en postillonnant de joie.

Elle se colle contre lui et tire sur son décolleté, libérant deux globes blancs.

— Tu m'offriras les boucles d'oreilles la prochaine fois, hein, mon gros loup ?

Borzinski louche sur les seins de la fille et son regard revient se poser sur Adrian.

— Vous ne consommez pas de filles ?

— J'ai une femme que j'aime. Une femme très belle.

Borzinski le regarde comme s'il venait de dire une ineptie.

— Vous êtes décidément très sentimental !

Et dans sa bouche, ce n'est pas un compliment.

Freddo arpente la scène, cambré dans son costume rose pelucheux, ses mocassins roses cabossés. Il se casse en deux, pose sa main sur une hanche.

Le rideau se lève. Les danseuses entrent à petits pas, elles portent des gros tutus de fleurs roses, rose foncé, rose pâle, elles piétinent, sautillent, tournoient.

On peut voir la sueur dégouliner sous la poudre, la laque cartonner les cheveux, et le tissu des robes prêt à craquer tellement il est usé.

— Grandes roses, petites roses, *ladies and gentlemen, big roses, little roses, ladies and gentlemen*, Paris est une fleur dans le monde entier !

— Pour le plastique, il va falloir recruter et former des types. Passer quatre mois à leur apprendre la technique. Trier le plastique, c'est une science. Parce que le plastique avec du brome, c'est dangereux pour la santé.

— Je sais, dit Adrian qui repousse le poisson chimique et gélatineux sous une feuille de salade.

— On commencera avec huit types… On agrandira très vite. Et le brome, on l'enverra dans les pays sous-développés.

— Ou on l'enfouira.

— Trop cher ! Mais on arrivera à en produire du presque pur, vous verrez.

Il se frotte les mains.

Freddo fait monter la brigade sur scène, les serveurs dansent, moulés dans des pantalons luisants de crasse, un plateau à la main, le sourire figé en rectangle. Les danseuses roses se trémoussent, secouent leur cul, lancent des œillades aux clients dans la salle.

— Ce soir, je prends la troisième à gauche.

— Très bon choix ! murmure Adrian, écœuré par le spectacle.

Une poussière âcre monte de la scène et lui pique la gorge. Il boit une gorgée de vin, si aigre qu'il s'étouffe.

Il regarde sa montre. Il va être en retard. Stella sera furieuse.

*

Joséphine a réservé une table à la brasserie Le Coq, place du Trocadéro. Ils avaient l'habitude de s'y retrouver avec Luca. Ou plutôt elle avait l'habitude de l'attendre. Une fois sur deux il ne venait pas. Elle repartait à pied chez elle[1].

Comment ai-je pu me laisser traiter ainsi ? elle se demande en vérifiant dans le miroir de son poudrier si ses dents sont propres. Elle a ouvert un paquet de gâteaux avant de partir et a peur d'avoir une miette de chocolat collée aux dents.

Zoé a promis de venir, Hortense ne sait pas.

Joséphine fixe la porte d'entrée, impatiente de faire connaissance avec Léonie et de revoir Stella.

Stella entre la première. Blonde, longue, les cheveux en mèches désordonnées, elle porte sous son manteau ouvert une minijupe en tissu épais et un ample pull noir. Deux grosses boucles d'oreilles en métal et des boots. Léonie la suit, maigre, rougissante, elle marche les coudes repliés et disparaît dans un long imperméable gris perle. Elle repousse avec insistance une mèche qui tombe sur son front et tente de l'accrocher derrière l'oreille, mais la mèche s'échappe et la main de Léonie repart.

Joséphine embrasse Stella, prend les mains de Léonie.

---

1. Cf. *La Valse lente des tortues*, chez le même éditeur.

— Je suis si contente de vous rencontrer…

Léonie vacille, tend la main vers une chaise. Il faut qu'elle s'asseye.

— Je suis désolée, mais… vous lui ressemblez tant. Lucien, Lucien… C'est… oh, excusez-moi… mais je… Mon Dieu !

Stella se penche sur sa mère ça va, maman, ça va ?

Joséphine demande au garçon d'apporter un verre d'eau.

Stella ouvre le col de l'imperméable de Léonie, lui tapote les joues.

— Installe-toi sur la banquette, tu seras mieux.

Léonie dévisage Joséphine.

— Je ne m'attendais pas à… C'est idiot. Je suis idiote. Je me donne en spectacle.

Le garçon apporte un verre d'eau.

Léonie le boit à petites gorgées.

— Je peux vous appeler Joséphine ?

*

Un trapèze descend du plafond.

— *Ladies and gentlemen*, annonce Freddo, *the flying man on the flying trapeze…*

Au premier rang, une vieille dame en manchettes aussi rouges que ses joues, les mains croisées en prière, balance la tête au rythme lent du trapéziste suspendu au plafond.

— … aussi haut qu'une cathédrale, *as high as* Notre-Dame ! Victor Hugo, Esmeralda, Gina Lollobrigida et Anthony Quinn !

Son mari moustachu croise les bras, se cambre en

arrière sur sa chaise, il écarquille les yeux, siffle en connaisseur. *The flying man on the flying trapeze* lui saupoudre les cheveux de talc. Il éclate de rire, un nuage blanc tombe sur les suprêmes de volaille aux champignons de Paris, rectangles de gelée brune marbrés de fils noirs.

Les numéros s'enchaînent, marquises en perruque, danseuses gipsy, roues, grands écarts, œillades appuyées à la salle.

Borzinski, les bras croisés, fait son marché.

— Non, finalement, je vais prendre la deuxième à droite. Plus de chair !

Il fait un clin d'œil à Adrian.

Et puis…

Quatre motos Suzuki rutilantes chevauchées par quatre motards casqués pétaradent sur scène. Les casques tombent. De longues perruques blond platine se déroulent, les vestes s'arrachent, les pantalons se déchirent, les filles surgissent en string.

Elles étaient des roses, des marquises, des danseuses, elles sont quoi, maintenant ? En plus, ça n'en finit pas. J'aurais pas dû accepter. Quelle idée de faire un déjeuner d'affaires dans un endroit comme ça !

Adrian se penche vers Borzinski.

— Vous m'excusez une minute ? J'ai un coup de fil à donner.

L'autre ne l'entend plus. Il a repéré une autre fille et fait bruisser ses doigts pour lui dire que la fortune l'attend si elle vient s'asseoir sur ses genoux.

*

Elles ont parlé de Lucien. Léonie a raconté leur première rencontre à la boulangerie, j'étais derrière lui et je trouvais qu'il avait les pieds plats, il s'est retourné et ça a été le coup de foudre. Je l'ai revu au tabac, un jour où il faisait des mots croisés. Il cherchait «pape fripon en six lettres», j'ai dit Borgia, il m'a félicitée.

Elle raconte aussi comment elle versait du somnifère dans le verre de sa belle-mère, Fernande, pour retrouver Lucien. Elle enjambait le balcon, il l'attendait dans sa voiture garée tous feux éteints et ils partaient dans la nuit. Elle escaladait le balcon au petit matin pour retourner dans sa chambre.

— Heureusement qu'on habitait à l'entresol, c'était pas haut. Mon mari était parti prêter main-forte aux pompiers espagnols. Je suis restée seule trois mois et j'ai rencontré Lucien.

Elle pose la main sur le bras de Stella.

— Et nous avons conçu ma merveilleuse fille.

Joséphine l'écoute, émue, un peu gênée d'imaginer son père disant des mots doux, emmenant Léonie au cinéma, l'attendant dans la voiture. Tout ce que font les amoureux.

— Vous n'avez pas une photo de lui? demande Stella.

— Ma mère les a jetées quand elle s'est remariée, mais j'en ai sauvé une.

Elle sort de son sac une photo de Lucien avec une canne à pêche et une casquette. Il tire la langue à l'objectif.

— Ma mère la détestait. Moi, je trouvais qu'elle lui ressemblait. Il ne se prenait pas au sérieux. Il chantait «Le facteur de Santa Cruz»…

— Et il lisait Rilke, dit Léonie.

Il y a tant de choses que Stella aimerait savoir sur cet inconnu. Elle regarde la photo, pourquoi il est mort ? Pourquoi il ne m'a pas attendue ? Il n'a jamais su que j'existais… Est-ce qu'il m'aurait aimée ? J'aurais été différente s'il m'avait élevée ? Elle se demande ce qu'elle fait là, à parler d'un homme qui n'existe plus, qu'elle n'a pas connu. Elle est en colère, elle ne sait pas pourquoi. La salle du restaurant est trop chauffée. Elle n'aurait pas dû mettre ce col roulé.

Elle entend Ray Valenti qui éclate de rire. Comme il s'était vengé d'être cocu ! Comme il avait dû cogner ! Elle était dans le ventre de Léonie, elle prenait les coups. Elle n'a pas envie de participer à cette réunion des sourires. Du facteur de Santa Cruz, des pieds plats, du pape fripon en six lettres.

Elle laisse parler Léonie.

Et Léonie s'échauffe. Son visage se colore, elle est tendue en avant, elle s'agite, raconte. Laisse échapper un rire, se cache derrière sa main, reprend. On dirait qu'elle se réveille d'un long sommeil, qu'elle met enfin la main sur sa vie.

Stella, à l'écart, refoule un chagrin qu'elle ne peut pas nommer. Pourquoi je ne ressens rien ? Je suis un monstre ? Que fait Adrian ? Il avait promis qu'il viendrait.

Je ne comprends plus rien.

Zoé arrive la première. Elle a acheté un grand bouquet de fleurs, des roses blanches et des lilas, le dépose devant Léonie et Stella en disant moi, c'est Zoé, je suis heureuse de vous rencontrer ! Elle secoue longuement la main de Stella avant de se jeter sur elle et de l'embrasser, après tout tu es ma tante. Vous en êtes où ? Je prendrais bien un baba au rhum.

Puis Hortense fait son entrée. Avec cette façon d'avancer qui n'appartient qu'à elle. Elle ne marche pas, elle fend l'air comme s'il lui appartenait. Long manteau beige, lunettes noires, pantalon noir à la cheville, ballerines. Ses cheveux sont lâchés, elle a posé sur sa bouche un rouge sanglant et quand elle sourit ses dents étincellent.

Elle salue sans s'incliner. Ôte ses lunettes. Sourit comme si elle remerciait l'assemblée d'être venue. Ses yeux vont de Léonie à Stella, elle semble les examiner puis elle se tourne vers Léonie.

— Alors, c'est vous qui…

Joséphine, redoutant une question indiscrète, intervient :

— C'est Léonie, ma chérie. Tu sais…

— Il était comment, mon grand-père ? Quand j'essaie d'en parler avec maman, elle finit en larmes et je dois l'éponger.

— C'était un homme merveilleux. Discret, fin, cultivé, modeste, attentionné…

Stella fait semblant de se gratter le poignet et regarde sa montre.

— Vous attendez quelqu'un ? dit Hortense.

— Adrian. Mon… copain. Il a un déjeuner d'affaires avec un client. Mais il devrait passer.

Elle a hâte de savoir à quoi ressemble le type qui a séduit cette femme incroyable. Parce que cette Stella… Maman a raison, on dirait un mannequin.

Le garçon apporte un café pour Hortense, un baba au rhum pour Zoé. Joséphine demande un décaféiné.

— Maman m'a dit que vous travaillez dans une ferraille, dit Hortense.

— Oui, je conduis un camion, je porte une salopette, des grosses bottes, des gants d'éboueur et je fouille les poubelles des entreprises pour ramasser de la marchandise…

— C'est pas dur d'être une femme dans ce milieu ?

— C'est toujours dur d'être une femme. On a toujours affaire à des hommes.

Son regard se ferme. Hortense se demande si elle l'a blessée.

— J'aime bien votre jupe, vous l'avez achetée où ? elle dit pour changer de sujet.

Stella se détend et sourit.

— C'est maman qui l'a faite.

— Vous, madame ?

— Appelez-moi Léonie.

— Comment avez-vous eu cette idée ? Je veux dire le tissage des matières. Le tissu semble décomposé puis recomposé. Je peux regarder comment c'est fait ?

— Allez-y, dit Stella.

Hortense pose la main sur la jupe.

— Ce sont des bouts de tissu assemblés et cousus, on dirait. Et cousus dans la trame comme si…

— Et pas n'importe comment…, précise Léonie. Vous voyez je prends le tissu comme ça et…

Elle fait une démonstration à Hortense qui réfléchit :

— Brillant, c'est brillant ! Je vous achète l'idée.

— Oh ! Je vous la donne, dit Léonie. J'ai beaucoup d'idées.

— Vous savez qu'elle suit votre blog ? dit Stella. Tom, mon fils, lui a appris à se servir d'un ordinateur et elle se promène sur Internet.

Zoé déguste son baba au rhum. Parler chiffons ne l'a jamais passionnée. Elle contemple le visage heureux de sa mère, celui rayonnant de Léonie, constate l'intérêt qu'Hortense porte à Stella et se dit que cette nouvelle tante est décidément belle. Oui mais… il y a une ombre en elle, une ombre noire remplie de colère. Elle doit pas être facile à vivre.

*

Sur le boulevard de Clichy, au milieu des bruits de voitures, d'autobus, de pots d'échappement, Adrian appelle Stella.

— Je saute dans un taxi !
— On a fini.
— J'arrive. Stella… Stella…
— Oui ?
— Attends-moi. Je t'en supplie, attends-moi.

La revue s'achève sur les filles nues qui chantent et se tapent le cul les unes contre les autres. Elles portent des chapeaux tour Eiffel et massacrent une chanson, « ah les p'tites femmes, les p'tites femmes de Paris, ah les p'tites femmes, les p'tites femmes de Paris ! » en se tortillant.

Les clients applaudissent, on dirait des pingouins qui frappent leurs nageoires, ils plaquent des billets sur les tables pour que le show continue. Les garçons les raflent en douce. Une dernière pitrerie, des hourras qui éclatent, puis ils se bousculent vers la sortie en remontant leur pantalon ou leurs bretelles de soutien-gorge. Le car les attend en double file, ils traversent la rue en rigolant.

Tous ces gens, à quoi rêvent-ils ?

Borzinski est assis. Une fille se serre contre lui. Sa robe relevée laisse apercevoir de grosses cuisses rondes, où est le petit oiseau, où est le petit oiseau ? elle glousse pendant que ses doigts tripotent la braguette de Borzinski qui lui saisit un sein à pleine main.

Adrian, dans la pénombre, se gratte la gorge pour signaler sa présence.

— Je crois que je vais y aller. J'ai un rendez-vous.

— Va m'attendre dans les loges, toi ! il lance à la fille qui part en se dandinant telle une oie grasse. Elle est bonne, celle-là. Je la sens bien. Et il dessine des courbes dans l'espace pour montrer à quel point il va s'en payer une tranche.

Adrian ne répond pas.

— Bon, dit Borzinski. On est d'accord ?

— Cinquante-cinquante. Je n'ai pas changé d'avis.

— Ok. Cinquante-cinquante puisque vous y tenez, et vous vous arrangez avec Courtois. Si vous le mettez dans le coup, c'est sur votre chiffre à vous. Vous m'appelez quand ce truc-là est réglé et on commence.

— D'accord.

— Pas besoin de papier. On se tape dans la main.

422

C'est comme ça qu'on fait chez nous. Vous aviez oublié ?

Il avait oublié.

*

Adrian sort du cabaret sans un regard pour la fille du vestiaire.

C'est allé trop vite. Il y a un truc qui tourne pas rond.

Qu'est-ce qu'il a dit ou fait qui a poussé Borzinski à devenir si conciliant ? Quelle faille le Russe a-t-il perçue en lui ? Ce revirement a forcément une raison. J'ai montré un signe de faiblesse et il a sauté dessus. En a conclu qu'il allait me rouler dans la farine. Autant me donner l'os que je voulais ronger pour me le reprendre après.

Adrian a appris les hommes et les comportements humains lors de son long périple d'Aramil à Sens. Appris à les deviner. Il suit le flux de leurs pensées. Les sent hésiter, avancer, reculer, préméditer, renoncer. Mais surtout il reconnaît celui qui va lui planter un poignard dans le dos à cent pour cent.

Borzinski va lui planter un poignard dans le dos à quatre-vingts pour cent.

Il lui reste vingt pour cent de zone de sécurité.

À lui de jouer.

*

Hortense a fini son café, elle regarde sa montre.

— Je dois partir. J'ai rendez-vous avec ma première

d'atelier. Je suis en retard, j'espère que je vais avoir un taxi.

— Il y en a plein devant le restaurant, dit Zoé en léchant sa cuillère de rhum.

— Je suis contente d'avoir fait votre connaissance, dit Hortense en s'inclinant devant Léonie et Stella. *Ciao*, m'man, *Ciao*, Zoé !

— Au revoir, ma chérie, et bon rendez-vous ! lance Joséphine.

Hortense croise les doigts.

— Je vous raconterai.

— Nous, on reste, hein, mamoune ? dit Zoé. On n'a pas de rendez-vous. On n'a pas envie de devenir riches et célèbres. Et je reprendrais bien un baba au rhum.

Elle envoie un grand sourire à Hortense qui lui tire la langue.

*

Hortense finit d'enfiler son manteau, ramasse ses cheveux, remet ses lunettes noires, regarde l'heure et peste je vais être en retard ! Plusieurs taxis passent, elle lève le bras, mais ils ne s'arrêtent pas. Une fille s'avance, hésitante, juchée sur des talons si hauts qu'on dirait une funambule sur un fil. Hortense a envie de lui souffler dessus pour la faire tomber. Elle se rappelle la citation de Sacha Guitry que lui avait rapportée Gary : « Le talon haut a été inventé par une femme qui en avait assez de se faire embrasser sur le front. »

Ils étaient à New York. Ils avaient fait la fête toute

la nuit, elle se massait les pieds pendant que Gary lui servait un dernier cocktail. Il aimait inventer des cocktails. Il lui bandait les yeux pour qu'elle ne voie pas ce qu'il versait dans le shaker. Une fois le mélange fait, il le lui tendait en disant devine ce qu'il y a dedans. À chaque réponse juste, il lui ôtait un vêtement. Elle avait fini nue dans ses bras et ils avaient fait l'amour.

Il lui manque.

Comme il prend de la place dans sa vie même quand il est absent !

Un taxi arrive. Elle tend la main pour l'arrêter. Il vient se garer devant elle.

Un homme en descend. Il se penche pour payer le chauffeur, se retourne, aperçoit Hortense, se fige.

L'homme du Fouquet's.

Ils se regardent sans ciller. Comme si c'était normal, qu'ils avaient rendez-vous.

— Votre téléphone ! elle dit.

La tête lui tourne.

— Votre main, il répond.

Elle tend sa main.

Il sort un feutre noir, écrit son numéro. Ses doigts montent le long du poignet, sur le bras, glissent contre la hanche d'Hortense, l'attirent, elle se laisse happer, se coule contre lui, l'attrape par le cou et l'embrasse.

TROISIÈME PARTIE

C'est un drôle d'après-midi de janvier. Une de ces journées où l'on sent que quelque chose va arriver. Quelque chose qui va changer le cours de votre vie. On ne sait pas quoi et on regarde passer les heures comme si un compte à rebours s'effectuait.

Huit jours après le début de l'année, les vœux à minuit sonné. Les boutures d'impatiens sur le rebord des baies vitrées bourgeonnent, de timides fleurs roses, blanches s'ouvrent. Le soleil frappe les carreaux. Des mouches bourdonnent, un souffle tiède soulève les rideaux blancs des fenêtres et le camion-poubelle vert et jaune passe en faisant trembler les vitres.

Derrière le long bureau de la bibliothèque-médiathèque de Saint-Chaland, Camille Grassin traque les livres et les CD qui ont été empruntés et jamais rapportés. Il marque le nom des personnes négligentes, note de leur envoyer un mail ou un courrier et, toutes les deux minutes, d'un geste las, il remonte ses petites lunettes rondes et jaunes sur son nez et retourne son poignet pour regarder l'heure.

Camille Grassin – il revendique son prénom et précise quand les gens sourient moi, j'aime, c'est le principal, non ? – est un garçon consciencieux qui a ses habitudes. Il déjeune chaque jour au Bon Appétit en face de la bibliothèque. C'est son luxe, sa petite folie. Un menu à sept euros cinquante. Des œufs-mayonnaise, des harengs-pommes à l'huile, une salade de tomates, un moelleux au chocolat. Avec un panaché. Il aime ce qui est gras, lourd, sucré. Sinon ce n'est pas la peine de manger, non ? La nourriture lui tient compagnie et comme il a très peu d'amis, deux en fait qui habitent Montauban et qu'il voit peu souvent, il a besoin d'ingérer des plats «qui ont du corps», comme dit Sandrine. Le temps de la digestion est un temps où il se sent «accompagné» – c'est encore Sandrine qui l'affirme. Les aliments transitent lentement jusqu'à son côlon et le bercent d'une douce torpeur. Il lui arrive d'avoir envie de somnoler, il s'offre alors une courte sieste sur sa chaise, derrière son bureau. Les bras croisés, sans tomber. C'est un coup à prendre.

Il n'y a pas grand monde à la bibliothèque municipale de Saint-Chaland après le déjeuner. Dans l'après-midi non plus. Une légère affluence le soir, vers dix-sept heures trente, et encore, pas tous les jours.

Il a le temps de lire, de s'occuper des fleurs qu'il récupère dans les poubelles des espaces verts de la ville et place sur le bord des fenêtres. Il les taille, les vaporise, les nourrit d'engrais. Il aime la compagnie des plantes et des livres. Personne ici ne l'appelle Gédéon ni ne lui tord les poignets en le plaquant au sol. Dans son dernier emploi, quand il était pompier, il était sans arrêt... comment dire ? HARCELÉ. Ce n'était pas franc du collier mais, à la première occasion, ses collègues se payaient une tranche de rigolade sur son dos. Quand il devait faire les cent cinquante pompes du matin, par exemple, il y en avait toujours un pour lui jeter un seau d'eau glacée dans la gueule. Ou lui écraser les reins d'un talon de godillot en criant «désolé! J't'avais pas calculé!», et il lui tendait la main pour l'aider à se relever. Avant de le laisser retomber. Ou alors il devait cirer les pompes, les mains attachées dans le dos. «Et ton nez, Gédéon, il sert à quoi?»

Le moyen de faire autrement quand on a un prénom de fille et pas de poil au menton?

C'était une idée de son père qu'il devienne pompier. Il disait que «ça lui ferait la bite», qu'il n'aurait plus le temps de lire. Une occupation de femmelette.

Camille Grassin baissait la tête; il pensait à un passage d'*Eugénie Grandet*.

En toute situation, les femmes ont plus de causes de douleur que n'en a l'homme, et souffrent plus que lui. L'homme a sa force, et l'exercice de sa puissance: il agit, il va, il s'occupe, il pense, il embrasse l'avenir et y trouve des consolations. (…) La femme demeure, elle reste face à face avec le chagrin dont rien ne la distrait, elle descend jusqu'au fond de l'abîme qu'il a ouvert, le mesure et souvent le comble de ses vœux et ses larmes. (…) Sentir, aimer, souffrir, se dévouer sera toujours le texte de la vie des femmes.

Il se sentait terriblement femme.
Et ça rendait son père terriblement fou.
Il l'avait forcé à entrer chez les pompiers.
Camille avait dû s'y résigner.

Jusqu'à cette fameuse nuit où avait eu lieu le drame.

Il était le seul témoin. Bien obligé de répondre aux questions du capitaine qui enquêtait. Il tremblait tellement qu'il en avait souillé son pantalon. Non, non, il n'avait rien vu, rien entendu, il ne se rappelait rien, juste être arrivé dans la maison avec…

Et puis, le vide.

L'affaire avait été étouffée et c'était tant mieux.

Il n'aurait pas supporté d'autres interrogatoires.

Mais ça n'avait pas effacé le sentiment de honte qui le tourmentait. Surtout quand il se réveillait. Il avait dans le cœur un grand trou qui donnait sur l'abîme.

Tous les matins, il avait l'impression de dégringoler.

«Ménage-toi, Camille, tu es fragile», lui répète Sandrine.

Sandrine a raison. Elle a l'œil intérieur, celui qui voit tout, qui lit dans le futur, commente le passé, explique le présent. Il se fie à son jugement.

Elle veut tout savoir. Ce que je fais de mes journées. Qui j'ai rencontré, comment Unetelle était habillée, qu'est-ce qu'Untel a dit, ils ont été gentils, ils t'ont pas embêté ? Elle s'enquiert des hommes et des femmes qui fréquentent la bibliothèque. Des mères de famille, des ados ou des hommes mûrs. J'aime bien les hommes mûrs. Ils me rassurent. Quand j'ai commencé à me balader sur les sites gays, je cherchais les vieux. Ils ont une odeur de chandail en laine et de sirop pour la toux qui m'apaise. Et ils ne sont pas trop exigeants. Je veux dire, sexuellement. On se tripote, on se bécote, ça me suffit.

Sandrine, je ne lui dis pas tout.

Elle en sait bien assez. Elle connaît mes horaires, mon statut de fonctionnaire, elle sait que j'ai un CDI, que je relève de la grille de salaire B, celle des cadres responsables du budget, de l'acquisition des livres, des revues, des DVD, des CD et que mon salaire avoisine les mille huit cents euros. Elle voudrait que j'appartienne à la catégorie A. Elle me houspille, mais je dis patience ! Nous sommes à Saint-Chaland pas à Wall Street. De toute façon, l'argent, je ne sais pas ce qu'ils lui ont fait récemment, mais il n'a plus le même prix.

Il y a des jours où je n'ai rien à raconter à Sandrine. Et d'autres où... Quand j'ai failli me faire estropier par ces brutes à Carrefour. Dire que c'est la fille de Ray Valenti qui m'a tiré de là... Sandrine n'en revenait pas. « Elle doit être costaud pour menacer trois types ! » « Pas tant que ça, je lui ai dit. Grande, oui, baraquée, non. Une grande liane blonde. » « Un peu comme toi, mon amour ? » Sandrine me trouve très séduisant. Certains soirs, quand on est seuls, elle me coiffe, elle me maquille. Elle me tend le miroir en disant « regarde comme tu es belle ! » C'est toujours agréable à entendre. Ce jour-là elle a ajouté que la fille Valenti savait sûrement se défendre avec le père qu'elle avait eu. Son père qui n'était pas son père, entre parenthèses, tout le monde le sait, et qui lui en a fait voir de toutes les couleurs quand elle était enfant.

— Il battait la mère et violait la petite ! Y a des types, on se demande ce qu'ils foutent sur terre si ce n'est emmerder les autres. Et quand je dis emmerder, suis polie !

J'ai rien répondu. Et pour cause : je savais. Valenti

s'en vantait quand on était de permanence à la caserne. Il me racontait ses histoires de femmes, comment elles couraient après lui telles des chiennes en chaleur. Il tirait la langue, lapait l'air, s'astiquait la braguette. Il ne me trouvait pas très engagé sexuellement. «T'es de quel côté, Camille, côté foufoune ou côté bite ?» J'ai été bien content qu'elle ait été présente ce soir-là à Carrefour, Stella, sinon les trois crétins me cassaient la gueule.

Les courses en nocturne, c'est fini pour moi.

Camille Grassin regarde sa montre. Seize heures quarante-cinq. Encore une heure et il se préparera à fermer. Il rangera les volumes, les magazines éparpillés. Éteindra son ordinateur, les lumières. Enlèvera la blouse bleu ciel qui protège sa chemise et le gilet que Sandrine lui a offert pour son anniversaire, trente-deux ans déjà, ça lui donne des sueurs. Sandrine l'a acheté à La Redoute. Fin, bien coupé, d'un très joli marron bordeaux.

Il nettoie ses lunettes avec la chamoisine qu'il conserve dans son étui, les replace sur son nez, les cale du bout d'un doigt. Seize heures quarante-huit. Il va pouvoir reprendre son livre, *La Ballade du café triste* de Carson McCullers. Il a rendez-vous avec lui tous les jours depuis une semaine. André Breton disait «écrire, c'est donner rendez-vous». Il note des phrases sur son carnet. «*Si ta vie quotidienne te paraît pauvre, ne l'accuse pas, accuse-toi plutôt. Dis-toi que tu n'es pas assez poète pour en convoquer les richesses.*»

Mince ! Il a oublié de marquer le nom de l'auteur[1].

---

1. Rainer Maria Rilke.

Cette phrase lui fait penser à celle de Montaigne, «*la vie n'est qu'un passage. Sur ce passage, au moins, semons des fleurs*». C'est une conversation, la lecture. On écoute des gens brillants vous parler de la vie, de l'amour, de l'âme.

Il passe la main sur son crâne, il lui faut un shampoing qui donne du corps à ses cheveux trop fins. Il se caresse la nuque. Récemment il l'a rasée. Le duvet se redresse sous ses doigts, ça fait tapis-brosse. Il ferme les yeux, se laisse aller à la douceur de sa caresse…

Quand les battants de la porte d'entrée s'ouvrent brusquement et une géante blonde, belle femme, ma foi ! s'avance. D'abord, il ne la reconnaît pas. Elle porte une minijupe sur de gros collants en laine noirs et une parka vert bouteille comme celles de l'armée mais avec un je-ne-sais-quoi de différent. Ses cheveux blonds, épais, sont coiffés en arrière, dégageant des yeux bleus ombrés de brun. Puis l'image se superpose avec une autre et il s'exclame Stella Valenti ! en pointant le doigt vers elle comme s'il avait trouvé la bonne réponse à un jeu télévisé.

— Vous vous souvenez ? On s'est vus à Carrefour.

— Vous travaillez ici ? elle demande en posant un énorme sac besace sur son bureau.

— Oui, c'est moi le responsable, il dit en baissant les yeux derrière ses lunettes jaunes.

— Ça vous va bien comme boulot.

— Je n'aurais pas pu faire maçon, c'est sûr !

Il devine dans le regard de Stella Valenti qu'elle est en train de se demander c'est VRAIMENT un garçon ou c'est une fille ? Il connaît bien ce regard à la fois flou et fixe qui cherche un indice. Il ne veut pas la laisser plus longtemps dans le doute et se précipite pour dire :

— Mais avant j'étais pompier !

Elle se fige.

— Pompier ? À Saint-Chaland ?

— Oui. Pas longtemps mais pompier quand même...

Le regard de Stella Valenti s'est assombri. Elle s'épluche un sourcil.

Quel imbécile ! Pompier, Saint-Chaland, RAY VALENTI ! Mais pourquoi je parle sans réfléchir ?

— Merci pour l'autre soir. Vous m'avez sauvé. J'étais mal barré.

— Oh ! C'est rien.

Les doigts courent dans ses sourcils, elle cligne des yeux, tressaille.

— Sans vous, je me serais probablement fait tabasser.

— Ils sont souvent plus bêtes que méchants.

— Pas toujours, il dit en levant les yeux au ciel. Et vous parlez à quelqu'un qui a de l'expérience !

Il a dit ça pour faire un trait d'esprit mais elle ne sourit pas. Elle se mord la lèvre supérieure, s'appuie sur son sac, son regard traîne sur lui comme si elle cherchait un souvenir, puis elle se ressaisit et demande :

— Je voudrais un livre pour mon fils... Emily Dickinschose.

Il acquiesce, amusé.

— Vous voulez dire Emily Dickinson ?

— Oui, sûrement.

436

— Il a quel âge, votre fils ?

— Presque onze ans…

— Et il lit Emily Dickinson ?

Camille Grassin ouvre de grands yeux étonnés. Il a le blanc des yeux très blanc, les pupilles très noires derrière ses lunettes. Sa peau porte des traces de cicatrices, ses joues creuses sont blafardes et son cou ressemble à celui d'un héron anorexique.

— Enfin… c'est plus compliqué que ça… C'est son ami qui… Vous avez un livre de cette madame Machin-Chose ?

— J'ai même ses œuvres complètes. C'est remarquable, vous savez. C'est un très grand poète…

— On dit pas « poétesse » ?

— Comme vous voulez. Le principal, c'est ce qu'elle a écrit, non ?

Stella se détend et sourit.

— Vous avez raison.

— Vous ne pouvez pas savoir combien ça me rend heureux. Ce livre n'est JAMAIS sorti de la bibliothèque et c'est moi qui ai insisté pour qu'on l'achète.

Il martèle sa poitrine de ses petits poings serrés en signe de grande joie et son visage s'empourpre.

— À ce point ? dit Stella Valenti d'un air surpris.

— Les livres, c'est ma vie. On peut tout me supprimer, tant que je peux lire, je suis heureux.

— Vous devez vous sentir un peu seul à Saint-Chaland.

— Jules Renard disait « *le bonheur c'est d'être heureux, ce n'est pas de faire croire aux autres qu'on l'est* ».

Elle rit doucement. Il a réussi à chasser le nuage dans ses yeux.

— Je suis amoureux des livres. Je me souviens de la première fois que j'ai ouvert un roman. Je l'ai renversé sur mon visage tellement j'aimais son odeur. Ce n'était pas un livre, c'était une fleur avec des mots dedans.

— Vous aviez quel âge ?

— Je devais avoir onze ans…

— Et il s'appelait comment ?

— *Les Aventures de Tom Sawyer.*

— Connais pas.

— Je n'arrêtais pas de me dire oui, c'est ça, c'est exactement ça ! Je tenais mon meilleur copain dans mes mains. Et après, quand je l'ai refermé, je me suis dit il va falloir que je le relise. Tout de suite. Et je l'ai relu. Et j'ai respiré encore d'autres fleurs.

— Et vous avez continué…

— Oui. Je suis allé de merveille en merveille.

— Vous pourriez m'en conseiller un pour mon fils ?

— Laissez-moi réfléchir…

Il croise les bras, fronce les sourcils, penche la tête, se mord les lèvres, fait non, non, tapote sa joue d'un doigt. Stella sent qu'il se concentre.

— C'est important, vous savez… Souvent on décourage les gosses en leur filant des livres solennels. Il faut commencer en douceur, les prendre par la main, les accompagner…

— Je ne lis jamais. J'ai pas le temps. J'ai mon boulot, la ferme, les bêtes…

Il ne l'entend pas. Il est parti dans sa quête d'un titre pour Tom, puis tout à coup, il s'ébroue et crie en se frappant la poitrine de ses petits poings :

— *L'Attrape-cœurs* de Salinger. Il va aimer. J'en suis sûr.

Il est à bout de souffle comme s'il avait couru un marathon.

— Ça raconte quoi ?

— L'histoire d'un gamin renvoyé de son collège qui traîne avant de rentrer chez ses parents à New York et à qui il arrive des tas d'aventures tragiques et cocasses. On est dans sa tête, avec ses doutes, ses peurs, son langage…

— Y a pas de scènes violentes ?

— Non. Je ne me serais pas permis…

— Ok, je tente. Je vous fais confiance.

Elle a un petit sourire. Comme si elle se rapprochait de lui.

Et c'est à lui de se figer.

Si elle savait !

Si elle savait ce qu'il s'est passé cette nuit-là, à quel point il a été lâche, à quel point Ray Valenti a été abject. Elle ne lui sourirait plus du tout. Elle courrait le dénoncer à la gendarmerie.

Ray Valenti était un monstre. Beau dehors, pourri dedans. Tout ce qu'il avait pour lui, c'était son paquet entre les jambes qui rendait les femmes folles. Il avait demandé un jour à Sandrine si par hasard elle n'avait pas eu une faiblesse pour Ray. Elle lui avait répondu « moi non, mais j'ai une copine qui y a été et elle m'a raconté que c'était INOUÏ ce qu'il avait comme outil, un bon gros paquet qui remplissait bien et vous faisait partir au galop ».

Camille Grassin repousse sa chaise pour se lever,

si brusquement qu'elle se renverse. Stella le regarde, étonnée. Il devient rouge, bredouille une excuse, se dirige vers les «S». J. D. Salinger. *L'Attrape-cœurs.*

Il va en avoir des choses à raconter à Sandrine, ce soir.

*

Quand Stella rentre à la ferme, la voiture d'Adrian n'est pas là. Il est presque huit heures. Des papillons de nuit volettent autour de la lampe qui éclaire la cour. Adrian rentre de plus en plus tard et part de plus en plus tôt. Impossible de savoir ce qu'il fait. Le soir, quand il est couché, il noue les mains derrière sa nuque et dit je travaille pour nous.

La lune est haute, brillante, le ciel noir presque violet, troué d'étoiles comme des têtes d'épingle. Il fait un temps de printemps doux. Les plantes dans la mare se dressent, immenses, vertes, menaçantes, elles oscillent dans la nuit en bruissant. On se croirait dans la jungle. Elles devraient être marron, rabougries, croupir au fond de l'eau. On est en JANVIER ! Les bêtes sont désorientées. Elles ont leur poil d'hiver, rugueux, épais, la douceur de la température les accable. Les puces et les parasites prolifèrent, le froid ne les a pas tués. Les ânes ont des plaques d'eczéma, ils braient, se grattent contre les battants des portes de la grange, donnent des coups de sabot. Le vétérinaire dit qu'ils finiront par s'habituer. Oui, et alors ce sera l'été avec des températures d'hiver. Ils vont devenir fous. Comment seront les récoltes cet été avec ces saisons qui s'inversent ?

Tom regarde la télé en pyjama. Ou plutôt il zappe en se tripotant les orteils. Il a pris sa douche, s'est peigné, il sent bon.

— Mmmm ! dit Stella en se penchant pour l'embrasser. On a envie de te manger, toi !

— J'ai faim, il grogne. Suzon a fait des gnocchis et j'ai FAIM.

— Coupe-toi une main et mange-la.

— Très drôle !

— Je suis la maman la plus drôle du monde.

— Pas sûr !

— Suzon est chez elle ?

— Oui.

Il change de chaîne. Puis se souvient :

— Ah ! Elle m'a dit de te dire qu'il fallait que tu ailles voir Zbig. Un de ses arbres est tombé tout au bout du champ et a détruit la barrière…

— Quel champ ?

— Après la mare. Georges s'est renseigné à la mairie, le propriétaire du champ, c'est Zbig, mais il veut pas lui parler. Sais pas pourquoi. C'est toi qui dois y aller.

— Et si moi non plus je veux pas parler à Zbig ?

— Tu vois ça avec Georges. Moi j'ai FAIM !

Hector, le perroquet, chevauche une peluche dans sa cage en poussant des cris et en donnant des coups de bec furieux dans le jouet.

— Qu'est-ce qu'il lui prend ? dit Stella. Il va l'éventrer !

— Il baise, je crois, dit Tom.

— Je t'interdis de parler comme ça !

— Je vais quand même pas dire qu'il fait l'amour,

m'man. C'est un PERROQUET. Il a dix-sept ans. En pleine adolescence. Il baise.

— Non, il est en rut. Mais dis donc, il est plus calme d'habitude.

— Suzon lui verse du bromure dans sa mangeoire, ça l'assomme. Elle a dû oublier. Elle supporte pas ses cris quand il bai… quand il est en rut.

Costaud et Cabot tournent autour de la cage, affolés par la sexualité agressive d'Hector.

— Eux, en tout cas, ils apprécient le spectacle, sourit Tom.

Stella tripote les boutons de sa parka et observe Hector. La peluche ne va pas durer longtemps, déjà la ouate s'échappe.

— Je suis passée à la bibliothèque te prendre des livres. Pourquoi tu m'as pas dit que le livre était d'Emily Dickinson ? J'ai eu l'air cruche avec le bibliothécaire. Emily Dickinschose !

— Je savais pas. Je sais même pas qui c'est…

— C'est une grande poétesse américaine. Il te l'a pas dit, ça, ton copain imaginaire ?

Tom se renfrogne, croise les bras sur sa poitrine, furieux.

— Je te dirai plus rien.

*

Adrian prend sa voiture à la gare et fait un tour dans Saint-Chaland avant de rentrer à la ferme. Il emprunte le boulevard périphérique, bloque le compteur à quatre-vingts, tourne, tourne pour remettre sa tête en place. Il passe devant Conforama, les cuisines

442

payables en vingt mois, les lave-linge à moins trente pour cent, reconnaît les lettres rouges et rondes de Mr Bricolage, ses «prix marteaux», le McDo et son Wifi gratuit. «Carglass, 30 ans à vos côtés». Fidélité, fidélité, clame la banderole jaune.

Il rentre de Paris et plus rien ne tient debout. C'est comme s'il avait passé la journée à boire du mauvais whisky dans des bars à fumer des cigarettes jusqu'au filtre en se brûlant les doigts.

Il a pris deux cafés et une douche. Il est resté long-temps sous le jet brûlant. La gueule ouverte pour avaler l'eau et se nettoyer à l'intérieur. La salle de bains était décorée de carreaux violets avec des fleurs orange. Les serviettes râpaient et sentaient le moisi, le bidet était encastré sous le lavabo et le rideau en plastique s'était décroché pendant qu'il se savonnait.

Ça devait être un hôtel de passe.

C'est tout ce qu'il avait trouvé.

La fille au sourire qui promet la paix et déclare la guerre n'avait pas bronché quand elle avait poussé la porte. Il lui avait donné le nom, l'adresse de l'hôtel et le numéro de la chambre au téléphone. Elle avait répété sans se tromper.

— Je serai là dans un peu moins d'une heure, elle avait dit. J'ai un travail à finir. Ça vous va?

— Je laisserai la clé sur la porte.

Il l'attendait, allongé sur le lit. Il avait gardé ses chaussures. Il ne sait pas pourquoi. Commandé un café puis un autre. De la flotte. Le bord de la tasse portait une trace de rouge à lèvres carmin.

Il avait tourné la tasse, cherché un endroit propre.

Avait ouvert sa tablette. Borzinski le bombardait de mails. Il n'avait pas l'esprit libre pour réfléchir. Ses yeux foutaient le camp vers la porte et revenaient, distraits, sur l'écran calculer une évaluation, un prix de revient, le moyen de resserrer les dépenses, d'engager une équipe ou deux, une de jour, une de nuit ? Comment il allait payer le broyeur pour bois qu'il avait commandé ? Il lui en faudrait un troisième pour le carton et le papier. Tout seul, il n'y arriverait jamais. Il était obligé de passer par Borzinski. OBLIGÉ. Et il FALLAIT qu'il parle à Edmond. Tu t'enfonces, mon vieux, tu t'enfonces. À force de remettre à plus tard…

Il attendait la fille en se demandant qu'est-ce que je fous ici ? Suis con ou quoi ? Et il frottait ses chaussures sur le couvre-lit marron.

Elle était entrée. Elle s'était jetée contre lui. Il avait refermé les bras sur elle.

La terre, la nuit, le soleil.

On lui aurait dit tu vas mourir si tu la baises, il aurait répondu je m'en fous.

Il l'avait repoussée pour mesurer le danger. Elle lui avait mordu la main. Il avait fermé les yeux. Glissé ses doigts dans les cheveux épais, les avait tirés. Très fort. Elle l'avait fixé, un regard qui disait je te veux plus que tout, mais je me laisserai pas faire. Il s'était abattu sur elle, l'avait immobilisée, lui écrasant la bouche, les seins, le ventre, enfonçant un genou entre ses cuisses.

Et il était entré en elle. En propriétaire. Elle avait crié. Lui aussi. Sa tête était retombée sur sa poitrine, il avait dit pardon, oh pardon. Et il l'avait reprise. En léchant chaque morceau de peau nue que sa bouche effleurait. En écoutant les plaintes qu'elle modulait. En

444

se coulant contre elle, en se frottant contre son sexe, en faisant l'amour les mains à plat sur ses hanches comme s'il l'écartelait. Un cambrioleur qui reconnaissait les lieux.

Ils avaient fait la guerre. Ils avaient fait la paix.

Quand ils se déprenaient, c'était pour mieux se reprendre. Ils se regardaient, étonnés, se touchaient du doigt, se donnaient des coups de langue, se mordillaient, la jambe de l'un venait immobiliser la hanche de l'autre et tout recommençait.

Puis il avait aperçu l'heure à la montre posée sur la table de chevet, avait lâché merde ! Faut que j'y aille ! Putain !

Il avait foncé dans la salle de bains.

Quand il était revenu dans la chambre, elle était partie.

Il ne savait pas son nom.

*

Affalée sur la banquette du café Chez Farid, Zoé tente d'écrire une disserte sur Victor Hugo. Elle a appelé Léa pour lui dire au secours, viens vite, je prends l'eau, mais Léa n'arrive pas.

Farid pose devant elle un second chocolat chaud avec un spéculoos enveloppé dans son étui en cellophane, elle joue avec sans se résoudre à le déchirer.

— Tu veux que je te l'ouvre ? T'as pas l'air en forme…

— Si, si, c'est juste que…

— T'attends Léa et elle vient pas et t'as un truc super important à lui dire.

Il secoue la tête, un sourire dans les yeux.

— J'ai une fille de ton âge, je connais ces airs de princesse chiffon sur une banquette.

— Ben, t'as tout faux.

— J'aime pas quand les filles ont des chagrins d'amour, ça les bouleverse trop. Les garçons, ils font semblant que tout va bien. Les filles, ça se voit tout de suite.

— Puisque je te dis que t'as tout faux ! s'énerve Zoé.

— Je disais ça comme ça. Pour parler, c'est tout.

Et il s'éloigne pour servir un client au bar.

Depuis qu'elle a largué son fiancé hollandais, Léa est imprévisible.

— Je finissais par l'appeler Tulipe tellement sa poésie me soûlait. Je l'ai renvoyé en un clic. Viré de mon Facebook, bloqué sur mon téléphone. Je suis riche maintenant et les riches peuvent tout se permettre. L'argent les rassure et ils abusent. J'adore abuser, ça libère, c'est fatigant de toujours se maîtriser.

Elle n'arrête pas de «faire des expériences».

— J'essaie tout, fille et garçon. J'ai pas encore essayé les partouzes. Je devrais… Quoique… suis pas sûre d'aimer.

Elle fait tourner un bracelet à son poignet.

— T'as vu ? Hermès. Devine combien ?

Elle annonce le prix de tout ce qu'elle achète.

Le spéculoos a fondu dans le chocolat.

Zoé tourne la cuillère dans la tasse et remonte des lambeaux de gâteau qui se défont avant qu'elle ne les avale. Le livre sur Victor Hugo gît ouvert sur ses genoux. Sujet de sa disserte : « Comment Victor Hugo a inventé, selon la formule célèbre de Mallarmé, "le charme certain du vers faux" ? Inspirez-vous de la complainte de Quasimodo, amoureux de la belle Esmeralda qui n'a d'yeux que pour le séduisant Phébus. »

Ne regarde pas la figure,
Jeune fille, regarde le cœur.
Le cœur d'un beau jeune homme est souvent difforme.
Il y a des cœurs où l'amour ne se conserve pas.

Jeune fille, le sapin n'est pas beau,
N'est pas beau comme le peuplier,
Mais il garde son feuillage l'hiver.

Hélas ! à quoi bon dire cela ?
Ce qui n'est pas beau a tort d'être ;
La beauté n'aime que la beauté,
Avril tourne le dos à janvier.

La beauté est parfaite,
La beauté peut tout,
La beauté est la seule chose qui n'existe pas à demi.

Un poids tombe sur la banquette à côté de Zoé, une voix claironne :

— T'as vu Johnny Depp, ça va mal, hein ?

Léa aperçoit le livre sur les genoux de Zoé et rectifie :

— Ah ! Je croyais que tu lisais *Voici* en cachette.

— T'as oublié qu'on avait Hugo au programme ? Tu l'auras jamais, ton année d'hypokhâgne. Qu'est-ce que t'as fait hier soir ?

— J'ai essayé ma Cellu-cup. Seize euros sur Amazon.

— C'est quoi ?

— Une ventouse à cellulite. Elle détruit la graisse. Ça fait des bleus mais c'est efficace.

Léa passe ses mains sur ses cuisses.

— J'ai perdu quatre centimètres. J'ai droit à un Orangina.

Elle fait signe à Farid, commande un Orangina. Regarde sa montre.

— J'ai rencard dans trente minutes mais je crois que je vais lâcher l'affaire.

— Un type ? dit Zoé.

— Une meuf. Chiante. Elle fait trop de selfies. En plus elle a un p'tit chien, elle pose tout le temps avec lui. C'est nul.

— N'y va pas.

— T'as raison, je vais plutôt me concentrer sur mon fantasme.

— C'est quoi ?

— Une salopette Asos. J'en ai vu une en jean, canon, à 122,99. Et une autre, noire, à 74,99. Canon aussi. J'hésite.

Zoé martèle le dessus de la table de ses poings.

— Faut que je te parle, Léa. C'est sérieux.

Léa retire la sucette qu'elle a dans la bouche. Ses lèvres sont bleues, ses dents aussi.

— Vas-y, livre.

— J'aime encore Gaétan.

— C'est plus Dieu, ton fiancé ?

— Léa !

Zoé n'a plus envie de parler. Ses sourcils se froncent, elle se bloque.

— Je t'écoute, dit Léa.

Zoé la regarde avec l'air de dire sérieux ? Tu m'écoutes ?

— Bon. J'étais au Mikado, vendredi, avec Romane. On attendait avant d'aller au ciné voir *Le Livre de la jungle.* On jouait à *Mario Kart.* Et Gaétan est entré…

— Au Mikado ? Il habite dans le quartier ?

— Il avait un pull vert jardin en cachemire, il m'a dit salut, Zoé, avec un air très doux et son sourire avec trois trous dedans, tu sais…

— Tu veux dire des fossettes ?

— Il m'a prise dans ses bras et c'était bon. J'avais plus envie d'en sortir. J'étais contre lui, je ne me posais pas de questions. J'étais juste au bon endroit.

— Et vous êtes repartis ensemble.

— Ben non… Y a une fille qui est arrivée. Sa copine.

— Il a une copine ?

— Ouais. Il m'a relâchée, ou plutôt il m'a décollée comme si j'étais un vieux sparadrap plein de pus.

— Dingue !

— La fille, elle s'appelle Marie, elle a des cheveux de lion dans la savane, des dents blanches, une taille de pièce de dix centimes. Elle m'a fait la bise, m'a dit « alors c'est toi Zoé ? J'ai beaucoup entendu parler de toi, en bien, hein ! » J'aurais préféré qu'elle soit désagréable. Gaétan a attrapé un tabouret, il l'a posé devant elle et il a dit… il a dit…

Léa tend le cou, ouvre grand les yeux, elle veut savoir. Son pied bat le sol, elle n'y tient plus.

— Il a dit à la fille. «Assieds-toi, mon amour.» J'ai failli mourir. J'ai pris feu. Je crachais le Vésuve. J'ai eu envie de hurler ton amour, c'est MOI ! C'est pas ELLE !

— Ouaouh ! C'est chaud bouillant !

— Je me suis tournée vers l'écran de la Nintendo et j'ai dit à la fille «tu veux faire une partie ?»

— Pourquoi t'as dit ça ?

— Sais pas. Mais je sais que je suis super-entraî-née et que personne peut me battre. *Mario Kart*, tu connais ?

— Vaguement.

— C'est un jeu de voitures trop bien où tu peux lancer des carapaces de tortue, des éclairs, tu peux bouffer des champignons pour prendre de la vitesse. Bref, j'ai pris Luigi et j'ai joué la meilleure partie de ma vie. J'ai explosé Marie. J'essayais de ne plus penser. Gaétan et elle dans leur appart, Gaétan qui la tient sur le skate, Gaétan qui la prend contre lui quand ils dorment, quand ils font l'amour. Et je l'ai explosée, trois fois. Je me suis tournée vers elle, j'ai ravalé le volcan et j'ai souri. *Game over*. Maxi-revanche.

Zoé baisse la tête et soupire.

— Mais j'avais envie de vomir.

— Il l'a pas su. Elle non plus.

— Sauf qu'il vient de me téléphoner pour savoir comment j'allais et je crois que je l'aime encore. J'ai envie de lui dire, mais j'ose pas. S'il était tout seul, ce serait différent. Léa, je fais quoi ?

Léa plonge sa paille dans son Orangina et fait un bruit de bulles qui rigolent au fond du verre. Elle étouffe un renvoi.

— C'est plein de gaz, ce truc-là !

— C'est un O-ran-gi-na ! Alors dis… je fais quoi ?

— Rien.

— Je lui réponds pas ?

Léa inspecte ses ballerines Repetto. Vernies rouges. Elle les ôte, les tâte, les frotte de sa manche, les remet. Lève un regard vide sur Zoé.

— Cadeau de ma mère parce que j'ai eu sept à ma disserte sur Marivaux. D'habitude, j'ai quatre.

— Elle est sympa, bougonne Zoé, furieuse.

— Elle est infecte. Elle m'achète, me vend, m'évalue. Comme à la Bourse.

Zoé écarte la table pour se lever. Léa lance un bras, la rattrape. La force à s'asseoir.

— Je vais te raconter une histoire et tu me réponds sans tricher, hein ?

— Ouais, râle Zoé.

— Imagine… Tu es assise avec Gaétan, là, sur la même banquette. Vous vous êtes remis ensemble la veille.

Elle prend un air mystérieux, glisse la paille Orangina sous son nez, fait bouger ses épaules comme si elle dansait une samba brésilienne.

— Ryan Gosling entre dans le café, vient vers vous, dit BONJOUR, parce qu'il est bien élevé, puis il s'adresse à TOI, Zoé Cortès, et…

C'est au tour de Zoé d'être suspendue aux lèvres de Léa.

— … il dit «Zoé, je viens de te voir passer dans la rue et je me suis dit qu'il fallait ABSOLUMENT que je te parle».

— Comment il sait mon nom ?

— Ça, on s'en fiche ! C'est pas important.

— Ben… ça serait mieux si…

— On s'en fiche ! Il continue «Zoé, *I am crazy about you*, tu es la femme de ma vie…»

— Et sa meuf ? Eva Mendes. Il en fait quoi ?

— Il ajoute que depuis qu'il t'a vue, il a tout oublié, TOUT ! Il n'y a plus que toi dans son cerveau.

Zoé s'est redressée, elle réfléchit.

— Tu hésites, il met un genou à terre, il dit «Zoé Cortès, je vous aime à la folie, viens avec moi au bout du monde», il se prend un peu les pieds dans le «tu» et le «vous», c'est normal, il est pas habitué, et alors… qu'est-ce que tu fais ?

— Je le suis. Je dis oui. Et on part où ?

Zoé a un ballet d'étoiles dans les yeux.

Léa claque des doigts.

— Fini ! Réveille-toi ! T'es pas amoureuse de Gaétan. Tu l'as complètement zappé pour suivre Ryan. Morale de l'histoire : tu n'aimes pas Gaétan, t'aimes juste pas qu'une autre te le pique. Fin du dilemme.

Zoé baisse le nez, joue avec la cuillère. Touille un bout de sucre fondu au fond de la tasse.

— T'as pas tort, elle dit après un long silence.

— Je réfléchis. Quand j'ai le temps et l'envie. La plupart du temps, je réfléchis pas, je répète ce que tout le monde dit, c'est plus reposant.

Zoé sourit. Puis lèche sa cuillère, pensive.

— Ryan Gosling. J'y ai trop cru !

— C'est ton problème, Zoé, tu crois à tout.

*

Allongée dans son grand lit au Ritz, dans la suite Coco Chanel à vingt mille euros la nuit, Elena Karkhova arrache un coin de croissant qu'elle trempe dans un café au lait. C'est le matin, elle aperçoit un angle de la place Vendôme, un bout de colonne où jadis Lamartine prit la parole et mena la révolte de Paris. Cela finit mal. Louis Napoléon Bonaparte devint président de la République avant de provoquer un coup d'État et de se faire appeler Napoléon III. Il n'y a qu'à Paris qu'elle se permet des petits-déjeuners aussi copieux parce qu'il n'y a qu'en France que les petits-déjeuners sont aussi délicieux. Elle feuillette les journaux, les pages mode, survole les derniers défilés à New York, Londres, Milan, se délecte en pensant à celui d'Hortense dans trois semaines. Ah ! Elle va être surprise, la traîtresse ! Elle ne s'attend pas à ce que je réapparaisse. Elle sera terrassée. Prendra un coup de massue sur sa nuque de bison. Et quand, à la fin du défilé, je me hisserai sur le podium… Je jubile à l'idée de voir sa pauvre tête. J'ai tout mené de main de maître. Tout en restant dans l'ombre. J'ai trouvé l'atelier, recruté la première, les petites mains, commandé les tissus, signé les chèques. *Hello, Paris ! Ready to walk on the wild side…* celui de la vengeance qui se déguste froide, voire glacée, qu'importe le degré pourvu qu'on ait l'ivresse. Elle se croyait tranquille, je vais l'exterminer. Grâce à cette concierge qui pue la bourgeoise délaissée et les pipes bâclées.

453

Deux autres croissants reposent dans la corbeille, couchés sur un carré de toile blanche. Joliment dorés, gonflés, moelleux, une mie alvéolée qui embaume le beurre frais… Il ne faut pas, je ne devrais pas, c'est interdit, c'est de la folie… Sa main s'abat sur un croissant, ses doigts en déchirent un bout qu'elle recouvre de marmelade d'oranges amères, sa confiture préférée. La bouche pleine, la salive parfumée d'écorce de fruit, elle songe à Grandsire qui n'est pas là pour la pétrir. Cet amant ombrageux, puissant lui manque. Ses fortes mains, sa peau ambrée contre la sienne si blanche, sa bouche qui lui fait chanter de douces mélopées, son sexe qui se dresse… Elle secoue la tête, chasse ses rêveries libidineuses. Il refuse de la suivre à Paris sous prétexte qu'il ne prend jamais l'avion. Elle le soup-çonne d'avoir une poule à New York. Je le comprends, c'est déjà très aimable de sa part de m'honorer de son membre semi-remorque. À mon âge ! Elle soupire, prise au ventre d'un féroce désir. Je pourrais me com-mander un homme pour un soir… Un mâle attentionné qui saurait m'honorer. Je vais en parler au concierge de l'hôtel.

Sisteron m'ennuie avec ses chiffres et ses bilans. Il veut toujours avoir raison. Il est de plus en plus irritable. On dirait qu'il est pressé. A-t-il seulement une bonne raison ? Hortense prétend qu'il n'est pas net. Et lui, qu'elle n'est pas fiable. Ces deux-là ne se supportent pas.

Elle se jette sur le troisième croissant. Quatre cent trente-sept calories. Bien plus qu'un pain au chocolat ou qu'une tartine de Nutella. Du gras, des glucides, du

cholestérol. Certaines personnes choisissent le croissant pour se suicider.

Elle ne se suicidera pas.

Bien au contraire.

Le jour du défilé d'Hortense Cortès, elle sera assise
au premier rang. Dans la lumière.

Elle humecte son index. Attrape des miettes de
croissant. Lèche son doigt. Soulève un napperon
pour vérifier s'il ne reste pas une viennoiserie cachée.
Soupire. S'étire. C'est triste, un lit immense pour une
seule personne. Elle décroche le téléphone. Demande
à parler au concierge, monsieur Noël.

— Noël… C'est la comtesse Karkhova.

— Bonjour, madame la comtesse. Le soleil est
magnifique ce matin, la place brille d'une lumière
irréelle et…

— Épargnez-moi la carte postale. Je ne suis pas une
touriste.

— C'est un réflexe. Que puis-je faire pour vous,
comtesse ?

— Je voudrais un jeune mâle pour ce soir.

— Un…

Il s'étrangle. Elle est obligée d'attendre qu'il
reprenne son souffle.

— Un jeune mâle. Beau, attentif, tendre. Noir, de
préférence. Pour une nuit, mais s'il peut partir dès que
je suis endormie, je préfère. Je n'aime pas me réveiller
en compagnie.

— Et vous…

— Je paie bien. Dix mille euros la nuit. Sachant
que je suis experte, douce, parfumée et que je fais les

meilleures pipes de Paris, New York et autres capitales.

Le concierge s'étrangle à nouveau.

— Pour être claire, je ne fais pas la planche comme beaucoup de mijaurées.

— Dix mille eu… Je pourrais peut-être me proposer pour…

— Vous, Noël ! Vous n'y pensez pas. On se connaît depuis combien de temps ? Et puis, j'ai dit « jeune », n'oubliez pas.

— Excusez-moi, madame la comtesse…

— J'attends votre appel. Belle journée, Noël !

Noël Berger raccroche en calculant l'âge de la comtesse. S'il est toujours bon en maths, elle a quatre-vingt-douze ans.

Qui a dit que la libido diminuait avec l'âge ?

*

Madame Philippine, penchée sur le travail de Lila, une petite main appliquée, vérifie les aplombs et les « sens » d'un modèle. Cela fait trois semaines qu'elle a été engagée en tant que première d'atelier. Elle a eu un entretien préalable avec Hortense. Elles se sont observées, questionnées, appréciées. Madame Philippine n'aurait pas travaillé pour une prétentieuse, une pimbêche ou une ignorante. Elle a une réputation. Elle a accompagné les plus grands couturiers. Elle n'est pas à vendre. Sa retraite est confortable. Elle possède un joli appartement dans le XVIe arrondissement. Elle aime la haute couture, le travail bien fait, la magie de voir naître un modèle sous ses doigts, elle ne court pas le cachet. Cela valait la peine d'être précisé, Hortense Cortès l'a compris.

Elle doit admettre qu'elles travaillent bien ensemble. La petite n'est pas capricieuse. C'est une travailleuse. Elle est douée. Exigeante. Attentive. Avec des fulgurances qui la laissent bouche bée.

C'est à elle qu'Hortense explique le modèle, tend le croquis, à elle qu'il revient de le réaliser. Dix-huit modèles. Robes, manteaux, pantalons, grands pulls, chemisiers, jupes crayon. Une mode chic, décontractée qui met les lignes en valeur et amincit. Et puis, la trouvaille de ce tissu ! Cette technologie qui se cache dans la trame même de la matière ! Quelle merveille ! Madame Philippine n'en revient pas. Elle a enfilé une robe de jersey rouge, près du corps, manches longues, col arrondi, toute simple. Une robe d'après-midi à porter avec des talons hauts ou plats. Quand elle s'est retournée pour se regarder dans la glace, elle a poussé un cri. C'était elle dans le miroir ? Cette longue silhouette lui rappelait sa jeunesse… Elle a couru dans le placard chercher les Louboutin qu'elle avait remisées pour cause de prise de poids. Les a chaussées. Est retournée devant la glace. À henni de joie. Elle se palpait, cherchait ses kilos, ne les trouvait pas. Criait au miracle. Est allée sonner chez la voisine qui n'eut qu'un mot, je veux la même. Qu'importe le prix, je veux LA robe !

Madame Philippine a six petites mains qui travaillent sous ses ordres. Elle veille à la réalisation de chaque pièce. Une toile d'abord puis le modèle pour de vrai. Sans coup de ciseaux qui mord ni de fer à repasser qui brûle. L'atelier loué par Elena Karkhova au 22, rue de Panama est un local aux murs passés au blanc. Chacun travaille en se mâchant la lèvre, en se grattant le nez, en remontant une bretelle, une mèche qui s'échappe. La collection d'Hortense Cortès ouvrira la saison haute couture à Paris, fin janvier. Un honneur pour une débutante dont personne n'a entendu parler. Une gamine inconnue qui ouvre le bal, vous vous rendez compte ? Elle sort d'où ? Elle couche avec qui ? Toute la presse sera là, les personnalités, les blogueuses, les photographes, des clientes invitées par monsieur Picart. LE Jean-Jacques Picart ? Oui. Il a choisi la date, établi la liste des invités. Il s'est entiché de la petite et fait le buzz. Une rumeur court dans Paris, *HortenseCortès, HortenseCortès…* Ça siffle, ça griffe, ça crisse, qui est cette fille ? Ça vaut le coup d'aller voir, tu crois ? Tu y vas, toi ? Picart ne se mouillerait pas s'il n'était pas sûr. L'homme a des exigences, des références. Et elle vient d'où, Hortense Cortès ? Elle a fait Saint Martins à Londres, tu sais, cette école dont sortent tous les créateurs aujourd'hui. Ah oui, pas mal. Et qui la finance ? Une vieille comtesse russe. Une antiquité fardée comme les roues d'un carrosse qui vend ses tableaux pour payer les dépenses. Et elle ne lésine pas. Saphique ? Non, excentrique. Autrefois elle habitait Paris, mariée à un escroc très riche. T'es bête ! Un escroc riche, c'est un pléonasme. Dis donc, ça devient croustillant, on devrait aller voir, elle présente où ? La comtesse lui aurait loué le bas des Champs-Élysées. Dans les jardins. Elle bloquerait la circulation. Non ? Si. Pas possible !

458

La rumeur galope. Devient fantaisiste. Picart serait le père de la jeune fille, l'amant de la comtesse, elle-même descendante du dernier tsar. Réfugiée à New York pour avoir séduit à soixante-dix ans le jeune fils d'un mafieux russe. Le gamin serait mort dans son bain en écrivant son nom avec son sang.

Hortense entend les rumeurs et ça lui plaît. Si elle pouvait y ajouter deux cadavres, une vipère dans un camembert, un feu d'artifice de diamants, de la poudre de cocaïne, des eunuques pendus dans les latrines, elle deviendrait célèbre en dix-huit minutes.

Le temps d'un défilé.

Elle a l'œil à tout. Aux tissus choisis, à l'exacte reproduction de ses croquis, aux boutons, aux galons, aux broderies. Au double apprêt, au droit fil, au pico-tage de cols et de revers, à l'incrustation de dentelles, aux ourlets bagués, aux doublures rabattues, au pli de souplesse dans le bas des manches, dans le dos. Manquerait plus qu'une veste godille !

Haute couture, TRÈS HAUTE COUTURE. L'excellence française.

Elle a installé un matelas sous un Velux. Elle dort enroulée dans une couverture. Toilette dans le lavabo, brossage de dents, cheveux relevés en chignon et au travail ! Pas le temps de rentrer chez elle, de répondre aux questions de sa mère ou de sa sœur. Pas le temps de penser à Gary ni de déboucher une bouteille de franc-pipeau.

Elle a transporté ses Stockman, ses rouleaux, ses tables, ses ciseaux rue de Panama. Au milieu des boutiques de tissus africains, des épis de maïs grillés, des pastèques éventrées, des femmes en boubous multicolores qui ondulent sur les trottoirs, des bambins suspendus à leurs hanches comme des grappes de raisin.

Il lui arrive de prendre le temps.

Pour le retrouver. L'homme qui la rend affamée.

C'est toujours le même rituel. Il l'appelle. Il lui demande où elle se trouve. Il repère un hôtel proche. Donne par SMS le numéro de la chambre. Laisse la porte entrouverte. S'allonge sur le lit avec ses chaussures, croise les mains, s'écorche les pouces, attend qu'elle pousse la porte.

Pour une heure, pour deux heures, ils roulent dans le lit. Se nouent. Se dénouent. Se défient.

Il la saisit, ses dents entament sa chair, elle dit oui, elle dit encore, il l'emprisonne, fait glisser ses ongles jusqu'à la pointe de ses seins, elle pousse un cri, s'abandonne, il s'étend sur elle, la pénètre et elle s'abîme dans une jouissance où elle n'a plus de nom. Elle tombe au fond comme une pierre, l'eau remplit sa tête, des éponges gorgées de feu éclatent dans son ventre, elle sombre, elle balbutie, se disloque, elle croit qu'elle est morte, donne un grand coup de pied et remonte, remonte, puissante, nouvelle, nettoyée.

Je ne sais rien de lui et ne veux rien savoir.

Je veux son corps sur le mien et qu'il pèse lourd.

Des rendez-vous furtifs dans des hôtels peureux.

On ne se parle pas, on grogne.

On ne s'embrasse pas, on se mange la bouche.

On remonte au temps où les forêts, les glaciers

recouvraient la terre, où la lumière jaune et grise sin-
geait le soleil, où on s'abritait dans le sang des chevaux
en dévorant des morceaux d'abats chauds.

Il me prend, je deviens âpre, violente. Il me serre,
il me casse, pose ses mains sur moi et je plie, soumise,
apeurée. Je lui lèche les mains.

L'instant d'après… je lui donne un coup de pied et
m'échappe, ah, tu croyais m'attraper ?

Ses yeux sont froids. Il prend une cigarette, l'allume,
envoie gicler l'allumette, ne bouge pas, recrache la
fumée, détourne la tête, attend que je le supplie.

Que je me traîne sur la moquette sale.

On ne se parle pas. C'est pas la peine.

Un jour je pleurerai peut-être.

Je pleurerai d'avoir perdu l'homme qui a donné vie
à cette femme-là.

Je ne savais pas qu'elle habitait en moi.

Dans le taxi qui l'emmène vers l'hôtel où il l'attend,
elle griffonne dans son carnet. Elle trace un mot, le
transforme en bouton, en boléro, en femme renversée,
en homme qui se repaît.

Amour, NON, désir, OUI, attirance, OUI, attraction,
OUI, affection, NON, tendresse, NON, volupté, OUI, atta-
chement, NON, ardeur ?

ARDEUR.

Le mot enflamme la page blanche. La calcine.

Ardeur, elle répète, éblouie, ardeur.

Quand le taxi s'arrête, elle monte les escaliers en
courant et se jette contre lui.

De retour à l'atelier, elle prend une paire de ciseaux

et dans un jersey gris, épais, souple, elle coupe une robe. Elle faufile, elle échancre, elle diminue, elle augmente. Termine l'aplomb, déroule les manches.

Serre la taille en corset. Double avec le fameux tissu qui...

Ce n'est pas assez.

Ses yeux se plissent, elle cherche, indécise. Elle veut chercher encore. Ce n'est pas qu'elle soit plus maligne que les autres, ni plus intelligente, c'est qu'elle passe plus de temps à chercher. Elle réfléchit. Se reprend. Faudrait pas qu'il la prenne pour une autre. Ça bouffe tout, l'amour. Faut que ça se fourre partout. Elle reprend son jersey, ses ciseaux.

Elle a trouvé !

Un jour, madame Philippine lui dit d'aller prendre l'air, il n'est pas bon de rester enfermée tout le temps. Hortense part rendre visite à sa grand-mère. Elle voudrait qu'Henriette lui explique ce que veulent dire les mots rapportés par Zoé.

Il ne faut pas que cette petite réussisse ! Vous m'entendez ?

Je suis prête à tout.

Une pancarte indique les heures de présence de la gardienne. Henriette les change au gré de son humeur. Ce jour-là, la pancarte indique « Fermé jusqu'à 15 h 30 ». Il est quinze heures vingt-neuf.

L'entrée de l'immeuble, majestueuse et froide, sent le marbre glacé et inspire le respect. On s'attend à voir débarquer une altesse en exil ou un pape retraité. Les gens doivent se croire obligés de parler à voix basse.

Hortense frappe à la porte. Deux petits coups secs.

Henriette lui ouvre, raide, renfrognée, elle finit de manger et masque d'une main sa bouche pleine, prête à renvoyer le gêneur qui a l'audace de la priver de sa dernière bouchée.

À la vue de sa petite-fille, son visage s'éclaire, elle en oublie qu'elle a des épinards sur les dents.

— Tu es venue me rendre visite ! Quel jour béni ! Montre comme tu es jolie.

Elle croise les mains sur sa poitrine, les yeux fermés, en pleine extase.

— Ça va, Henriette, calme-toi. J'ai horreur des effusions.

— Cela fait si longtemps. Attendre un être que l'on aime, quel tourment ! Je croyais que tu ne voulais plus me voir. Je me demandais si je t'avais blessée. Mais comment le pourrais-je, moi qui t'aime tant ?

— CALME-TOI. C'est dégoûtant !

Henriette n'entend pas, Henriette a le sourire imbécile de la bergère à qui la Vierge parle. Un filet de bave glisse sur son menton.

— Que tu es belle ! Et ce tricot ! Une merveille. C'est un modèle à toi ?

— Ce n'est pas un « tricot », Henriette. C'est un pull. Tout simplement. Un modèle assez large, en effet, mais ça reste un pull. Et oui, c'est moi qui l'ai dessiné.

— Excuse-moi, ma minette…

— On ne dit pas « ma minette » non plus. Dis donc, ça fait combien de temps que tu n'as pas prononcé une parole tendre ? T'as perdu le vocabulaire.

— Tu sais, je n'ai guère l'occasion d'avoir des émotions. À part mes petits chiens en peluche qui aboient et gambadent…

Henriette fait partie de ces gens qui confondent sensibilité et sensiblerie. Elle s'émeut devant des peluches mécaniques, mais rembarre la mère en larmes dont l'enfant agonise et qui attend dans le hall le médecin appelé en urgence. Tant de simagrées pour une angine !

— L'humain est bien décevant, tu peux me croire. J'en vois des choses, et des pas belles.

Elle fait suppurer une larme de son bouchon de cire, pose sa main sur celle de sa petite-fille et dans un faux sanglot :

— Pourquoi ne viens-tu pas me voir plus souvent ?

— Je travaille. J'ai pas de temps à perdre. Et puis tu ne donnes pas envie. Tu as de l'épinard sur les dents.

Henriette ne songe pas à se défendre. Elle sourit, perdue dans la contemplation de sa petite-fille. Retrousse les lèvres, se nettoie les dents. S'excuse. Puis, devant la mine exaspérée d'Hortense, elle rectifie une mèche échappée de son chignon et demande :

— Quel bon vent t'amène, ma petite chérie ? Tu n'es pas venue pour mes beaux yeux, je suppose ?

Hortense souffle, soulagée.

— Je préfère quand tu es lucide. On va pouvoir parler.

Hortense lui rapporte les propos entendus par Zoé.

— À qui faisait allusion cette femme ? Elle parlait de moi ?

— Mais pas du tout ! Tu te trompes, ma minette.

Henriette se lève, ouvre la porte, décroche l'écriteau, retarde l'heure de son retour et revient s'asseoir face à Hortense.

— Comme ça, on aura la paix. Ils attendront. Je les déteste ! Si je n'étais pas obligée de gagner ma vie, je t'ass…

— Je m'en fiche. Revenons à ce qui m'intéresse.

Henriette soupire. Elle aurait aimé un peu plus de compassion.

— Je ne sais pas grand-chose. Cette dame très âgée au fort accent étranger m'a demandé de surveiller une femme qui habite une chambre de bonne au sixième étage. Sans ascenseur. Avec toilettes à l'étage. La misère, quoi !

— C'est elle qu'elle appelle « la petite » ?

— Elle a vingt ans de moins. Alors tu penses !

— Elle s'appelle comment ?

— Nicole Sergent. Très jolie femme. Dans les soixante-dix ans. Grande, les cheveux courts, des mèches blondes, toujours très bien mise. Elle a des élastiques dans les genoux. Monter six étages plusieurs fois par jour, ça conserve. Elle ne doit pas avoir beaucoup de sous.

— Et pourquoi la vieille veut que tu l'espionnes ?

— J'ai pas tout compris mais… autrefois cette Nicole Sergent a été une rivale, amoureuse et professionnelle. Elle lui aurait pris son homme et lui aurait fait un sale coup.

— Tu connais le nom de la femme qui est venue te voir ?

— Elle m'a laissé un numéro de téléphone et…

— Fais voir ! ordonne Hortense.

Henriette se dirige vers un buffet imposant, ouvre un tiroir, et tend à Hortense un morceau de papier.

— C'est bien ça, marmonne Hortense en lisant. C'est Elena Karkhova. Elle me finance. C'est dingue !

— Elle veut tout savoir sur cette femme. Qui vient la voir ? À quelle heure elle sort ? À quelle heure elle rentre ? Et son courrier ? Elle a retrouvé son adresse par la Chambre syndicale de la haute couture.

— Et cette rivale habite dans TON immeuble !

— Je la vois très peu. Je dépose le courrier des chambres de bonne dans une boîte aux lettres au pied de l'escalier de service. Je ne monte jamais là-haut. Trop fatigant !

— Nicole Sergent, réfléchit Hortense. Elena ne m'en a jamais parlé. Nicole Sergent… Il faudra que je la googlise. Peut-être qu'elle a travaillé dans la couture.

— Ou pas. Je pourrais essayer de le savoir.

— Tu lui as déjà fait un rapport ?

— Pas encore. La Sergent ne sort pas beaucoup de chez elle. Elle fait de l'aquarelle. Elle ne doit peindre que des toits et des cheminées !

Henriette hausse les épaules, dédaigneuse.

— J'ai passé la tête dans sa chambre un jour qu'elle avait laissé sa porte entrouverte. La pièce est remplie de tableaux. Elle peut plus bouger. Je ne sais pas pourquoi elle s'est affolée comme ça, la comtesse.

— Une lubie de vieille. Les vieux ont la tête qui yoyote, ils ont peur de tout.

— Merci beaucoup !

— T'es pas vieille, toi, t'es méchante, et la méchanceté, ça conserve.

Henriette se rembrunit et grommelle dans son menton.

— Tu aimerais qu'on dise que tu es gentille ?

Henriette secoue la tête.

— Ah non alors !

— Alors arrête de faire la tronche comme une gamine !

Henriette sourit en entendant le mot « gamine ».

— Tu as raison. Je veux qu'on me respecte et pour se faire respecter, il faut être craint.

— Donc Elena a peur de cette Nicole Sergent… Tu vas la surveiller et tu me diras ce que tu trouves.

— Il y a un homme qui vient la voir de temps en temps. Je l'aperçois dans la cour. Un type raide, droit, bien habillé. Il passe par l'escalier de service.

— Un ancien amant peut-être. Renseigne-toi, deviens amie avec elle. Elle doit se sentir seule.

— Comme toutes les personnes âgées, soupire Henriette en pressant son réservoir à larmes.

— Ah non ! Tu vas pas te mettre à pleurer ! Je viendrai plus te voir.

— Des menaces, tout de suite des menaces.

— T'aimes pas les pleurnichards, alors ne pleurniche pas ! Espionne. C'est bien plus drôle et ça me rendra service.

Une lueur se rallume dans les yeux d'Henriette.

— Tu m'inviteras à ton défilé ?

— Je te préviens, y aura maman. Au premier rang. Je te mettrai tout au fond.

— Pas trop loin, tout de même !

— Ça dépendra de ce que tu me rapportes comme info.

— Je préviens d'abord la comtesse ou toi ?

— Moi d'abord. Tu sais ouvrir les lettres ?

Henriette hausse les épaules, l'air de dire tu me prends pour une fourchette ?

— Tu vas ouvrir son courrier, s'il y a des trucs intéressants, tu les photographies et tu me les envoies. T'as un portable ?

— Bien sûr. Fourni par la copropriété.

— Tu sais t'en servir ?

Henriette hausse à nouveau les épaules et lève les yeux au ciel.

— Je suis une vraie geek.

— Alors tu fais des photos et tu me les envoies.

Henriette frétille. Elle est sûre de revoir Hortense, sûre d'assister à son défilé.

— Tu gagnes de l'argent ? elle demande, gourmande.

— Plein ! Avec mon blog.

— Et tu as des économies ?

— Bien forcée. J'ai pas le temps de le dépenser.

— Tu places ton argent ?

— Je le place pas, je l'entasse.

— Tu veux que je m'en occupe ?

— Certainement pas.

— Tu as tort. Je suis très forte pour faire fructifier l'argent. Entre lui et moi, c'est sentimental. Je l'aime, il m'aime, on se fait du bien.

Hortense regarde sa montre et se lève en secouant ses longs cheveux. On entend le bruit de ses bracelets qui cliquettent.

— Je m'en vais, j'ai du travail.

— Déjà ? J'avais des chouquettes, on aurait pu prendre le thé.

— Je hais les chouquettes. C'est du sucre et le sucre, c'est du poison. La prochaine fois, achète-moi du saumon sauvage en tranches bien épaisses…

— Épaisses ?

Henriette pince les lèvres, rebutée.

— C'est cher, dit Hortense. Mais quand on aime, on compte pas.

Son téléphone sonne. L'Homme. C'est comme ça qu'elle l'appelle. Elle se détourne. Sa voix est mal assurée.

— Vous êtes libre ? il demande.

— J'ai une heure.

— Vous êtes où ?

— Près du parc Monceau.

— Le Royal Monceau, ça vous va ?

Hortense sourit. Après les hôtels de passe, un palace. Il a signé un gros contrat d'armes ? Il a la tête d'un truand qui franchit les lignes et vend des grenades aux rebelles. Elle se retient de lui poser la question. Ce serait établir un lien entre eux. Elle s'y refuse.

Henriette lit le trouble sur le visage d'Hortense.

— Je vous envoie un SMS avec le numéro de la chambre.

Hortense raccroche, aperçoit le regard d'oiseau de proie de sa grand-mère.

— Un amant ou un amoureux ? susurre Henriette.

— Un acheteur de grand magasin.

— J'espère que tu te montres dure, intraitable.

— Pire que ça.

— C'est bien. C'est tout ce qu'ils méritent…
Et elle ajoute, amère :
— Les hommes.

*

Une chambre au Royal Monceau.

Il va la traiter comme une reine, cette Parisienne.
Edmond lui donne une grosse enveloppe, qu'il appelle
pudiquement « frais généraux », pour inviter les clients,
les noyer dans le luxe. Parfois il doit leur tenir le stylo
pour qu'ils paraphent au bon endroit, en bas de la
page à droite.

La Parisienne lui rappelle les filles d'Aramil. Celles
qui partaient se faire baiser par les soldats en garnison
et revenaient les babines ivres de rires et de roubles.

Elles n'avaient pas honte. Elles rigolaient dans la
lumière jaune et noire de la nuit. En se donnant le
bras pour ne pas trébucher.

Elle a la même rudesse, la même franchise, la même
manière de prendre son plaisir. En montrant les dents.
Il referme les bras sur elle, respire ses cheveux, lèche
sa bouche, le grain de sa peau et il entend le rire des
filles d'Aramil qui marchent sur la route. Il titube dans
les rues grises, sent l'odeur des chiens errants, entend
les gueulantes des types abrutis par l'alcool, écroulés
dans de vieux pneus, ceux qui piaillent en ramassant
leurs hardes de peur qu'on les leur pique. Il y a tout
ça dans les cheveux parfumés de la Parisienne.

*

Suzon a expliqué je vais nourrir les bêtes, jette un œil sur le four, j'ai mon cuissot de cochon qui cuit, n'oublie pas, hein ? Sinon vous avez rien à manger ce soir. Il a marmonné oui, oui. Et tu as dit à ta mère pour l'acacia qui a fracassé la clôture ? Oui, oui. Et elle a dit quoi ? Je me souviens pas.

Il a ouvert le livre que sa mère lui a rapporté de la bibliothèque. *L'Attrape-cœurs* de J. D. Salinger.

Il a à peine posé ses coudes de chaque côté du livre et ses yeux sur la PREMIÈRE PAGE qu'il reçoit une secousse électrique.

La première chose que vous allez me demander, c'est où je suis né et à quoi ça a ressemblé, ma saloperie d'enfance, et ce que faisaient mes parents avant de m'avoir et toutes ces conneries à la David Copperfield, mais j'ai pas envie de raconter ça et tout. Et puis je ne vais pas vous défiler ma complète autobiographie. Je veux juste vous raconter ce truc de dingue qui m'est arrivé l'année dernière vers Noël avant que je sois pas mal esquinté et obligé de venir ici pour me retaper.

C'est un LIVRE, ça ?

Il le retourne. Lit le nom de l'éditeur, du traducteur. Regarde la date de publication. 1951. Au Moyen Âge, quoi. Un livre qui parle comme lui ou presque. Pas comme l'*Iliade* et l'*Odyssée*, *Le Petit Prince*, ceux qu'on lui impose à l'école. Parfois il y a du beau qui s'envole, mais ça dégomme pas comme celui-là.

Il a les coudes en équerre et aspire les mots.

Moi, j'aime bien être quelque part où on peut voir deux ou trois filles en train de se gratter les bras ou se moucher ou juste ricaner bêtement ou quoi.

Le vieil Ulysse avec sa Pénélope qui tisse, il peut aller se rhabiller. Homère, quand il parle des filles, ça sent la naphtaline et le napperon brodé. Jamais il soulève la robe pour regarder.

Les mots claquent sous ses yeux. Il rigole, il se dit ce vieux Holden Caulfield, c'est mon pote. Peut-être qu'il va me filer des conseils pour Dakota. Le baiser avec la langue. La langue mouillée dans la bouche mouillée. Et les armées de frissons qui remontent l'échine. Il meurt d'envie d'aller plus loin dans le livre pour voir s'il parle de sexe et tout ça. Il tourne les pages en cherchant les mots «sexe», «langue», «baiser» et vers la page 177, il trouve ce passage :

Je peux pas arriver à être intéressé sexuellement – je veux dire vraiment intéressé – par une fille qui me plaît pas tout à fait. Je veux dire qu'il faut qu'elle me plaise totalement. Sinon mon foutu désir d'elle, il fout le camp.

C'est le cas avec Dakota. Elle lui plaît totalement. D'abord elle ressemble à personne, très jolie puis moche-moche et encore très jolie, éteinte, allumée, éteinte, allumée. Elle a peur de rien, elle écrit comme une dingue, elle a vécu à New York, elle roule les yeux à l'envers, elle a une main coupée, elle parle anglais, et son prénom, on dirait un film en 3D avec des Cyclopes et des fées Clochette. C'est pas juste une fille avec laquelle on se mélange la langue.

Il est d'accord avec Holden Caulfield.

Il n'aura pas le temps de tout lire ce soir, il va prendre le livre et le cacher sous son matelas.

Il a un nouveau copain. Ça fait même deux avec celui qui lui parle dans la tête. Deux potes d'excellence avec lesquels il va pouvoir PARTAGER des trucs. Il ne piquera plus D'ÉNORMES colères. Ça lui arrive quand il a l'impression qu'on ne le comprend pas. Il donne des coups de poing, des coups de pied, il déteste le monde entier. Sa mère dit Tom, arrête de faire le rogue. Il ne fait pas le rogue. Il est en rogne. Peuvent pas comprendre, les grandes personnes. Pourtant elles ont été jeunes avant de devenir ces grosses machines toujours pressées.

Il le rendra jamais, ce livre. Il dira qu'il l'a perdu. Et il se fera des petits sandwichs de mots, le soir.

Suzon entre en boitillant, elle tient un gros chou vert dans sa main déformée comme la main du Capitaine Crochet et pousse un cri qui sort Tom de son livre. Une fumée noire s'échappe du four. Une odeur de brûlé pique la gorge. Suzon laisse tomber le chou qui roule à terre, attrape un torchon, ouvre le four. Elle tousse, s'étrangle, elle sort le cochon calciné, fripé comme un raisin sec, le balance sur la table. Le plat brûlant vient heurter le livre de Tom.

— Arrête ! Tu vas brûler mon livre !

— Y a plus rien à manger, elle gémit, le nez dans son torchon.

— Ben… on mangera du chou.

— C'est facile, mon bonhomme, c'est facile ! Tu vas me nettoyer tout ça. Le four et le plat. On peut pas te laisser seul sans que tu fasses une bêtise.

Elle se tape sur la poitrine pour cracher et le menace de monter dans sa chambre sans dîner. Il s'en fiche. Il a son livre. Et un paquet de Petit Écolier planqué dans le tiroir à chaussettes.

Et puis, l'heure du dîner, ça ne veut plus rien dire. Son père arrive en retard, sa mère lui lance des regards furieux. Ils mangent en silence en suivant le vol des mouches sous l'abat-jour.

*

Le train approche de Sens. Adrian efface la buée sur la fenêtre du dos de la main. Il aimerait pouvoir écrire sur la vitre. Pour faire le point. Il est à un tournant de sa vie. Ce n'est pas la première fois. Il doit se poser les BONNES questions. Une fois qu'on trouve la BONNE question, la réponse vient facilement et on s'engage dans le BON chemin.

Quand il avait quitté Aramil, la BONNE question avait été : est-ce que j'ai un AVENIR à Aramil ?

Il avait vingt ans. C'était il y a quinze ans. Un éclair lui avait ouvert le crâne, quitte ce pays ! Y a rien de bon pour toi ici. File à l'Ouest.

Il avait pris ses cliques et ses claques et avait décampé.

Aujourd'hui, il doit PENSER. ADOPTER UNE STRATÉGIE. Mettre de l'ordre, peser le pour et le contre, supputer, anticiper, décider. AGIR.

474

Il ferme les yeux et écrit dans sa tête.

Borzinski. Y aller pour de bon/Reculer. Il a rien signé.

Edmond Courtois. Le prévenir/Ou pas. L'associer/Ou pas.

Mon emprunt douteux à la banque. Avouer/Ne rien dire.

Houcine-Boubou-Maurice. Les mettre dans le coup/ Ou pas.

Le broyeur dans la grange. Démarrer seul/Démarrer avec Borzinski. En attendant de payer l'autre et d'en acheter un troisième ?

Stella. Lui parler/La tenir éloignée de tout ça.

La fille au sourire qui déclare la guerre. Comment ça va se terminer, cette affaire ?

Là, il n'a pas la BONNE question.

Il s'arrête. Réfléchit. Rien d'autre ?

ATTENTION, MEC, ATTENTION. Tu oublies un truc. Quelque chose d'important. Réfléchis bien. C'est pas loin, c'est familier. Ça a l'air amical, et pourtant… c'est pas amical du tout, c'est même DANGEREUX.

TU PEUX TE CASSER LA GUEULE si tu ne mets pas le doigt dessus.

Les secousses du wagon contribuent à la progression de ses pensées. Sa tête se vide, il respire, suit l'amplitude de son souffle, le bloque, compte jusqu'à six, expire. Recommence. S'apaise. Ses pensées deviennent fluides, précises. Elles s'organisent. Une phrase surgit de nulle part, « *il est malin* ».

Qui ça ? « *Il trace son chemin. Il cherche à te nuire.* »

Il pose son menton sur ses poings serrés, retient

son souffle, un, deux, trois, quatre, cinq, six, relâche. Recommence. Ses narines s'ouvrent, se ferment. Ses poumons se remplissent, lui procurant une sensation de toute-puissance. Il goûte cette plénitude, s'en repaît, il n'y a que les faibles qui paniquent. Si quelqu'un veut ma peau, qu'il vienne la chercher. Comme au temps où il devait se battre, réfléchir plus vite que l'autre. Son corps se détend en une ultime expiration, «*il est jaloux. Il veut ta peau*».

On sait qu'on a du succès quand les gens se mettent à vous détester. Qu'a-t-il fait à ce minable qui rôde? Pourquoi le déteste-t-il?

Il fouille dans ses souvenirs. Fait surgir des noms. Borzinski? Milan? Boubou? Houcine, Maurice? Quel serait leur intérêt? Il répète chaque nom lentement. Ne ressent rien. Qui l'a irrité récemment? Voire menacé? Une image tremble dans sa mémoire puis disparaît. Impossible de la saisir.

Dans ces cas-là, il arrête de penser. Il choisit un détail sans importance, l'angle d'une vitre, la couleur d'une sacoche, la forme d'un lacet, et lui consacre toute son attention. Et c'est comme si sa tête, vexée d'être hors circuit, se mettait en quatre pour trouver la réponse. Ça marche à tous les coups. Comme avec les filles. Vous les ignorez, elles viennent vous frôler.

Sauf la fille de l'hôtel.

Elle n'appelle JAMAIS. C'est toujours lui qui propose. Il ne sait RIEN d'elle. Ni son âge, ni son nom, ni son métier. Le temps se déforme quand ils sont au lit. Il traverse le décor, passe dans une autre dimension.

476

Son regard tombe sur deux femmes qui feuillettent un magazine de cuisine.

— Tu fais quoi, ce soir, à Jacques ?

— Nouilles et jambon. Et ceinture. Suis crevée.

— Il va faire une de ces tronches !

— T'as vu comme il a englouti les Saint-Jacques à la crème quand vous êtes venus dîner avec Gilles ?

— C'est à peine s'il nous en a laissé deux ou trois. Tout pour sa gueule !

— Et c'est pareil au pieu. Je te le dis, moi !

De la crème fraîche avec des coquilles Saint-Jacques ?

Il les préfère poêlées avec de l'ail, du persil, à peine cuites, chaudes, fondantes. La coquille a vite fait de devenir ferme lorsqu'on la cuit trop longtemps. Une odeur de coquilles Saint-Jacques, d'endives braisées, une pointe de soufflé au chocolat, il vient de chez Picard, le soufflé ? Une conversation embrouillée, une histoire de voiture contre un arbre...

JÉRÔME.

Depuis qu'il est avec Julie, il enfle. Le crapaud est son cousin. Il enfle venimeux. Son histoire d'essieu limé et du gêneur envoyé contre un arbre pourrait bien être vraie. Ce n'est pas un hasard s'il l'a mentionnée l'autre soir. Que sait-il exactement ? Est-il JALOUX ou a-t-il des munitions ?

Et Adrian ajoute à sa liste : JÉRÔME.

Ce qui le ramène à sa première interrogation : parler ou ne pas parler à Edmond de l'emprunt à la banque et de Borzinski ?

*

Au pied du broyeur, les lunettes relevées sur son casque, Boubou observe Houcine de loin.

Houcine a allumé le transistor qu'il écoute quand il trie la ferraille à la recherche de vieilles batteries. Faut pas laisser les batteries enfouies dans la ferraille, l'acide se répand et pollue. Boubou connaît Houcine, il sait que le transistor est là pour l'empêcher de penser.

Hier quand il s'est approché, Houcine s'est mis à fredonner la chanson qui passait au poste. La dernière chanson de Renaud qui disait en gros me faites pas chier, je suis toujours debout, tas d'enculés. Une manière de lui dire bouge, mon vieux, laisse-moi tranquille, on n'a plus rien à se dire.

Boubou n'a pas insisté. Il est allé prendre sa douche.

Houcine est vexé parce que Maurice et Boubou ne lui ont rien dit au sujet d'Adrian. Parce qu'ils ne l'emmènent pas quand ils prennent Adrian en filature. Boubou aimerait expliquer qu'ils ne sont pas CERTAINS de ce qu'ils voient. C'est pour ça qu'ils ne parlent pas. Ils auraient l'impression de dénoncer Adrian.

S'ils crachent le morceau, la nouvelle se répandra et ira siffler aux oreilles d'Edmond Courtois. Ou de Jérôme. Ça ne serait pas bon pour Adrian.

Ils ne font pas exprès de garder le secret. Ils ont peur des conséquences. Parfois des tout petits détails provoquent des catastrophes.

Un secret, ça se garde à deux. À trois, ce n'est plus un secret.

C'est une conférence de presse.

*

478

Edmond Courtois, de dos, est un homme impressionnant. Une masse lourde de boxeur au repos. On pourrait même dire un homme puissant, mais pour cela il ne faudrait pas qu'il se retourne.

Parce que Edmond Courtois a le regard si triste que sa force disparaît. On le craint de dos, on le terrasse de face. Ce n'est plus qu'un vieux monsieur usé. Un monsieur de soixante-deux ans qui tente de résister au temps et erre, les bras ballants, en attendant.

Quoi ? Il ne sait pas.

Il est en vrac. Il n'a plus la niaque. Il est à la merci du premier petit con qui voudrait lui tordre le bras.

Il faudrait qu'il trouve les mots pour se redresser. Mais les mots, on les a sous la main quand tout va bien, que la tête est claire. Lui, dans sa tête, il n'a que des règles de grammaire auxquelles il ne comprend rien. Le monde est devenu trop compliqué pour lui.

Il n'a plus d'ENVIES. Plus de DÉSIR. On lui parle, il n'entend pas. Ou un mot sur deux. Il se contente de grimacer comme le clown à la fin de ce film qui le fait pleurer, le clown sur la tête duquel on casse des œufs et qui crie cocorico d'une voix écorchée de sanglots. *L'Ange bleu*, c'est le nom du film. Eh bien, lui, il est le vieux professeur Rath sur la tête duquel on fait des omelettes.

Le pire, c'est que ça lui est égal.

Il passe de plus en plus de temps dans son bureau à réparer des horloges et des montres. Il s'y enferme après le dîner quand sa femme monte dans sa chambre. Et quand le sommeil le rattrape, il titube jusqu'au canapé en velours bleu marine, s'y enroule en chien de fusil et s'endort.

C'était arrivé un soir…

Solange lisait un magazine, lovée dans un fauteuil du salon. Julie devait avoir trois ans. Elle était couchée. La table était débarrassée, le lave-vaisselle chargé, les sets de table rangés, ils étaient passés au salon et chacun s'était plongé dans un livre ou un magazine.

Solange Courtois était déjà une femme sèche avec un long nez, une bouche à l'envers, des coudes collés au corps comme les ailes d'un poulet et un air de perpétuelle réprobation. Tout dans sa personne exprimait le mécontentement, la frustration et son visage ne s'éclairait que lorsqu'elle avait la certitude d'avoir marqué un point CONTRE quelqu'un. Que ce soit sa fille, son mari, la femme de ménage, un commerçant ou le journaliste qui présentait le journal télévisé dont elle relevait les fautes de français en le pointant du doigt. Elle n'avait de la considération que pour les gens IMPORTANTS. Quels critères fallait-il remplir pour appartenir à cette catégorie supérieure ? Personne ne le savait, même pas elle. Quand Edmond l'interrogeait, elle haussait les épaules en marmonnant « tu ne leur arrives pas à la cheville… »

Chaque fois qu'il posait les yeux sur elle, il devait faire un effort pour se rappeler POURQUOI il l'avait épousée. Il se souvenait d'une rencontre dans un train, du geste qu'il avait eu pour placer une valise dans le filet. Geste auquel elle avait répondu par un sourire, sourire qu'il avait rendu, appuyé d'un propos qui avait amené un autre sourire et… trois mois après ils étaient mariés.

C'était juste après que Ray lui eut demandé de faire

un enfant à Léonie, le menaçant de le démolir s'il ne lui obéissait pas[1].

— J'en ai marre que toute la ville me croie stérile, avait gueulé Ray après avoir sonné à la porte d'Edmond, je le suis peut-être mais je m'en fous. Fais-lui un gosse et qu'on n'en parle plus ! Sinon ils vont me faire chier jusqu'à la fin des temps. Tu sais comment on m'appelle à Saint-Chaland ? COUILLASSEC ! T'es mon pote, fais-lui un gosse.

L'honneur de Ray saignait. Edmond devait réparer.

Ray avait poussé Léonie dans ses bras, lui avait ordonné « baise-la », avait allumé la télé dans le salon pendant que Léonie et lui, assis sur le lit dans la chambre, les bras repliés sur leur nudité, regardaient leurs pieds sans se parler ni se toucher.

Il n'avait rien réparé du tout, glacé par son amour pour Léonie. Il l'avait vue repartir au bras de Ray et s'était dit qu'il la remettait entre les mains de son bourreau.

Il avait sombré dans un désespoir épais. Solange avait été la première bouée à laquelle il s'était raccroché.

Ce soir-là, donc, on devait être en 1984, Solange lisait un article dans un magazine féminin. « Le sexe est-il soluble dans l'alcool ou faut-il être ivre pour atteindre la jouissance ? » Edmond avait déchiffré le titre par-dessus son épaule en se servant un whisky. Puis il était allé s'asseoir dans son fauteuil en cuir fauve et avait ouvert *Le Figaro.* Il le feuilletait en observant

---

1. Cf. *Muchachas*, tome 1.

cette étrangère qui était devenue sa femme et n'en finissait pas d'être une étrangère.

Appuyée sur l'accoudoir, elle lisait quelques lignes, frottait une tache imaginaire sur sa jupe, revenait au magazine, mettait le doigt dans sa bouche pour dégager un bout de nourriture qu'elle suçotait, faisait une grimace, revenait au magazine, rentrait le ventre en escamotant un rot, vérifiait l'état de ses lunules, reprenait sa lecture en esquissant un bâillement.

— Ça n'a pas l'air passionnant, ce que tu lis, avait dit Edmond en souriant.

C'était l'époque où il faisait encore des efforts. Il lui offrait des fleurs, une gourmette, un sac de La Bagagerie qu'il rapportait de Paris. Il voulait que ça marche entre eux. Parce qu'il l'avait épousée ? Parce qu'ils avaient un enfant ? Parce qu'il fallait qu'ils durent toute une vie ? Ou parce qu'il voulait oublier Léonie ? Oublier Léonie. Oublier Léonie.

— Oh, tu sais… C'est un article sur l'orgasme. Ça n'a rien d'affriolant.

— Pourtant on en parle beaucoup dans les journaux que tu lis…

Elle avait dû trouver la remarque méprisante et, en effet, elle pouvait sembler méprisante. Elle s'était cambrée en lui jetant un regard noir.

— Ben… tu ferais bien de les lire, ces articles. Au moins tu saurais comment t'y prendre !

Il s'était raidi. Avait plongé le nez dans son whisky. Elle avait laissé passer quelques minutes, le magazine roulé entre ses mains, comme si elle lui donnait une chance de relancer le dialogue et, constatant qu'il demeurait muet, elle s'était levée.

— Je monte me coucher.

— Bonne nuit. Je reste encore un peu en bas.

Il parcourait le journal mais n'arrivait pas à le lire.

Ainsi il était nul au lit.

Nul au lit. Nul au lit. Nul au lit. NULLOLI.

Il se forçait à déchiffrer des titres d'articles, « *L'Heure de vérité* reçoit Jean-Marie Le Pen sur Antenne 2 », « Les quatorzièmes jeux Olympiques d'hiver à Sarajevo en Yougoslavie », « Tchernenko succède à Andropov en URSS », « Le projet de la pyramide du Louvre adopté par François Mitterrand », « Attentats au Pays basque »…

Il ne savait plus où était le Pays basque, ni la Yougoslavie, ni qui étaient Mitterrand ou Jean-Marie Le Pen.

Mais il avait compris qu'il était NULLOLI.

À partir de ce soir-là, il avait pris l'habitude de demeurer seul le soir avec ses montres et ses horloges. Bientôt, il ne se donnerait même plus la peine de passer par le salon après le dîner ou de regagner la chambre conjugale, il dormirait sur le petit canapé en velours bleu marine.

Un soir, enfermé dans son bureau face aux dizaines de ressorts, de pinces, de brossettes, de limes, de tournevis et d'huiliers, un prénom était venu accompagner ses gestes précis.

Léonie, Léonie, Léonie.

Il avait fermé les yeux, baissé le menton sur sa poitrine. Léonie, Léonie. En écho il entendait quel gâchis, quel gâchis.

Ce soir-là, il avait eu l'idée de se créer une autre vie. Avec Léonie. Une vie qu'il inventerait, mais qu'il vivrait pour de bon.

Ce n'était pas si difficile.

Il suffisait d'y croire. C'est important de croire en quelqu'un ou quelque chose, sinon la vie n'est plus tenable. Elle divague comme une montre sans aiguilles.

Et puis il y a trois mois environ, Christian Pluet de la Caisse d'épargne l'avait appelé pour lui parler d'une demande d'emprunt de cent mille euros passée en son nom. Ou, pour être précis, de la demande formulée par Adrian Kosulino qui assure agir en votre nom, monsieur Courtois, ça nous a étonnés, je sais que vous lui faites confiance, mais de là à…

Pendant quelques secondes, Edmond Courtois était resté silencieux. Pluet avait demandé s'il était toujours au bout du fil, Edmond avait prétexté un double appel, je vous rappelle, monsieur Pluet, je vous rappelle.

Quand on ne trouve plus ses mots, on les répète pour être sûr de les entendre.

Il était resté assis à son bureau, les yeux dans le vague. Il trempait ses doigts dans la soucoupe de trombones devant lui, en prenait quelques-uns, montait la main, les lâchait, ramassait ceux qui tombaient à côté, les remettait dans la soucoupe. Recommençait. Ça faisait un bruit léger de ferraille heureuse. Un bruit qui berçait ses idées. Adrian m'a trahi. Adrian me lâche. Adrian a agi dans mon dos. Cette fois-ci, je suis VRAIMENT seul.

Les trombones retombaient en pluie fine. Il saisissait celui qui manquait la soucoupe. Celui qui s'écartait du droit chemin. L'isolait. Le triturait. Le tordait. Le faisait filer droit.

Revenait à la trahison d'Adrian.

Jusqu'au coup de fil du banquier, il avait eu l'impression de faire équipe avec Adrian.

Quand il avait débarqué à la Ferraille, il lui avait ouvert les bras. Il aimait son air buté, sa poignée de main ferme, son endurance au travail. Il commençait vers six heures et demie, il faut dire qu'il dormait sur place, et le soir, il mangeait une boîte de conserve, une tranche de pain, prenait sa douche, s'allongeait sur un lit de camp dans un coin du hangar, roulait un pull sous sa nuque et lisait une vieille grammaire. Edmond l'entendait répéter, «vous permettez, monsieur?», «je voudrais aller à la gare et acheter un billet», «à quelle heure est le prochain train?»

Adrian se mettrait en ménage avec Julie. Ils auraient un enfant. Un garçon, bien entendu. Ils reprendraient l'affaire. Et le petit serait leur héritier. Lui, Edmond, en tête de table, découperait le gigot du dimanche, distribuerait les pommes de terre sautées. Il ferait de larges tranches pour montrer que la Ferraille prospérait. Et le petit l'appellerait grand-père.

C'est Stella qui avait tapé dans l'œil d'Adrian.

Edmond était mal placé pour comprendre les histoires d'amour. Sa vie sentimentale ne racontait que défaites et humiliations. Il se consolait en se disant que s'il n'avait pas le physique pour éblouir les femmes, il avait eu la poigne pour se construire un royaume. Il n'était pas numéro un du secteur de la ferraille, mais en bonne position tout de même.

Il s'était débrouillé pour qu'Adrian obtienne ses papiers. Il lui avait appris le métier. Adrian allait à Paris signer les contrats. Adrian déjeunait dans les grands restaurants parisiens. Adrian sortait en boîte de nuit pour «envelopper le client». Adrian parlait d'une exposition de Bonnard ou de Warhol. Adrian décortiquait un homard. Adrian semblait à l'aise partout.

Edmond l'accompagnait sur le quai. Il lui faisait au revoir de la main. Les contrats étaient signés, l'argent rentrait.

Puisque Adrian n'épouserait pas Julie, il serait son associé. Ils ne seraient pas trop de deux pour faire tourner l'affaire.

Et puis Jérôme était entré dans la vie de Julie. Aussi droit qu'un boomerang, cet homme-là. Il n'avait rien dans le pantalon, que des rêves creux, gonflés de l'importance qu'il se donnait. Et quand il vous serrait la main, ses doigts ne se refermaient pas.

Une heure plus tard, Edmond Courtois rappelait Pluet à la Caisse d'épargne.

— Accordez-lui le prêt de cent mille euros.

— Mais, monsieur Courtois…

— Il vous a dit pour quoi c'était ?

— Pour acheter un broyeur d'occasion. Un broyeur pour le plastique. Il prétend que vous êtes au courant, que vous voulez vous lancer dans cette nouvelle acti…

— Il veut monter sa propre affaire.

— J'ai pensé comme vous.

— Le plastique…, avait marmonné Edmond. Le plastique ! Dans mon dos ! Sans moi.

Pourquoi Adrian ne lui en avait-il pas parlé ? Il le croyait trop vieux ? Il voulait s'associer avec un autre ? Il avait déjà pris des contacts avec des géants comme Veolia ?

— Il m'a dit que vous étiez d'accord, que vous vouliez monter cette affaire dans la plus grande discrétion pour vous diversifier…

— Me diversifier…

— Qu'il vous servait de façade, de prête-nom si vous voulez.

— Comme c'est étrange !

— C'est ce que je me suis dit, monsieur Courtois. Et c'est pour ça que je vous ai appelé.

— Accordez-lui le prêt. Je me porte garant.

— Mais…

— Le plastique, c'est l'avenir. Il a pensé plus vite que moi, c'est tout. Rendons-lui justice. Et puis sur le papier, ce broyeur m'appartient… Je l'ai payé.

— Sauf qu'il a dû signer l'acte d'achat de son nom.

— Mais je l'ai financé !

Edmond avait tapé du poing sur la table.

— Une dernière chose, ne lui dites pas que vous m'avez parlé. Je veux savoir jusqu'où il est capable d'aller.

— Dans la trahison ?

— Ou dans l'invention d'un énorme bobard. Parce qu'il va bien falloir qu'il s'explique un jour. Je veux qu'il me parle en face, qu'il y soit forcé ou pas. Je veux l'avoir à ma main.

L'appétit lui revenait. Il avait à nouveau envie de se battre.

*

Junior défait le paquet arrivé par DHL le matin même. Il dénoue liens et ficelles. Fébrile à l'idée d'en découvrir le contenu.

Une doudoune Goose. Comme son copain Tom. Sauf que lui l'a choisie AVEC capuche. Il craint le froid.

C'est en se branchant sur son nouvel ami, le soir de Noël, qu'il a aperçu la doudoune. Tom poussait des cris de joie, l'enfilait, embrassait son père, embrassait sa mère, sa grand-mère, et les deux autres petits vieux. Il ne voulait plus la quitter. À peine s'il consentait à l'enlever pour prendre sa douche. Junior avait aussitôt commandé la même sur Internet.

Et ce matin, on l'avait livrée.

Il la déplie, l'étale sur son bureau, la tâte, l'apprécie. Il l'a choisie noire, avec une coupe droite, une capuche fourrée en poil de coyote, deux poches supérieures réchauffe-mains à doublure molletonnée, deux poches inférieures avec rabat. Fabriquée au Canada. Vendue moitié prix grâce aux soldes de janvier. Une sacrée affaire.

Il l'enfile. Se gonfle d'importance. Découvre une poche sur la manche. Une autre intérieure. Quel raffinement ! Se campe devant le miroir collé sur la porte. Hausse l'épaule gauche puis la droite. Sort un tube de gel. Se coiffe, se recoiffe. Jette un coup d'œil dans la glace. Salue d'un geste viril qui l'enchante.

Josiane entre dans le bureau et dépose sur la table un bol de céréales, un chocolat chaud, des tranches de pain complet et un œuf à la coque. Elle aperçoit son fils et pousse un long sifflement admiratif.

— En voilà un homme chic ! Tu ferais suer un marquis de jalousie.

— Oh, mère ! Tu n'es qu'une vile flatteuse ! rougit Junior, pas mécontent de son reflet dans la glace.

Il s'observe encore puis, se retournant, demande :

— Tu ne trouves pas que je change ? Mon visage se remplit, mon cou s'étire, mes lèvres s'arrondissent, mes cheveux repoussent, mon front bombe et mon torse se déploie.

— C'est vrai, reconnaît Josiane en disposant le plateau face à son fils. Je t'ai fait un œuf à la coque. Le temps de cuisson s'est allongé. Avant trois minutes suffisaient, maintenant il en faut quatre. Cela me rend perplexe.

— J'ai un nouveau copain, tu sais. Il s'appelle Tom. Il habite près de Sens. Il a reçu la même doudoune pour Noël.

— Tu l'as rencontré par correspondance ?

— On peut dire ça.

— Je veux dire sur un site… c'est comme ça qu'on se fait des amis, paraît-il, aujourd'hui.

Josiane essaie de se tenir au courant. Depuis qu'elle a quitté sa place de secrétaire particulière de Marcel Grobz pour devenir sa femme et la mère de son fils, elle se consacre à ses deux hommes et le reste du monde l'indiffère.

— Tom m'apprend les mots de ses copains, il me narre la vie dans les écoles, les jupes des filles, les blousons à la mode.

— Quel âge a-t-il ?

— Bientôt onze ans.

Josiane toussote, réprobatrice.

— Un peu jeune, non, pour penser aux filles ?

Tom est amoureux d'une Dakota qui le fait tourner

mayonnaise, mais ça, je ne te le dirai pas, chère mère pensive sur ta chaise. Ça ne te regarde pas. Il faut que j'aide Tom à reconquérir Dakota, que je mette au point un stratagème même si, côté sentiments, je ne suis pas encore tout à fait au point. C'est une matière nouvelle pour moi. J'ai su séduire la voisine du quatrième mais je ne suis pas certain de subjuguer une femme dont je serais AMOUREUX. C'est beaucoup plus compliqué. Je le constate avec Hortense. Les circuits s'embrouillent. Court-jutent. Je veux dire un mot et j'en prononce un autre. Je rougis, je transpire, j'ai le cœur qui sort de la poitrine, je me gave d'aspirine.

Après la visite d'Hortense, Junior avait gardé l'empreinte de Tom dans son répertoire et s'était promis de devenir ami avec lui. Il avait fait plusieurs incursions dans l'univers de Tom. La première fois, c'était pour lui souffler le poème d'Emily Dickinson. La liaison était mauvaise mais il avait réussi à l'atteindre, et depuis ils correspondent sans que Tom le sache. Il entre dans sa tête et lui parle. Tom ne répond pas encore. Normal. Il ignore tout des mathématiques quantiques, de la théorie des cordes et du temps élastique. Ce n'est pas grave. Quand ils seront plus intimes, ils pourront brancher le cerveau de l'un sur le cerveau de l'autre et Tom sera reprogrammé. En attendant, il lui sert de meilleur ami.

Inutile d'ajouter que Popeline fume de jalousie.

Elle se tortille, stridule, se coud des postiches dans les cheveux, récite des dialogues de *Star Wars*, se badigeonne de rouge à lèvres cerise et apprend à se rouler des pétards.

Elle n'est pas très douée pour les pétards.

Je dois trouver la «trace» de Dakota et me brancher sur elle. J'ai suggéré à Tom de l'approcher dans la cour de récré afin que je vole son empreinte et puisse la suivre. Dakota n'est pas comme ma dulcinée qui m'a embrassé SUR LA BOUCHE en murmurant «je t'aime». Un vrai serment d'amour qui lie le preux chevalier et sa gente dame. Depuis, je ne suis plus le même gars, ha ha ! Je suis épris, hi ! hi ! Elle m'a rendu dingo, ho ho ! J'en suis tout courbatu, hu hu !

Il éclate de rire et ses pieds sous le bureau applaudissent.

C'est le moment que choisit sa secrétaire bien-aimée pour faire son entrée. Il regarde l'heure au cadran de l'horloge Ikea au-dessus de la porte, huit heures trente, Popeline est d'une ponctualité qui ferait bander un Suisse.

Son fichu en vichy rose et blanc noué sous le menton est assorti à un cabas du même ton et à une paire de lunettes en ailes de papillon. Sa tenue affiche un air printanier qui étonne en cette période hivernale et jure avec les épais bas gris qu'elle porte en toutes circonstances avec ses espadrilles orange.

— Ça va, Popeline ?

Elle redresse son col, fait bouffer ses cheveux qui tombent en grappes entre ses sourcils et va s'asseoir derrière son bureau.

— Grave bien.

Josiane, surprise, tourne la tête.

— Vous avez beaucoup de travail aujourd'hui, Popeline ?

— Tranquille. Je kiffe à mort.

— Il faut prendre soin de vous, ma petite. Ne pas vous obliger à la somme de travail qu'exige mon fils. Il ne sait pas s'arrêter et parfois…

— T'inquiète, je gère.

Josiane écarquille les yeux. Elle déglutit et se lève.

— Bon, je vous laisse à votre travail. Belle journée !

Elle a à peine franchi le seuil qu'elle entend Popeline s'esclaffer :

— Un peu relou, la daronne !

— Qu'est-ce qui vous arrive ? s'exclame Junior. Vous êtes ouf !

Popeline hausse les épaules, l'air de dire et vous avez pas tout vu. Elle sort un crayon de khôl de sa trousse, interpelle Junior en traçant un long trait noir sur ses paupières.

— Dis donc, il déchire votre blouson ! Vous l'avez chouré ?

— Non.

— J'ai capté. Je sais tout, vous savez.

Junior a un mouvement de recul qui signe son étonnement, elle sait quoi exactement ? Popeline dodeline de la tête. Ouvre son ordinateur, tape son code, taille un crayon, prend un bloc.

— Elle vous gave pas trop, la ieuv du quatrième ?

— Popeline, vous n'êtes pas obligée d'en faire des caisses ! J'ai un nouvel ami, certes, il est jeune et possède son propre langage, mais je vous apprécie beaucoup, ne changez pas, c'est inutile.

— Je vous ai grillé avec la meuf du quatrième, pas vrai ? Vous saviez pas que j'étais au courant. Félicitations. Vous êtes archi-dar. Bon, on commence ?

Je suis à donf. Va falloir me driver, je suis capable de tout défoncer.

*

Madame Mondrichon est en train d'écrire au tableau : « Molière, *Le Médecin volant*, scène 4 ».

Aussitôt dix élèves lèvent la main pour lire la scène. Tom hésite. Il trouve Molière difficile à interpréter. Oui, mais s'il veut impressionner Dakota… La parka Goose n'a eu aucun effet sur elle. Il hésite, finit par lever la main, mais Sami a été plus rapide. Il s'est presque jeté aux pieds de la prof. Sami a les pires notes de la classe mais brille dès qu'il s'agit de réciter un poème ou de jouer une scène. Je serai acteur, il prédit, je kiffe trop la vie inventée, avoir plusieurs personnalités. Et il se drape dans une flambante dignité, clame « reculez, vils laquais, laissez passer mon équipage ! » Les filles en sont folles et lui demandent des autographes.

— D'accord, Sganarelle ! À toi de jouer, décide madame Mondrichon. Et mets le ton, s'il te plaît.

Les autres élèves soufflent, résignés. S'ils râlent trop, ils sont menacés de grammaire. Mehdi au premier rang lève le pouce en direction de son pote, Sami.

Sami bondit, étend les bras, perche sa voix, la module :

— « Ne vous imaginez pas que je sois un médecin ordinaire, un médecin du commun. Tous les autres médecins ne sont, à mon égard, que des avortons de médecine. J'ai des talents particuliers, j'ai des secrets. *Salamalec, salamalec*, "Rodrigue, as-tu du cœur ?"

493

Signor si, segnor non. Per omnia sæcula sæculorum.
Mais encore, voyons un peu…»

Sa tirade finie, il retourne à sa place, se rassied. Il a tellement envie de savoir ce que la prof en a pensé qu'il se mord la lèvre jusqu'au sang.

Toute la classe secoue les mains comme dans la chanson «Ainsi font-font-font». C'est un truc de la prof pour éviter les tonnerres d'applaudissements, les chaises qui se renversent, les livres qui volent, les chewing-gums qu'on étire jusqu'à les coller sur le bureau du voisin.

Sami contient sa fierté derrière ses lèvres plissées et ses yeux malins.

— Comment ça se fait qu'il connaît le latin, madame, si c'est qu'un valet? demande Lila.

— Ben, il a regardé sur Google! s'exclame Jade en avançant la bouche et en sortant les yeux, l'air de dire quelle ignorante celle-là.

— *Stupid, so stupid!* murmure Dakota en haussant les épaules.

Elle fait sa moue de fille qui s'ennuie.

Tom a envie d'enchaîner en répétant oh oui, quelle idiote! mais il se reprend. Ce ne serait pas malin. Il se mettrait dans sa main. C'est le genre de fille qu'il faut étonner.

— On est au dix-septième siècle, précise madame Mondrichon, et non, il n'a pas trouvé la traduction du latin sur Google. Les gens parlaient latin, c'était une langue courante à l'époque.

— Et ça veut dire quoi, madame?

— «Pour les siècles des siècles.»

Dakota murmure amen en crayonnant sa feuille blanche.

494

— Les messes étaient dites en latin, elle marmonne. C'est comme ça qu'ils l'apprenaient. Quelle bande de tarés ! Vivement que je me tire de ce collège bourré d'amiante !

Et elle se met à fredonner *credo in unum Deum, Patrem omnipotentem, factorem cæli et terræ, visibilium omnium et invisibilium. Et in unum Dominum Jesum Christum, Filium Dei unigenitum...*

Tom la dévisage. Elle dit, sans le regarder, c'est un chant en latin qu'on entonne à la messe, mais pour ça faut y aller. J'aime la musique sacrée, les grandes orgues, l'odeur de l'encens.

Tom en demeure muet.

Cette fille sait trop de choses. Il ne sera jamais à la hauteur.

Puis vient l'heure de «vie de classe», où le professeur parle avec les élèves de leurs problèmes. Là, j'ai peut-être ma chance. Faut pas que je me rate. Madame Mondrichon a décidé de consacrer l'heure au «*non staive*». «*Staive*», ça veut dire «dégage, ce que tu dis m'intéresse pas, je m'en fous». Madame Mondrichon veut nous apprendre à nous intéresser aux autres, à leur venir en aide.

Elle demande qu'on écrive «trois choses que les autres doivent savoir sur moi pour mieux me connaître». Elle ramassera les copies et les lira à haute voix.

— Réfléchissez bien, je veux de la MATIÈRE, je ne veux pas de choses anodines. Tout le monde sait ce que veut dire «anodin, anodine»? Celui qui ne sait pas lève la main…

Tom réfléchit en mâchouillant le bout de son Bic. Il s'applique et écrit «J'aime les poèmes, j'aime Emily Dickinson, et tant pis si on trouve ça nul, je revendique».

Il a envie de se faire bien voir de Dakota.

Et de la rendre jalouse d'Emily Dickinson.

Madame Mondrichon le félicite. Elle trouve FORMIDABLE qu'il lise des poèmes et quels poèmes! Et elle appuie bien sur FORMIDABLE pour que tous les élèves se précipitent sur Emily Dickinson.

Un garçon, David Lebrun, en sweat à capuche rouge et lunettes assorties, grimace quand il entend le mot «poème». Il tire la langue comme s'il allait vomir et se plie en deux sous son bureau.

William Lambert a été bref «Je suis malheureux». Madame Mondrichon lui demande ce qui pourrait lui rendre le sourire. Il dit qu'il ne sait pas en grattant le bord de son bureau. Il ajoute qu'il n'a plus beaucoup d'espoir et qu'il a bien envie de partir avant l'heure.

Vanessa Saffran, qui arbore une petite croix tatouée sur le poignet, a écrit «Je réfléchis jamais quand je parle, ça me crée des ennuis».

Puis madame Mondrichon lit le texte de Dakota.

«Quand j'étais petite, je parlais vietnamien, maintenant je sais l'écrire, ma mère s'est évanouie, puis elle est morte et je veux me venger de son assassin.»

Madame Mondrichon, livide, plaque la feuille sur sa poitrine et s'appuie au dossier de sa chaise.

*

Derrière la vitre de son bureau, Jérôme observe les allées et venues sur le site. Chaque soir, Houcine est le dernier à prendre sa douche. Il laisse Maurice et Boubou passer devant lui sans leur adresser la parole.

Jérôme sort son peigne. Il a décidé d'être plus coquet. Mieux coiffé, mieux habillé. De se curer les ongles et de se brosser les dents matin et soir.

Un soir, à l'heure où les hommes débauchent, Jérôme claque la porte de son bureau et intercepte Houcine.

— Tu as quelque chose à me dire ? demande ce dernier, surpris.

Jérôme et lui n'ont jamais été amis. Ils travaillent sur le même site, mais ça ne va pas plus loin. Jérôme fait partie du décor. Comme la statue de Jeanne d'Arc sur la place de la Poste. Houcine a entendu parler de son infortune conjugale et, depuis peu, il est témoin de son bonheur avec Julie. Ça lui a fait bizarre d'apprendre que Jérôme allait épouser la fille du patron. Il aime bien Julie. Elle ne s'abîme pas en mesquineries, en coups bas, et si Jérôme la rend heureuse…

Parfois, il a envie de sourire devant les airs que Jérôme se donne. Il marche des épaules, les mains dans les poches. Fait des remarques aux employés qui traînent en buvant leur café ou roulent trop vite sur le site. Il ne lui manque que le sifflet et le carnet de contraventions.

Houcine se retient. Par respect pour Julie.

Jérôme l'aborde avec une pointe de paternalisme auquel Houcine n'est pas habitué.

— Je voulais savoir si tout allait bien.

— Tout va bien, affirme Houcine.

Jérôme sourit d'un petit air narquois.

— T'es sûr ?

— Puisque je te le dis…

— Tu sais que je me sens un peu responsable…

Jérôme incline la tête avec la componction d'un confesseur.

— Pourquoi tu parles plus aux autres ? T'as un problème ?

— Non.

La nuit est tombée sur la forêt de l'autre côté de la route. Houcine aperçoit les phares des voitures dans le noir. Dans le champ pas loin, un chien aboie, un camion klaxonne.

— Même à Adrian tu parles plus. Comme si t'étais fâché.

— Je vois pas à quoi tu fais allusion.

— Tu sais très bien ce que je veux dire, Houcine. Tu peux me faire confiance. Je t'écoute.

Encore cette pointe de paternalisme. Bientôt, il va m'appeler « mon garçon » et poser la main sur mon épaule.

Houcine, pour couper court à toute autre question, concède :

— On va dire que je suis un peu fatigué… et j'ai pas envie d'emmerder les autres avec mes problèmes.

— Je peux t'aider ?

Houcine tressaute, une lueur moqueuse dans l'œil.

— Parce que t'es chef maintenant et que t'as le pouvoir ?

— Un petit peu plus qu'avant en tout cas, plastronne Jérôme.

— Et ça fait quel effet ? demande Houcine, amusé

par les mines de contorsionniste de Jérôme qui tente de se diminuer tout en se grandissant.

— Ben… ça change…, dit Jérôme, à la recherche du mot juste et trop paresseux pour le trouver.

Il se frotte le menton du pouce, réfléchit et tombe d'accord avec lui-même.

— Je suis un autre homme. Plus mature, on va dire.

Il pointe le menton vers le ciel d'un air grave. Houcine lui donne une bourrade dans les côtes.

— Pas pour moi, mon vieux ! Tu seras toujours la même vieille canaille. Je t'ai connu, t'avais encore des couches.

Houcine est son aîné de dix ans. Il a vu arriver Jérôme à la Ferraille avec un bleu de travail pas réglementaire. Il a assisté à ses premières bévues, lui a évité des avertissements.

Cette brusque tape ramène Jérôme à la réalité et il ricane :

— Bientôt ce sera moi le patron.

— Je continuerai à faire mon boulot pareil.

— Quand je serai le patron, je veillerai à ce qu'il y ait une bonne ambiance sur le site. C'est important, le travail d'équipe, les rapports de confiance. Ça stimule.

Il égrène les mots, solennel, en posant son regard sur le broyeur. Cela lui donne un air de visionnaire. Un air de grand patron qui préside au développement de son affaire.

— Et t'auras bien raison ! s'amuse Houcine. Y a rien de mieux qu'une bande de copains qui s'éclatent en travaillant. Pourvu qu'ils soient bien payés. Oublie pas ça quand tu seras patron…

Et il frotte son pouce contre ses doigts pour faire entendre le bruit du pognon.

— Alors dis-moi ce qu'il se passe avec Maurice et Boubou. On sait jamais, j'aurai besoin d'un adjoint et tu pourrais…

— Va te faire foutre, Jérôme !

*

Julie regarde Jérôme marcher de long en large dans la chambre, vêtu du pyjama rayé bleu et blanc qu'elle a choisi pour lui au Monoprix. Elle remonte le drap sur son nez et sourit sous la bordure ornée d'une frise vert et marron.

MON HOMME. Mon homme à moi. On va se marier. Dans six mois. C'est pour de bon. Elle est saisie d'une joie profonde qui la plonge dans un embarras de bonheur. Grâce à Jérôme, elle est devenue comme TOUTES LES AUTRES FEMMES. Elle conjugue le bonheur au futur de l'indicatif.

On se mariera.

Je serai madame Laroche.

On achètera une maison.

On dirigera la Ferraille.

On aura un bébé, peut-être deux. Un garçon et une fille.

Elle ne prend aucun moyen de contraception, elle ne l'a pas dit à Jérôme. Si elle tombe enceinte, ce sera une surprise.

Il marche de long en large dans la chambre. Il ne veut pas être interrompu quand il réfléchit.

Ce soir, ils dorment chez lui.

Il n'aime pas dormir chez elle. Dans le petit appartement au-dessus de celui de ses parents. Il dit que sa mère ne l'aime pas, que son père le méprise.

— Arrête, tu te fais du mal, elle sourit.

Il promet de devenir aussi brillant et entreprenant que… Il dit «les autres» alors qu'il pense «Adrian». Julie le sait. Elle trouve cela infantile. Il n'y a pas qu'UN modèle d'homme au monde. J'aime Jérôme, son odeur, son nez que je ne trouve pas si gros, ses cheveux roux en couronne, son crâne chauve, rose par endroits, son torse en guidon de bicyclette, j'aime quand il marche dans la chambre, qu'il se penche, qu'il m'embrasse, qu'il se couche sur moi.

Ça m'est égal de dormir chez lui, même si les boiseries sont en plastique, que le néon du plafond me donne le teint d'une branche de céleri et que ça sent l'œuf pourri à cause de l'usine toute proche. Les gens du coin disent que ça sent l'argent, la feuille de paie, je trouve que ça pue mais je m'en fiche.

Je dors avec MON HOMME.

À la petite radio posée sur la table de nuit, un flash d'information annonce un attentat en Afghanistan. Ou en Irak. Ou en Turquie. Ou à Mogadiscio. Elle ne sait plus. Elle n'a pas bien entendu. Pas retenu non plus le nombre de blessés et de morts. Sa tête refuse de laisser entrer ces informations. Un type plein de haine devient cinglé et tue. Au nom de Dieu. Parfois ils ont le même Dieu mais ils se tuent quand même. Parce qu'ils ne Le voient pas du même œil. Elle trouve que trop de religion, c'est encore pire que pas de religion du tout. On en parle tous les soirs au journal télévisé.

Elle ne sait pas comment appeler cette violence. Alors, elle dit LA CHOSE. Elle n'arrive plus à chasser la peur, elle fait des cauchemars.

Comme celui où Jérôme a la tête tranchée par une tôle.

Son homme marche de long en large dans son beau pyjama de Monoprix. Il réfléchit. Il se laisse pousser des pattes sur les joues. Il fait bien attention en se rasant qu'elles soient à la même hauteur. Celle de droite est plus courte. Elle rit sous le drap en secouant les épaules.

Elle évite de trop remuer de peur de tomber sur un morceau de drap froid. Jérôme ne chauffe pas beaucoup. Il est économe. Sauf pour les sorties. Il l'invite dans les restaurants trois étoiles au *Guide Michelin*, commande les vins les plus chers, laisse dix euros au voiturier, vingt euros en pourboire sur la table. Il lui offre une chaîne, une gourmette, un pendentif en or… Pas du chiqué. Elle a mordu dans un petit cœur en diamants. Elle a failli se casser une dent.

Jérôme essaie de comprendre pourquoi Houcine fait bande à part. Maurice, Houcine, Boubou, Adrian, Stella. Les cinq doigts de la main. Ce temps-là semble fini. Un des cinq fait quelque chose qui détraque le gang. Ça ne peut être qu'Adrian. Les autres sont des suiveurs. Supposons qu'Adrian ait pris une décision qui ne plaise pas aux autres… Oui mais il n'y a que Houcine qui rechigne, Maurice et Boubou semblent d'accord.

Mauvaise piste.

Demi-tour dans la chambre. J'aime pas ce pyjama. Il est trop neuf. Trop raide. Il me cisaille les couilles. Je préfère mes vieux délavés en pilou mais Julie veut du neuf.

Nouvelle hypothèse : Adrian complote dans son coin un truc pour sa pomme. Un truc pour gagner plein de fric. C'est pas le genre à partager. Maurice et Boubou l'ont appris mais l'ont caché à Houcine. Houcine se sent trahi, doublement : par Adrian et par ses deux potes. Houcine fait la gueule.

Pas mal. Je progresse.

Mais pourquoi Maurice et Boubou s'en fichent-ils ? Ils sont complices ?

Demi-tour droite. J'aime pas ce pyjama. Il laisse passer le froid. Je vais finir par attraper la crève. Et puis, les rayures bleu ciel, ça fait tapette. J'aime pas les pédés. J'aimerais pas me faire enculer. Je résume : Adrian a entrepris quelque chose qui défrise. Maurice et Boubou ont une piste. ILS ONT UNE PISTE. Donc si je suis malin et que je les interroge, je peux savoir de quoi il retourne. Tu es brillant, mon vieux ! Il n'y a que ces connards de futurs beaux-parents pour ne pas s'en apercevoir. Je peux pas les saquer, ceux-là. De toute façon, je les baiserai puisque je vais épouser Julie. Et qui sera le patron ? Moi. Julie et moi à la tête de la Ferraille. Adrian devra filer doux. Sous mes ordres, le mec ! Il va pas aimer du tout.

Jérôme s'arrête net.

Et si c'était pour cette raison qu'Adrian complotait ?

Edmond Courtois n'est pas en forme. Adrian veut prendre sa place. Et alors IL sera le patron et JE serai obligé de travailler POUR LUI.

Demi-tour gauche. Le pilou, c'est quand même beaucoup plus doux et chaud que le coton. Ou alors il faudrait que je monte le chauffage, pas question ! Il se gratte l'entrejambe, entend une information à la radio. Un attentat en Afghanistan, quatre-vingt-sept morts, deux cent vingt-trois blessés. Parfait. Y a pas de place pour tout le monde sur terre. Avant il y avait des guerres qui faisaient un grand nettoyage. À Saint-Chaland, je suis peinard. Personne ne viendra me faire chier.

Oui mais… tout ça ne me dit pas ce que fait Adrian.

Il m'énerve avec ses airs de fonceur qui réussit. Au bout d'un moment, la réussite des autres, ça énerve. Ça gâte le meilleur caractère. Moi, au début, je ne lui en voulais pas, au Russe. Je lui ai même rendu des services. Maintenant je peux plus le blairer.

Houcine. Peut-être qu'il ne sait rien, mais il pourrait m'aider à SAVOIR. Récolter des infos pour moi. Faire chanter Houcine ? Le menacer de le virer s'il ne m'aide pas ? C'est sûr qu'il ne retrouvera pas facilement du travail.

Il s'arrête. Sort son peigne. Le passe dans sa couronne de cheveux roux. Va falloir qu'il se choisisse une eau de toilette. Remet le peigne dans la poche de son pyjama. Il doit forcer pour faire passer le peigne. La poche est étroite.

Je pourrais accuser Houcine de voler dans les stocks. C'est moi le responsable des stocks maintenant. Je le prends à part, je lui dis que j'ai des soupçons, je lui mets le marché en main, tu m'avoues ce que fricote Adrian et je te dénonce pas. Il sera bien obligé de balancer.

Et s'il ne parle pas, j'attaque direct Adrian.

Je dis que c'est lui qui carambouille.

J'ai de la chance dans la vie. Ça se termine toujours bien pour moi. Je frôle la ligne blanche, je la taquine, je la mordille, je la franchis carrément et rien ! Ni réprimande ni amende. Ma femme… Quand j'ai appris qu'elle se faisait le plagiste de l'hôtel, un crétin couvert de muscles et d'huile solaire, j'ai étouffé. Quand elle lui a payé une Harley avec notre magot gagné au Loto, j'ai encore étouffé. Un jour, il lui a roulé un patin sous mes yeux. J'ai rien dit. J'ai trafiqué la Harley et ils se sont encastrés sous un camion. Ses seins moulés dans le dos du type. À la scie, ils y sont allés pour les décoller. Il ne restait rien de la moto. Ils ont conclu à un accident. Je suis parti vite fait. Avec ce qui restait du magot. Autant dire pas grand-chose.

— Tu comptes faire le marathon de Paris ? dit Julie.
Jérôme s'arrête, tire sur le col de son pyjama. Aplatit le plastron, gratte le haut du peigne qui dépasse de la poche.
— Ça fait trois quarts d'heure que tu tournes et de plus en plus vite. Tu t'entraînes ?
— Je réfléchis.
— À quoi ?
— À Houcine. Il est bizarre, tu trouves pas ? Il fait bande à part. Comme s'il était gêné. Je me demande s'il ne cache pas quelque chose. T'as remarqué qu'il ne parle plus aux autres ?
— Allez, viens te coucher !
Jérôme se plante devant Julie.
— T'as rien remarqué du tout ?

Julie secoue la tête.

— Ouvre les yeux, ma puce.

— Tu crois qu'il est malade ?

— Il est bizarre… Comme s'il préparait un truc louche.

— Comme ce qu'on entend à la radio ? Tu sais… la chose.

— Tu parles de quoi, là ?

— C'est un terroriste ?

— Mais non ! Je veux dire qu'il est pas clair. Il traficote.

Demi-tour droite. C'est le moment de lâcher le premier soupçon.

— Je me demande s'il pique pas dans les stocks.

— N'importe quoi !

— Y a du coulage, je te dis.

— Du coulage ?

— De la marchandise qui disparaît. J'ai essayé de lui parler tout à l'heure et il m'a…

— Arrête, Jérôme ! Je connais Houcine.

— Tu CROIS le connaître, ma puce.

— Tu ne peux pas accuser quelqu'un sans preuve.

— Dis tout de suite que je suis malhonnête.

— J'ai jamais dit ça…

— Tu viens de le faire. Tu me fais de la peine, Julie. Je croyais qu'on faisait équipe…

Il tire sur la cordelière de son pyjama. Joue avec les boucles. Enlève sa montre. La pose sur la table basse à côté du transistor. Vient s'allonger dans le lit. Éteint la radio, la lumière. Tourne le dos à Julie.

Au milieu de la nuit, Julie se réveille. Elle a froid.

La couverture a glissé du côté de Jérôme. Ils se sont endormis sans s'embrasser. C'est la première fois. Elle caresse les jambes de Jérôme de ses pieds nus. Il remue, grogne. Remonte la couverture sur son épaule.

— Dis… tu pourrais pas pousser un peu le chauffage ?

Elle effleure les cheveux roux sur le col du pyjama, lui gratte la nuque de ses ongles.

Il se tourne vers elle.

— Fait froid, elle chuchote.

— C'est parce qu'on s'est endormis sans se faire de câlins, il dit en lançant un bras et en la ramenant contre lui.

Il regarde l'heure au réveil. Cinq heures et demie. Dans une heure, il se lève. Il enlace Julie, respire l'odeur de ses cheveux frisés.

— Que dirais-tu d'aller chez Bocuse, ma poussinette ? On pourrait se payer ça ce week-end.

— Jérôme, arrête de dépenser tant d'argent en restaurants !

Elle lui passe les bras autour du cou.

— Je veux que tu sois fière de moi. T'es heureuse ?

Il la serre contre lui comme s'il faisait un nœud.

— Tu crois que ta copine est aussi heureuse que toi ?

— Qui ça ?

— Stella.

— J'en sais rien.

— Mais tu crois qu'elle est aussi…

— Arrête. On va pas prendre un centimètre et mesurer.

507

— Elle est heureuse avec son Russe?

Julie tend les bras pour s'écarter et proteste :

— Ce n'est pas un Russe, c'est ADRIAN.

— N'empêche qu'il est russe.

— Et alors?

— Rien. Il est russe.

— N'importe quoi! C'est le mec de ma copine et ma copine, c'est comme ma sœur. Tu dis pas de mal de ma sœur…

Il a roulé sur le côté et la regarde, goguenard.

— C'est pour te mettre en garde, ma puce. Je te répète qu'y a des vols dans les stocks. Tu m'as nommé responsable, non?

Julie a fait placer des caméras de surveillance dans le hangar pour surprendre les clients malhonnêtes qui déchargent et barbotent en même temps.

— Tu as examiné les bandes vidéo? elle demande.

— Je voulais t'en parler d'abord. C'est toi la patronne.

— Si quelqu'un vole, on le verra à l'image. Et arrête de te raconter des romans. Ce n'est ni Houcine ni Adrian.

*

Stella gare son camion et cherche dans son répertoire le numéro de Marie Delmonte. À l'heure du déjeuner, elle a pris l'enveloppe qui contient les photos de la petite fille. Elle va proposer un marché à Marie, tu me trouves des infos sur cette gamine et je te fiche la paix.

Marie et elle sont allées à l'école ensemble. Marie

508

faisait partie des Muchachas, les chouchoutes de monsieur Toledo, le professeur d'espagnol. Amina, Julie, Stella et Marie. Ça crée des liens. Ou plutôt ça devrait créer des liens.

Dans la cabine du camion, Stella se concentre.

Cabot et Costaud penchent la tête, l'air très sérieux, comme s'ils devinaient la gravité du moment.

Elle leur donne un biscuit, leur embrasse le museau.

Compose le numéro de Marie Delmonte.

Elle l'appelle au journal. Pour être sûre qu'elle décroche.

— Marie, c'est Stella. NE RACCROCHE PAS.

— Mais je…

— Je sais que tu m'en veux. Amina me l'a dit.

— Pourquoi t'appelles ?

— Je veux te montrer des photos. Tu m'aides, c'est super. Si tu peux pas, je t'embête plus. Je peux pas être plus cash.

Stella entend le souffle lourd de Marie. Elle doit manger ses doigts, se demander je raccroche, je raccroche pas ?

— C'est quoi, ton scoop ? demande Marie à voix basse.

Elle travaille dans un open space et s'inquiète que ses collègues entendent sa conversation.

— Je préfère te parler face à face. Tu veux que je vienne au journal ?

— Sûrement pas !

— Où alors ?

Marie réfléchit et lâche dans un murmure :

— À Carrefour. À dix-huit heures. J'aurai fini ma

journée et je dois aller faire des courses. J'ai plus rien dans le frigo.

— Quel rayon ? C'est grand, Carrefour.

— Au rayon des gâteaux.

— Tu fais un régime ? rit Stella pour détendre l'atmosphère.

— C'est pas comme ça que je vais t'aider !

Un claquement sec. Marie Delmonte a raccroché.

Stella regarde sa montre. Elle a une heure devant elle. Elle va passer à la bibliothèque rendre le livre d'Emily Dickinschose. Tom l'a trouvé trop compliqué.

— En revanche, il a dévoré l'autre ! elle s'exclame.

Camille Grassin lui tourne le dos. Il est en train d'arroser ses plantes avec un arrosoir ovale en acier galvanisé. Il verse l'eau lentement afin de ne pas en mettre à côté.

— *L'Attrape-cœurs*, si je me souviens bien…, il dit en froissant une feuille jaunie qu'il arrache.

— Il prétend qu'il l'a perdu, mais il l'a planqué sous son matelas. Il ne veut pas le rendre. Je vais vous le payer…

— Qu'il le garde ! Je m'arrangerai. C'est moi qui gère le budget. Je suis content qu'il vole un livre.

— J'avais peur que vous le preniez mal.

Camille repose l'arrosoir. Essuie l'eau tombée sur l'étagère avec une feuille de Sopalin. Il procède par petites pressions du poignet. Vérifie que la surface est bien sèche.

Se retourne vers Stella.

— C'est très délicat de doser l'eau pour les impatiens. Surtout cette catégorie-là, la walleriana. Elle vient de Zanzibar. Si on met trop d'eau, elle pourrit, si on n'en met pas assez, elle flétrit.

Il déroule les manches de son gilet, remonte ses lunettes rondes et jaunes, la regarde dans les yeux, dit :

— Vous devez être une très bonne mère.

— Pourquoi vous dites ça ?

Bien sûr qu'elle est une bonne mère, mais elle déteste qu'on le lui dise.

— Vous êtes attentive à votre fils. Vous le traitez comme une personne, pas comme un bébé. Vous l'aimez ET vous le respectez.

Stella ne répond pas tout de suite. Elle n'est pas habituée à ce qu'on lui parle d'elle.

— Parfois je me dis que je suis trop rude…

— Le principal, c'est ce qu'on sème quand ils sont petits. Vous semez et ça pousse. Toujours.

— C'est Montaigne qui a dit ça ?

— Non. C'est moi. La transmission, ça peut être bien parfois.

— Et parfois, c'est raté ?

— Quand ma mère s'est pendue avec la laisse du chien, elle m'a laissé un mot. Elle a pensé à moi.

Stella écarquille les yeux. Il a parlé sur le même ton que lorsqu'il évoquait l'arrosage des impatiens. Et maintenant il enfile sa blouse, rassemble ses affaires, crayons d'un côté, Bic de l'autre, fiches manuscrites, catalogues d'éditeurs. Il allume son ordinateur. Rectifie la position du verre, déplace la bouteille.

— Un mot rien que pour moi. Mon père, elle l'avait zappé.

— Mais c'est…, bafouille Stella qui ne sait pas quoi dire.

— Ça voulait dire qu'elle m'aimait pour de vrai. Je le savais déjà mais… c'est mieux quand c'est écrit. Surtout pour quelqu'un comme moi. Son petit mot, je pouvais le garder, le relire.

Stella frotte son sourcil gauche, le roule et concède :

— Tout le monde ne fait pas ça.

— Et surtout tout le monde n'écrit pas ce qu'elle m'a écrit !

Il a dit ça en hochant la tête comme s'il congratulait sa défunte mère.

Stella n'aime pas les récits sur les morts, les accidents, les maladies. Ça fait saliver les gens. Elle entend le plaisir leur mouiller les dents.

Ses doigts courent dans son sourcil. Elle devait être longue, la laisse. Une boucle pour passer la tête, une autre pour s'arrimer à une poutre. C'était pas une laisse qu'on achète au Monop. Elle n'a jamais attaché Cabot ni Costaud. Elle siffle et ils arrivent. À tous les coups, il va lui raconter une histoire avec cou déboîté, langue qui sort, yeux exorbités, visage violet, vomi sur le tablier. Elle aurait dû envoyer un chèque par la poste. Et elle aurait gardé le Emily Dickinschose pour caler un meuble. Il est épais.

Camille Grassin, tout en déchiffrant son écran d'ordinateur, continue la complainte de sa pauvre mère :

— Elle m'a écrit que je devrais faire attention à ne pas mélanger le blanc et les couleurs quand je laverais mon linge parce qu'elle ne serait plus là pour réparer les dégâts.

— Ah…

— Et elle m'a laissé un stock de lingettes qui déco-
lorent, il ajoute en riant comme si c'était une bonne
blague. Elle est impayable, ma mère. Y en a pas deux
comme elle !

Il découvre une information sur son écran, tend son
long cou de héron anorexique. Écrase ses lèvres entre
le pouce et l'index, rentre la tête dans les épaules puis
balaie l'info en faisant une moue dégoûtée.

— À chaque lessive, vous devez penser à elle, dit
Stella.

— Non, il répond, le nez sur son écran.

— Ah…

— Parce qu'elle n'est pas morte, elle s'est ratée.
Mon père et mon oncle ont réussi à la décrocher à
temps. Je lui en ai voulu longtemps.

Il s'est tourné vers elle. Ses yeux blancs comme du
Tipp-Ex la fixent. Des dartres enflamment ses joues,
il serre les poings et les frappe l'un contre l'autre.

— Elle ne m'avait pas laissé sa recette de gâteau au
chocolat.

Sa voix monte, stridente, pour finir en scie électrique.

— J'adore son gâteau au chocolat. Elle le savait !
Elle le savait ! Et elle partait sans me la donner.

Le téléphone sonne.

Il se frotte le lobe de l'oreille, décroche et annonce
d'une voix d'hôtesse d'accueil médiathèque de Saint-
Chaland, bonjour !

*

À dix-huit heures, Stella attend Marie Delmonte devant des rangées de Petit Écolier. Elle en prend deux paquets pour Tom. Lit la notice d'information nutritionnelle. Repère des mots barbares et «soixante-trois CALORIES par biscuit».

Au bout de l'allée la pointe d'un chariot se profile. Encombré de bouteilles de bière, de pizzas surgelées, de produits d'entretien. À la barre, Marie Delmonte négocie le virage pour pénétrer dans l'allée G.

Elle traîne les pieds et retient son chariot pour ne pas arriver trop vite à la hauteur de Stella. Tout son visage exprime la réprobation.

— Oh, ça va, Marie ! Je vais pas te manger ! s'énerve Stella. Pourquoi tu fais la gueule ?

— Y a qu'à cause de toi, j'aurais pu avoir des ennuis ! De GROS ennuis ! Tu m'as forcé la main pour Ray, t'as abusé[1].

— Tu m'as juste rendu service. T'as été gentille.

— Conne, tu veux dire ! Tu m'as fait fabriquer une fausse une, «Ray Valenti : la chute d'un héros. L'homme que toute la ville célèbre est un escroc», et patati et patata. Tu m'avais dit que c'était pour toi, pour mettre dans ta chambre, que ça n'en sortirait pas. C'est ça que tu m'avais dit !

— Vraiment ? dit Stella en faisant semblant de ne pas se rappeler.

— Tu es allée lui balancer la une sous le nez ! Et il a préféré se donner la mort. Il a sauté dans le feu. Tu crois que j'ai pas compris ton plan ?

---

1. *Muchachas*, tome 3.

— Est-ce qu'on t'a fait des remarques ? Non. Arrête ta parano.

— À cause de moi, il est MORT, Ray Valenti !

— Et alors ? C'était un SALAUD.

— Il a préféré mourir que de voir son nom sali.

— C'ÉTAIT UN SALAUD. PAS UN HÉROS.

Stella a hurlé. Marie se bouche les oreilles.

Une jeune femme boudinée dans un legging orange et noir avec des canards bleus la dévisage en serrant sa fille dans ses bras.

— Elle est méchante, la dame ! pleurniche la petite fille en mâchouillant une tétine accrochée à un long linge d'une propreté douteuse.

— On va s'en aller, ma chérie.

La mère piétine sur place, elle veut connaître la suite.

— Il est mort en héros et c'est insupportable, poursuit Stella. En plus, ils veulent donner son nom au collège de mon fils !

Marie Delmonte baisse la tête et passe sa manche de parka sur la barre du caddie comme si elle voulait la faire briller.

— Il est MORT, Stella, il est MORT.

— Il est pas mort puisqu'ils vont le ressusciter ! hurle Stella.

— Maman ! Maman ! Elle me fait peur, la dame, piaille la petite fille.

La mère tapote le crâne de son enfant en continuant de fixer Stella.

— C'est pas moi le monstre, madame ! Arrêtez de me regarder comme ça, et cassez-vous !

Marie Delmonte entraîne Stella vers le rayon lessive, désert.

— Je croyais que tu voulais acheter des gâteaux ? dit Stella.

— Calme-toi. Qu'est-ce que tu veux, cette fois ?

Stella sort de son sac l'enveloppe sur laquelle est écrit «Salope», en extrait les coupures de journaux, les mets sous le nez de Marie.

— Tu connais cette gamine ?

Marie Delmonte secoue la tête.

— Jamais vue.

— J'ai trouvé ces photos dans le coffre de Ray après sa mort. Regarde ce qu'il y a au dos…

Stella pointe du doigt la cible, les coups de cutter.

— Tu vas pas me dire qu'il lui voulait du bien ?

— En effet…

— Je veux savoir ce qu'elle est devenue. Elle est vivante, elle est morte ? Est-ce qu'il l'a tuée ? Pourquoi il a écrit «Salope» ? Tu peux pas regarder dans tes archives ?

— Tu connais la date de parution de ces photos ?

— Non. Y a rien d'écrit.

— Sans la date, je peux rien faire. C'est comme chercher une aiguille dans une botte de foin.

Marie Delmonte laisse retomber la main qui tient les coupures. Stella s'en empare. Les scrute comme si la solution était sous ses yeux et qu'elle ne la voyait pas.

Marie observe le visage tourmenté de Stella. Elle devine les heures qu'elle a passées à contempler ces photos. Elle se souvient de toutes les fois où Stella refusait d'aller à la piscine en prétextant un mal de ventre. Elle refusait que les autres voient les marques sur son corps. Elle refusait qu'on la plaigne.

— La petite fille a dû lui échapper, dit Stella. Il voulait la retrouver. C'était important pour lui. Pourquoi ? Je ne sais pas, mais ça pue. Aide-moi, s'il te plaît. Marie, s'il te plaît !

La voix de Stella s'est cassée. Elle broie les paquets de Petit Écolier entre ses mains.

— Arrête ! dit Marie. Tu vas les réduire en miettes. C'est pour ton fils ?

Stella opine. Marie redonne forme aux paquets et les lui tend.

— Pas sûr qu'il en reste un seul entier !

— J'en ai marre, dit Stella. Je vis avec Ray tout le temps. Je ne vois plus rien autour. Tout m'est égal. Je l'entends rire, je le vois marcher, je sens son eau de toilette ! Y a des gens qui ont plein de place dans leur cœur, chez moi tout est pris par Ray, par la HAINE de lui. J'ai un homme que j'aime, un gamin que j'aime, une mère que j'aime et je suis obsédée par LUI. Comme quand j'étais petite, qu'il me faisait tellement peur que je le voyais partout…

Marie reprend les photos des mains de Stella, les retourne.

— Regarde ça.

— Quoi ? dit Stella en retenant ses larmes.

— Ce qui est écrit derrière cette photo-là. « Ouverture du procès de Marco Monte-Pelli. L'homme d'affaires accusé de malversation dans le cadre des échanges européens a fait appel après avoir été condamné en 2007 à… »

— Et alors ?

— On va taper Monte-Pelli sur Google et on aura le mois et l'année du début du procès.

— Mais c'est écrit DERRIÈRE la photo. Ça ne concerne pas la petite fille.

— Ça nous donnera une date. Ce sera plus facile pour chercher.

Stella pousse un soupir et hoche la tête.

— Y a pas à dire, t'es drôlement forte !

Marie sourit pour la première fois.

— Et toi, t'es drôlement chiante ! Écoute, je trouve la date de la photo, je demande autour de moi si quelqu'un connaît la petite fille et si j'ai rien, on en reste là. Tu me forces pas à faire un truc illégal, promis ?

— Promis, dit Stella.

— Et tu ne me massacres pas si je reviens bredouille ?

Elle pointe le doigt sur Stella et la considère, sérieuse.

— Promis, sourit Stella.

— Bon, je retourne au rayon gâteaux.

— Fais gaffe, les Petit Écolier, c'est soixante-trois calories LE biscuit !

*

Elle a une drôle de coiffure, se dit madame Mondrichon en pénétrant dans le bureau de madame Filières, la directrice du collège. Bien aplatie sur le dessus et retombant en merguez de chaque côté du visage. La directrice n'est pas femme gracieuse. Ni généreuse. Elle affiche envers ses subalternes une courtoisie glaciale qui tourne à la flagornerie mielleuse face à un supérieur.

518

La directrice a demandé à lui parler.

Elle a lancé un bref et sec «entrez» quand madame Mondrichon a frappé à la porte et lui a désigné le téléphone qu'elle tenait contre l'oreille pour lui demander de patienter.

Elle est accoudée à son bureau et, tout en parlant, se caresse les avant-bras comme si c'étaient deux chatons en mal d'affection. Elle émet des mais si, mais non, ce n'est pas ma faute si les écoles privées sont très demandées, oui je suis au courant pour l'institut Sainte-Geneviève, ils ont ajouté deux classes de sixième cette année! Ah, une seule? Vous avez fait pression pour interdire la seconde? Elle s'agite, le gras de ses bras tremble, sa voix devient onctueuse:

— Je me bats pour redorer l'image de l'enseignement pu… Oui, oui, quand même!

Madame Mondrichon attend, debout. Son regard fait le tour du bureau en essayant d'établir un lien entre le décor et celle qui l'occupe. On dit que les âmes se posent sur les meubles et les imprègnent.

Le soleil frappe les vitres, brûle les rideaux qui pendent en bannières fanées, des dossiers dégorgent sur les étagères métalliques, «Livrets scolaires», «Avertissements», «Conseils de discipline», «Cantine». Sur le rebord de la fenêtre sont posées des coupes et des médailles gagnées par les élèves aux cross intercollèges, aux dictées nationales, aux challenges d'anglais, aux concours de mathématiques, ainsi qu'un diplôme de la meilleure directrice au nom de Christine Filières.

Deux fauteuils en osier, l'un recouvert d'une galette mauve, l'autre d'une galette verte, attendent les visiteurs.

— Mais je n'arrive pas à la joindre ! dit madame Filières en mordant l'intérieur de son pouce. J'ai tout essayé.

Le regard de la directrice effleure madame Mondrichon et lui enjoint de s'asseoir. Madame Mondrichon choisit la galette mauve.

— Justement, j'ai convoqué son professeur de français… Oui, madame Mondrichon. Mon-dri-chon… Comme… je sais pas moi… comme Mondrichon. Entendu. Je vous rappelle.

La directrice raccroche en soufflant. Reprend la caresse de ses avant-bras. Remue dans son fauteuil. Passe d'une fesse sur l'autre. Croise, décroise les jambes.

— Comment vous dire ce qui me préoccupe, madame Mondrichon ?

Elle plonge la tête en avant et décoche un sourire automatique censé être chaleureux.

— Il faut ABSOLUMENT que vous obteniez de madame Valenti l'autorisation de baptiser le collège du nom de son père… Vous connaissez mon projet ?

Madame Mondrichon opine. Tout le monde connaît le projet de madame Filières.

— « Collège Ray-Valenti », poursuit la directrice, ce serait moderne, un héros d'aujourd'hui, un homme du peuple, une illustration de l'ascenseur social, une inspiration pour la jeunesse. Seulement voilà… il me faut l'autorisation de la famille et dans ce cas précis, de la fille.

Madame Mondrichon recule, surprise.

— Mais ce n'est pas de mon…

Madame Filières la coupe.

— J'ai essayé cent fois de lui parler. Elle me fuit.

Son fils est dans votre classe, vous êtes son professeur principal, elle ne se méfiera pas de vous.

Madame Mondrichon fait une moue dubitative.

— Dites-lui que vous voulez lui parler et obtenez son consentement. Vous saurez très bien faire ça.

Elle lui adresse un second sourire automatique et conclut :

— Ce serait un coup de projecteur sur le collège et sur l'enseignement public, qui en a bien besoin.

Madame Mondrichon demeure muette. Son regard glisse sur la liste des numéros d'urgence, police, Samu, pompiers, entourée de nombreux dessins d'élèves qui souhaitent à madame la directrice un joyeux Noël et une bonne année.

— Je pourrais alors lancer les festivités. Je compte faire les choses en grand.

Elle tapote ses avant-bras qui tressautent comme si les chatons protestaient.

— Madame Valenti ne vient jamais aux réunions parents-professeurs, dit madame Mondrichon. Et pour cause, Tom est un excellent élève. Il est assuré de remporter le diplôme d'élève-citoyen. Savez-vous qu'il lit Emily Dickinson ?

— Emily qui ?

— Dickinson. Vous savez, la…

— Écoutez, ce n'est pas mon problème. Je veux que vous obteniez cette autorisation. C'est impératif. Sinon… sinon…

Elle balaie l'hypothèse de la main.

— Donc je compte sur vous. C'est bien clair ?

Madame Mondrichon décèle une pointe de menace dans la voix de la directrice.

— Je vais essayer, mais je ne vous…

— Ne partez pas battue ! Enfin ! Voyons !

Elle tripote les crayons et les stylos dans des pots devant elle. Repousse une bougie qui dégage une odeur vanillée. Balance à la poubelle une fleur en papier qui laisse échapper trois notes de musique.

— Et j'oubliais ! On fera la photo de classe la semaine prochaine. Prévenez les élèves.

Elle fouille dans ses papiers, trouve une feuille imprimée, la consulte.

— Vendredi prochain. Le matin.

— Mais c'est très tôt dans l'année…

— Autre chose : vous vouliez me voir. À quel sujet ?

Madame Mondrichon a le sentiment d'avoir épuisé le crédit temps qui lui était imparti. Et la patience de la directrice.

Elle déglutit et annonce, mal assurée :

— La petite Dakota Cooper…

— Qu'est-ce qu'elle a ?

— Elle a fait une drôle de rédaction et…

— Son père est un gros négociant en vins. Très important ! Il fait travailler beaucoup de gens dans la région. Il achète en France et revend dans le monde entier. C'est pour ça qu'il s'est installé à Saint-Chaland.

Elle récite comme si elle prononçait un discours officiel :

— Il est très très important !

— Justement vous devriez lire ce qu'elle a écrit…

Et elle tend à la directrice les trois lignes de Dakota.

*

Le bruit des conversations, des percolateurs, les cris des garçons qui lancent leurs commandes vers la cuisine accentuent la sensation de chaleur. Joséphine est assise dans le café à côté de son université. Elle a commandé une orange pressée pour chasser le goût de carton qu'elle a dans la bouche. Un cercle de fer lui enserre la tête et enfonce des pointes dès qu'elle bouge. Ça s'appelle l'angoisse, Joséphine. Tu as peur. Mais de quoi ?

Je ne sais pas.

Une odeur de viande grasse et tiède lui soulève le cœur. À la table voisine deux Chinoises partagent une corbeille de pain et une assiette de charcuterie. Elles piaillent, se montrent du doigt un morceau de chorizo qu'elles photographient. Joséphine contemple le chorizo, le jambon, le saucisson qui transpire et détourne le regard.

Elle a rendez-vous avec trois de ses collègues littéraires pour faire le point sur une situation devenue critique. Le directeur du département de sciences humaines a décidé d'octroyer une salle de séminaire supplémentaire aux historiens. Ces derniers n'arrêtent pas de tirer la couverture à eux en prétendant que leur discipline est importante et le directeur cède à chacune de leurs exigences. Michèle Monnier a lancé la première un cri de guerre. On a beau jeu de parler d'interdisciplinarité et d'études transversales, c'est du pipeau, il faut nous battre ou nous allons disparaître, nous les littéraires. Vous imaginez si on avait refusé l'accès des salles aux philosophes du siècle des Lumières ?

Michèle Monnier est une spécialiste des encyclo-pédistes, Voltaire, Diderot, d'Alembert. Elle refuse de lâcher ceux qu'elle a baptisés «mes petits chéris».

Il fait chaud. Le radiateur est brûlant. Comme le chorizo, le cendrier retourné sur le ticket de caisse, le skaï saumon de la banquette. Le serveur crie *danke, goodbye, arrivederci, ciao, prego,* et la radio passe une reprise fade de «Je m'présente, je m'appelle Henri».

J'ai cinquante ans et j'ai l'impression que le monde avance à reculons. Je voudrais m'asseoir sous un mar-ronnier et ne plus bouger.

Philippe m'attend demain à Londres.

Il organise une fête-surprise en l'honneur d'Alexandre. Pour célébrer le lancement de son site pour jeunes artistes. Il m'a promis une exposition, une pièce de théâtre, une balade dans Hyde Park, des scones, du thé à la bergamote. Il a fait repeindre l'en-trée. Changé la place du lit dans la chambre. Acheté un nouveau système audio sans fil. Il viendra me cher-cher à la gare. Ouvrira grand les bras. Me demandera ça va, mon amour? Je dirai oui en levant vers lui un sourire ébloui.

J'ai appris l'art du sourire ébloui.

Tout à l'heure, au Franprix près de la fac, j'étais en train de payer ma bouteille de Cristalline quand Line Berthoud m'a rattrapée dans la queue. Elle était essoufflée, rouge, son anticernes traçait deux lignes blanches sous ses yeux, elle n'arrêtait pas de tirer sur son col roulé noir.

— Je crève de chaud. Ça va, toi ?

J'ai dit oui, ça va, la vie est belle.

— D'attaque pour notre réunion ?

J'ai brandi un poing de guerrière.

Elle a éclaté de rire et m'a donné une bourrade molle.

— On m'a commandé une préface sur les âtres et les cheminées de la Renaissance. À moi ! La spécialiste de la Pléiade. Un éditeur japonais blindé. C'est pour un livre de décoration. Belles photos, papier glacé. T'imagines pas le blé !

— Génial ! j'ai crié.

Et j'ai battu des mains en esquissant un sourire ébloui.

— Ben ouais ! a dit Line. Je veux du fric et encore du fric pour m'acheter plein de pantalons chez Maje. On se retrouve pour la réunion au café ? J'ai une course à faire avant.

Joséphine pense à Stella au volant de son camion, ses grosses bottes, sa salopette orange qui bâille sur les côtés. Stella chargeant et déchargeant des kilos de ferraille. Ma sœur, mon autre sœur. Si différente d'Iris[1]. Iris, qu'aurais-tu pensé de Stella ? Tu aurais froncé le nez ou tu l'aurais trouvée «follement amusante. Tu as vu comme elle s'habille, c'est dingue, non ?»

Et puis tu l'aurais oubliée.

Stella lui envoie des petits films montrant son camion, ses chiens, son fils Tom, Adrian, son ami. Les chiens sont assis, solennels, derrière le volant du camion. Tom

---

1. Cf. *Les Yeux jaunes des crocodiles* et *La Valse lente des tortues*.

fait des grimaces, Adrian ébouriffe les cheveux de son fils. Elle les a fait suivre par mail à Hortense et à Zoé. Pas sûr qu'Hortense ait eu le temps de les regarder. Stella et Léonie viendront au défilé. Elle a obtenu deux places de l'assistante d'Hortense « *Madame Cortès, je vous appelle pour confirmer les deux places que vous avez demandées pour Stella et Léonie Valenti. En voulez-vous d'autres ? On est en train de faire la salle et…* ». Elle a dit oui. Pour Adrian. Il est souvent à Paris. Ce serait gentil de lui proposer d'assister au défilé. Et ce serait l'occasion de se réunir. Hortense aura autre chose en tête ce jour-là, mais on ne sait jamais…

Michèle Monnier vient s'asseoir à ses côtés. Elle commande un sandwich au salami avec des cornichons s'il vous plaît, sourit, radieuse, sous son béret écossais.

Elle s'agite, fanfaronne des épaules et, n'y tenant plus, claironne :

— Mon fils vient d'être muté à Zurich. C'est là que tout se passe, tu sais. Je veux dire dans le monde des affaires. Son patron lui a laissé entendre que c'était une grosse promotion. Mon petit garçon… Je suis trop fière !

Elle soupire d'aise, se masse les côtes comme pour bien étaler son émotion.

— Line arrive ?

— Oui. On s'est croisées au Franprix.

Sybille Lancelle les rejoint. Spécialiste du dix-septième siècle, des grands romans, *L'Astrée* d'Honoré d'Urfé, *Le Grand Cyrus* de Mademoiselle de Scudéry. Elle porte toujours des traces d'encre sur les poignets, les doigts, les joues, les lèvres. Leur blague préférée, c'est de lui demander ce qu'elle fabrique avec son stylo. Mais aujourd'hui, personne ne pense à plaisanter. Elle a la mine pâle, les yeux cerclés de marron et de rouge. Le garçon lui demande ce qu'elle désire, elle aperçoit une part de flan jaune dans l'assiette de son voisin et bredouille la même chose.

— Ça va ? demande Michèle Monnier en pianotant une mazurka.

Le 19 décembre, elles s'étaient souhaité joyeux Noël dans ce même café. La fac fermait pour les fêtes. Elles avaient parlé vins rouges, vins blancs, recettes pour farcir la dinde et cuire la bûche. Serrées sur la banquette, rompues aux mêmes tâches, même si leurs domaines d'expertise sont différents. Quatre littéraires en goguette. Elles avaient ri. Avaient râlé parce qu'une fois de plus, elles avaient dû se charger du travail administratif de fin d'année pendant que leurs collègues masculins plastronnaient dans des cocktails ou des séminaires à l'étranger. « L'égalité hommes-femmes, mon cul ! » avait lancé Michèle Monnier qui n'a pas peur des mots.

— Tu as passé de bonnes vacances ? elle demande.

— Moyen, dit Sybille dont la bouche tremble.

— J'étais en train de dire à Joséphine que Grégoire était muté à Zurich. C'est une très grosse promotion et…

Sybille fixe le flan qu'on a posé devant elle.

— On a fêté ça à Noël. Et quand je dis fêté, je suis polie.

Elle étouffe un rire, reprend le massage de ses côtes, se hisse au sommet de son cou. On dirait une girafe contorsionniste.

— J'imaginais pas une seconde qu'il irait si vite. Tu te rends compte, Sybille ? Ils ont le même âge, Grégoire et… J'ai oublié le prénom de ton fils. C'est idiot ! Ils passaient tout leur temps ensemble quand ils étaient petits. Je deviens vieille, vous savez, mais oui, mais oui…

Elle éclate de rire, se cache derrière ses mains pour s'excuser de vieillir si vite.

C'est peut-être ça. Je deviens vieille, moi aussi. J'ai peur que Philippe me quitte, j'ai peur de grossir, d'avoir des bras flasques, des taches marron partout, des petites veines qui éclatent, des cheveux gris, des fuites urinaires, des dents déchaussées, des palpitations. Quels vêtements vais-je prendre pour cette semaine à Londres ? Je n'ai pas regardé la météo. Le train partira-t-il à l'heure ? Je me rends à la gare en bus ou en métro ? Enfin, maman, en taxi ! m'ordonnerait Hortense, t'as les moyens maintenant ! Elle aurait raison. L'autre soir après la réunion des copropriétaires, nous sommes rentrées à pied, elle faisait bien attention à ne pas marcher à mes côtés. L'intervalle entre nous proclamait cette femme n'est pas ma mère, je n'ai rien à voir avec elle.

Une fois couchée, j'ai éteint la lampe de chevet, je me suis tournée sur le côté, j'ai enfoui ma tête dans l'oreiller et j'ai pleuré.

— Tu n'as pas peur de vieillir, toi, Joséphine ?

Joséphine sourit et frappe la table de la main.

— Je suis maligne, j'ai bloqué les aiguilles.

— Et toi, Sybille ? T'es plus jeune que nous, non ?

Sybille tient devant sa bouche la part de flan dont la pointe jaune fléchit.

— Sybille ! Qu'est-ce que tu as ?

— Mon fils… Xavier…

Sybille s'étrangle. Ses yeux se brouillent, son nez se pince pour actionner un frein au chagrin qui la submerge. Le bout du flan s'écrase sur son dossier « *L'Astrée*, roman pastoral, roman-fleuve, roman best-seller ».

— Ah oui ! Xavier ! s'écrie Michèle Monnier en se frappant le front. Ça me revient maintenant. Alors quoi, Xavier ?

— Il s'est donné la mort. Le matin de Noël. Sa petite amie l'avait quitté.

Une gomme éteint les bruits, les lumières, efface la salle, les occupants du café. Tout disparaît dans un long silence blanc.

Joséphine passe un bras autour de Sybille qui sanglote je ne voulais pas vous en parler, je croyais que j'allais être à la hauteur mais je ne peux pas, je ne peux pas… Elle tourne vers ses deux collègues un regard contrit, tâtonnant.

— Je suis désolée, Sybille, dit Michèle Monnier. J'étais là à tournicoter de joie alors que toi…

Elles se serrent sur la banquette en skaï saumon. S'enlacent, formant un bloc de douleur féminine. Impuissantes à trouver les mots qui poseraient une compresse sur la douleur de leur amie.

*

Alexandre referme la porte de l'ascenseur qui claque dans le silence de la nuit, merde, je vais réveiller tout l'immeuble, et puis je m'en fiche, qu'est-ce qu'ils ont à dormir, ces bourgeois du XVIᵉ ?

Il appuie sur la sonnette qui retentit longuement. Entend des pas, une voix endormie qui demande qui c'est ?

— C'est moi, Alex.

Zoé apparaît dans un pyjama blanc ourlé de rose, les cheveux emmêlés.

— T'es pas à Londres avec maman et Philippe ? Maman m'a dit que ton père organisait une fête en ton honneur. T'étais pas censé le savoir, bien sûr.

Alexandre se balance sur le palier, les bras ballants.

— J'ai fugué, il dit d'une voix de petit garçon.

— T'as fugué !

Il hoche la tête et murmure, si bas qu'elle n'est pas sûre d'avoir entendu :

— Oh, Zoé, *I'm in deep shit*[1] !

Il donne un coup de pied dans son sac de voyage qui va buter contre une porte. Passe la main dans ses cheveux et s'étale dans les bras de sa cousine.

— Il est quelle heure ? dit Zoé, encombrée de ce grand corps désarticulé.

Elle tourne son poignet, parvient à déchiffrer le cadran de sa montre et s'exclame :

— Trois heures du matin ! T'exagères ! J'ai cours demain.

— Ah…, il gémit en tombant à terre, le cou de travers, les jambes en un grand V ouvert. Me sens pas bien. J'ai envie de vomir.

---

1. « Je suis dans la merde ! »

Il tire, pour prouver sa bonne foi, une langue épaisse et verte. Zoé recule, dégoûtée.

— Tu pues l'alcool ! T'as bu !

— J'ai un peu zoné autour de la gare du Nord.

Il baisse les yeux dans un sourire étouffé pour ne pas raconter ce qu'il a fait. Zoé reconnaît ce sourire mi-honteux, mi-vantard qui proclame ce qu'il veut cacher. Elle hausse les épaules telle une mère fatiguée des bêtises de son enfant.

— Alexandre... T'es vraiment pas raisonnable !

Elle croise les bras et le dévisage.

Il lève vers elle une moue de repenti. Une lueur mystérieuse s'allume dans ses yeux. Il se souvient d'une tendresse qui lui a manqué et lui manque encore et renvoie un regard mélancolique, grave.

— J'aime quand tu me parles comme ça. J'ai l'impression d'avoir une maman. Iris, ma mère, « *de quel amour blessée vous mourûtes aux bords où vous fûtes laissée*[1] ! »

Il porte une trace violette dans le cou.

— Oh, Lullaby, si tu savais... J'ai vraiment envie de vomir. Je crois que je vais...

Il tente de se relever, s'appuie sur Zoé.

— Je vais aller aux cabinets. Je serai plus lucide après.

Il titube jusqu'à la porte des toilettes qu'il s'obstine à nommer « cabinets ». Il trouve que cela fait plus propre, plus sérieux, que ça a un petit air médical ou ministériel, au choix. Ça dépend de ce que tu penses de la médecine ou de la politique, il ajoute quand il

---

1. Racine.

n'est pas ivre. Zoé l'entend refermer la porte, guette les premiers jets de bile. Oh, mon cousin, que je me sens vieille quand je suis avec toi ! Nous avons pourtant le même âge. L'âge où tout commence. Pour toi, on dirait que c'est toujours la fin.

Il revient s'asseoir près de Zoé dans le salon. Elle lui a préparé une tisane verveine-menthe. Il hume le fumet léger et repousse l'infusion. Pose la tête sur l'épaule de Zoé. Prend sa main dans la sienne, ses doigts enlacent chaque doigt.

— Ma cousine que j'aime et aimerai toujours…, il scande, grave.

Sa voix se casse, son nez s'enrhume. Zoé se penche.

— Tu pleures ?

Il lève la tête vers elle et déclare, désabusé :

— *I am a nobody.* Une pauvre merde. Et le pire, c'est que tout le monde va le savoir. Quand il n'y avait que moi, je pouvais encore me consoler…

Un grand rire l'agite et ébranle son corps.

— Ne suis-je pas magnifique dans mon désespoir ? Je vais te réciter des vers de Shakespeare qui racontent l'histoire d'une grande espérance suivie d'une terrible chute.

— Mais de quoi tu parles, Alex ? Il est trois heures du mat' ! J'ai pas la tête aux énigmes.

Il enfonce son menton dans l'échancrure de son pull bleu ciel, noue par-dessus l'écharpe grise qui assombrit le bleu-vert de ses yeux. Zoé n'a jamais su s'ils étaient verts ou bleus. Sa mère affirme qu'ils sont bleus, Hortense qu'ils sont verts.

— Lullaby, je suis foutu et il va le savoir.

— Qui ça ?

— L'homme que j'aime et admire plus que tout.

Alexandre se frotte un œil de son doigt plié.

— L'homme qui croit en moi si fort que j'ai honte et je voudrais mourir…

— Ton père ?

— Il croit que je vogue en pleine réussite, alors que c'est mort. J'ai pas les moyens financiers de mes ambitions.

— Et le coude du Caravage ? Il devait te rapporter des millions.

Alexandre ricane. Exécute un moulinet désinvolte du bras.

— Fin du voyage ! Tout le monde descend. Personne ne veut me prêter un sou. Suis pas crédible, il paraît. Me regarde pas comme ça. J'ai tellement honte, je suis un échec TOTAL.

— Arrête de dramatiser. Ce n'est qu'une histoire d'argent.

— QU'UNE HISTOIRE D'ARGENT !

Il se redresse d'un coup de reins. Se frappe le front.

— Mais tu vis dans quel monde, Lullaby ? Réveille-toi ! Tout n'est qu'une question d'argent aujourd'hui. LE VEAU D'OR, tu connais pourtant, tu lis la Bible en feuilleton !

Zoé roule et déroule les manches de son pyjama comme si c'était l'occupation la plus noble du monde.

— Pas pour moi. Je m'en tape total. L'argent est un prédateur sournois qui te mange tout cru. Avec lui tu finis en brochette pour barbecue.

Alexandre saute sur ses pieds, jette à la volée son écharpe sur un fauteuil et arpente le salon à grands pas élastiques.

— La brochette pour barbecue va t'expliquer.

Il fait une pause, se frotte le nez, rassemble ses idées.

— Les banques refusent de me prêter de l'argent.
J'ai besoin de quarante-quatre mille sept cents euros
pour rembourser mes emprunts et lancer mon site.

Zoé, renversée dans le canapé, écoute, les yeux
mi-clos.

— Même avec le coude du Caravage, elles ont peur
de s'engager, elles disent que c'est peut-être un faux,
que pareille découverte n'arrive plus aujourd'hui, que
les certificats d'authentification établis à New York
ne sont pas suffisants.

Zoé l'écoute, imperturbable.

— Elles préfèrent m'envoyer sur la paille. Que
dis-je sur la paille !

Il lève le bras, invoque le Ciel et s'écrie :

— DANS UN CACHOT HUMIDE ET SOMBRE OÙ JE CROUPIRAI.

— Arrête, Alex ! Ton père ne laisserait jamais faire
ça.

Une violence inouïe déforme les traits d'Alexandre.
Il se lève, se rassied, se lève, se rassied, porte les mains
à sa tête comme si elle menaçait d'exploser.

— Mais je lui demanderai JAMAIS un sou. Plutôt
mourir !

Zoé lève les yeux au plafond.

— Lullaby, je suis sincère. Je vais me tuer. Je ne
sais pas encore comment, mais je suis résolu.

Son visage affiche la sérénité de celui qui a longuement réfléchi et pris une décision.

— Je suis venu te dire adieu. Tu es une personne
magnifique. Ne doute jamais de toi. Ne doute jamais
de l'amour qui est en toi.

Il éclate d'un mauvais rire.

— Je me suis tellement moqué de cet amour, de ce cœur dégoulinant de bons sentiments… de ton enthousiasme, de ta naïveté, de ton innocence même !

Zoé s'étire, bâille encore.

— T'as fini ton numéro ? elle dit en regardant l'heure. Une prépa, c'est sérieux. Faut bosser. Et pour bosser, faut dormir.

— Excuse-moi. J'avais oublié que tu étais une fille SÉRIEUSE.

Zoé fait mine de ne pas avoir entendu et se lève.

— Tu vas t'installer dans la chambre d'Hortense.

Il prend l'air surpris.

— Hortense dort dans son atelier. Rue de Panama, Paris XVIIIᵉ. Son défilé est dans trois semaines.

— Ah…, il laisse échapper, dépité. On m'envoie au lit comme un enfant. Humble fin pour une si belle tirade !

Il lance son bras pour attraper sa cousine et bloquer son élan.

— J'ai sommeil, Alex.

Zoé se dégage, rajuste l'aplomb du pyjama et, les yeux dans ceux de son cousin, elle demande :

— Il te faut combien ? Je veux dire pour sortir du cachot.

— Quarante-quatre mille sept cents euros, soupire Alexandre.

— Tu les auras demain.

— Mais… mais…

— Tu me fais confiance ?

— À la vie, à la mort.

— Alors va te coucher. Et dors.

C'est tout à fait Alex, ça, de débarquer à trois heures du matin pour m'annoncer qu'il va mourir.

Il avait une drôle d'allure avec son corps tout long, tout mince, ce large suçon violet dans le cou. Ou peut-être était-ce une marque de strangulation ? Il s'est battu ou on lui a roulé une pelle ?

Me voilà débarrassée de cet argent. « Si l'argent ne fait pas le bonheur, rendez-le[1]. » Je l'ai donné. Je suis à nouveau libre, libre, LIBRE. Et d'accord avec moi-même. La vie est tellement belle quand on est d'accord avec elle. J'avais peur que l'argent me change. Au début, je ne m'en serais pas aperçue. Et puis je me serais attachée à lui. Je lui aurais pris le pouls. J'aurais voulu qu'il fasse des petits. J'aurais multiplié, additionné. Les traits tirés, la mine inquiète.

Elle tourne la tête vers le ciel. La fenêtre est ouverte. La nuit est tiède. La lune brille, elle entend les arbres de l'avenue bruisser et ça fait un bruit de papier argenté de tablette de chocolat.

Si Hortense était là… On regarderait la lune, on se demanderait si, dans le vaste monde, deux autres sœurs couchées dans le même lit contemplent la lune aussi.

On bavarde beaucoup avec Hortense.

Elle évoque des choses intimes. Un soir elle m'a parlé de Gary comme si elle voulait se rassurer, SE PROUVER QU'IL AVAIT TOUJOURS UNE PLACE DANS SA VIE. Elle m'a demandé si elle devait répondre TOUT DE SUITE à la caisse de franc-pipeau. Je lui ai dit ça dépend, t'as quelque

---

1. Jules Renard.

chose à lui reprocher ? Elle m'a raconté l'histoire de Calypso, la violoniste enchanteresse, pas très jolie, tu sais, Zoé, mais envoûtante. Cette fille-là, tu te dis qu'elle ne va pas faire long feu sur terre, qu'un jour elle va disparaître happée par son violon tellement elle est DIVINEMENT bien.

— Ça t'a rendue triste ?

— Oui.

— Ça s'est pas vu !

— Je ne veux pas laisser entrer la tristesse. Ça fait pas avancer les choses d'être triste. Au contraire, ça donne toute la place au malheur.

— Mais comment tu sais ça ?

— À force de voir maman souffrir de tout. J'ai décidé d'être le contraire.

C'était une explication.

Ce qu'il y a de bien avec Hortense, c'est qu'elle pose une question et qu'elle y répond. Même si sa réponse n'est pas correcte. C'est sa réponse à elle.

C'est pour ça qu'elle est HORTENSE et qu'il n'y en a pas deux comme elle.

*

Adrian passe devant la plate-forme que Jérôme surveille.

Depuis peu une grande flèche rouge indique «Ralentir. Bureau des vérifications». Ce que «vérifications» veut dire, personne ne le sait. Sauf Jérôme qui a cloué la grande flèche rouge.

Adrian ignore la flèche rouge et accélère. Jérôme bondit hors de son bureau vitré et court derrière le camion.

Il fait signe à Adrian de s'arrêter.

Adrian baisse la vitre.

— T'as besoin de quelque chose ?

Jérôme reprend son souffle et tape du pied dans le pneu avant.

— Qu'est-ce que tu fous avec ce camion ?

— Tu vois bien, je conduis.

— Il est réservé au transport des marchandises et à Stella.

— Qui a dit ça ? rétorque Adrian en souriant de son sourire rapide.

Et il enclenche la première.

Jérôme saute sur le marchepied. Saisit le bras d'Adrian par la vitre baissée.

— ME TOUCHE PAS ! ordonne Adrian en serrant les dents.

— Tu réponds à ma question ?

— Pas envie.

Jérôme le dévisage, stupéfait.

— T'as pas envie ?

— Non.

Livide, la main accrochée au bras d'Adrian, Jérôme cherche une réplique cinglante. Il bégaie tu-tu-tu-tu et fixe Adrian d'un air incrédule.

— Tu ferais mieux de descendre, je vais redémarrer, dit Adrian.

Il repousse Jérôme. Remonte la vitre. S'éloigne dans un nuage de poussière en faisant gicler des gravillons.

Jérôme retombe au sol, sonné.

*

Il est près de midi. Le soleil tape sur la façade vitrée du bureau. Quand l'hiver va-t-il arriver ? Qu'est-ce qui ne tourne pas rond ? Et quand ça a commencé ? Il regagne son bureau, donne un coup de pied dans la chaise sur roulettes. La chaise heurte un tiroir et s'écrase contre le mur. Jérôme balaie d'un bras un classeur posé sur le bureau. Le classeur tombe. Les derniers relevés des stocks s'échappent. Les colonnes, les chiffres noirs des entrées, les chiffres rouges des sorties, les résultats passés au Stabilo jaune. Il tient un double récapitulatif, l'un au crayon, l'autre dans l'ordinateur. Le crayon, ça le rassure. Et puis il peut effacer, corriger. Maurice prétend qu'il magouille. Qu'il a son petit marché noir. Que ça lui sert à ça de gommer et de corriger. Toujours à dire des saloperies sur les gens, celui-là !

Un cafard longe le mur pour aller se réfugier sous une plinthe. Jérôme tente de l'écraser d'un coup de talon. Le manque, jure. Puis il se baisse pour ramasser les feuillets. Il manque le dernier trimestre. Il retourne à son bureau, fouille les tiroirs, ouvre d'autres dossiers, qui a pu me piquer l'état des stocks ? Qui est le salaud qui est entré dans mon bureau et m'a piqué mes relevés ?

Il se jette dans les escaliers et court retrouver Julie.

Penchée sur son bureau, elle étudie des chiffres.
Jérôme se place derrière elle, l'embrasse dans le cou.
— Tu bosses sur quoi, ma puce ?
Elle pivote sur sa chaise, souffle sur une mèche qui lui tombe dans les yeux et lâche :
— T'as raison, quelqu'un vole dans les stocks.

Jérôme observe le visage de Julie, sombre, fermé. Il ne connaît pas ce visage-là, il lui fait presque peur.

— Comment tu t'en es aperçue ?

— Ce matin je suis passée par ton bureau et j'ai pris les derniers relevés. Je suis allée dans le hangar, j'ai fait peser le cuivre par Maurice. Il en manque, et pas qu'un peu ! Deux cents kilos. À trois euros cinquante le kilo, fais le calcul. Si on me prélève deux cents kilos par semaine plus le reste que j'ignore, je suis mal barrée.

Elle agite les mains au-dessus de sa tête pour montrer qu'elle est complètement dépassée.

Il la regarde et se tait.

— Ça n'est jamais arrivé, Jérôme ! Jamais ! On se fait confiance ici. Tu le sais bien.

— T'as rien vu de louche sur les caméras ?

— RIEN. Des allées et venues de Maurice, Boubou, Houcine, toi, mais personne d'autre. Doit y avoir un angle mort quelque part ou le trafic se fait ailleurs. J'ai demandé à Maurice d'ajouter une caméra. Quelqu'un magouille, c'est sûr.

— Je te le disais !

— Mais en même temps, je peux pas y croire. Je connais tous ceux qui travaillent ici et je peux pas imaginer qu'un seul puisse vouloir me gruger.

Il la prend dans ses bras. Elle porte le pull jaune safran qu'il lui a acheté à la Farfouille. Il a pris une taille un peu petite mais tout de même il lui va bien. Il lui fait de gros seins alors que… Il aimerait bien qu'elle ait un peu plus de poitrine.

— Tu venais me voir pour quoi ? elle demande.

— Adrian. Il a emprunté le camion de Stella.

— Et alors ?

540

— Il a refusé de s'arrêter devant mon bureau. Il a fallu que je lui coure après et il m'a insulté. Il m'a dit que ce qu'il faisait ne me regardait pas, qu'il était libre d'aller et venir sur le site. Mais je suis pas con, j'ai bien vu que sa benne était vide alors qu'hier elle était chargée.

— C'est peut-être Stella qui lui a demandé de…

— Stella n'était pas là hier. Elle avait pris l'après-midi.

— C'est pour ça qu'il a ramené le camion.

— Je le crois pas.

— Il a peut-être voulu lui donner un coup de main pour un chargement ?

— C'est pas à lui de s'occuper de ça. C'est à Stella. Le camion ne doit être conduit que par elle. Il faut que tu pondes une directive en ce sens, Julie. C'est toi le boss.

Julie baisse les yeux et soupire.

Il lui effleure la joue d'une caresse.

— T'en fais pas, ma puce. Il l'emportera pas au paradis, le salaud qui nous vole. Je vais le pincer, je te promets. Si c'est pas Adrian, tant mieux. Si c'est lui, faudra qu'il s'explique. T'es plus toute seule maintenant, je suis là.

*

La femme de ménage est partie. Le repas tiédit sur la gazinière. Un poulet basquaise dans une grosse cocotte en fonte grise. Il ne reste plus qu'à le réchauffer. Elle a mis la table dans la salle à manger, plié deux serviettes blanches, coupé du pain qu'elle a recouvert d'un torchon propre afin qu'il ne se dessèche pas. Posé un briquet près des chandelles blanches. Laissé un petit mot qui précise « La tarte aux pommes est dans le four, faites-la réchauffer 5 minutes à 80°, pas plus. Vous pouvez ajouter une boule de glace à la vanille, il y en a dans le congélateur. » Elle a mis un post-scriptum « Bonne soirée à tous les deux, à demain. Jacqueline ».

Dakota considère la table. Il manque une tache de couleur. Il va trouver ça trop blanc. Elle aperçoit une branche de *Photinia red Robin* derrière la fenêtre. Prend un sécateur, sort la couper. La dispose dans un petit vase à col haut. Réfléchit. Ressort couper des branchages pour étoffer le bouquet. Hoche la tête, satisfaite.

Il va arriver, fatigué de sa longue journée, et sera content de voir la belle table dressée. C'est à elle de faire en sorte qu'il soit heureux de rentrer le soir.

Elle entend la porte du vestibule s'ouvrir. Se met au garde-à-vous, un sourire aux lèvres.

— Bonsoir, p'pa ! elle lance, joyeuse.

— Bonsoir, ma fille.

— Ta journée s'est bien passée ?

— J'ai pas arrêté. Tu me sers un whisky ?

Elle connaît le rituel. Deux doigts dans un verre. Sans glaçons en hiver, avec glaçons en été. Elle se précipite vers le bar en acajou brillant, ouvre les deux portes du bas.

— Une vraie jeune fille ne court pas. Une vraie jeune fille se déplace gracieusement, il dit en ôtant sa veste et en dénouant sa cravate.

Elle verse le whisky. Revient à pas comptés vers

lui. Elle a disposé un petit rond en carton sous le verre pour ne pas faire de taches sur la table basse. Il prend le whisky, s'installe dans un fauteuil, déplie son journal.

La cocotte en fonte grise est vide. Il ne reste plus que des feuilles de laurier noircies, une branche de thym calcinée. Ils ont dévoré le poulet et le riz. Dévoré la tarte aux pommes, sans glace à la vanille. Il fait attention à sa ligne. Le concerto de Brahms qu'il a choisi pour les accompagner se termine.

Un long silence s'ensuit. Il a apprécié le poulet et la tarte. Il se détend.

J'ai bien fait de faire ce bouquet, il l'a regardé plusieurs fois pendant le dîner.

Il repousse son assiette. Fait le geste de se lever, se ravise et se rassied. Baisse les yeux, se mord les lèvres, aspire l'air par la bouche, le recrache, la veine sur sa tempe droite se gonfle, signe qu'il retient une colère.

Dakota bloque les coudes.

— Tu ne m'avais pas dit que ton collège allait s'appeler Ray-Valenti, il dit d'une voix sourde.

Elle écarquille les yeux et avance le cou.

— Arrête de faire la grenouille ! J'ai horreur de ça.

— Je le savais pas.

— Tu ne lis pas les journaux ?

Elle secoue la tête, honteuse.

— Tu devrais.

Il se lève. Essuie une dernière fois sa bouche avec la serviette blanche.

— Je ne te verrai pas demain matin. Je pars très tôt. Jacqueline sera là si tu as besoin de quelque chose.

543

— Je ne suis plus un bébé.

— Raison de plus pour lire les journaux et avoir une conversation intéressante. Dors bien. Et n'oublie pas d'éteindre les bougies.

Elle baisse la tête, découragée. Il ne lui a pas dit quels journaux il fallait lire.

Elle débarrasse en fredonnant une berceuse que lui chantait sa maman. Tout bas pour qu'il n'entende pas. Avec des mots qu'elle a inventés. *Gouli gouli da da da, gouli gouli la la la.*

Le collège va s'appeler Ray-Valenti ?

Le soir, pour s'endormir, elle imagine qu'elle est seule avec Ray Valenti, elle l'a saucissonné sur une chaise. Elle lui brûle les poils du nez, lui crève les yeux avec un tisonnier. Lui agrafe les oreilles, ça fait *scratch-scratch*, le sang gicle, elle applaudit et crie à tue-tête et ce n'est pas fini !

Alors seulement, elle s'endort.

*

Milan habite 46, rue Belgrand. Derrière le cimetière du Père-Lachaise. Adrian avait tenté de lui raconter l'origine du cimetière, comment il avait longtemps été boudé par les Parisiens. Il avait fallu qu'en 1817 la mairie de Paris organise en grande fanfare le transfert des dépouilles d'Héloïse et d'Abélard, de Molière et de La Fontaine pour que le cimetière devienne en quelques mois le lieu où il FALLAIT être enterré. Milan avait demandé c'est qui Molière et La Fontaine ? Ils ont tué qui ?

544

Ce jour-là, Adrian s'était dit que Milan était peut-être un compatriote originaire du même endroit que lui en Russie, mais en aucun cas un complice ou un ami. Il avait pensé aussi que c'était désagréable de partager la chambre d'un type qui ne faisait aucun effort pour faire marcher son cerveau et, pire, qui en était fier.

Il est passé le voir pour lui annoncer qu'ils vont arrêter leur petit manège au Fouquet's. Il doit s'y prendre avec tact. Milan sort vite les couteaux et poignarde les mouches. Il aime dire que le premier mot qu'il a appris en français c'est « dérouiller » dans le sens « je vais le dérouiller, ce type-là ».

Pour arrondir son propos et créer une complicité entre mâles, Adrian lui racontera Jérôme et leur dernier affrontement. Milan aime les histoires de bagarre. Il serre les poings, bande les muscles. Ce sera plus facile ensuite de lui annoncer que leur alliance est finie. Il ajoutera « temporairement » pour ne pas qu'il explose.

Milan insiste pour qu'ils descendent discuter au café.

— Y a une serveuse… je crois bien que je suis chipé. Je sais pas comment m'y prendre.

Il sort de la douche, une serviette marron autour des reins, cherche ses vêtements. Ses orteils ressemblent à de vieux camemberts pleins de croûtes. Sur certains, l'ongle est fendu et la peau boursoufle telle une moisissure. Adrian se demande comment il rentre dans des chaussures pointues.

— Je m'habille comment ? il demande en s'essuyant.

Des tatouages sillonnent son dos. Des chiffres, des lettres, un aigle noir aux ailes déployées qui porte un sabre dans son bec.

— Ben… comme tu veux.

— Nan ! Pour la serveuse. Je te dis, elle me rend nerveux.

Il tripote la médaille autour de son cou. Une Vierge à la tête ovale, penchée sur l'Enfant Jésus.

Adrian aperçoit un pantalon de treillis et un tee-shirt noir portant le nom d'un groupe de rock russe, Suck My Dick. Il les tend à Milan qui se peigne dans un bout de miroir accroché au-dessus du lavabo.

La serveuse les accueille par un c'est pour manger ou boire ? revêche. Elle est blonde, un peu anémique, très maquillée, avec ce dédain affiché des filles qui ont décidé qu'elles valent mieux que les mecs qui les entourent.

— Deux bières ! lâche Adrian qui n'a pas envie de faire des ronds de jambe à la demoiselle.

Il se jette sur la banquette défoncée.

— Tu la trouves comment ? demande Milan dans un chuchotement inquiet.

Il se masse les jointures, le cou dans les épaules, et guette la réponse d'Adrian.

— Comme une gonzesse.

— T'es pas dans ton état normal, toi !

— Disons que j'ai quelques ennuis et disons aussi qu'il faut que je te parle d'un truc.

— C'est quoi, ton ennui ? Y a pas d'ennui, y a que des amis.

La serveuse pose les deux bières. Les décapsule en

calant les bouteilles contre son ventre. Les yeux au plafond. Milan a déjà dû se faire remarquer car elle l'ignore ostensiblement.

Adrian verse la bière dans son verre et raconte Jérôme, Julie, les menaces. Milan l'écoute en tripotant son tatouage, *Life Is a Joke*. Il pince sa peau, la soulève, la plisse ; Adrian lit *Life Is* ou *Li Joke*. C'est comme un rébus.

— Je vais te le neutraliser, moi, ce connard ! éructe Milan. Il t'embêtera plus jamais.

Adrian tape le cul de la bouteille sur la table, les yeux baissés.

— Neutraliser comment ?

— On le supprime, c'est tout.

— Mais, Milan…

— Et pourquoi pas ? Donne-moi UNE bonne raison.

— Il s'agit d'une vie HUMAINE.

Adrian a relevé la tête et examine son copain. Il ne pensait pas que Milan allait démarrer aussi vite. Le mec a cramé des neurones depuis la dernière fois.

— T'as rien à craindre. Ce sont des professionnels. Ils travaillent proprement.

— Je vais pas faire supprimer ce type quand même !

— Excuse ! J'avais cru que tu le portais pas dans ton cœur.

Milan a un petit sourire qui dit fais pas ta chochotte.

— Oui, mais de là… à le faire disparaître.

— Ça coûte pas cher. Dans les cinq mille euros.

— Mais c'est pas une histoire de blé ! s'indigne Adrian.

— C'est quoi, alors ? Je comprends pas. Ils te connaissent pas, tu les connais pas. La commande passe par des intermédiaires, ça brouille les pistes, on peut pas remonter jusqu'à toi… Faut savoir. Soit le type te gêne, soit il te gêne pas. S'il te gêne, *boum-boum* et il te gêne plus !

— C'est sûr que vu comme ça, y a pas beaucoup de place pour la morale.

— Quelle morale ?

— Celle qui dit qu'il faut pas tuer son prochain.

— La morale, c'est un truc à te faire baiser la gueule. Un truc pour tapettes.

La fille passe, repasse, les frôle. On dirait qu'elle fait exprès de provoquer Milan pour avoir le plaisir de le rembarrer.

Adrian pense à la Parisienne et ça lui fait un coup de jus entre les jambes. Elle est d'enfer au pieu, cette fille. Quand il quitte la chambre, il a à peine la force d'appuyer sur le bouton de l'ascenseur. Elle, elle descend à pied. Elle parle au téléphone. En gueulant qu'elle est en retard mais que ça va, c'est pas la fin du monde. La BONNE question à propos de cette fille, c'est QUAND est-ce que j'arrête ?

Il refuse de se la poser.

Il serre les doigts autour de la bouteille de bière.

— Je te jure, y a pas de risques de se faire pincer, insiste Milan.

— Tu rêves ? Les gens finissent toujours par se mettre à table, et pas pour déguster un risotto trois étoiles. Tu l'as déjà fait ?

— J'ai servi d'intermédiaire. Plus y a d'intermédiaires, moins on te chope. C'est un métier, intermédiaire. Qu'on trouve pas forcément à Pôle Emploi, mais qui rapporte. On se salit pas les mains, on fait passer le mistigri, on prélève une com sur la transaction comme chez Rothschild.

— Et tu peux dormir tranquille ?

— Tu vas pas me dire que ta mère s'appelait Marie et que t'es le petit Jésus !

Les yeux d'Adrian tombent sur le tatouage de Milan, entièrement lisible, *Life Is a Joke.* La vie est une blague.

— J'en reviens pas que tu trouves pas la serveuse bandante, dit Milan en secouant la tête.

Il jette sur Adrian un regard légèrement dégoûté où est écrit TAPETTE.

— T'aimes rien, toi. Ni les solutions que je te propose ni les filles que je te montre. Sais pas ce qui te fait bander.

Il soupire. Se nettoie une dent du bout de la langue. Aspire pour déloger le morceau coincé. Tord la bouche. Émet un sifflement mouillé. Sort une allumette de sa poche, déloge l'intrus. Puis sa langue repart fouiller une autre dent.

— Tu ferais mieux d'aller chez le dentiste, dit Adrian.

— Pas les moyens. À propos… on reprend quand notre bizness ? J'ai besoin de tunes.

Il joue avec l'allumette, la fait tourner d'un doigt sur l'autre comme le bâton d'une majorette.

— On arrête.

— Comment ça ?

— Je rentre dans le rang, je fais dans la légalité. Je vais monter ma propre affaire.

— Mais tu auras encore besoin de moi pour des coups ?

— Je vais essayer de la jouer honnête.

Alors dans les yeux de Milan, il devient vraiment une tapette. C'est écrit en gros et ça clignote FIOTTE, FIOTTE, FIOTTE.

— Et je vis de quoi, moi ?

— Quand l'affaire aura démarré, je verrai... En attendant...

Le bâton de majorette rate un lancer et chute sur la table. Milan le brise entre ses doigts. Il cherche ses mots, s'étouffe. Finit par cracher :

— Tu me jettes, quoi ! Elle est belle, la solidarité entre potes. Si tu crois que tu vas t'en tirer comme ça ! J'ai des copains, moi, et pas des Bisounours !

— Les mecs qui tuent sur contrat en se refilant le mistigri ?

Il n'a pas pu s'en empêcher. C'est pas malin, mais ça lui fait du bien. Milan lui fait horreur. Il n'a plus envie d'être relié à lui. Même par un fil ténu.

— Justement ! Et ils te louperont pas !

Milan jette un billet sur la table pour payer les bières et sort en empoignant les fesses de la serveuse qui fait un tour sur elle-même en gueulant :

— Non mais ! Il se prend pour qui, votre copain ?

Adrian hausse les épaules, se lève, la salue d'un geste de la main qui se veut compatissant. Il pousse la porte du bistrot et se dirige vers le métro.

Il vient de dire adieu à ce qui lui restait de passé. C'est peut-être bien. C'est peut-être pas bien.

Il n'a pas de réponse à cette question-là.

*

550

Henriette attend sur le palier du sixième étage.

À bout de souffle. Il n'y a pas d'ascenseur pour les chambres de service.

Elle est montée avec des éponges, un seau, de la Javel, un balai-serpillière et un bidon de Monsieur Propre. Elle fait semblant de faire le ménage. Sa mission : surveiller la chambre de Nicole Sergent. Coller son oreille contre la porte. Elle se retourne, guette à droite, guette à gauche, espionne. PERSONNE. Nicole Sergent est sortie. Elle lui est passée sous le nez, elle n'a rien vu.

Elle remballe son seau, sa serpillière, sa Javel et Monsieur Propre. Redescend dans la cour, croise la pimbêche du troisième qui lui dit pas trop dur, madame Grobz ? Elle pense connasse mais grimace un sourire. S'enferme dans sa loge. Comment a-t-elle pu rater la sortie de Nicole Sergent ? La loge compte deux portes, l'une donne sur le grand hall, l'autre sur la cour. Elle les surveille toutes les deux. Scrute le courrier, monte au sixième chaque jour avec tout son bazar. Elle secoue la tête, marmonne une bordée d'injures, enfonce une épingle dans son chignon, puis une autre et une autre. Vaporise un coup de laque. Ça la détend. Allume la télé. Un match de foot. Mate les cuisses des joueurs, beaux jambons ! Elle se calme, réfléchit. Quand elle sort, Nicole Sergent va au parc Monceau crayonner des parterres de fleurs. Personne ne l'approche.

Elle est en train de ruminer en convoitant les cuisses des footballeurs quand on frappe à la porte.

— C'est à quel sujet ? elle aboie. La loge est fermée.

— DHL. Pour madame Sergent.

Henriette se précipite. Ouvre la porte, tend la main.

— Je signe où ?

— Je dois le donner à la personne. C'est un recommandé.

— J'ai une autorisation écrite de mademoiselle Sergent. Sinon vous montez au sixième étage sans ascenseur. J'en viens, elle n'est pas là. Ou vous revenez plus tard. Comme vous voulez.

Le coursier a des écouteurs aussi gros que des moteurs de Boeing. Ça lui fait une tête de grenouille sous amphétamines. Partagé entre le boucan de sa musique et les mots d'Henriette, il tente de faire une synthèse. Plisse les yeux, cligne, finit par dire :

— Montrez le papier.

Henriette va le chercher. Le tend au garçon. On dirait qu'il a du mal à lire. Doit avoir un QI de lampe de poche, celui-là !

— Gardez-le, dit Henriette. J'ai des photocopies.

Il lui donne un vieux Bic mâchouillé qui pend à son cou et attend qu'elle signe en sautillant sur place. Henriette fait un gribouillis.

Le coursier lui remet une grande enveloppe et s'éloigne en boxant l'air. Henriette lève les yeux au ciel et va s'asseoir, ce garçon lui a donné le tournis.

L'enveloppe est au nom de « Mademoiselle Nicole Sergent ».

L'expéditeur a dessiné deux petits cœurs en dessous de l'adresse. À son âge ! Un soupirant ! Henriette tourne et retourne la grande enveloppe blanche format 24x36, bardée de larges bandes de scotch marron. Ça va être dur de décoller tout ça sans que ça se voie.

Elle reste un moment à réfléchir, assise dans son

fauteuil, le paquet sur les genoux. Jusqu'à ce que, propulsée par une force invisible, elle ouvre un tiroir, s'empare d'un cutter, se jette sur le paquet et l'éventre. Une mousse compacte jaune se répand. Elle l'écarte, dégage un document enveloppé de papier bulle, décolle le dernier rempart de scotch transparent. Une feuille tombe, un mot écrit à la main, « Pour toi, ma chérie, ce dessin d'Auguste Rodin, gage de mon amour. Qu'il te tienne compagnie en attendant que nous soyons réunis. Robert ».

Ainsi Nicole Sergent a un coquin qui lui offre des présents. Et pas n'importe quoi ! Un Auguste Rodin ! Elle lit le nom de l'expéditeur : Robert Sisteron. Sisteron, comme la ville ?

Qui va-t-elle appeler en premier, la comtesse qui lui graisse la patte ou Hortense que son cœur chérit ? Un sourire troublé lui déforme les lèvres. Pour la première fois de sa vie, elle va trahir l'appât du gain : elle appellera Hortense.

Elle expliquera à Nicole Sergent que son paquet est arrivé éventré. Ce sont des choses qui se produisent par les temps qui courent, il n'y a plus de conscience professionnelle, il n'y a plus que des sauvages et blablabla, et blablabla. Elle connaît la chanson par cœur.

*

C'est devenu une habitude.

Quand Gary sort de l'école, à la fin de la journée, il part où l'emmènent ses pieds. *These vagabond shoes.* Il descend Broadway jusqu'à Colombus Circle, s'arrête devant le *liquor store* où la bouteille de franc-pipeau trône toujours sur son support de velours bleu roi. L'interroge du regard pourquoi elle appelle pas, Hortense ? POURQUOI ? La bouteille ne répond pas. Il rabat sa capuche de duffle-coat, enfonce ses poings dans ses poches et se dirige vers la Septième Avenue. Ou la Sixième. Qu'il pleuve, qu'il neige, que le vent gratte les joues au papier de verre, il suit ses pieds. Il reconnaît des boutiques, des visages, des enseignes. Ils sont imprimés dans sa mémoire et le rassurent. S'ils sont toujours là, c'est que c'est pas encore la fin du monde. Le petit vieux qui vend des tee-shirts *I Love New York*, des cadenas et des valises assis derrière sa caisse, un transistor collé à l'oreille, les vélos-taxis qui haranguent le client, la manucure chinoise en blouse rose qui fume sa clope pendant un break. Un peu plus loin, à l'angle de la 59e Rue et de la Septième Avenue, dans le grand hall vitré d'un immeuble, il aperçoit la casquette et les cheveux blancs de Walter, le *doorman*. Il renseigne une vieille dame voûtée sur sa canne. Il doit lui dire que ce n'est pas raisonnable de sortir. Gary a habité cet immeuble à son arrivée à New York. Walter lui avait appris les subtilités de la ville, le métro, la météo, les bars, les bus, les endroits où manger d'excellents hamburgers. Il disait tu ferais mieux de faire des photos que de perdre ton temps à jouer du piano. Tu sais combien ça gagne, un mannequin ? Et il faisait bruisser ses doigts. Gary lui achetait du whisky. Walter le cachait sous le comptoir et il leur arrivait la nuit de boire un verre. La femme de Walter, Marjie, venait de mourir, et Walter travaillait jour et nuit. Cinquante ans de mariage partis en trois mois de maladie, ça devrait pas être permis ! Il soulevait sa casquette bleu marine, se grattait la nuque en soupirant ; le bord de la casquette tombait sur le bout de son nez et y laissait une marque.

Gary aimerait lui parler d'Hortense, mais il n'est pas sûr qu'il comprenne. Walter dirait c'est bien fait pour toi, fallait y penser avant de zigzaguer.

Il n'aurait pas tort. Mais…

POURQUOI ELLE N'APPELLE PAS ?

Elle ne lui fait pas la gueule, non. Quand il appelle, elle prend une voix de standardiste tu vas bien, Gary ? Il fait beau à New York ? Tu as des concerts prévus ? Des concours, des auditions ? Comme si elle récitait un texte appris par cœur. Elle ajoute qu'elle n'a pas le temps, le défilé, tu comprends, la nuit, le jour, des coursiers, des décisions à prendre, le cuir n'est toujours pas arrivé, j'attends des tissus, il a fallu refaire le volume d'une manche, ça nous a pris deux jours, il me faut des ouvrières supplémentaires et j'en trouve pas, les concurrents ont piqué les meilleures, on ne m'envoie que des bras cassés, hier j'ai passé la matinée à répondre aux questions de la journaliste du *Vogue* chinois, je lui ai montré des modèles, elle est hyperimportante, c'est elle qui va décider si sa rédactrice en chef viendra ou pas au défilé, ET IL ME FAUT DES CHINOIS ! Elena me soûle, Picart me soûle, ils me bombardent de conseils contradictoires et je ne sais plus quoi penser, ils savent mieux que moi, ok, mais c'est MA collection ! J'en ai marre, j'en ai marre, je voudrais disparaître sur une île déserte ou dans le noir d'un cinéma, ne rien faire, ne rien dire, manger des glaces au citron et fermer les yeux en comptant des potirons bien ronds.

Il bredouille ce qui lui vient à l'esprit, mais il n'a plus d'esprit, et elle conclut par un je te quitte, suivi d'un *clic*.

Il rappelle le lendemain et c'est pareil.

Pas le temps, pas le temps. De nouvelles difficultés, on est entassés dans ce studio, la machine à café a fui et l'eau a coulé sur une table, ruinant le haut d'une robe, il faut hurler pour se faire entendre, ils travaillent tous avec des écouteurs sur les oreilles, j'ai plus de voix, j'ai mal à la tête, je n'ai pas eu mes règles depuis deux mois, c'est de la folie ! Je bouffe de l'aspirine comme des Carensac et en plus, cerise sur le gâteau, je vais jouer ma vie, ma carrière en dix-huit minutes, dix-huit modèles, c'est DINGUE ! C'est dans quinze jours, on sera jamais prêts. On se rappelle ? *Ciao !*

Elle raccroche. Ça fait un bruit sec comme une claque.

Il demeure étourdi. Il n'a pas pu en placer une.

Il contemple les briques rouges de l'immeuble d'en face, les gouttières noires, les branches d'un arbre entortillé de guirlandes de Noël, il a l'air con, cet arbre, c'est fini Noël, puis il se redresse, piqué au vif, on dit *ciao* à un copain, une copine, à son chien, à son pharmacien, pas à son amoureux.

ELLE ME FAIT PAYER CALYPSO.

Parfois, il a envie de se présenter bonjour, je m'appelle Gary Ward, je suis pianiste, je finis la Juilliard School à New York, j'ai vingt-cinq ans, tu te souviens ? Réfléchis bien : je suis né en Écosse, mon père m'a renié, ma mère s'appelle Shirley et ma grand-mère

556

Élisabeth est reine d'Angleterre. On s'est connus à Courbevoie. On avait quatorze ans, j'étais fou de toi, tu me regardais pas. J'étais mal habillé.

Il pourrait ajouter pour t'oublier, je déchiffrais des partitions. Il n'y avait que ça pour me calmer. Je recomposais la mélodie dans ma tête. Changeais une note ou deux, juste pour voir. Ou je prenais un marteau et je tapais sur tout ce que je trouvais. Ça me faisait du bien. Ensuite, j'ai appris à enregistrer les sons produits par le marteau, à en faire des airs. Toujours pour t'oublier.

Tu te souviens ?

Calypso.

Je ne pourrai jamais expliquer Calypso à Hortense. Ce serait comme vendre un bikini à une Eskimo.

Tout à l'heure, quand j'ai raté mon staccato dans le deuxième mouvement de la *Sonate en* sol *majeur* de Ravel, j'ai eu envie d'appeler Calypso, aide-moi, *please*, aide-moi. Je bute sur ce staccato. Mon doigt tombe sur le clavier comme un arbre qu'on abat. Et mon pouce s'engourdit alors qu'il devrait glisser sous la main pour aller chercher la note.

Calypso observerait mon jeu. Dirait c'est parce que tu n'anticipes pas. Tu dois prévoir la note qui arrive. Te préparer à la frapper. Et mon trille sur le *sol* ? Trop lourd, trop lourd ! Tes doigts sont des enclumes. Un trille, c'est léger, gracieux. Ravel n'est pas un forgeron qui ahane. Tu manques de grâce, Gary. Ce deuxième mouvement est aérien, l'air s'engouffre. La poésie.

Le murmure d'une rêverie. Il faut que tu lâches, que tu lâches.

Calypso poserait ses longs doigts de libellule sur les touches noires et blanches, fermerait les yeux, s'entretiendrait un instant avec Ravel, parce qu'elle PARLE avec Ravel comme avec Mozart ou Beethoven, et Ravel descendrait au piano et jouerait rien que pour moi, pour me montrer.

Elle a cette force-là, Calypso.

Il longe Carnegie Hall, repense au serment de la 66ᵉ Rue. Aux mots qu'il avait trouvés admirables quand il les avait prononcés. Baudruches lamentables qui se pavanent ! Bulles de mensonges qui se la pètent.

J'AI MAL. Je veux qu'elle marche à côté de moi, qu'elle râle parce qu'il fait froid, je veux qu'elle me demande et si on allait au cinéma ? Comme si on était à Paris, qu'il y avait des cinémas partout et des cafés pour aller discuter du film après. Je veux que mon staccato éblouisse, que mon trille glisse, que les gens s'évanouissent. Je veux être Ravel et Beethoven.

Je suis un nain.

PARCE QUE HORTENSE EST LOIN, PARCE QUE HORTENSE EST FROIDE.

Elle voit quelqu'un d'autre.

Le ton de sa voix la trahit. Ce petit *legato sostenuto* qui minaude si tu savais, Gary, si tu savais comme il me cloue sous lui, comme je frémis, comme je gémis. Elle ne me le DIT pas, mais sa voix le chante.

La dernière fois au téléphone, c'était vendredi, elle

m'a dit souris, mais souris, Gary, t'es grognon. J'ai dit comment tu le sais ? Elle a laissé tomber sur un ton de FEMME COMBLÉE, mystérieuse, coquette, parce que je le sais. Et dans cette réponse, il y avait la toute-puissance de la femme qui retrouve un amant l'après-midi en catimini.

Mi, *fa*, *fa* dièse, *sol*, j'ai un amant, Gary, j'ai un amant.

J'ai essayé de sourire mais je ne suis pas arrivé jusqu'au bout. Le sourire a fini en une horrible grimace de frustration. Ma tête débordait de choses que je voulais dire. Ça tournait comme dans le hublot d'une machine à laver, pardon pour Calypso, pardon de t'avoir oubliée, pardon d'avoir imaginé que je pouvais vivre sans toi, pardon si je t'ai fait du mal, pardon d'avoir été heureux sans toi, j'avais tout ça dans la tête et j'ai choisi de la boucler, de me rouler en boule dans le tambour de la machine à laver.

Ce vendredi-là, je marchais. Je reniflais des odeurs de marrons grillés, je regardais les illuminations de Radio City, je comptais les néons rouges, les néons blancs, les néons bleus, je me demandais combien de temps le soleil allait mettre pour disparaître COMPLÈTE-MENT derrière le Rockefeller Center et si j'allais pousser jusqu'à Times Square, et en même temps, je me répétais elle a un amant, elle a un amant. Hortense, au téléphone, riait mais, Gary, dis quelque chose, pourquoi tu dis rien ? Alors j'ai repensé à nous dans les toilettes de Roissy et dans la chambre d'hôtel, et comme c'était bon et NORMAL d'être DANS elle, de bouger DANS elle, comme c'était chaud, humide, serré, comme il y avait du rouge et de l'or partout. Et je me suis mis à bander si fort que ça me faisait mal. Je prenais des photos. Des photos de sa bouche, de ses seins, de son ventre, de ses jambes écartées. J'aurais voulu les afficher sur le mur de ma chambre. Elles m'auraient rendu encore plus fou.

Quand j'ai repris mes esprits, j'ai dit allô, allô, elle avait raccroché.

Je ne serai jamais Ravel.

Et plus jamais l'amant d'Hortense Cortès.

*

Hortense a entendu son silence.

Elle a préféré raccrocher.

Hier soir, l'Homme l'attendait à l'hôtel. Toujours aussi grand, toujours aussi blond, les yeux toujours aussi gris. La bouche toujours aussi mince. Allongé sur le lit avec ses chaussures. La cravate jetée sur un fauteuil vert bronze, faux Empire, si lustré qu'il brillait. Le col de sa chemise ouvert. Il fumait une cigarette, les yeux dans le vide. Elle avait eu un petit frisson dans les lèvres, un pincement dans les hanches.

Ce qu'elle sait de lui ? Il ne porte pas d'alliance, mais Junior a vu une femme à ses côtés et un petit garçon. Il habite en province – un billet de train Paris-Sens est tombé de sa poche. Il l'appelle toujours en semaine. Il a un accent. Rauque, roulant, qui vient de l'Est. Il est russe ? Il a les mains calleuses, un ongle fendu, une phalange presque écrasée. C'est un manuel ? Oui mais il porte un costume bien coupé, des chemises à col italien et fait l'amour avec la délicatesse d'une fille. Il semble dur, inflexible, mais laisse toujours un billet pour la femme de chambre. Et pas cinq euros !

Il ne le jette pas sur le lit défait.

Il le plie et le glisse sous une lampe.

Une seule fois, elle est repartie.

Il lui avait donné rendez-vous dans un cinéma du côté de la Bastille. Je serai au dernier rang, il devrait n'y avoir personne, c'est un film d'art et d'essai albanais, je crois.

Elle sortait d'un rendez-vous avec un artisan qui façonnait des ceintures. Elle voulait l'exclusivité. Ne voir ces ceintures dans aucun autre défilé. Il avait accepté à un prix faramineux. La comtesse, consultée au téléphone, avait dit qu'importe ! Il faut être fou pour se lancer dans la haute couture en indépendant, alors soyons fous jusqu'au bout. Faisons vivre les artisans français, les meilleurs du monde. Et maintenant, BASTA, je suis avec Robert Sisteron, il me barbe avec ses budgets, ses bilans, mais il faut bien y passer. Je bois du dom-pérignon pour oublier tous ces chiffres !

Elle avait entendu le bruit d'un verre qu'on remplit, un bruit de bulles et de cristal.

Ils s'étaient retrouvés au dernier rang. Elle avait envie que le film soit mauvais, que la salle reste vide. Elle aurait glissé sa main dans son pantalon, l'aurait caressé doucement en regardant le grand écran comme si elle ne faisait pas quelque chose d'important, serait tombée entre ses jambes et…

Il l'avait attirée contre lui. Avait dit :

— Pourquoi tu n'es pas venue la dernière fois ?

Et le désir s'était envolé.

Comme s'il avait soulevé le couvercle avec sa question.

Elle s'était mise à espérer très fort que quelqu'un entre dans le cinéma et s'installe à côté d'eux.

Elle avait eu envie de s'enfuir en courant.

Elle s'était enfuie en courant. En piétinant les gobelets, les emballages de bonbons, les paquets de cigarettes froissés, les chewing-gums collés, elle riait, elle riait aux éclats, je fais toujours ce que je veux parce que je sais EXACTEMENT ce que je veux et c'est pas négociable. C'est pour ça que je suis VIVANTE et que je vais les ÉCRASER tous et toutes !

Elle jubilait.

Et courait à perdre haleine.

Il avait rappelé.

Il lui avait donné rendez-vous dans un hôtel sordide, rue Léon, près de la rue de Panama.

Le soleil pâle de janvier se posait sur un tapis râpeux, usé, décoloré. Un vieux collant filé était accroché à un pied du lit, l'eau du robinet était rouillée, on voyait à travers les serviettes de toilette. Il avait commandé un café. Lui avait écrasé le morceau de sucre sur les lèvres. Les avait léchées, mordillées, jusqu'à ce qu'elle se jette sur lui.

Et puis… elle revient à l'atelier.

Elle fait le point sur le défilé.

Elle prévoit l'après-défilé.

Elle appelle les façonniers qui fabriqueront les

modèles quand les commandes seront passées. Des ateliers turcs, vietnamiens, chinois, situés dans le Marais, spécialisés l'un dans les robes, l'autre dans les manteaux, le troisième dans les pantalons, le quatrième dans les blouses. Chacun chargé de produire quatre ou cinq pièces. Huit cents euros environ la pièce. Mais, mademoiselle Cortès, c'est de la HAUTE COUTURE! Chacun répondant oui, tout sera prêt, ne vous inquiétez pas. Et si elle n'avait AUCUNE commande? Si son défilé était UN ÉCHEC? Son ventre se révulse, elle court vomir. A des sueurs froides, de la fièvre, des frissons, de l'eczéma sur les mains et les doigts. Ma vie va se jouer en dix-huit minutes.

DIX-HUIT MINUTES.

Picart tente de la rassurer, tu vas réussir et pour deux raisons: ton tissu révolutionnaire et ta créativité. Tout le monde peut porter tes modèles et, en même temps, ils ne ressemblent à rien de ce qui se fait aujourd'hui. Ton audace, c'est la pureté des lignes. Le dépouillé. Tu signes l'éternité. En regardant tes vêtements, on a envie de les acheter sur-le-champ. Je suis en train de créer le buzz, laisse-moi faire, aie confiance.

Son tissu, élastique sans paraître élastique, robuste en restant subtil, qui efface les rondeurs, a été fabriqué dans une usine en Normandie, une filature de lin. Elena a tenu à ce que la fabrication soit française. Elle ne veut pas faire d'économies sur la qualité. Elle a eu raison, la filature a livré le tissu en temps et en heure et il n'a aucun défaut.

Hortense a à peine raccroché avec les façonniers qu'elle passe en revue pour la énième fois le bon déroulement du défilé: les dix-huit modèles, les dix-huit mannequins, les deux coiffeurs et leurs dix assistants, le maquilleur en chef et ses aides, les chaussures, les bijoux, la bande-son, les éclairages, la mise en scène. Sans oublier la cantine pour nourrir tous ces gens.

Elle a l'intime conviction que ses créations sont uniques. Un vêtement peut être beau OU moche. La différence tient au poignet qui délivre LE trait. Savoir travailler la matière pour qu'elle transcende le modèle. Qu'elle ne soit plus une robe, un manteau mais LA robe OU LE manteau que TOUT LE MONDE désire. Un pull noir et un pantalon noir peuvent être haute couture s'ils sont bien coupés et taillés sur mesure.

C'est ce qu'elle va prouver.

Un après-midi, son portable n'arrête pas de sonner. C'est Henriette. Elle ne répond pas. Pas de temps à perdre.

*

Junior pousse un cri, arrache sa chemise qui se déchire en lambeaux humides.

— MÈRE, APPORTE-MOI UN CHANGE, JE GOUTTE À NOU-VEAU !

Son regard tombe sur la feuille de papier trempée où l'encre de son stylo Pilot Impact bleu ciel se dilue. Le papier gondole et forme des îlots d'encre mouillée. Et dire qu'il venait de terminer le dessin d'un prototype d'hélice permettant à un bateau de transformer la glace arctique en énergie ! Plus besoin de fuel pour naviguer. Place aux longues croisières au milieu des icebergs et des phoques argentés. Il va devoir recommencer, tracer des bissectrices, des ellipsoïdes, calculer des abscisses, mesurer, rapporter, réduire, recopier. Et il a rendez-vous dans deux jours avec l'ingénieur McCarthy qui vient spécialement de Philadelphie !

Il grogne et se griffe les joues.

Popeline lève la tête, inquiète.

— Pourquoi me dévisagez-vous, Popeline ? Je transpire, je sais, mais faites-moi la grâce de l'ignorer. Un peu de tact ! J'ai l'impression d'être un singe rongeant sa banane dans une cage. Lancez-moi des cacahuètes pendant que vous y êtes !

Popeline le scrute et le flaire en silence.

— Avez-vous pris des substances opiacées afin de voyager dans l'interdit et faciliter vos recherches ?

Elle a retrouvé son vocabulaire châtié. Junior ne supportait plus de l'entendre brailler des phonèmes de djeunes des cités.

— Popeline, mon cerveau est trop précieux pour que je l'endommage avec des herbes, des poudres ou des racines. Et j'ai trop de projets, de brevets à mettre au point pour perdre un gramme de matière grise.

— Vous êtes malade alors, il faut vous soigner.

— Je ne suis pas MALADE. J'ai CHAUD. C'est la faute à ce mois de janvier qui refuse de passer à l'hiver.

— Voulez-vous que j'aille vous acheter un ventilateur ?

— Bonne idée !

Popeline se dresse sur ses espadrilles, enfile son imperméable, noue son fichu à pointes roses et quitte le bureau, laissant derrière elle un Junior pensif et en eau.

565

Il pose une main sur son crâne, sent les os qui, à une vitesse si infime qu'un être humain moins averti ne s'en apercevrait pas, craquent, se déplacent, redonnant peu à peu à son visage une forme ronde, avenante. HUMAINE. Ses doigts effleurent la structure osseuse, en étudient la forme. Mes os remuent, mon cartilage tremblote, ma fontanelle antérieure se referme, ma suture coronale reliant le frontal et les deux pariétaux s'ébranle, mon temporal rejoint mon pariétal, les huit os de mon crâne, telles les branches d'une anémone de mer, s'ouvrent et se calcifient. Je reprends figure humaine. Je craignais de finir en crêpe bretonne.

Mon torse se redresse, mes épaules deviennent larges, fortes, je vais pouvoir enfoncer une porte, maîtriser un taureau d'une main, soulever une halté-rophile russe de l'autre. Quelle est la raison de cette métamorphose ? Réponds-moi, grande nébuleuse de la Pensée, science de l'Univers, viens inscrire ta réponse dans mon cerveau d'humain minuscule.

Il incline la tête, ferme les yeux, dessine deux points rouges dans le noir de ses pupilles. Chasse les pensées parasites. Fait le vide. Produit un son monocorde qui monte de ses tripes, ébranle les vitres. Les deux points vacillent, se rapprochent. Il compte jusqu'à vingt-huit. Les points rouges se frôlent. Il tapisse ses poumons d'air, l'expulse en soufflant entre ses lèvres jointes. Le son se module. Les points se heurtent, se mélangent, s'enflamment. Une boule de feu tournoie. Un éclair le foudroie. Il se tend, se crispe. Laisse échapper un cri et la PENSÉE descend en poudre d'or et trace une réponse.

Le baiser est signature de Dieu, empreinte et promesse d'amour. Il nourrit, il répare. ❧❀❦❦❦ Il se dépose sur la bouche, le nez, les joues et autres organes que Nous refusons de nommer ❦❀❀ ❀❀❀❦❀❀❀❀❦, y laisse un film protecteur. Il soigne les humeurs, restaure la rate, le foie, le poumon, panse et éclaire l'âme, tourne le cœur vers un grand lac d'espoir. ❧❀❦❦❀❀❀❀❀❀❀ De la boue la plus noire, il fait jaillir la flamme. Ne ris pas du baiser ou tu seras DAMNÉ. Jeté dans les feux de l'Enfer. ❧❀❀❀❀❀❀❀❀❀ Reçois TROIS BAISERS d'amour vrai, et tu seras sauvé.

Hortense ! Voilà la raison de mes suées, de mes os qui sinuent, de mes lèvres qui serpentent. Ses baisers m'arrondissent, me remplissent. Elle est la signature de Dieu sur ma bouche.

Hier soir, elle a sonné à la porte. Il était vingt-trois heures quarante-six, père et mère copulaient dans leur chambre. Ils jouaient au cheval et au jockey. Je travaillais à mon hélice sinusoïdale, calculais le diamètre, la longueur des pales. Hortense a lancé son sac sur le canapé et a déclaré Junior, il faut que tu résolves mon dilemme, puis-je faire CONFIANCE à Elena Karkhova et à Jean-Jacques Picart ? Ils me courent sur le haricot.

J'ai posé mes calculs, tendu les lèvres, murmuré ce sera un baiser, princesse, un baiser sur la bouche et une déclaration d'amour. J'en ai besoin pour carburer. Souviens-toi, Mozart, avant chaque concert, déclarait «dites-moi que vous m'aimez ou je ne joue pas».

Je suis Mozart.

Elle s'est inclinée, a pris mon menton entre ses longs doigts effilés, a chuchoté je t'aime, Junior, je t'aime, petit prince de mon cœur, et m'a roulé une pelle de chez PELLETEUSE ROYALE.

Ma nuque a frémi, mon cervelet a clignoté, j'ai VU. J'ai VU Elena dans son lit de percale blanche au Ritz, regardant *House of Cards* à la télévision, se gavant de loukoums verts et roses tout en signant des chèques au nom d'Hortense Cortès, PARCE QU'ELLE LE VAUT BIEN, cette petite-là.

— Tu es sûr de ce que tu vois ? a demandé Hortense. Parce que moi, je ne suis pas à ta place, je ne vois RIEN. Je suis obligée de te faire confiance.

— Plus que sûr : j'ai la grande étoile avec ses neuf branches.

— Vérifie Picart maintenant.

— Je ne suis pas un GPS, j'ai protesté. Demande tendrement.

— Junior chéri, homme magnifique et puissant, branche-toi sur Jean-Jacques Picart, s'il te plaît.

Je me suis concentré à nouveau et j'ai pénétré le cerveau de Jean-Jacques Picart. Il buvait une verveine-menthe chez Inès de la Fressange dans le grand salon dallé de pierre. Il portait un col roulé noir, une veste bleu marine, jouait avec ses petites lunettes en écaille en les faisant tournoyer. Ses yeux pétillaient. Il évoquait Hortense Cortès en des termes si flatteurs que j'ai jugé préférable de ne pas les rapporter. Trop de compliments nuisent au discernement.

— Cet homme t'estime beaucoup et fera tout pour que tu réussisses. Il est clean à cent pour cent.

Elle fronçait les sourcils d'un air méfiant.

— Pourquoi j'ai des papillons dans le corps et des crécelles dans les oreilles quand je pense à lui ?

— Ça s'appelle le trac, mon amour.

— Juste le trac ?

— Affirmatif.

— Alors je suis sauvée. Parce que le trac, je lui ris au nez ! J'en fais une boulette que je jette par la fenêtre. Un dernier truc, Junior chéri, tu peux t'aventurer dans la tête d'Henriette ?

— Alors ça, jamais ! j'ai protesté en lançant les bras en l'air.

— Juste pour savoir si elle me dupe avec sa bonne femme du sixième étage… Je trouve ça louche, cette histoire.

— Pas question !

— Junior, s'il te plaît…

Elle est venue s'asseoir à mes pieds, a enlacé mes jambes, m'a caressé les mollets en murmurant allez, allez, un petit saut chez elle, un aller-retour, tu risques rien.

— Tu as la mémoire courte, mon aimée : la dernière fois que je suis entré dans la tête d'Henriette, souviens-toi… on déjeunait chez Guy Savoy et j'ai craché un rat dans la soupe d'artichaut à la truffe noire. Rappelle-toi la mine des gens autour de nous. Et celle du maître d'hôtel !

— Oui mais… il a cru que le rat venait des cuisines

et nous a offert le repas. À trois cent quatre-vingt-cinq euros le menu, ce fut une bonne affaire !

Elle a éclaté de rire en soulevant ses lourds cheveux, a caressé sa nuque moite, découvrant un duvet blond aux odeurs de galets, d'algues marines, d'étoiles de mer lascives. J'ai été projeté en avant par une érection de géant, emporté par mon dard sur un fougueux destrier, je me suis raccroché au bord du bureau et j'ai compté jusqu'à vingt-huit en apnée avant que mon feu ne s'éteigne.

Elle babillait, elle babillait, ignorante des transes qui me secouaient. Riant et dissertant sur l'épisode du restaurant.

— Le rat a bondi. Il s'est réfugié dans la corbeille à pain. Il a fallu le porter à la SPA. Le maître d'hôtel voulait le tuer, tu t'y es opposé. Qu'est-ce que j'ai ri !

J'avais repris mes esprits et tout me revenait.

— On a commandé un double dessert avec nougatine, marrons et crème glacée !

— Alors, mon petit fiancé, allons visiter Henriette !

— Non ! Cette femme est noire comme la lave durcie d'un volcan, gluante comme le musc jaune et huileux du putois qui éjacule.

— Junior, je veux savoir. Ça m'inquiète. Je suis si seule. Il n'y a que toi, que toi…

Une larme a glissé sur sa joue. Une larme irisée qui parlait de solitude, de grande fatigue, qui roulait, lente et ronde. Aide-la, Junior, aide-la, elle est bien seule, tu sais, il n'y a qu'à toi qu'elle se confie, que devant toi qu'elle se laisse aller. La larme me poussait à l'exploit, me récitait *Le Cid*, tu es « jeune, il est vrai, mais aux âmes bien nées la valeur n'attend point le nombre des années ». Parcours l'âme d'Henriette ! Que crains-tu ? « À vaincre sans péril, on triomphe sans gloire. » Le vieux Corneille m'éperonnait. Edmond Rostand a jailli, il a ôté son large feutre, s'est mis en garde, a clamé et le panache, Junior ? Et le panache ?

Je me suis incliné.

Ma mission n'est-elle pas de franchir la nuit ? Toutes les nuits ?

J'ai enlacé l'âme de ma belle et nous sommes partis à l'assaut d'Henriette. Je voulais qu'Hortense découvre la profondeur du mal banal, du mal quotidien, celui que l'on croit sans conséquence, les petites vilenies qui se nomment envie, jalousie, médisance, avarice, indifférence. Nous sommes partis dans ce lieu souterrain où les âmes des humains attendent pour être jugées. Hortense avait peur, elle tremblait, je lui ai dit ne crains rien et serre-moi fort. Nous nous sommes engouffrés dans un long corridor où pendaient des ossements humains, des corps dévastés, des chauves-souris lubriques, des mygales séchées, des araignées tueuses, des crânes de buffle, des mâchoires de crocodile, des dépouilles de chacal. Des herbes hautes, gluantes, se balançaient, dévorant des oiseaux sales aux yeux crevés. Des orchidées noires lâchaient des gaz nauséabonds. Des vapeurs de soufre empestaient l'air. On entendait des cris, des souffles rauques, des hurlements qui montaient des gouffres. Des bruits de mare, des sanglots de noyés. Des doigts griffaient les nuées. Des bouches déformées nous appelaient à l'aide. Nous avons débouché dans une caverne obscure, jonchée de feuilles pourries qui dégageaient une odeur si fétide qu'Hortense a vomi. Elle hurlait je veux revenir sur terre ! C'était un monde horrible. J'ai tourné bride vivement, mais alors que nous faisions demi-tour, nous avons aperçu, posé sur un large nénuphar, un lingot d'or. Il brillait d'une lueur si pure, si chaude qu'un couple de libellules s'y était posé et se butinait en attendant de s'accoupler. Sur le lingot était écrit HORTENSE. L'amour d'Henriette pour sa petite-fille éclairait la caverne sinistre. J'ai montré la lumière éclatante.

— Regarde bien, princesse, ce lingot à lui seul sauvera ta grand-mère du marigot de l'Enfer.

— De l'Enfer ? elle a crié.

— De l'Enfer et du Diable !

J'avais à peine prononcé LE NOM qu'il ne faut pas évoquer que nous sommes retombés sur terre dans un fracas de pierres. Une chaleur suffocante nous brûlait la gorge. Nous étions recouverts d'une suie noire et grasse. Deux petits ramoneurs tombés d'un haut-fourneau.

— Tu crois qu'on revient de l'Enfer ? elle a demandé en crachant des bouts de braise et de charbon.

— On a eu de la chance de ne pas avoir été retenus prisonniers. Certaines personnes n'en reviennent jamais.

Elle m'a fixé, immobile, effrayée, a fait un signe de croix, elle qui ne prie jamais.

En partant, elle m'a embrassé sur la bouche une troisième fois, a répété je t'aime, je t'aime, tu es mon amour, et elle a quitté la pièce en chantonnant merci, ce voyage en Enfer m'a fait le plus grand bien, j'ai grandi.

TROIS BAISERS. TROIS BAISERS.

Je demeurai interdit. Envahi par une force irrésistible qui me faisait rugir tel un fauve en rut arc-bouté sur sa femelle, les reins bouillants de semence. La joie fractionnait mon corps, je bondissais, poussais des cris en labourant ma lionne. Je criais l'amour est grand, l'amour est tout-puissant, l'amour est un olifant ! Les hommes l'ignorent, ils croient que seul l'argent les rendra heureux, quels fieffés imbéciles !

TROIS BAISERS. TROIS BAISERS et l'homme caracole, libre, flamboyant, crachant du feu et des étoiles.

— Excuse-moi, mon amour, j'ai mis du temps à t'apporter du linge propre. Tu te changes si souvent que je n'en trouvais plus.

Josiane trottine dans la pièce et contemple son fils, assis à son bureau, en lambeaux de chemise. Elle l'enveloppe d'une serviette, le sèche, l'étrille, passe la main dans ses cheveux et s'écrie :

— Tu as une bande de poils drus qui pousse dans la nuque et remonte jusqu'à l'occiput ! Elle n'était pas là hier soir…

Elle a donc poussé dans mon sommeil après le départ d'Hortense ! Je le pressentais. Mes cheveux se fortifient, mon crâne s'arrondit, mon dard se dresse, je deviens un homme complet.

— Ah, mère ! Si tu savais ce que l'amour peut faire. Y compris sur le système pileux…

— Je vais prendre rendez-vous chez un dermato-
logue.

— Inutile. J'ai ma petite idée. Je t'en parlerai plus
tard, il faut que je travaille encore.

— Tu veux une tasse de thé ?

— Je prendrai plutôt un whisky.

— Mais où est Popeline ?

— Partie m'acheter un ventilateur.

Josiane fronce les sourcils et sa bouche se pince. De
son enfance misérable, elle a gardé le sens de l'économie et se refuse à dépenser sans une bonne raison.
Elle se vante de « repriser, raccommoder, retaper »,
tous ces verbes qui ont disparu du vocabulaire des
Français. Marcel, lui, ne se gêne pas pour faire « péter
les pépettes » et enjoint sa femme de l'imiter. Josiane
s'y refuse. Cela donne lieu à de bruyants échanges qui
finissent toujours par de truculentes réconciliations
dans le lit conjugal.

— Il est vrai qu'il fait chaud, mais pas au point de
faire marcher un ventilateur ! Voilà une dépense bien
inutile.

Et pour marquer sa réprobation, elle s'éloigne en
claquant des talons.

Ce ventilateur allait se révéler la dépense la plus
judicieuse jamais faite par la famille Grobz.

*

Stella a pris l'habitude de s'arrêter à la médiathèque.
Entre deux rendez-vous, deux chargements. Elle ne
traîne plus à la Ferraille. Julie grommelle, la tête dans

ses comptes, lui tend sa feuille de route en répondant au téléphone, lui sourit comme derrière une vitre. Et quand elle s'adresse VRAIMENT à elle, c'est sur un drôle de ton, pour lui poser de drôles de questions.

Tu as prêté ton camion à Adrian ? Je peux savoir pourquoi ? Il a des trucs à faire dans le hangar ? Pourquoi y va-t-il alors ?

Son regard fuit. On dirait qu'elle a honte.

Plus une seule confidence sur son régime, sa robe de mariée, les préparatifs de la cérémonie, la liste des invités. Plus de pauses café où elles font le point sur la Ferraille, l'humeur d'Edmond, l'ambition d'Adrian, les pinces à vélo de Jérôme, les notes de Tom, l'arthrose de Suzon.

Elle s'arrête à la médiathèque. Pour voir sa copine, Camille. Elle plisse le nez en entendant « copine ». Mais c'est ce qu'elle ressent. Une complicité de filles.

Elle se gare sur le parking, donne un gâteau aux chiens, leur recommande de GARDER LE CAMION. Puis elle se glisse dans un coin de la bibliothèque quand Camille est occupé, se rapproche quand il soigne ses impatiens ou répare un livre abîmé. Elle dit que l'atmosphère l'apaise. Tous ces livres, ces esprits savants qui flottent dans la pièce… c'est comme une cathédrale, non ? Elle feuillette une BD, rumine Marie Delmonte m'a pas rappelée, elle a peur de m'aider ? Elle a reçu des consignes ? Il faut que je retrouve la trace de cette petite fille.

Elle lève la tête, se gratte un sourcil. Camille l'observe de son bureau, il met de l'ordre dans ses fichiers, consulte des catalogues, passe des commandes, conseille un gamin pour un devoir, une vieille dame qui cherche un livre pour s'endormir. Stella se love dans un fauteuil en rotin. Bloquée dans une attitude de refus, les bras noués, le menton rentré. Elle secoue la tête en répétant c'est pas possible, c'est pas possible !

— Quoi ? demande Camille.

Elle sursaute comme s'il venait de la réveiller.

— Qu'on baptise le collège Ray-Valenti. JE LE SUP-PORTERAI PAS.

Il se tasse en entendant sa souffrance.

Une dartre rouge surgit puis une autre et une autre. Il se gratte, il s'écorche.

— Je l'ai vue, la directrice. Je suis tombée sur elle hier matin en déposant Tom. J'ai pas pu y couper. Elle minaudait, elle se tortillait… Madame Valenti, je suis contente de vous voir… Je l'ai envoyée promener, ça a été brutal.

Elle grimace en donnant un coup de poing sur son chapeau.

— Je lui ai dit qu'il n'en était pas question. Que je les attaquerais s'ils passaient outre. Elle a avalé ses lèvres, m'a assuré que ça venait de plus haut. Que le préfet, le maire, le député y tenaient et que ce ne serait pas moi qui empêcherais quoi que ce soit. Alors je lui ai lancé parce qu'il vous a baisée, vous aussi ? J'aurais jamais dû dire ça ! Tout le monde nous regardait. Elle est devenue écarlate. Elle a fait demi-tour en jurant que ça ne se passerait pas comme ça ! Je ne sais pas ce qu'elle va faire, et je m'en fiche. Mais je NE VEUX PAS que ce collège s'appelle Valenti. J'y mettrai le feu s'il le faut ! J'en ai marre de ces gens, MARRE, MARRE. Ils savent pas que je le vois partout, lui ? Ils savent pas ?

Alors s'il faut que j'entende son nom tous les jours en plus ! Plutôt crever !

Elle plonge son visage entre ses bras, son chapeau roule par terre, elle hausse les épaules, indifférente.

Il doit l'aider.

Il doit l'aider ET trouver un moyen pour que ça ne retombe pas sur lui. Il pourrait perdre son emploi à la médiathèque si on savait ce qu'il s'est passé cette nuit-là… Ce travail qui le rend heureux, ses plantes, ses DVD, ses livres, l'enregistrement de *La Traviata* qu'il a écouté à plein tube hier avant de partir.

Il ne supporte pas de la voir comme ça. Il se sent coupable. Mais TU ES COUPABLE, Camille. Ne te mens pas, tu es le seul à pouvoir empêcher ce qu'elle redoute le plus.

Il en parle à Sandrine le soir. Elle enrage, ce Valenti, c'était un monstre. La petite Stella, je peux te dire qu'elle en a vu des horreurs. Et la mère, la Léonie ! Une sainte, celle-là.

— Tu te rappelles quand j'étais femme de ménage à l'hôpital ? Je l'ai recueillie plusieurs fois en pleine nuit, démolie par Ray Valenti. Elle claquait des dents, elle tenait pas debout, elle demandait qu'on la soigne vite pour retourner chez elle. Elle voulait pas qu'il sache qu'elle était venue…

— Personne n'intervenait ?

— On avait peur. Il tenait la ville. Tu veux que je te dise ? Ça doit la rendre malade qu'on veuille donner le nom de ce salaud au collège. Malade !

Sandrine lui épile les sourcils avec sa pince spéciale

aux bords biseautés qu'elle refuse de prêter. On n'en fait plus des comme ça, elle prétend. Elle reste un moment la pince en l'air, puis reprend en secouant la tête je ne comprends pas, je ne comprends pas.

Le silence tombe dans la cuisine – leurs séances d'esthétique ont toujours lieu dans la cuisine. Jusqu'à ce que Grand Crétin entre en gueulant salut, les poules ! Ça roucoule ? Il ouvre le frigo, fourrage à la recherche d'une part de pâté ou d'un saucisson, roule une tranche de jambon qu'il enfonce dans sa bouche, se retourne et lance en regardant Camille :

— Quoi de neuf, monsieur Teusesmanies ?

Camille serre les dents.

— Arrête de m'appeler comme ça. C'est pas drôle.

— Moi, ça me fait marrer, Teusesmanies ! On mange quoi, ce soir ?

Un autre jour où Stella est vautrée dans un fauteuil, elle demande :

— Vous les avez lus, vous, tous ces livres ?

Il sourit.

— Non, bien sûr, il faudrait plus d'une vie.

Il s'assied et ouvre un livre.

— Vous lisez quoi en ce moment ?

— *La Ballade du café triste* de Carson McCullers. J'aime cet écrivain. C'était une fille et c'était un garçon aussi.

— Un peu comme nous, non ? dit doucement Stella en claquant les talons de ses grosses bottes.

Son regard suit la nuque blonde rasée de Camille, les cheveux fins, la peau si sensible qu'elle s'empourpre à la moindre remarque, la poudre beige qui la recouvre.

— Vous vous maquillez ? elle s'étonne.

— Bien obligé ! J'ai une peau affreuse. Sandrine m'a appris.

Stella n'ose pas demander qui est Sandrine.

— Je suis allée chez Sephora, elle dit. J'ai acheté plein de produits. Je sais pas ce qui m'a pris. J'avais envie d'être une autre. Une VRAIE femme. Maintenant je sais plus quoi en faire. Dans quel ordre les mettre et où. Je vais les jeter, je crois.

— Je pourrais vous maquiller si vous voulez. Je veux dire, au lieu de les jeter à la poubelle, venez chez moi un soir, je vous apprendrai à les utiliser.

Ils se sourient pour se dire qu'ils sont bien ensemble.

— Comme chez une vraie copine…, dit Stella.

— Vous avez des amies, vous ?

— J'en avais une mais depuis quelque temps…

Stella fait une grimace qui signifie « je ne comprends pas ce qu'il se passe ».

— … elle me bat froid.

— Ça vous fait de la peine ?

Stella ne répond pas. Elle ne veut pas dire oui, ça lui ferait encore plus de peine.

— C'est vrai ? Vous pourriez m'apprendre à me maquiller ?

— Vous êtes libre mercredi soir ? J'habite rue du Moulin derrière le stade. On sera tranquilles.

Le mercredi, Grand Crétin va jouer aux boules avec ses copains. Et sa mère au Loto. Il y a un four à micro-ondes à gagner. Ils ne rentrent jamais avant dix heures et demie.

— Vous apporterez ce que vous avez acheté chez Sephora.

Elle frappe dans ses mains.

— Une vraie soirée de filles !

Elle s'arrête et rougit.

— Excusez-moi, j'aurais pas dû dire ça…

— Si vous saviez comme je m'en fiche ! J'ai fini par prendre ça pour un compliment.

— Je suis bien avec vous. J'ai l'intime conviction que vous ne me ferez jamais de mal. Je peux pas dire ça de beaucoup de gens. Mais vous, j'en suis sûre.

Et c'est comme si elle lui avait donné un coup de poing. Il devient pâle, s'étouffe. Tripote ses lunettes rondes.

Il semble embarrassé.

Peut-être qu'il n'aime pas les déclarations d'affection ?

Peut-être qu'il n'est pas habitué ?

Deux jours plus tard, elle s'enhardit :

— Ça vous ennuierait de me faire la lecture ?

— Vraiment ? Faites attention, les livres sont dangereux.

— J'ai pas peur d'un livre, moi.

Elle a dit ça d'un ton bravache sous-entendant j'en ai vu d'autres !

— Je vous aurai prévenue.

— Allez-y.

Il lui sourit d'un sourire bienveillant et commence :

L'amour est avant tout une expérience commune à deux êtres. Mais le fait qu'elle leur soit commune ne signifie pas que cette expérience ait la même nature pour chacun des deux êtres concernés. Il y a celui qui aime et celui qui est aimé, et ce sont deux univers différents. Celui qui est

*aimé ne sert le plus souvent qu'à réveiller une immense
force d'amour qui dormait jusque-là au fond du cœur de
celui qui aime. En général, celui qui aime en est conscient.
Il sait que son amour restera solitaire. Qu'il l'entraînera
peu à peu vers une solitude nouvelle, plus étrange encore,
et de le savoir le déchire. Aussi celui qui aime n'a qu'une
chose à faire : dissimuler son amour aussi complètement
et profondément que possible. Se construire un univers
intérieur totalement neuf. Un étrange univers de passion
qui se suffira à lui-même. Il faut d'ailleurs ajouter que...*

— Arrêtez ! elle crie. C'est trop triste.

Elle plaque les mains sur ses oreilles pour ne plus
entendre.

Elle vient de comprendre quelque chose de terrible
qui la coupe en deux. Bientôt Adrian et elle vont se
séparer et ils ne sauront pas comment c'est arrivé.

*

C'est le jour de la photo de classe.

Les élèves sont à l'heure, propres, bien peignés, ils
portent leur plus beau jean, leur plus beau sweat, des
baskets passées à la machine. Ils font attention à ne pas
se salir dans la cour de récré. Les filles ont les cheveux
qui brillent, les garçons ont mis du gel à la racine, les
filles se colorent les lèvres avec des Labello à paillettes à la framboise, les garçons jouent à se faire des
oreilles de lapin ou à se tenir par les épaules comme
les équipes de foot.

Samuel fait la tête parce que son père a voulu qu'il

mette une cravate. Franck tire sur son nœud papillon en jurant je m'en fous, je me planquerai derrière le prof, on me verra pas. Et la petite Mila se cache derrière un rideau de cheveux blonds en disant de toute façon je suis moche. Depuis hier, il lui manque une dent de devant. Et elle a un bleu au-dessus du sourcil droit.

Le photographe a installé son studio dans la grande salle où ont lieu les spectacles de fin d'année, les réunions solennelles, les conférences. Des étoiles dorées, des serpentins et des guirlandes pendent du plafond. Il a fini son cadrage et règle les éclairages. Madame Filières ouvre la porte et lui demande dans combien de temps il sera prêt, les élèves, dehors, s'impatientent.

Noa, Roxane, Laura, Samir, Lancelot piétinent dans un coin de la cour. Cinq têtes rassemblées en un cercle qui chuchote et complote. Tom entend des bouts de phrases, elle fait chier, je vais le dire à mon frère, et moi j'le dirai au mien, ça va être vite fait, toujours à se la péter, elle se prend pour qui ?

Ce matin Dakota est arrivée dans la voiture aux vitres teintées conduite par son père. Juste après, il y a eu un attroupement. Il n'a pas compris tout de suite. Trop absorbé par ses pensées. Il se demandait s'il allait poser avec sa doudoune ou pas. Si le photographe lui demandait de l'enlever, il serait obligé de la poser n'importe où et la perdrait de vue. On pourrait la lui piquer. Toutes les classes défilent le jour de la photo et les grands en profitent pour chourer. Oui mais… s'il peut la garder, ça fera bien sur la photo. Il n'avait pas tranché quand il a entendu des coups, des cris, ça grondait.

Dakota s'empoignait avec Laura et c'était violent. Elle avait une touffe de cheveux blonds entre les dents, sa joue droite portait la trace de griffures et saignait. Sa main gauche, entourée d'une bande Velpeau, pendait mais on ne voyait pas qu'elle était amputée. Laura saignait de la tête, elle avait le bord de l'œil gauche salement égratigné, et un bout d'oreille fendu.

Les deux filles se giflaient, se crachaient dessus, rouges, débraillées, barbouillées de salive. Monsieur Gelser, le surveillant, les a séparées, leur a promis quatre heures de colle chacune et leur a demandé d'aller se nettoyer, l'une dans les toilettes du premier étage, l'autre au rez-de-chaussée. Il a accompagné Laura pendant que madame Mondrichon suivait Dakota.

Tom se rapproche du groupe et écoute en faisant mine de ne pas entendre. Laura savait très bien que c'était son père, explique Roxane, elle a fait exprès pour l'énerver, elle lui a dit c'est vrai que tu baises ton père ? et Dakota est devenue enragée. Elle lui a mis une rafale de coups. Laura aussi lui a mis une rafale de coups et ça s'est plus arrêté. J'en ai marre de cette meuf, elle arrête pas de la ramener, vous avez vu comme elle nous parle ? Elle nous prend pour de la merde. Moi, je m'assieds pas à côté d'elle pour la photo.

Moi non plus ! reprennent les quatre autres. Ils se donnent des coups d'épaule, de coude. Se font des checks. Ils sont sur le sentier de la guerre.

— Je fais passer le mot chez les grands, dit Lancelot. Ils vont lui foutre une de ces branlées ! Elle s'en remettra pas.

Quand c'est au tour de la classe de sixième A de poser pour la photo, personne ne veut se placer à côté de Dakota. Un ordre a été donné : on boycotte la Chinetoque.

Madame Mondrichon s'échauffe, le photographe s'impatiente. Il demande aux élèves de se ranger par ordre de taille, les place sur les bancs, fait asseoir les petits les mains à plat sur les genoux, leur ordonne de décroiser les jambes.

Dakota s'est isolée. Elle s'en fiche de ne pas être sur la photo avec cette bande de ploucs endimanchés.

Tom, juché au deuxième rang, ne comprend pas tout de suite. Il ne voit que le visage de Dakota, la petite jupe noire, les cheveux baguettes, la bouche rose, ronde comme un bonbon et le petit nez qui finit presque trop vite, un peu écrasé. On peut le trouver laid, mais il n'est pas de cet avis.

— Dakota Cooper, viens ici !

Madame Mondrichon tire Dakota par le bras. Dakota se dégage, mesure madame Mondrichon du regard et affirme JE NE SUIS PAS UN OBJET QU'ON DÉPLACE.

Tom s'apprête à se pousser quand il surprend le regard de Noa qui le met en garde BOUGE PAS SINON… Il hausse les épaules. Samir se penche vers lui et grince PERSONNE À CÔTÉ DE LA CHINETOQUE. Madame Mondrichon s'énerve et postillonne.

— Qu'est-ce que c'est que cette histoire ?

Les élèves ne soufflent mot, ils se serrent sur les bancs et opposent un front commun.

— Vous m'avez entendue ?

Ils passent le bras par-dessus les épaules de leurs voisins, formant une barrière infranchissable.

— Que se passe-t-il ? Mila, dis-moi, ordonne madame Mondrichon.

La petite blonde fixe ses chaussures. Le bout de ses oreilles est cramoisi. Elle demeure muette.

— Sébastien ? Tu peux m'expliquer ?

Sébastien Montrichet, le plus peureux de la classe. Celui dont le père plastronne en disant mon fils, c'est mon million de dollars. Je lui donne tout quand il a de bonnes notes, je reprends tout quand il en a de mauvaises. Et je l'envoie à la cave, à poil et dans le noir. C'est ça, éduquer un enfant !

Sébastien se colle contre son voisin et se tait.

— Il n'y en a pas un qui veut lui faire une place ? supplie madame Mondrichon.

Tom hésite. Samir, Marco et Noa serrent les poings. Dakota inspecte ses ongles. Elle repousse les petites peaux pour dégager les lunules.

Le photographe intervient :

— Madame Mondrichon, je n'ai pas que votre classe à…

— Je sais, je sais…

Madame Mondrichon bat des bras, secoue la tête. Elle réfléchit puis prend Dakota et l'assied de force au premier rang entre deux petits.

Dakota se relève et proteste :

— Je veux être avec les grands.

— Ah ! Ça suffit ! crie madame Mondrichon. Tu te mets là où…

— Je ne suis pas une PETITE. On vous traite une fois de PETITE et vous êtes PETITE toute votre vie.

Tom sursaute, il entend la voix de sa grand-mère « il ne faut jamais accepter de se faire maltraiter, même une seule fois. C'est la première fois qui compte, c'est elle qui décide pour toute ta vie. » Dakota a raison. S'il laisse faire, s'il obéit au boycott de la Chinetoque, il sera LÂCHE. Lâche un jour, lâche toujours. Il retire son bras de l'épaule de son voisin et dit :

— Je veux bien qu'elle vienne à côté de moi.

Il a une boule de peur qui roule dans le ventre. Envie d'aller aux toilettes.

— Ah ! soupire madame Mondrichon. Merci, Tom, merci !

Elle hisse Dakota sur le banc.

— Allez, les enfants ! On a perdu trop de temps. Ceux qui ont des lunettes, enlevez-les à cause des reflets, mettez-les dans votre poche. Souriez ! Tenez-vous droits ! Allez un, allez deux, allez trois, CHEEEEEEEEESE !

Tom sourit à côté de Dakota. Avec sa doudoune.

Il n'a pas été lâche. Il ne sera jamais lâche.

À cinq heures et demie, les grilles du collège s'ouvrent et les élèves se ruent pour sortir. Monsieur Gelser leur demande de se mettre en rangs. Il brandit la menace des heures de colle. Les rangs se forment, les élèves piétinent. Un garçon lâche un rire à moitié hystérique dans le dos de Tom. Un autre lui donne un coup de cartable dans les reins. Tom ne se retourne pas. Il a aperçu le père de Dakota au coin de la rue. Monsieur Cooper a baissé la vitre de sa voiture et fait signe à sa fille de se dépêcher.

— Dis donc, il a les cheveux vraiment blancs, dit Tom à voix basse à Dakota.

— Il est pas vieux ! T'as pas le droit de dire ça.

— Je disais juste que…

— Je te déteste !

Elle fait un bond sur le côté pour marquer la distance.

— Parce que je m'appelle Valenti ? Quand je m'appelais Tom, tu étais gentille, tu m'as même embrassé, je te signale…

Il se rapproche, lui glisse à l'oreille :

— Je HAIS Ray Valenti. Je veux plus m'appeler comme lui.

Elle se retourne. Ses cheveux cinglent ses joues, rayent ses yeux, elle le dévisage, a un petit mouvement de recul et dit comme si elle ne comprenait plus rien :

— Mais tu t'appelles Valenti…

— J'aurais voulu lui crever les yeux, lui arracher la langue. Mais il est mort, je peux même pas !

— C'était ton grand-père…

— C'était une ORDURE. Il battait ma grand-mère, il battait ma mère, il la violait.

Un jour, il avait entendu sa mère traiter Ray Valenti de sac à merde. Ça avait claqué dans sa tête. Il y avait pensé des jours entiers. *Sacamerde, sacamerde.* Ça sonnait drôlement. Il avait fini par retenir le deuxième mot : MERDE.

Dakota l'examine pour savoir s'il est sincère ou pas.

— Il a failli TUER ma grand-mère et il a rendu ma mère SOURDE à force de la gifler. C'était une MERDE. Il faisait ça avec tout le monde.

Dakota tourne la tête, marmonne un truc qu'il ne

comprend pas. Elle a l'air en colère mais plus contre lui.

— Je pourrai te raccompagner demain si tu veux…

— Sais pas. Faut que je réfléchisse.

— On était copains avant, on redeviendrait copains, c'est tout.

Ils approchent du coin de la rue. Elle fait un signe de la main à son père. Pourquoi vient-il la chercher ? D'habitude, elle rentre seule et à pied.

— Vous allez faire des courses ? dit Tom.

— Des photos pour mon passeport. Je vais en avoir un nouveau.

Il n'aime pas cette histoire de passeport.

— Et après, on file à Paris, à l'ambassade. Il est invité à dîner. Il a voulu que je l'accompagne.

Elle affiche un petit sourire triomphant et lisse sa jupe.

— Il a besoin de moi.

Il aime encore moins ça. Il ne peut pas expliquer pourquoi mais il est sûr que le père prépare un truc qui ne va pas lui plaire.

— Bon. C'est décidé, je te raccompagne demain.

— Faut que je réfléchisse, je te dis.

La portière de la voiture aux vitres teintées s'ouvre. Une main à l'intérieur l'a actionnée. Dakota monte. Agite ses doigts dans l'air sans se retourner. Un petit au revoir cordial, presque amical.

DEMAIN, C'EST SÛR, JE LA RACCOMPAGNE.

Elle n'a rien dit, mais C'EST PAS NON.

Il jette ses poings en l'air, écrase les coudes, lâche

un *YES* de joie, shoote dans un caillou qui va heurter le capot d'une voiture. Ouaouh ! J'aurais pu péter le pare-brise ! Ça le dégrise. Il se fige. Repense à «photos pour mon passeport». Passeport ? ELLE VA PARTIR ? Oh non ! Oh non ! ELLE VA PARTIR. Le mec aux cheveux blancs a décidé de quitter Saint-Chaland.

Il se dirige vers le parking derrière le cabinet vétérinaire pour prendre son car. Le parking est désert à cette heure, sauf un vieux monsieur qui lit les horaires des cars, les yeux collés aux chiffres. Il est six heures, il fait sombre, les réverbères ne sont pas encore allumés et, de toute façon, ils n'éclairent plus depuis longtemps. Les ampoules sont cassées. C'est le sport favori des bandes de jeunes. Viser les globes allumés avec des lance-pierres. Un grand, l'autre soir, est venu avec un Remington calibre 16 qu'il avait trouvé dans la cabane à outils de son grand-père et a dégommé deux réverbères qui venaient juste d'être réparés.

Stella ne vient plus le chercher au collège. Ça lui va très bien. Quand une fille vous embrasse avec la langue, on peut rentrer chez soi tout seul, on n'a plus besoin de sa maman.

Il marche jusqu'à l'arrêt du car, tire sur ses bretelles de cartable, demain, je la raccompagne, je lui dis que des choses intelligentes, je l'embrasse devant la grille de sa maison, je l'embrasse dans le jardin, je l'embrasse sur les marches de l'escalier et...

— Il est à toi, ce blouson ? T'es sûr ?

Une grosse main s'abat sur lui au feu rouge. Le dernier feu avant l'arrêt du car. Une grosse main l'attrape par le col et le suspend en l'air. Gaspard, le frère aîné de Lancelot. Un grand de troisième au visage luisant de crasse, au nez écrasé, aux dents pourries. S'il va à l'école, c'est qu'il y est obligé. Le vendredi, il s'absente car il découpe les carcasses de viande achetées la veille par son père à Rungis. Le père de Gaspard est boucher-charcutier. Trapu, dodu, ses petits yeux noirs et vifs semblent constamment à l'affût et quand il sourit, c'est qu'il prépare un mauvais coup ou qu'une gifle va partir.

Tom lève les yeux et voit une sale lueur dans son œil. Gaspard le secoue, Tom s'étrangle. Il se débat, donne des coups de pied, des coups de poing mais ne frappe que l'air. L'autre le balance au bout de son bras.

— Tu réponds, tête de nœud ?

— Ouiiiii, stridule Tom.

L'air ne passe plus dans sa gorge, il étouffe. Le sang joue du marteau dans son crâne.

Gaspard le frappe sur la tempe sans le lâcher. Cinq, six, sept fois. Un vrai punching-ball. Quelque chose se déchire derrière son oreille. Sa tête s'ouvre en deux, des rochers dégringolent, un feu lance des flammes.

— Il est à toi ?

— OUIIIII, crie Tom.

— Tu te goures !

Le grand lui passe le bras autour du cou et tire en arrière comme s'il voulait le décapiter. Tom tente de se dégager et tombe. Le parking défile à l'envers. Il a le temps d'apercevoir la croix bleue du vétérinaire, le dessin du petit chat et du petit chien assis sous un parasol, il pense à Cabot, à Costaud et ne voit plus rien. Le sang coule dans sa bouche, il lèche un liquide poisseux, a envie de gerber.

Un autre coup. Dans la tête cette fois. Avec un bout de botte. C'est pointu, ça fait mal. Il s'aplatit comme s'il voulait entrer dans la terre. Devenir mort tout de suite.

Le sang mouille ses yeux. Que du rouge chaud qui dégouline, lui entre dans la bouche. Il n'ose pas respirer tellement il a mal. Il va rater son car. Et son cartable, il est où ? Il ferme son œil encore ouvert. Sent une main qui le relève, le secoue, arrache son bras, arrache une manche, le dépouille de son Goose, le met en garde, t'arrêtes de faire le chevalier servant avec ton jaune d'œuf ou t'auras le même tarif chaque soir jusqu'à ce que tu comprennes ! Une autre secousse, une autre manche qu'on arrache, un coup de pied dans le dos qui le rejette à terre et lui écrase la face. Peux pas aller plus loin. Je dois plus avoir d'os, suis cassé. Il aperçoit un caillou, un caillou qui lui rentre dans le front, roule sous son nez, lui fend la lèvre, il pousse un cri. Il a envie de pleurer. Le monde est trop moche. Trop affreux. Il s'aplatit pour faire le mort. Sa bouche s'ouvre comme celle d'un poisson qui happe l'air et il happe la terre. Le monde est trop moche, trop affreux. Il relève la tête pour repousser le caillou et reçoit un coup de talon derrière l'oreille. Il n'entend plus rien. Ça carillonne dans sa tête. Il roule, gémit. Il veut que le grand parte, il veut ramper jusqu'au car, retrouver la maison, la chaleur de la maison, la bouille de Suzon, les bras de sa maman. Il n'avait jamais imaginé ça. Il avait imaginé le diplôme de l'élève-citoyen, les félicitations, la bouche de Dakota, sa petite jupe noire, des baisers dans le jardin vert mais pas ce truc affreux, ce truc qui pue la haine, la connerie, qui dit

591

que le monde pue, que les gens puent. Il veut pas vivre dans un monde qui pue.

Le grand a dû partir parce qu'il n'y a plus de bruit.

Rien qu'un silence qui lui fait mal partout et ses oreilles qui tintent, qui n'arrêtent pas de tinter. Il gît dans la terre, la poitrine écrasée. La joue écrasée. Le nez écrasé.

Il renifle, ça lui fait mal. Il crache, ça lui fait mal. Il ne bougera plus. Il restera là, le front éclaté, la terre immobile le réchauffera. Il a envie de pleurer. Sa mère, elle s'en fout, elle vient plus le chercher, son père, il s'en fout, il vient JAMAIS le chercher. La terre sent le pourri comme au cimetière le jour de l'enterrement de Ray. C'est normal, il s'était dit, y a que des cadavres là-dessous. Il veut pas entrer dans la terre. Il veut pas devenir un cadavre.

Il se relève. Titube, frissonne. Il n'a plus de doudoune.

Il tâtonne pour vérifier si le grand a pris son portable ou s'il est tombé de sa poche. Il n'arrive pas à voir dans le noir. Il s'essuie les yeux mais ça fait trop mal.

Un chat passe et le frôle. Décampe, dégoûté. Tom rigole, ça fait mal. Tend le bras. Lentement. Ses doigts cherchent le téléphone. Juste un peu de chance, juste un peu de chance. Il met la main dessus. Tape le numéro de sa mère. C'est le seul qu'il connaît par cœur. Elle décroche. Il veut parler mais ça fait des bulles de sang dans le nez. Il bégaie ma-ma-maman… viens-viens-viens me cher… cher ! Et il éclate en sanglots qui viennent du plus profond de sa peur, du plus profond de son dégoût, le monde, il est trop moche, il bafouille.

— Qu'est-ce que tu dis, mon amour ? Qu'est-ce que tu as ? Dis-moi, dis-moi…

— Ma-ma-man, sauve-moi ! sauve-moi !

— T'es où, mon amour ? T'es où ? J'arrive. Bouge pas !

Il entend la voix de sa mère qui prend les armes. La colère de sa mère l'enveloppe d'une couverture chaude, il dit encore ma-man, ma-man, elle dit encore oh, mon amour, mon amour ! Bouge pas, j'arrive. Je vais le tuer, celui qui t'a fait ça. LE TUER.

Elle ne lui a jamais parlé comme ça.

Le monde, il est pas moche tout le temps.

*

— L'horloge, c'est elle. Tant qu'elle est debout vous êtes debout, tant qu'elle travaille vous travaillez, quand elle parle vous écoutez, quand elle ne parle pas vous vous taisez, vous avez faim quand elle vous dit de manger, et tant qu'elle ne vous a pas dit de partir vous restez. Compris ?

La première assistante, la seconde assistante, les quatre couturières et les quatre stagiaires baissent la tête. Madame Philippine observe, assise à sa table de travail.

— En échange, je triple vos heures supplémentaires. Je paie des taxis pour vous ramener chez vous, je fais servir des sandwichs et des pâtes. Je veux que personne ne proteste, que personne ne se plaigne, que personne ne pose le moindre problème. Il nous reste dix jours avant le grand jour. Le compte à rebours a commencé. Vous êtes libres d'accepter ou de refuser mais il faut vous décider tout de suite. Après ce sera trop tard. Vous aurez signé un contrat. Alors que ceux qui veulent partir prennent leurs affaires et s'en aillent. Ils passeront voir monsieur Sisteron qui leur paiera les heures déjà faites. N'est-ce pas, Robert ?

Elena tend sa canne vers Robert Sisteron qui incline la tête.

Elle est assise sur une chaise, le dos droit, les jambes écartées au milieu du studio, 22, rue de Panama. Elle a gravi les cinq étages sans ascenseur, a fait une halte au troisième, le temps de téléphoner à son banquier, puis a repris l'ascension, suivie du fidèle Sisteron. Elle s'est fait couper les cheveux court, tignasse rousse, grande bouche rouge qui bave sur les côtés, un boa vert autour du cou. Elle s'appuie sur une canne à pommeau de faux rubis et de vraies émeraudes, cherchez l'intrus, elle dit en éclatant de rire. Son œil aigu fixe les filles et les garçons devant elle. Revient sur sa montre comme si elle avait déclenché un chronomètre.

Ils se lancent des regards, les yeux baissés, ils voudraient se consulter avant de s'engager.

— Sentez-vous libres, j'ai une équipe de rechange qui piaffe derrière la porte. Dépêchez-vous, nous n'avons pas de temps à perdre.

Armelle, la première assistante, une grande Black au jean lacéré, rapiécé de drapeaux de tous les pays du monde, juchée sur de fausses Louboutin argentées achetées chez H&M, avance au milieu de la pièce et déclare *count me in*[1] ! Stefania, une haridelle qui se vante de ne manger que de l'ail et des cornichons, vient se placer à côté d'elle en suçant ses ongles. Oliver, un

---

1. «Ok pour moi !»

Anglais semé de taches de rousseur, se déhanche et susurre d'une voix sucrée moâ aussiii ! Et les autres leur emboîtent le pas de peur de rester sur le carreau.

— Parfait ! déclare Elena. Madame Philippine, vous noterez les heures de chacun. Si un seul se plaint ou traînasse, vous le noterez aussi. On n'est pas là pour rigoler. J'ai trop d'argent à perdre ou à gagner. Vous aussi d'ailleurs : si la collection est un succès, vous aurez une prime, et une grosse !

Elle se tourne vers Hortense.

— Pas d'autres problèmes ?

— Si. Un millier, mais rien pour vous.

— On est en train de faire la salle avec Picart. Il y aura tous les gens qui comptent, je te le promets. Je dîne chez Karl ce soir. Je veux que tu les énerves TOUS et que TOUS, ils te détestent… Ce serait embêtant qu'on dise du bien de toi.

Elena claque des doigts en direction de Robert Sisteron.

— Robert, nous partons ! Faites avancer la voiture. Tu as vu, Hortense, ils ont enlevé l'urinoir en bas de chez toi et planté deux arbres à la place, c'est bon signe, non ?

Hortense fait la moue. L'autre soir, un mec qui pissait dans la rue entre deux voitures lui a crié hé, la meuf ! Arrête de parler à ton téléphone en marchant ou je te baise sans que tu t'en aperçoives.

Elle va apprendre le karaté.

Elle s'affale sur une chaise dans son bureau, ouvre une bouteille d'eau quand Armelle annonce que Zoé veut la voir.

— Ici ? Dans l'atelier ? Tu lui as dit que j'étais là ?

— J'ai pas eu le choix.

— J'ai pas le temps, Armelle ! T'es censée me protéger, non ?

Son téléphone sonne. Henriette. Elle n'arrête pas
d'appeler. Elle doit vouloir savoir si Hortense lui a
envoyé une place pour le défilé. Hortense appuie
sur « Je suis en réunion ». La réponse ne tarde pas.
« Appelle-moi. J'ai du juteux pour toi. » Hortense lève
les yeux au ciel. Du juteux ! On dirait le commissaire
Maigret.

Le téléphone sonne à nouveau. Hortense le pousse
vers Armelle qui décroche, répond en anglais. Elle
plaque l'appareil sur sa poitrine et fait de grands gestes
de la main, en transe.

— C'est ce journaliste américain qui a appelé trois
fois déjà. Il travaille pour *Vanity Fair*, il va écrire dix
lignes sur toi et mettre une photo dans la rubrique
« Les personnes à suivre », c'est énorme, faut le faire.
FAUT LE FAIRE !

— Je dis quoi ?

— N'importe quoi. Sois hautaine, glaciale, ça les
impressionne. Et mets le haut-parleur, que j'entende.

Hortense hausse les épaules.

— Allô ? *Yes, yes…*

Le journaliste lui demande si elle est la prochaine
Chanel.

Elle tortille une mèche et déroule sa réponse en
anglais :

— Je ne veux pas être la prochaine Chanel ou
Béchamel ou Mortadelle. Je veux être la prochaine MOI.

Armelle dresse le pouce et fait des grimaces de singe

sous acide. Le journaliste gazouille un truc qui signifie qui sont Béchamel et Mortadelle ?

— Deux grands couturiers français, répond Hortense. Faut revoir vos fiches, mon vieux.

— À qui voulez-vous plaire ? demande encore le journaliste.

— À moi ! Quand vous voulez plaire à tout le monde, vous plaisez à personne.

— Une dernière question… Où trouvez-vous vos idées ?

— Dans les pissotières de mon quartier.

— Les quoi ?

— Vous n'avez qu'à chercher dans un dictionnaire. Elle raccroche, s'étire.

— PARFAIT ! s'exclame Armelle. Ils vont être fous de toi.

— La prochaine fois, je fais la couverture, râle Hortense.

Armelle joue avec les fils de ses écouteurs et claque une bulle de chewing-gum rose qui lui saute au nez.

— Ta sœur, je lui dis quoi ?

Hortense balaie l'air, impatiente.

— On est à jour sur les essais de matières ? Les tissus, les cuirs, les imprimés qui devaient arriver hier ?

— Je vais faire le point.

— Lucie sera là demain pour l'essayage du caban ?

— À dix heures. Avant, n'oublie pas que tu vois le type pour les *shoes*. Il vient de Lyon exprès. Bon… ta sœur ?

— Fais-la entrer. Mais la prochaine fois, je suis pas là. Je n'ai plus de famille, plus d'amis. Je n'ai même plus de téléphone. Prends le mien, je veux plus le voir.

Si c'est VRAIMENT important, tu m'en parles, sinon tu remets à dans dix jours. Compris ?

Elle a crié le dernier mot. Armelle recule en claquant une autre bulle.

— Je pensais que ta sœur quand même… surtout qu'elle a l'air…

— J'ai pas de sœur. Fais-la entrer.

Nora pousse la porte du bureau.

— Je peux t'embêter une minute, Hortense ?

— T'as dix secondes.

Nora dépose un haut de robe sur le bureau.

— La profondeur de ce décolleté, c'est bien ?

Hortense acquiesce. Son portable sonne, c'est l'Homme. Il appelle un peu trop souvent. Devient collant. Elle lance son téléphone à Armelle en criant et tu le gardes ! Nora étale une autre pièce, un manteau trois quarts à larges épaules.

— Cette surpiqûre, ça va ?

— Oui.

— Sûr ?

— OUI ! hurle Hortense.

— Et la largeur du zip sur le côté ?

— Je l'ai déjà dit : deux centimètres. Tu sais, le chiffre entre un et trois ? DEUX. Tu te souviens ?

— Juste un dernier truc : tu n'as pas oublié que le fiancé de Catherine, tu sais, celui qui est DJ, vient te faire écouter de la musique pour le défilé, ce soir ?

— À quelle heure ?

— Vingt-deux heures.

— Ok. Commande des pizzas et des Coca pour tout le monde.

— On a trois végétariens, deux végétaliens, un sans

gluten, un halal, un cashère. Les autres sont normaux. Comment on fait ?

— Débrouille-toi.

Hortense se tourne vers Armelle.

— Envoie ma sœur !

— Dis donc, dit Zoé, c'est animé, ton quartier ! J'ai failli m'étaler devant la boucherie Viande à Gogo. La bouchère déballait tripes grises et côtelettes roses sur le trottoir, elle les frappait pour leur redonner forme et s'essuyait le front avec. Les trottoirs sont pleins de mecs qui bouffent des poissons grillés et du maïs, assis sur des paniers. Ils te matent en sortant la langue… C'est dégoûtant !

— J'ai pas le temps, Zoé.

— Rue de Suez, un mec m'a carrément agrippé les fesses ! Avec un doigt en avant marche !

Hortense hausse les épaules.

— T'es pas morte ? Que veux-tu que j'y fasse ? C'est comme ça.

— Je sais mais quand même…

— Dépêche-toi, j'ai une collection à terminer !

Zoé fouille dans son sac, en sort une liasse de papiers.

— J'ai un projet, elle annonce, mystérieuse.

— Et ? T'es lente, Zoé, t'es lente ! Accouche !

— Tu as regardé les petits films de Stella que maman nous a transférés ?

— Pas eu le temps.

— Tu devrais. Ils sont drôles, bien faits, ça m'a donné une idée pour ta collection.

— Je peux pas te payer. J'ai un tout petit budget.

— Je me débrouillerai. Je fais ça parce que ça m'amuse.

Quand elle était petite, Zoé n'achetait jamais de cadeaux pour Noël, elle les confectionnait. Elle passait des heures dans sa chambre à couper, coller, colorier, poser des gommettes, des paillettes, démonter, remonter. Un soir de Noël, elle avait confectionné un papa plat[1], un portrait en carton, taille réelle, de leur père qui venait de décéder. Elle l'avait installé à table. Elle lui parlait, l'embrassait. La dinde avait brûlé, la soirée avait viré au drame.

— Je vais prendre des photos de toi en train de travailler, des photos des mannequins, des assistants, des coiffeurs, des maquilleurs, et je vais faire un petit film animé sur papier qui racontera le making of d'une collection et que tu placeras sur les chaises des invités. Le format sera chic et élégant, je te promets.

— Un film sur papier ?

— Souviens-toi, on en trouvait dans les pochettes-surprises. Un petit bloc de photos... tu le feuillettes très vite et ça fait un film. J'en ai réalisé un qui pourrait s'appeler *Déjeuner avec Léonie et Stella à la brasserie du Trocadéro*. Tu veux le voir ?

— J'ai pas le temps.

Hortense gigote dans son fauteuil. Puis se ravise :

— Je suis dedans ?

— On y est tous. Stella, Léonie, maman, toi, moi... et même le mec de Stella. Tu l'as pas vu, toi ?

— Je suis partie avant.

— Il est vachement bien. Torride, même !

---

1. Cf. *La Valse lente des tortues*.

600

Zoé a prononcé «torride» comme si elle léchait ses doigts trempés dans du chocolat. Hortense la menace de l'index.

— Je le dirai aux carmélites, tu seras boutée hors du couvent.

— Je t'assure, il dégage grave.

— Qu'est-ce que tu connais aux mecs ?

— Un petit peu, tout de même…

— Gaétan et point barre.

— Je te dis pas tout.

— T'as des rencards avec Jésus ?

— Laisse tomber, ok ?

Ses sourcils se rejoignent et forment une boucle mécontente.

— Excuse-moi. C'était pour rire. Bon, j'ai du boulot.

— Tu m'as pas répondu ! Regarde au moins le film que j'ai fait.

— Zoé, s'il te plaît, je suis à la bourre.

— Je te le fais gratos. Si t'aimes pas, tu le jettes. T'as rien à perdre, tout à gagner.

Hortense réfléchit. Zoé croise les doigts comme si elle disait une prière et sautille sur sa chaise. Elle fait des bonds de hanneton qui téterait une centrale nucléaire.

— Tu y tiens vraiment ?

— Oui. Oui. Oui.

— D'accord. Tu auras le droit de traîner ici, de faire des photos, mais tu déranges personne. Tu parles pas, tu observes, *clic-clac*, c'est tout.

— Youhou ! crie Zoé. La vie est belle !

Hortense la tempère.

— Attends un peu… Tu auras le temps avec hypokhâgne ? Je ne veux pas que ça t'empêche de travailler. Maman va criser !

— Je vais arriver à TOUT faire. Je dormirai pas, voilà tout ! Ça m'excite trop. Et puis, c'est l'affaire de dix jours. Je me rattraperai après. Tu mettras mon nom sur le programme ? Si jamais quelqu'un veut me contacter…

— Et le couvent, Zoé, le couvent ?

— On peut porter Dieu dans son cœur et avoir plein de projets. C'est Lui qui me donne toutes ces idées et l'énergie pour les réaliser. Tu peux pas savoir comme je suis heureuse. Et puis je vais être avec toi tout le temps.

— Pas trop près. Je mords !

Les deux sœurs se tapent dans les mains.

Hortense attrape Zoé par le bras, la pousse vers la porte.

— Allez, Méliès, va bosser.

— Je repars dans l'enfer de Panama ! crie Zoé. *You-ou !*

Son sac rebondit sur sa hanche, s'ouvre, un calepin en tombe.

— C'est mon premier film, elle dit en le ramassant. Celui du déjeuner.

Elle le tend à Hortense.

— Regarde-le. Tu auras une idée de ce que je veux faire.

*

Zoé descend les cinq étages, saute des marches,

602

pivote, pousse des cris. Comment j'organise mon travail ? Gros plans, plans d'ensemble, zooms, trois quarts ? Non ! Pas trois quarts, détails, détails ! Quel format ? Pas trop grand, pas trop petit. Va me falloir du papier assez épais, pas du carton mais presque, glacé, pas glacé ? Je vais en faire combien ? Comment je vais payer tout ça ? Je me suis peut-être avancée ? NON ! NON ! Il me reste de l'argent. J'ai pas tout donné à Alexandre. La vie est belle, la vie est belle !

La vie est tellement belle quand on est d'accord avec elle.

*

Piétinant dans la queue à la pharmacie de l'Horloge, Edmond regarde l'heure à sa montre, onze heures cinq, resserre le nœud de son écharpe, tousse dans sa main. Il est ballonné. Il a une barre au plexus. Des renvois de bile acides. Il ne digère plus rien. Se bourre de Citrate de bétaïne après chaque tentative de repas.

Hier Solange lui a demandé de sa voix de scie égoïne :

— Tu es sûr que tu n'as pas un cancer ? Tu as maigri. Tu es jaune. Si j'étais toi, j'irais consulter.

Et elle a essuyé la commissure de ses lèvres de son index verni beige Chanel. Elle l'exhibe volontiers.

— J'ai un truc sur l'estomac, ça passe pas, il a grommelé.

— Tu devrais aller voir Duré…

Il ne supporte plus de dîner face à elle, sa bouche sèche, la poudre qui vire en plaques, le bruit de ses mâchoires, ses yeux avides qui comptent et recomptent les fourchettes en argent parce que la petite bonne est nouvelle. Et les déjeuners du dimanche ! Il les exècre. Solange, Jérôme, Julie qui dépouillent en silence un canard aux navets, un poulet en gelée, un civet nageant dans un infâme brouet. Solange a beau changer de plat chaque semaine, c'est toujours insipide. Elle cuisine frigide.

Les mêmes sauces fades, les mêmes propos remâchés, les mêmes potins. C'est officiel, Gerson[1] se lance en politique. Il se demande quel parti choisir. Va falloir que Madame apprenne à s'habiller, à faire un plan de table, ça va la changer du garage ! Et les vols sur le chantier ! Zbig apparaît sur les bandes vidéo. Il parle à un homme de dos qui porte une casquette. Impossible de l'identifier. Jérôme fait tout son possible pour suggérer que c'est Adrian sans jamais prononcer son nom. Julie résiste en appuyant sur son couteau. Ses phalanges sont blanches. Elle coupe et découpe le même morceau. Finit par dire peut-être. Le couteau retombe, elle n'a plus faim. Ses traits se brouillent, elle veut dire quelque chose mais rien ne vient.

Quel gâchis ! Comment en est-on arrivé là ?

Parce qu'il n'a pas fait attention ? Il faut être attentif pour réussir une vie, une famille. Ça se joue à des détails, à des intonations. Ne rien bâcler, ne rien laisser passer. Ne pas se dire ça va s'arranger en fermant les yeux parce qu'on est paresseux, parce qu'on ne sait pas ce qu'on veut, parce qu'on a peur.

---

1. Cf. *Muchachas*, tome 1.

À force de fermer les yeux, il ne sait plus où est sa place.

Une petite dame à cheveux blancs retenus en chignon par un peigne bloque la queue. Elle veut savoir de combien elle sera remboursée. La dernière fois, la pharmacienne s'est trompée de trois euros. La pharmacienne compatit et calcule. On vend de tout dans cette pharmacie. Des pantoufles, des chaussures, des chaussettes à l'aloe vera, des tétines, des doudous, des couches-culottes pour messieurs âgés, des couches-culottes pour dames âgées, du maquillage, des masques chauffants, des bonbons, des lingettes dermo-apaisantes, toutes sortes de Listerine, Original, Zéro, Total Care… Soin Blancheur, Protection Dents et Gencives. Comment choisir la bonne ?

La petite dame a rangé son ordonnance. Une autre s'avance. Il aimerait chuchoter son problème à la pharmacienne. Il y a trop de monde. Il va se contenter de prendre du Citrate de bétaïne, une grosse boîte. Il reviendra une autre fois. Son regard repart errer sur les rayons « Vitamines ». Des dizaines et des dizaines de flacons. Il est en train de déchiffrer les inscriptions quand il entend la pharmacienne s'exclamer ah ! Si vous avez la monnaie, madame Valenti, je suis preneuse. Il reconnaît le dos de Léonie.

Déboîte une épaule vers elle.

Elle l'aperçoit, sourit.

— Bonjour, Edmond, elle dit en inclinant la tête sur le côté.

Il ne répond pas, occupé à la contempler. Longue, fine, presque transparente, ses yeux bleus, liquides, tanguent dans son visage, on pourrait croire qu'ils vont déborder. Et cet air... cet air de toujours faire confiance aux gens, de n'en attendre que le meilleur comme s'il n'y avait aucune méchanceté, aucune malignité en eux.

— Tu vas bien ? il demande en tirant sur les bouts de son écharpe.

Il n'a plus de salive. Il est obligé de racler le fond de sa gorge.

— Ça pourrait aller mieux, elle dit avec une crispation douloureuse.

— Oh... que se passe-t-il ?

Elle regarde la queue, les gens. Fait un pas de côté. Il l'imite.

— Tu as le temps ?

— Mais tu ne voulais pas acheter quelque chose ?

— Ça attendra !

Et il l'entraîne dehors.

Il lui prend le bras. Sent sa chaleur, sa douceur. A envie de poser la main sur sa taille et de l'emmener.

Il mangerait bien un sandwich aux rillettes.

Léonie commande un thé. Il dit un thé aussi. Elle aurait pris un sirop pour la toux, il l'aurait suivie.

— Vous n'auriez pas un sandwich aux rillettes ? il ajoute.

Elle triture la manche de son imperméable et commence à raconter, la voix cassée, l'agression de Tom.

— C'est pour lui que je suis venue à la... Stella ne quitte pas son chevet, elle refuse de...

Elle ne finit pas ses phrases. Semble exténuée. Elle s'appuie sur le sac posé sur ses genoux.

— Je ne vais pas pouvoir rester longtemps, Stella m'a… et j'ai mon car à prendre.

— Je te raccompagne. Je n'ai pas vu Stella ce matin sur le site.

— Elle soigne Tom. Il a reçu un coup de pied derrière l'oreille et ça fait comme…

Sa voix chevrote.

— Bois ton thé. Ça va te faire du bien.

Il lui prend la main, elle dit oh ! Edmond, ça ne finira jamais, cette violence ? Il pose ses lèvres sur les grosses veines bleues.

— Tu vas voir, ça va aller.

Elle le regarde comme si elle voulait le croire. Le regard d'Edmond l'encourage. Son souffle s'apaise. Elle pousse un soupir. Se tasse sur elle-même. Boit un peu de thé.

— Tu veux autre chose ? Tu as faim ?

Elle fait non de la tête.

— J'ai eu le sentiment de repartir en arrière, le sentiment que tout allait recommencer.

Il baise doucement sa main devenue tiède dans la sienne.

— Stella l'a retrouvé recroquevillé près de l'arrêt des cars. Il était en sang. Elle avait pris la carabine de Georges. Elle voulait faire la peau au salaud qui… La colère la rend folle. Si tu savais…

— Elle connaît le nom de l'agresseur ?

— Tom dit qu'il n'a rien vu. Il faisait nuit, le type est arrivé par-derrière. Il lui a piqué sa doudoune. Celle qu'il avait eue pour Noël. Il grelottait, claquait des dents, il…

Elle repose sa tasse de thé. Penche la tête. Soupire.

— Elle l'a enveloppé dans une couverture. Ils ont tourné en rond dans Saint-Chaland. Elle voulait retrouver le type. Elle n'en démordait pas. Tom lui a demandé de rentrer, il avait mal partout. Il m'a raconté. Il parle sans bouger les lèvres. Ça lui fait trop mal. On est proches, tous les deux, tu sais. On a rattrapé le temps perdu. On a nos petits secrets.

Elle a un sourire pâle, décoloré. Comme si elle s'excusait de parler d'elle.

— Stella a gardé la carabine de Georges dans le camion. J'ai peur, Edmond. J'ai peur qu'elle fasse une bêtise. Hier soir, après que Tom s'est endormi, elle est sortie dans la cour. Elle était dans le noir, la lune était voilée, je l'ai entendue… elle parlait à Ray.

— À Ray ?

— Elle le traitait de salaud, elle grinçait « tu crois que je te vois pas, que je sais pas que c'est toi qui as manigancé tout ça ? » Je me suis approchée, j'ai mis mes bras autour de ses épaules, je lui ai dit de rentrer. Elle a dit « tu l'entends ? Tu entends comme il se marre, comme il est content ? Je vais le tuer. »

— Il faut qu'elle se repose. Dis-lui de prendre quelques jours. Je m'arrangerai.

— Tu es bon, Edmond. Je sais plus quoi faire…

— Et Adrian ? Qu'est-ce qu'il a dit ?

Léonie baisse les yeux, gênée.

— Il est pas rentré cette nuit. Et ce matin, quand je suis partie, il était pas là.

Edmond se gare dans la cour. Des poules picorent des feuilles de salade, deux chats emmêlés offrent leur ventre au soleil. Une serpette traîne sur un banc. Une brouette barre le chemin qui mène à la cuisine. Georges ne doit pas être loin.

Il aperçoit Suzon à travers la fenêtre et suit Léonie qui pousse la porte de la cuisine.

— Adrian est rentré ? demande Léonie.

— Il est en haut, dit Suzon. Avec Tom. Stella est partie.

— Partie ? Mais où ?

— Adrian a essayé de lui parler, elle lui a donné un coup de coude dans le ventre. Violent, le coup ! Et elle est partie. Elle a pris le camion. Il a pas bougé. Il secouait la tête. C'est moi qui lui ai dit de monter, que quelque chose était arrivé à Tom.

— Elle a pas dit où elle allait ?

— Non.

— Mon Dieu ! Elle a la carabine dans le camion !

— Quelle carabine ?

— Celle de Georges.

— Oh là là… Faut pas que Georges le sache ! Il est chez nous en train de se changer. Il a pris une grosse suée avec la brouette et les ânes.

— Je m'en vais, Léonie, dit Edmond. J'appellerai plus tard.

— Merci, Edmond.

— Vous voulez pas un café ou un verre de vin, monsieur Courtois ? C'est une honte, je vous ai rien proposé.

— Tu es gentille, Suzon. Je vais rentrer au bureau. Des fois que Stella y serait…

*

Adrian s'assied au bord du lit de Tom. Avec délicatesse, pour ne pas le bousculer. Tom est allongé, fluet, en sueur, ses doigts remuent dans son sommeil. Sa bouche tombe, un filet de salive sèche sur son menton.

Adrian regarde par la fenêtre, les arbres dessinent des taches grises qui se penchent dans la chambre pour veiller l'enfant.

Sait-on vraiment où la foudre va tomber ?

Je n'étais pas là.

Je ne vais jamais le chercher au collège. Je me dis qu'il est grand. Que Stella est là. Que moi, à onze ans…

Tom repose, la nuque enfoncée dans l'oreiller. Son nez et ses lèvres sont tuméfiés. Ses yeux clos, gonflés, cernés de violet et de rouge. Les cils collés. Son torse se soulève doucement. Un bandage entoure ses côtes. Il respire à l'économie en faisant un bruit de roue voilée. Il fronce les sourcils, gémit. Ses cheveux blonds sont poissés de sang. Un pansement est posé sur un œil. Un autre sur l'oreille descend dans le cou. Des taches brunes maculent l'oreiller. La blessure dans le cou a l'air profonde.

Pourquoi a-t-il été agressé ? C'est cette histoire de diplôme d'élève-citoyen ? Il savait que c'était pas une bonne idée. Il y a toujours des connards qui n'aiment pas les bons élèves et en font des cibles. Il se rappelle un jour à Aramil, il avait parlé d'un film en classe, le prof l'avait félicité… Ils l'attendaient à trois sur la route déserte. Son grand-père lui avait dit « t'as plus qu'à apprendre à te battre et leur foutre une raclée ».

Stella…

Elle est partie si vite…

Elle était en colère. Il pouvait voir battre les veines de son front, il imaginait son sang gronder, un bruit sourd qui racontait une épaisse douleur, lente, lourde, *DONG-DONG-DONG*.

Il va arrêter les chambres d'hôtel avec la Parisienne.

La question, c'était «qu'est-ce qui m'empêcherait de la voir?» Il l'avait formulée dans la nuit en contemplant une effraie qui le dévisageait, l'air réprobateur.

La réponse? Il la connaissait depuis longtemps.

«Si Stella et Tom devaient en souffrir.»

C'était la limite qu'il s'était fixée.

Hier, en sortant de la gare, il est passé par le hangar.

Il était tard. Il s'est dit je reste quelques minutes. Le temps de vérifier que les portes sont bien fermées. Les vols de matériel sont constants. L'autre jour, un tracteur a été volé chez les Antioche. En plein jour. Chez les Granger, ce sont des arbustes fraîchement plantés qui ont été déracinés dans la nuit. Ed Granger se frottait les yeux au petit matin. Plus de haie! Les gendarmes ne se déplacent plus. Pas sûr qu'il ait bien mis l'antivol, une grosse chaîne qui cadenasse l'entrée.

L'antivol n'était pas sur la porte. Il gisait par terre. Arraché. Et les portes brinquebalaient, dans un bruit de maison hantée.

Il avait poussé un juron. Avait pénétré dans le hangar.

Cambriolé.

Il manquait des palettes européennes, un chariot

611

élévateur, des batteries. Les batteries se revendent très cher. Les traces étaient encore fraîches. Une cigarette gisait à terre. Pas un mégot, une cigarette. Si ça se trouve, ils viennent de partir, ils ont été dérangés et vont revenir.

Il allait les attendre.

Il a caché sa voiture derrière un fourré un peu plus loin. Est revenu dans le hangar.

A cherché une barre de fer. En a trouvé une, lourde, ronde. Ils sont combien ? Un, deux, trois ? Il les prendra un par un. Il a un avantage, les types ne savent pas qu'il les attend.

Qui ça peut être ? Des maraudeurs qui écument la région ? Des types qui se sont renseignés sur lui, l'ont suivi ? Des hommes de main de Milan ? De Borzinski ?

Il a déplié le journal qu'il lisait dans le train. *L'Équipe.* Il y suit le parcours des clubs de foot russes, surtout celui du FK Oural Iekaterinbourg, classé douzième dans la première ligue. L'a étalé sur le sol. A ôté sa montre qui ne donne pas l'heure. Qui indique tout le temps dix heures vingt. Il ne voulait pas la casser s'il devait se battre. Il a enlevé son manteau. S'est enroulé dedans, s'est caché derrière le broyeur gris et jaune.

L'œil ouvert, la barre de fer à portée de main, attentif à ne pas faire de bruit, il a sorti son téléphone pour prévenir Stella. A écrit « Liouba, je rentre pas ce soir, je travaille. Liouba, tu m'as tellement manqué. »

Et c'était comme s'il la retrouvait après une longue absence.

Il a veillé toute la nuit. Il contemplait les flancs lisses

du broyeur. Devinait dans l'obscurité le vol lent, onduleux, les longues ailes étroites d'un hibou. Apercevait dans le rayon chiche de la lune la face plate, les yeux étirés, la poitrine blanche de l'effraie des clochers. Elle le fixait et semblait demander que fais-tu de ta vie ? avec un air de reproche, presque de mépris. Il allumait une cigarette, serrait la barre de fer. Borzinski n'est pas clair. Il a cédé trop facilement sur le pourcentage. Il a un autre plan et attend pour choisir son partenaire. Ou il cherche à m'intimider. Pour que je lâche. Il se mordait l'intérieur des joues. Guettait les bruits. Épiait la nuit. Il avait plu, l'air était trouble, vaporeux, et le fin croissant de lune se mouillait d'eau. Que fais-tu de ta vie, Adrian Kosulino ? demandait la face plate et sévère de l'effraie.

Il allumait une autre cigarette.

Il s'était réveillé parce que le soleil lui chauffait la joue. Avait lancé un bras pour enlacer Stella. Liouba. Liouba. Avait enlacé du vide. Avait regardé l'heure. Neuf heures et demie !

L'effraie des clochers s'était envolée.

Il avait décampé en laissant les portes du hangar fermées, mais sans antivol. Il allait devoir revenir, et vite.

*

Tom tourne la tête sur le côté, Adrian devine une plaie de sept, huit centimètres dans le cou. Et la trace d'une semelle. Un coup de botte ? Les chaussures pointues de Milan ? Milan a payé quelqu'un pour mettre la pression sur moi ? Me signifier qu'il veut toucher sa part dans la nouvelle affaire ?

Il regarde Tom, c'est ma faute, c'est ma faute.

Les chaussures pointues de Milan. Il serre les poings. Claque un poing contre la paume de sa main.

C'est ma faute.

Tom entrouvre un œil gonflé de sang, il aperçoit son père, murmure dans un souffle :

— Pa-pa.

— Mon fils !

— T'é-tais où ?

— Je travaillais. Pour maman, pour toi, pour nous. J'ai un grand projet. Tu seras fier !

Tom avale sa salive, fronce les sourcils.

— Tu veux boire quelque chose ?

Tom fait signe que oui.

— De l'eau ?

Il fait signe que non.

— Co-ca, il articule.

Adrian rit doucement.

— T'es sûr ?

— Co-ca gla-cé.

— Bien, chef !

*

Il valait mieux qu'elle s'en aille. Elle lui aurait hurlé salaud, sale mec, cloporte, elle lui aurait crevé les yeux, crevé les boyaux, elle l'aurait enterré sous les feuilles mortes, lui aurait donné de grands coups de botte. Il y avait comme une tornade qui montait en elle. Elle tournait, tournait, dévastait tout. Fallait pas que Tom entende, ça suffisait comme ça, il avait eu sa ration de malheur. Il valait mieux qu'elle s'en aille.

Il était arrivé, les mains dans les poches, à dix heures du matin. Elle n'avait rien demandé. Il aurait été capable de lui répondre qu'il avait travaillé toute la nuit. Pour eux. Toujours la même excuse.

Ça la rendait folle qu'il vienne vers elle, les mains dans les poches, en énonçant un mensonge avec son regard gris qui ne se voilait pas, qui la prenait comme témoin de son immense amour, de son immense désir de la chérir, de la protéger, de la soigner si un malheur devait arriver.

Un salaud.

Il valait mieux qu'elle s'en aille.

*

Si la barrière en bois gris devant la maison de Zbig tient debout, c'est grâce aux ronces. Il est recommandé de l'enjamber plutôt que de l'ouvrir sinon elle s'écroule, Zbig vous accuse de l'avoir démolie et demande réparation. Tout le monde le sait. Tout le monde passe par-dessus.

Stella lance une jambe en ciseau quand elle aperçoit un renard dans l'herbe. Un cadavre de renard à la queue coupée. Une charogne que butinent les mouches. Merde ! Zbig l'a tué pour avoir la récompense. Cinquante euros. On est prié d'apporter la queue à la mairie pour toucher la prime. On dirait que l'animal dort, sa fourrure est roussie, presque brûlée, comme s'il s'était trop exposé au soleil. Et sa gueule sous les essaims de mouches esquisse un sourire paisible.

Elle va parler à Zbig de l'acacia tombé sur la clôture du champ. Georges s'est renseigné au cadastre de la mairie, Zbig est responsable. Il doit dégager l'arbre et réparer la barrière.

Elle traverse la cour, chasse les taons, quand est-ce qu'il fera assez froid pour qu'ils crèvent ? Elle s'approche, entend une musique, un air familier qu'elle pourrait chanter. Une ritournelle qui grince. Savais pas que Zbig était mélomane, elle se marre, et ça lui fait du bien de se marrer.

Je l'avais prévenu que je le tuerais.

Il rentre les mains dans les poches en sifflotant.

Et il choisit le jour où Tom est couvert de sang.

Qui a agressé son petit garçon ? Elle a eu si peur qu'elle n'a pas pris le temps d'y réfléchir. Elle a attrapé la carabine de Georges comme si elle allait tomber nez à nez avec l'agresseur.

Comme s'ils avaient rendez-vous. Qu'elle savait qui c'était.

C'est sa faute. Elle a menacé la directrice du collège qui a dû le répéter… à un des acolytes de Ray Valenti. Gerson, par exemple. Il se lance dans la politique, il est copain avec le maire, le député, c'est sûrement lui qui a eu l'idée de donner le nom de Valenti au collège. Pour se faire mousser. Se mettre en lumière. En refusant, elle devient gênante. Il lui envoie un avertissement. Rappelle-toi Toutmiel[1], ton chien préféré. Rappelle-toi comment il a fini. Égorgé, jeté en

_____

1. Cf. *Muchachas*, tome 1.

travers de la porte de la cuisine, tout chaud de sang caillé. Rappelle-toi ton pied qui bute en pleine nuit sur le corps du chien devant la porte. Rappelle-toi ton hurlement, ton désespoir.

Ça n'en finira jamais.

Zbig vit dans un vieux bâtiment de ferme. Les volets battent, les portes s'entrechoquent, des herbes sèches poussent dans le crépi des murs qui s'écaille. Dans la cour s'entassent des carcasses d'objets non identifiables, des sacs-poubelle qui débordent, des sièges de voiture crevés, des réfrigérateurs, des boîtes de conserve vides pour chats. Des hordes de chats. Chaque matin, il passe une heure et demie à ouvrir des boîtes. Il leur parle d'une petite voix haut perchée, une voix de chochotte fêlée, *et qu'est-ce qu'elles feraient, mes p'tites bêtes, si Zbig était pas là ? Qu'est-ce qu'elles feraient, mes mignonnettes ? Elles mangeraient des os et des arêtes, elles hurleraient à la mort, mais Zbig est là, Zbig y sait comment gagner l'argent pour ses p'tites bêtes…*

Il souffle, se déplace comme s'il poussait une bétonneuse.

Elle frappe à la porte. Frappe plus fort. Frotte un carreau du revers de sa manche. Colle son nez à la vitre. Aperçoit Zbig. Il se dandine sur la musique, lève un bras au ciel, pousse un cri, son ventre énorme déborde et tremble, semblable à de la gelée de groseilles. Il danse sur une chanson de Céline Dion. Il tient une poupée contre lui et lui mange la bouche.

« Je voudrais passer l'océan, croiser le vol d'un goéland, penser à tout ce que j'ai vu ou bien aller vers

l'inconnu, je voudrais décrocher la lune, je voudrais même sauver la terre, mais avant tout, je voudrais parler à mon père, parler à mon père… »

Il plonge son visage dans les cheveux longs, blonds de la poupée. La mouille de baisers, la glisse entre ses jambes. Ouvre sa braguette de ses gros doigts impatients. La frotte contre son sexe, donne des coups de reins, rugit…

C'est la plus belle des poupées. Il l'a gagnée au tir à la carabine cet été. Il la met sous son lit, la sort quand il a envie de s'en payer une tranche. Il n'a jamais été à l'intérieur d'une fille. Il imagine que c'est doux, que c'est chaud, que ça vous étouffe comme un édredon. Il se branle sur la poupée, sur sa tronche rose, ses grands yeux si confiants, ses cils englués de sperme qui ne battent plus. Elle sourit tout le temps. Quand on lui appuie sur le ventre, elle couine *kissmedarling. Darling*, ça veut dire « chéri » et *kiss* « baiser » en anglais. C'est Adrian qui le lui a appris. *Kissmedarling.* Embrasse-moi, chéri. Il éjacule, essuie la poupée gluante de son mouchoir. La remet sous le lit.

La poupée pour la purée, Céline pour appeler son papa.

Il n'a pas connu son père.
Il a préféré partir la veille de sa naissance.
Il lui en a longtemps voulu.
En grandissant, il avait révisé son jugement et s'était dit que son père était un mec vachement bien. Très intelligent. Il avait compris qu'il n'y avait rien à tirer

de sa mère. Qu'elle était bonne à jeter. C'est pour ça qu'il était parti. Si ça se trouve, il ne sait même pas qu'il a un fils. Un jour, il passera par là, par curiosité, et ils se rencontreront. Comment va-t-il l'appeler ? Monsieur ? Papa ? Bon Dieu, qu'est-ce qu'il l'espère, ce jour-là ! En attendant, il écoute en boucle la chanson de Céline Dion. Ça le fait chialer, ça lui fait du bien. Son père, c'était un homme, un vrai. Comme Adrian.

Dès qu'il écoute la chanson de Céline, il VOIT Adrian. Il lui loue le hangar. Personne ne doit le savoir, lui a dit Adrian en faisant le signe de la fermeture éclair sur sa bouche. Et il lui a lancé un regard CRUEL pour l'avertir qu'il n'hésiterait pas à FAIRE CE QU'IL FALLAIT s'il parlait. Il a eu un frisson glacé quand il a reçu ce regard. Ça l'a picoté dans le pantalon et sa queue est devenue comme du ciment. Il ne tenait plus sur ses jambes. Il a filé à l'intérieur de la baraque, il a sorti la poupée de sous le lit et il s'est frotté en pensant au regard CRUEL. Il avait envie de se coller contre Adrian, de le barbouiller de baisers, de recevoir des coups de pied, des claques, des insultes. Qu'il lui foute son poing dans la bouche, qu'il lui gueule sale péquenot, gros plein de soupe. Qu'il lui pisse dessus. Il pouvait pas expliquer mais c'était délicieux.

Il pense au regard CRUEL quand il s'astique sur la poupée.

Il loue le vieux hangar. Ça lui paie les boîtes pour les chats. C'est ce qu'on appelle être un gagnant. Son père serait fier.

Stella donne un coup de pied dans la porte qui s'ouvre. Zbig sursaute. Son sexe gigote. Le bas de son visage est maculé de rouge. On dirait un clown.

Céline s'égosille, «je voudrais parler à mon père, parler à mon père». Zbig sort le mouchoir sale de sa poche et s'essuie le visage. Sa lèvre inférieure pend comme si l'élastique qui la retenait avait pété.

— Rhabille-toi ! T'es dégoûtant !
Il remballe son sexe, sa chemise.
— Alors, c'est toi qui as pris mon camion ?
— C'est pas moi. J'ai pas pris ton camion.
— J'ai trouvé un CD de Céline Dion dedans, l'autre jour. D'ailleurs, il y est toujours.
— C'est pas moi !
— Pourquoi tu le prends, mon camion ?
— C'est pas ton problème !
— C'est MON camion.
— Il m'a demandé de l'aider et moi, je l'ai aidé. J'ai oublié le CD dans le camion. J'en ai un autre alors…
— Mais je m'en fous de ton CD, je te parle de mon camion.
— Je sais. Je suis pas con.
— Tu m'as piqué mon camion. Pourquoi ?
— J'l'ai pas volé. Je suis honnête, moi.
— T'es honnête mais tu prends mon camion sans mon autorisation.
— Il m'a dit que je peux si je dis rien.
— C'est qui, il ?
— Lui aussi, il fait des choses pas honnêtes.
— Mais arrête, Zbig ! C'est qui, «il» ?
— T'as qu'à aller voir dans le hangar là-bas !
— Quel hangar ?
— Après la ferme des Bausseraud.
— Le hangar abandonné ?

— Il est pas abandonné. Il est à moi. Et je lui loue.

— Mais tu le loues à qui ? Je comprends rien à ce que tu dis.

— Il veut pas. Il m'a menacé.

Et le frisson glacé revient lui déchirer les tripes. Ça le brûle dans le ventre, ça devient dur dans son slip, il voudrait se frotter contre un arbre, une porte. C'est bon quand il se frotte.

— Tu peux me le dire. On se connaît depuis long-temps. Je t'ai toujours aidé.

— Il veut pas.

— T'es malhonnête. Je vais le dire à Julie. Le camion lui appartient. Tu risques gros, Zbig. C'est du vol, du VOL.

Il s'énerve, s'enflamme. Son visage luisant de sueur est agité de tics. Il mord ses doigts gonflés, cisaillés de petites entailles qui font des croûtes. Ses orteils dépassent de vieilles baskets pourries et dégagent une odeur de beurre rance.

— Putain, Zbig, tu te laves jamais ? grimace Stella.

Il attrape une moitié de sandwich qui moisit dans un emballage plastique sur la table et l'enfourne.

— Je suis pas malhonnête. T'as qu'à demander à ton mari.

— Adrian ?

— Il t'a pas dit ce qu'il fricote dans le hangar, hein ? Il t'a pas dit ? Vas-y, demande-lui. Suis pas malhon-nête. Moi, j'ai vu, j'ai vu, moi.

— Je comprends rien !

— Le hangar, celui que je lui loue. De la main à la main. Il veut que personne le sait. Même pas toi. C'est lui le malhonnête, c'est pas moi. C'est lui et c'est l'autre. Ils aiment tous les deux le gros Zbig.

Il rit en montrant des dents pleines de pâte blanche.

Stella l'observe. Quand ils étaient petits, que les garçons lui jetaient des pierres, que les filles lui faisaient boire leur pipi, elle prenait sa défense. Il bavait, il avait déjà de la mousse blanche au coin des lèvres, elle le tirait par la manche pour l'emmener plus loin.

Si ça se trouve, il ne s'est même pas aperçu qu'il vient de révéler le secret d'Adrian.

Elle remonte dans le camion. Enclenche la première. La grue gîte. Elle a encore oublié de la recentrer. Elle va finir par verser pour de bon.

Le hangar apparaît après la ferme des Bausseraud et le troisième virage. Un chemin de pierres et de trous mène jusqu'à l'entrée. Le camion cahote, la grue vacille. Stella franchit les derniers mètres en roulant au pas.

Elle pousse les battants des portes du hangar.

Le broyeur gris et jaune se dresse, imposant. Un modèle d'occasion, note Stella. C'est lui qui l'a payé ? Et comment ?

C'est ça, son secret ?

C'est pour ça qu'il fait des mystères et disparaît ?

Qu'il rentre à pas d'heure et ne parle plus ?

Elle lance un éclat de rire dans les nuages. Étend les bras, tourne sur elle-même. Tourne, tourne. Une marée de bonheur la submerge. Elle voudrait plonger sous l'eau, aller toucher les poissons, les coquillages blancs, s'en faire des colliers, donner un coup de pied et remonter, remonter. Elle rit encore, enfonce ses mains dans ses poches, ses talons dans le sol pour chasser la colère inutile.

Dans un coin, une minigrue, une cuve, un chariot élévateur.

C'est ça, son secret. Il est en train de monter son affaire. Avec un broyeur pour le plastique.

En cachette d'Edmond ?

Elle continue son inspection. Fait le tour du broyeur. Aperçoit un journal par terre. Se penche pour lire le titre. *L'Équipe*, daté de la veille. Il a dormi dans le hangar cette nuit.

Et, posée sur le journal, la montre d'Adrian.

Elle se laisse tomber sur le journal, prend la montre, dix heures vingt, dix heures vingt, enfouit sa tête entre ses genoux, écoute son cœur battre à se rompre, dix heures vingt, dix heures vingt, dix heures vingt, dix heures vingt.

IL A DORMI DANS LE HANGAR CETTE NUIT.

*

Assis sur le lit de Tom, Adrian raconte comment il a affronté à quatorze ans le géant du village, un nommé Obrazov.

— Il voulait me tuer.

— Pourquoi ?

— Parce que j'avais osé le regarder en face. C'était interdit. On devait baisser les yeux devant lui.

— Tu l'avais fait exprès ?

— J'étais distrait. Il a pris ça pour une insulte.

— Il était plus grand que toi ?

— Plus grand, plus fort, il soulevait un cheval. Personne ne l'avait jamais battu. Il terrorisait les types du village. Quand on l'apercevait, on filait à toute allure.

Tom soupire, découragé.

— Comment t'as fait ?

— J'ai décidé que j'allais mourir, que ça m'était égal. C'est un truc que je faisais toujours, petit…

— Te dire que t'allais mourir ?

— Oui.

— Mais pourquoi ?

— Parce que tant que j'étais pas mort, j'étais vivant, et sacrément vivant !

— Et ça a marché ?

— Ça m'a donné de la force et je l'ai battu. Fais pareil et tu gagneras. En mauvais état, mais tu gagneras. Tu sais qui t'a frappé ?

— Non, dit Tom en serrant les lèvres.

— Je sais que tu sais, sourit Adrian.

Il a un drôle de sourire. Et ses yeux gris s'allument d'une lueur jaune. On dirait un loup qui maraude dans la nuit comme ceux qu'on voit dans les BD.

Tom se tait.

— C'est pas grave. En revanche, tu vas aller trouver ce type et tu vas te battre comme si tu devais mourir. D'accord ?

Tom fronce les sourcils. C'est une idée idiote. D'abord, son père avait quatorze ans, trois ans de plus que lui, il était habitué à se battre, et puis…

— Sinon au collège ils diront que tu as peur, que tu es une lavette et plus une seule fille ne voudra t'embrasser.

Tom s'agite. Ses oreilles chauffent, ça le gratte sous le pansement.

— Tu seras obligé de faire des trucs dingues pour te rattraper.

— Comme quoi ?

— Manger une souris crue, sauter du pont de la Béousse ou je sais pas, moi. Alors que si tu te bats…

Tom gratte un bout de peau irritée. Se battre avec Gaspard ! C'est comme s'il était avalé par un trou noir. Ses jambes tremblent sous les draps, il a envie de faire pipi.

— Papa, tu sais, il est vraiment plus fort que moi.

— Justement. Tu auras toutes les filles à tes trousses après et on viendra plus jamais t'embêter.

Son père lui raconte n'importe quoi. Mais c'est sûr que Dakota… elle le traitera de *loser*. Elle lui fera un L avec son pouce et son index. *Loser ! Loser !* La honte !

Et ils venaient juste de faire la paix.

Il avale sa salive, tend les jambes pour qu'elles arrêtent de trembler.

— Tu peux m'apprendre à me battre ?

Adrian sourit, caresse les cheveux de Tom.

— D'accord, mon fils.

Tom aime bien quand son père l'appelle « mon fils ». Ça émet un petit son protecteur qui dit je t'aime, je suis là, sans en faire des tonnes. Il n'a presque plus mal. Presque plus peur.

— On attend que tu sois un peu plus en forme et on s'entraîne ?

Tom hoche la tête. Adrian ouvre la main, la tend à son fils.

— Tope là !

Il aperçoit son poignet nu.

Il a oublié sa montre dans le hangar.

*

Quand elle revient à la ferme, Stella surprend Suzon dans le poulailler. Elle jette des épluchures et du pain rassis aux poules. Stella s'approche du grillage, glisse ses doigts dans les trous et demande à Suzon si Adrian est là.

Suzon hausse les épaules.

— Il est parti comme un pet sur une toile cirée. Il a perdu sa montre. Tu parles d'une affaire ! Une montre qui ne donne pas l'heure !

— Il a pas dit où il allait ?

— Non. Pas eu le temps pour une fricassée d'explications.

Stella sourit. Elle aperçoit le tournevis sur la margelle du puits. Elle a dû le poser là et l'oublier. Elle s'appuie contre le grillage, replie une jambe, ferme les yeux. Tout est en train de rentrer dans l'ordre. Elle a besoin de réfléchir. Pourquoi ne l'a-t-il pas mise dans la confidence ? Il a peur qu'elle parle à Julie ? Elle ne parle plus à Julie.

— Comment va Tom ?

— Il a voulu se lever. Je lui ai chanté Ramona. Il a plus bougé. Non mais !

— Je peux dormir chez vous, ce soir ? Et demain peut-être ?

— C'est grave ?

— Ça a failli, sourit Stella en prenant la main lourde de Suzon dans la sienne. J'ai besoin d'être seule.

— Pour faire le point ?

— On peut dire ça comme ça.

Un flot de bonheur sort de sa poitrine. Il n'y a pas d'autre femme. Il n'y a que ce broyeur gris et jaune qui a l'air idiot au milieu du hangar.

— Tu vas me faire le plaisir de remettre le fusil où tu l'as trouvé, bougonne Suzon.

— Comment tu sais que je l'ai pris ?

— Tu ne t'en es pas servie, j'espère ?

— C'est pas dit que je m'en serve pas.

— Alors je serai obligée de prévenir Georges et il sera pétard.

— Tu ferais ça ?

— Laisse les hommes se débrouiller. Tom est un homme maintenant. C'est plus un bébé. Va ranger le fusil. Sinon…

— Ok ! T'as gagné.

— Et tout de suite ! grogne Suzon.

— D'accord ! T'énerve pas.

— Je m'énerve pas, je m'explique. À propos, t'as parlé à Zbig de l'acacia ?

— Merde ! J'ai complètement oublié.

— Et voilà ! Il me faudrait trois têtes avec vous tous ! C'est quand que je fais relâche ?

*

Edmond descend les Champs-Élysées.

Edmond marche sur la plus belle avenue du monde. D'un pas allègre.

Edmond rayonne, Edmond plastronne, Edmond fanfaronne.

Il sort de chez son dentiste, rue Balzac, l'excellent docteur Jacou.

S'est arrêté chez Grand Optical pour s'offrir une nouvelle paire de lunettes, «très tendance», a dit la vendeuse.

S'est acheté une eau de toilette chez Guerlain.

Et il se dirige rue La Boétie chez son ancien tailleur. Il entre, lui dit bonjour, monsieur Barnes, vous souvenez-vous de moi ? Monsieur Barnes sourit, répond comment peut-on vous oublier, monsieur Courtois ? L'homme est fin commerçant et excellent tailleur. Il a de longues mains blanches, de belles dents, des yeux très bleus. Myosotis. Des yeux qui, dès que vous entrez dans sa boutique, prennent vos mesures et calculent les retouches.

Edmond enchaîne je veux me refaire une garde-robe, je me suis un peu négligé ces derniers temps, montrez-moi des tissus, parlez-moi de coupes, de revers, de boutons, de gilets, de chemises et de cols. Monsieur Barnes se plie, se déplie, s'affaire, exhibe, étale, défroisse. Edmond commande de quoi remplir deux armoires, trois penderies, quelques tiroirs. Du drap d'hiver, du coton de printemps, du fil d'été, du cachemire d'automne. Il n'y a que le lin qu'il refuse. Il n'aime pas quand c'est froissé.

— Vous allez être un modèle d'élégance, conclut monsieur Barnes en s'inclinant.

— J'espère bien car j'ai fort à faire !

Il a décidé de repartir à la conquête de Léonie.

Il l'a appelée plusieurs fois depuis leur rencontre à la pharmacie. Il a pris un ton soucieux, a parlé de Tom, demandé un bulletin de santé minutieux.

Rien que pour entendre sa voix.

Elle lui a répondu avec chaleur. A émis un gloussement heureux. Ils sont allés prendre un café en ville. Il lui a raconté l'histoire de l'homme qui veut apprendre l'anglais en quelques heures, pour pas un rond. Il finit par trouver l'adresse d'un Pakistanais qui se vante d'enseigner l'anglais en six heures pour quatre euros de l'heure.

— ... Alors il va sonner à la porte d'un pavillon pourri. Un Pakistanais en babouches lui ouvre. L'homme, pris d'un doute, demande :
«— Vous n'êtes pas prof d'anglais ?
— *If if* ...
— Vous êtes sûr ?
— *If if... Between... between*[1]... »

Elle a éclaté de rire.
Il a souri, tu as compris ? Mais alors tu parles anglais ? Elle a rougi, mais oui, Edmond, j'ai fait des études. Il s'est senti bête, méprisant. Il a eu honte, lui a demandé pardon, elle a baissé les yeux.
Ce jour-là, il s'est dit je file à Paris, je refais ma garde-robe et je lui fais la cour.

Il vient de sortir de la boutique de monsieur Barnes lorsque Léonie l'appelle.
— Edmond ? Je te dérange ?
— Mais non, je sortais de chez mon...
Il a failli dire « mon tailleur ». Ça aurait été ballot. Il se serait trahi.
— ... mon banquier. Je peux te parler sans problème.
— Je voulais te demander quelque chose. Tu me dis si ça te dérange, promis ?

---

1. En bon anglais, il aurait dû dire : « *Yes, yes... come in, come in...* »

— Je ferais n'importe quoi pour toi, Léonie.

Son cœur s'emballe et fait la grande roue dans sa poitrine.

— Voudrais-tu m'apprendre à conduire ?

— Mais oui…

— J'ai mon permis, mais j'ai tout oublié… Je ne veux plus dépendre de Georges ou de Stella, je finis par être un poids. Je voudrais aller à l'atelier de patchwork, par exemple.

— Ce sera avec grand plaisir, ma…

Il a encore failli se trahir. Dire «ma chérie, mon amour, toi que j'attends depuis que j'ai vingt ans, toi que je chéris à en perdre le souffle». Il craque de bonheur, sa poitrine tape pour sortir de sa chemise.

— … ma chère.

Il chantonne en descendant la rue La Boétie.

Il chantonne en cherchant son ticket de parking.

Il l'a perdu ? Il paiera l'amende.

C'est cher ? L'argent ne fait pas le bonheur.

IL VA DONNER DES LEÇONS DE CONDUITE À LÉONIE.

Il met son clignotant, tourne dans l'avenue Matignon, brûle un feu en haut des Champs-Élysées, se fait klaxonner par un automobiliste qui l'insulte et lui fait une queue-de-poisson. Il se gare dans la contre-allée de l'avenue de Friedland. Il doit retrouver son calme. Sinon Solange aura des soupçons. Il faut jouer finaud. «Finaud», quel drôle de mot !

IL VA DONNER DES LEÇONS DE CONDUITE À LÉONIE.

Il rentre à Saint-Chaland, s'assied à son établi. Fixe la loupe à son œil droit. Sort ses pinces, ses stylets. Se penche sur une pendule en marbre noir avec échappement Brocot. Il l'a trouvée à moitié fracassée dans un fatras de ferraille. Elle ne marche plus depuis des années. Une pépite !

Il observe l'échappement côté cadran. Deux demi-cylindres de rubis se balancent au rythme des oscillations du pendule et viennent bloquer la roue d'échappement et sa denture délicate. Il remonte le ressort principal, lance le balancier à l'arrière du boîtier. L'horloge repart. C'est un bon présage. Léonie et moi, Léonie et moi. Il divague, les yeux posés sur le balancier. Mais après quelques allers-retours, le mouvement s'arrête. Il s'affaisse sur son tabouret et soupire nulloli, nulloli, nulloli. Il va falloir démonter, nettoyer, huiler puis remonter le mécanisme. Cela va prendre du temps. Léonie et moi, Léonie et moi. Il s'essuie le front, ajuste sa loupe, la visse à l'intérieur de sa paupière.

Reprend tout de zéro.

Il remarque qu'à chaque essai, c'est toujours le rubis de droite qui reste bloqué dans la roue. Il pense alors à mettre une cale sous le boîtier pour rétablir l'horizontalité et, par chance, cela suffit. Léonie et moi ! Léonie et moi ! Après tant d'années, l'horloge revit. Il reste à régler la marche en vérifiant l'avance ou le retard par rapport à sa montre de référence. Pour cela, il monte et abaisse la lentille du balancier avec la vis qui la tient sur sa tige. C'est long, fastidieux, mais il finit par obtenir une précision inespérée.

IL VA DONNER DES LEÇONS DE CONDUITE À LÉONIE.

*

Camille trace des bâtons sur une fiche cartonnée à petits carreaux et s'étonne du nombre de traits. Sept traits, sept jours sans nouvelles. Le camion ne se gare plus devant la médiathèque. Stella Valenti n'en descend plus en ramenant son gros sac sur son épaule. Il s'était habitué à ses visites. À son chapeau posé en arrière, ses longues jambes chaussées de bottes, ses sourcils qu'elle tripote, ses yeux de loup à l'affût, sa dégaine de fille à qui on ne la fait pas.

Ils se parlaient peu. Ils ne disaient rien d'important mais il avait le sentiment qu'ils tissaient un lien. Et que ce lien devenait chaque jour plus fort.

La prochaine fois, si elle revient, il parlera. Il fera un effort. Ce sera bien la première fois qu'il se confiera.

Si elle revient…

Il a déjeuné au Bon Appétit. Il n'a pas bu de panaché, ses idées s'embrouillent, une grande peur lui scie le ventre. Est-ce parce qu'elle a APPRIS ? Parce qu'elle SAIT ce qu'il s'est passé CE SOIR-LÀ ? Elle a trop de peine, trop de colère ? Trop de mépris ?

Ce serait terrible qu'elle le méprise. Mais elle aurait raison, n'est-ce pas ? Souviens-toi de cette nuit-là, souviens-toi. Tu n'as pas HONTE ?

JE VEUX QU'ELLE REVIENNE. Elle me manque.

Il a la brusque impression de l'aimer plus que tout. Plus que Sandrine même. D'un amour imprévu, absolu, mais pas charnel. Non, non, pas charnel du tout. Ces derniers jours, il l'a attendue, envahi d'un bonheur, d'une espérance immenses. Il se disait elle va entrer, elle se laissera tomber dans le fauteuil en rotin, elle frappera les talons de ses bottes, elle parlera ou pas mais elle sera là, devant moi. Je pourrai vaquer à mes occupations, enveloppé par sa présence. Il s'étranglait de joie. C'est un amour qui ne correspond à aucun mot, aucun adjectif. Il a cherché, il n'a rien trouvé. Un amour où on veut tout donner à l'autre sans RIEN exiger en retour. Au début, il se disait ce n'est qu'imagination de ma part, j'ai si peu d'amis que je me précipite sur la première personne qui peut remplir ce rôle. Et puis il a bien fallu qu'il se rende à l'évidence, elle lui manque, et en grande quantité.

Il en est là de ses réflexions, de ses bâtons sur la fiche cartonnée lorsque la porte s'ouvre, comme arrachée de ses gonds.

ELLE ENTRE.

Se jette dans le fauteuil en rotin, lance son gros sac par terre, ses jambes en l'air et déclare vous savez quoi ? Tom a été agressé, et salement !

— Mais par qui ?

— Je suis sûre qu'il y a du Valenti là-dessous. Des copains de Ray qui veulent m'intimider parce que je refuse que le collège porte son nom.

— Mais il est MORT, Valenti !

— Il est mort mais moi, je le vois, je l'entends. Et me dites pas que je suis folle, ce serait trop facile.

— Qui aurait pu faire ça ?

— Ses potes. Ils sont nombreux. Pas très courageux. Ils ne signent jamais leurs crimes. Bien trop malins ! L'année dernière, ils ont égorgé mon chien. Mon préféré. ÉGORGÉ. Vous saviez pas ?

Camille fait non de la tête.

— Le collège, ça ne se fera pas. J'y foutrai le feu s'il le faut, mais il s'appellera jamais Valenti.

Elle se relève, empoigne son sac, marche vers le bureau, tire sur ses mèches blondes.

— Bon... suis pas venue pour ça, je voudrais des livres pour Tom. Il tient pas en place. Il veut se lever et aller se battre ! N'importe quoi !

Elle est tellement en colère qu'elle en est essoufflée.

— Vous n'êtes pas venue à la maison mercredi soir. Je vous ai attendue.

— On avait rendez-vous ?

— Je devais vous maquiller.

— Ah oui...

Elle balance la tête, amusée.

— On va dire que j'étais pas d'humeur.

— Et mercredi prochain ? Vous êtes libre ?

Il se faisait un tel plaisir ! Elle et lui dans la cuisine en train de se maquiller, de manger des meringues aux amandes pendant que son père et sa mère jouaient aux boules ou au Loto.

— Pourquoi pas, après tout ? Ça me distrairait.

— Ah ! il s'exclame, soulagé. Vous pouvez venir tôt ? On aura plus de temps. J'achèterai une pizza et une bouteille de vin.

— Pourquoi pas ? elle répète, songeuse.

— Dix-neuf heures ? Je m'occupe de tout, vous n'aurez qu'à mettre les pieds sous la table.

— Je suis très touchée, elle dit avec une tendresse un peu moqueuse.

Elle a l'air sincère, c'est donc qu'elle ne sait rien, qu'elle n'est pas en colère contre moi. Et d'ailleurs... ELLE NE PEUT PAS SAVOIR. Il n'y avait que lui et moi sur place. Les autres n'ont rien vu et la femme est morte. MORTE.

— Et maintenant, un livre pour Tom ! il déclare en se levant d'un bond, si heureux d'être libéré de ce poids.

— Des bandes dessinées aussi, il adore ça.

Il se promène dans les allées où sont affichées des pancartes, « Romans français », « Romans étrangers », « Littérature pour la jeunesse », « Grands classiques ».

Il reste un moment le nez levé vers « Grands classiques », tend la main, attrape un livre, le brandit, triomphant.

— *David Copperfield.* Il va aimer.

— C'est pas un peu gros ?

— Ça se lit comme du petit-lait. Et puis, il doit rester au lit, non ?

— Interdiction de bouger !

— Vous pourrez lui faire la lecture…

— C'est l'histoire de quoi ?

— D'un petit garçon dont la mère se remarie à un homme qui le maltraite et l'envoie en pension pour s'en débarrasser. De fil en aiguille, il va connaître tous les malheurs du monde. Mais il triomphera. C'est écrit à la première personne, on y croise une foule de personnages, tous plus pittoresques les uns que les autres. Il va adorer.

Il donne une grande tape sur le livre pour certifier son choix.

— J'ai été cet enfant différent et maltraité, alors je sais…

— Vous avez été maltraité ?

— En un sens, oui.

— Par vos parents ?

— Parce que j'étais différent.

Il serre le livre contre lui.

— Adolescent surtout. C'est compliqué de rencontrer d'autres différents. Surtout en province. À Paris, ce doit être plus facile.

— On vous traitait de…

Elle s'arrête et rougit.

— Oui ! Oui ! Vous pouvez le dire, pédé, pédale, tantouse, fiotte, tarlouze, tafiole ! Pédé à treize ans, c'est comme dernier de la classe, on fait rire tout le monde, mais on est tout seul.

— J'imagine…

— J'allais sur Internet le soir et parfois à Paris, le week-end. À Paris, j'avais l'impression d'exister. J'adore Paris. On peut être différent sans qu'on vous crache à la gueule…

— À quel âge vous avez compris que vous étiez pas comme les autres ?

Sa mère voulait une fille qu'elle parerait de rose, dont elle peindrait les ongles, les cils, la bouche, les orteils. À qui elle prêterait sa pince à épiler. Quand on lui annonça qu'elle venait d'accoucher d'un garçon, elle se tourna contre le mur et refusa de le voir pendant deux jours.

Son père était enchanté. On l'appellera Michel. Comme Platini. Elle n'avait pas dit son dernier mot. Quand il fallut le déclarer à l'état civil, elle choisit Camille.

Elle l'habillait de robes, de rubans, brossait ses

cheveux longs, les bouclait, lui lisait des contes de fées, lui achetait une couronne de princesse, une baguette magique, des pantoufles de vair. Elle l'avait inscrit à un cours de danse classique. L'emmenait chez le coiffeur, dans les parfumeries, les instituts de beauté.

— Aujourd'hui on continue. Une fois par mois on file à Paris faire du shopping, séance chez le coiffeur, épilation complète.

— Vous vous faites épiler ?

— Oui, comme Sandrine. On y va tous les deux.

— Sandrine ? Mais c'est qui ?

— Ben… ma mère.

— Vous l'appelez Sandrine ?

— Elle préfère, elle dit que ça fait plus « copine ».

Quand Camille a eu dix-huit ans, son père l'a emmené au Charly's. Il lui a PAYÉ une bouteille. Il lui a PAYÉ une fille. Elle s'appelait Dany, on aurait dit une sorcière avec ses longs cheveux noirs, ses ongles noirs, son rouge à lèvres noir. Camille ne touchait ni au champagne ni à la fille. Son père éructait :

— Qu'est-ce qui ne tourne pas rond chez toi, bordel ! Moi, quand j'avais ton âge, j'en ai enfilé des moches rien que pour y tremper ma queue. Je tirais tout ce qui avait une chatte. Les jeunes comme les vieilles, les tas comme les belles.

— Sauf que les belles, elles voulaient pas de toi.

Il avait pris une gifle.

— Tu la fermes et tu te farcis mademoiselle, compris ? J'ai payé, elle va pas me rembourser.

La fille le regardait en passant une grosse langue sur ses grosses lèvres noires gonflées au Flytox.

— Tu sais pas comment faire ? rugissait son père.

Tout le monde les regardait. Même les gars au balcon du premier avaient arrêté de parler. Camille imaginait le trio vu d'en haut : la pute, seins et lèvres à l'air, lui, pétrifié, suant à grosses gouttes, et son père en train de gueuler :

— Je vais te dire, moi ! Tu prends ta queue, tu la fourres dans la chatte de mademoiselle et tu te branles avec. Tu sais comment te branler quand même ?

Camille s'était rué vers les toilettes.

— En effet, dit Stella, c'est pas évident de se lancer dans de telles conditions.

— Il m'a laissé avec la fille. Elle était gentille, elle a pris ma main, l'a posée entre ses jambes. Je ne voulais pas lui faire de peine, mais je ne pouvais pas. Elle a roulé l'argent dans son soutien-gorge et m'a dit de rentrer chez moi. Je suis reparti à pied, mon père ne m'avait pas attendu. Quinze bornes dans la nuit en plein hiver, en jean et tee-shirt. J'ai attrapé une crève qui a tourné en pneumonie. J'ai été hospitalisé, envoyé un an en sanatorium pour décollement de la plèvre. Une odyssée ! Au sanatorium, on me fichait la paix. J'ai lu à m'en gommer les yeux. Je suis tombé amoureux d'un nain bossu. Il s'appelait Raymond et voulait être danseur. Il faisait de la barre au sol deux heures par jour. Il affirmait que c'était pas lui qui était « différent » mais les autres. Il m'a fait beaucoup de bien. Je suis sorti de là guéri.

— Et on vous a laissé tranquille…

— Pas vraiment. Mais j'avais appris à m'en foutre.

— Comment vous avez fait ?

— C'est arrivé tout seul. Je n'en avais plus rien à cirer de ce que pensaient les autres. Et ça fait du bien !

Ses yeux tombent sur les aiguilles de la grande horloge. Six heures moins dix.

— Il faut que j'y aille ! On parle, on parle, et le temps file.

Il lui tend le livre de Dickens. Range ses affaires sur le bureau.

— Je vais réfléchir à des BD pour votre fils. Je vous les donnerai mercredi soir. Vous avez mon téléphone ? Au cas où vous auriez un empêchement...

Tout en parlant, il enfile un manteau noir, attrape au dos d'une chaise une écharpe jaune assortie à ses lunettes. Il a des jambes si fines qu'on dirait des aiguilles. Des boots à petits talons. Les ongles vernis incolore. Un pin's « Sortez couvert » au revers du manteau.

Dehors il fait nuit noire. Une voiture démarre en faisant hurler les pneus. Quatre types gueulent et montent leur radio *il a pris quinze piges, piges, piges, Sam a pris du ferme, ferme, ferme.* Dans le camion, les chiens frottent leur museau contre les vitres.

— Je vais les faire descendre. Vous êtes garé loin ?

— La petite Clio blanche là-bas...

Stella ouvre la portière, les chiens sautent, s'ébattent. Elle les siffle, ils lui emboîtent le pas et la suivent.

Camille s'arrête devant sa voiture.

— Oh non ! Ils ont recommencé !

Ses épaules s'affaissent, ses bras tombent. On dirait un petit vieux tassé, fatigué de vivre.

— Quoi ?

— Ils m'ont crevé un pneu. Ils me font le coup régulièrement. Ça me coûte une fortune ! Heureusement que Sandrine est copine avec un garagiste. Mais quand même…

— Qui ça, « ils » ?

— Je sais pas. Je les connais pas.

— Vous n'avez qu'à vous garer plus loin. Carrément plus loin.

— J'y pense mais pas toujours. Je me dis qu'ils vont se lasser. Mais c'est trop faire confiance à l'humanité.

Il secoue la tête, renifle.

— Bon, je vais appeler Sandrine.

— Pour quoi faire ?

— Pour changer la roue. J'en suis incapable.

— Vous pourriez vous casser un ongle, sourit Stella.

— Et ruiner ma french !

Il a un sourire triste. Remet ses lunettes en place.

— Laissez-moi faire. Vous avez ce qu'il faut ?

— Vous pensez ! Je suis équipé. J'ai DEUX pneus de rechange.

— Ça va me prendre trois minutes. Avant tout, serrez le frein à main, c'est plus sûr.

Camille s'exécute et revient se poster à côté de Stella au bord du trottoir. Les chiens courent après les feuilles qui voltigent, aboient, pilent, redémarrent. Il les observe, amusé.

— J'aimerais bien vous aider.

— Vous vous rattraperez mercredi, vous me ferez une manucure.

— Et un masque au concombre. Je le fais moi-même.

Avec un jus de citron. Ça resserre les pores de la peau et ça la purifie. On y gagne en luminosité.

— J'en ai besoin ? elle demande en donnant un coup de pied pour faire sauter l'enjoliveur.

— Non. Vous avez une peau parfaite. Mais ça fait toujours du bien. Vous aurez droit à un masque pour cheveux aussi. Avec des jaunes d'œuf, de l'huile d'olive. Fabrication maison. Je fais tous mes produits moi-même.

Elle desserre l'écrou du haut. Puis les autres. Change la roue. Prend la clé de serrage, replace les écrous, l'enjoliveur. Donne un coup d'épaule pour accompagner son effort.

— Vous pouvez me faire confiance, il ajoute.

— Mais j'ai confiance ! elle réplique. S'il y a quelqu'un en qui j'ai confiance, c'est vous !

Elle inspecte la roue, range le cric et la clé de serrage, se redresse, souffle sur une mèche de cheveux qui la gêne, s'essuie les mains sur sa salopette, se retourne vers Camille.

Il est planté là, livide, le regard fuyant, l'air gêné.

— J'ai dit quelque chose qui vous contrarie ?

— Non, pourquoi ? Qu'est-ce que vous allez imaginer ?

— Rien, rien du tout.

— Bon alors, à mercredi. Et ne venez pas trop tard. Et il monte dans sa Clio.

Quel garçon étrange ! C'est la deuxième fois que ça arrive. Je lui dis quelque chose d'aimable et il se ferme à double tour. Je peux presque entendre les tours de clé.

Bizarre, bizarre, ce garçon est bizarre.

Mais qui a dit que j'aimais les gens normaux ?

*

Ce matin, Adrian l'a attrapée dans la cour alors qu'elle sortait de chez Georges et Suzon. Elle dort toujours chez eux et se débrouille pour rentrer à temps afin que Tom ne s'aperçoive de rien. Elle se glisse dans la cuisine, nourrit les chiens, allume le poêle à bois, met le lait de Tom à chauffer, sort les céréales, un bol, une cuillère, lui prépare un plateau de petit-déjeuner, tranche du pain, le fait griller et fait du café.

Il lui barrait la route, la bouche mince comme une barre sur un T.

— Tu me fais la gueule ? À cause de l'autre soir ? Parce que j'ai passé la nuit dehors ? Et toi, tu comptes découcher longtemps ?

— T'en poses des questions ! Tu fais une enquête ?

— Je t'ai laissé un message pour dire que je ne rentrais pas…

— Faux !

— … que j'avais du boulot.

— Jamais eu ton message.

— À quoi tu joues, Stella ?

— Je joue pas. Je joue jamais. Tu le sais très bien. On peut même s'en lasser. TU pourrais t'en lasser.

Elle a appuyé de toutes ses forces sur le TU. Il est resté figé sur place. A arraché une longue herbe, l'a mise en bouche et l'a mâchée. Elle a gagné la cuisine, commencé sa routine du matin en le surveillant par la fenêtre.

642

Il consultait son téléphone.

C'est peut-être vrai qu'il lui a envoyé un message ? Pourquoi ne l'a-t-elle pas reçu ?

Il grille une cigarette. Il va lui prouver qu'il lui a envoyé un SMS. Il cherche. Le jour, l'heure. Le message existe bien. Il est affiché à la bonne place, à la bonne heure. Avec le bon contenu.

« Liouba, je rentre pas ce soir, je travaille. Liouba, tu m'as tellement manqué. »

Oui, mais il l'a envoyé à la Parisienne.

*

Quand elle veut savoir ce que les enfants pensent VRAIMENT, s'ils ont des problèmes en classe ou à la maison, madame Mondrichon leur donne des rédactions. « Le soir quand je vais me coucher, je… » « Je me sens bien quand j'ai… » « La peur, c'est quand… » Ils racontent un souvenir, une émotion, un mauvais rêve. Sans faire de fautes d'orthographe, précise-t-elle, comme si c'était le but de l'exercice. C'est une manière de les faire parler. De savoir ce qu'il se passe chez eux. Elle a un peu honte de ce procédé, mais se console en pensant qu'elle a débusqué plusieurs fois des problèmes familiaux. Les enfants en sixième sont encore spontanés, ouverts. Le petit Tonio, l'année dernière, avait écrit « Le soir quand je vais me coucher je suis content si mon père n'est pas rentré ». On avait signalé son cas à l'assistante sociale. Il s'était avéré que le père était violent. Depuis quelque temps, madame Mondrichon surveille les rédactions de Mila et de Dakota. Mila a les yeux qui fuient et s'écarte dès qu'on s'approche trop près. Elle est hors sujet dans ses rédactions. Semble éviter tout ce qui est personnel. Chez Dakota, le mot «mort» revient trop souvent. Le dernier sujet était «Vous avez un ami, parlez-nous de lui». Dakota avait écrit :

«Pour se faire un ami, il faut ne pas avoir de montre. Prendre son temps. Être lent. Attentif. Compter le nombre de ses cils quand il baisse les paupières. C'est difficile de prendre son temps. Les gens vous trouvent lourde, louche. Ils vous tirent les cheveux, vous font tomber dans l'escalier, ils peuvent vous faire très mal. J'ai eu une amie, je lui consacrais tout mon temps, toute mon attention. Elle est morte. Mais je la vengerai, elle dormira en paix. Je me suis fait la promesse.»

— Je me répète sûrement mais cette enfant veut nous dire quelque chose, j'en suis sûre.

Madame Mondrichon fait face à la directrice. Madame Filières a bien voulu la recevoir, mais ne l'écoute pas. Ses regards s'échappent, aimantés par le portable sur son bureau.

Ces derniers jours, madame Filières reçoit des messages de menaces. Le premier mail disait : «Collège Ray-Valenti, vraiment ? C'est une blague.»

Le deuxième : «Ce n'est pas une bonne idée du tout, du tout.»

Le troisième : «Vous le connaissiez bien, n'est-ce pas, Ray Valenti ? Petites virées nocturnes.»

Le quatrième : « Cela ne se fera pas. On ira jusqu'au bout. »

Le cinquième : « Prenez garde si vous vous entêtez, gros ennuis à redouter. »

Le sixième : « Je sais sur vous des choses que les autorités réprouveraient. »

Le vocabulaire est choisi, il n'y a pas de fautes d'orthographe, et l'expéditeur change d'adresse tout le temps.

Elle pourrait montrer son téléphone au commissariat de police et déposer plainte, mais l'allusion aux choses que les autorités réprouveraient l'alarme. Elle hausse les épaules, énervée. Elle aimerait bien que l'enseignante fade et molle assise en face d'elle dégage. Celle-là alors ! Toujours à voir des problèmes partout !

Mais madame Mondrichon insiste :

— Je sens comme un appel au secours de la part de cette petite.

— Je sais, je sais. Vous me l'avez déjà dit. Prenez des sujets plus neutres, elle sera plus légère.

Elle baisse les yeux. Un nouveau mail vient d'arriver.

« AVEC QUEL ARGENT TU AS PAYÉ TA MAISON, PAR EXEMPLE ? »

Elle retourne le téléphone, le plaque sous la paume de sa main et jette un regard exaspéré à madame Mondrichon.

— Vous avez sûrement des choses plus intéressantes à faire qu'à jouer les détectives !

Madame Mondrichon se gratte la gorge et continue :

— Je voulais vous parler aussi de la petite Mila Jojovitch. Elle…

— Dites-moi, madame Mondrichon, vous êtes à

ce point passionnée par les petites filles que vous en parlez tout le temps ? Faites attention. Ça peut vous entraîner loin.

— Je ne vous permets pas de…

— Eh bien, je le fais ! Parce qu'à trop vous pencher sur l'enfance en péril, ça devient suspect, si vous voulez connaître le fond de ma pensée.

Madame Mondrichon hésite puis se lève, chancelante.

Avant de refermer la porte, elle se retourne et surprend le regard affolé de madame Filières. On dirait qu'elle est poursuivie par une meute de policiers.

De quoi a-t-elle si peur ?

Est-ce pour ça qu'elle est si odieuse ?

*

Hortense a dormi une heure et demie cette nuit.

Dans huit jours, c'est LE jour.

Le lieu du défilé a changé. La préfecture n'a pas donné l'autorisation de fermer le bas des Champs-Élysées, état d'urgence oblige. Il faut trouver un autre endroit. Armelle connaît un type qui louerait sa galerie d'art en plein Marais. Après tout, John Galliano a bien commencé dans l'hôtel particulier d'une amie très riche, derrière l'église Saint-Sulpice. Ça lui a porté chance. Il a fallu finaliser la liste des invités. Six cents invitations. Seuls vingt-cinq pour cent viendront, a pronostiqué Jean-Jacques Picart. Et s'il y a un peu de pagaille, ce sera encore mieux ! Ne pas oublier les stars-stars, Deneuve, Marceau, Cotillard, les moyennement stars, les minuscules stars, les rappeurs, les blogueuses, les indésirables qui se faufilent. Antoinette a promis de venir avec Rihanna. Elles ont fait la couverture du *Vogue* américain ensemble et sont inséparables. S'affichent sur Facebook, Instagram et le nombre de fans s'affole. Émeute assurée, a déclaré Picart, même pas étonné, mais il va falloir payer le jet privé, la limousine, les gardes du corps, le palace, quelques diamants, quelques sacs, quelques robes, Elena est au courant ? Elle vendra un Zutrillo, a répondu Hortense. Beyoncé ou Rihanna ça signifie fans écrasés, réseaux sociaux saturés et moi sacrée reine de la *fashion week*. C'est parfait.

Et elle s'était endormie.

Elle a rêvé de ses mains pleines de talc pour ne pas transpirer, d'une boîte d'épingles renversée présageant une dispute, d'une panne de velours couché, d'une paire de ciseaux tombée à terre, annonçant une mort.

Elle a rêvé des mannequins ondulant dans ses robes parfaites. Des robes qui n'ont l'air de rien et subliment la femme, en font une étoile, une liane, un fantasme.

Il ne lui manque qu'un petit truc. Et ce « petit truc » la tracasse. FAIRE COMPRENDRE À L'ASSISTANCE LA MAGIE RÉELLE DE SON TISSU. De cet entrelacs qui avale la taille, avale les hanches, avale les graisses tout en sculptant le corps.

L'illustrer à la façon d'une séquence de film.

Elle cherche, elle se mange les doigts, elle ne trouve pas.

Et ce petit truc de rien du tout lui gâche ses nuits, ses siestes et ses rêves.

Armelle la réveille en agitant son téléphone sous son nez.

— Consulte tes messages, il menace d'exploser. Une demi-heure de récré et retour au bagne. Sisteron trépigne dans l'entrée, on dirait le volcan Eyjafjallajökull.

— Parce que tu parles islandais AUSSI ?

— Ma grand-mère est islandaise.

— Islandaise ? Tu te fiches de moi ? Tu es noire comme du cirage.

— Haïtienne naturalisée islandaise. Elle a nagé de Haïti à Reykjavik. Avec ma mère sur le dos. Alors tu peux travailler comme une folle, tu lui arriveras jamais à la cheville.

— Mais je fais pas de concours !

Hortense bâille. Demande un café bien noir. Un œuf bien mayonnaise. Elle parcourt les messages d'un œil flou. Fifrelin. Menue monnaie. Circulez, circulez, aucun intérêt. Repère un message de l'Homme. Elle l'avait oublié !

« Liouba, je rentre pas ce soir, je travaille. Liouba, tu m'as tellement manqué. »

Ce message ne lui est pas destiné.

Il a dû vouloir l'envoyer à la belle femme qu'a vue Junior. Celle qui l'aime en propriétaire, la main sur sa cuisse, le sourcil en l'air. Junior l'a décrite. Elle est grande, blonde, aiguë, les pommettes saillantes, de grands yeux bleus, calme, fidèle, intransigeante. Elle a promis qu'elle le tuerait si jamais il la trompait.

Il est son homme. Elle est sa femme.

Elle a envie de lui répondre je vous comprends tellement ! Mon homme s'appelle Gary Ward, il est beau, ténébreux, il a une grande bouche, de longues mains, ça tombe bien, il est pianiste, il porte un duffle-coat immonde, gagne tous les concours du monde, il donne de grands baisers où le vent s'engouffre, il ne me rend jamais triste parce que je sais qu'il est à moi, que je suis à lui, même si parfois on fait des détours, on prend des chemins de traverse, on s'égare, mais c'est la vie, n'est-ce pas, elle ne va pas toujours tout droit, et vous n'étiez qu'un détour.

— Ça y est ? T'as fini ? Axelle demande si…
— Deux minutes !
— Ça urge !
— Et mon café ? Et mon œuf-mayonnaise ?
— T'inquiète, ils arrivent !
— Hé, Armelle, je voulais pas dire du mal de ta grand-mère. Maximum respect.
— Je sais, pauvre cloche. Tu fais semblant de mordre mais t'as le cœur d'un caniche !

Hortense n'est pas sûre d'aimer cette dernière remarque.

Un SMS d'Henriette s'affiche à l'écran.

« Hortense, ma biquette, rappelle-moi. Je suis tombée sur du lourd. Nicole Sergent, la femme du sixième étage. Le casse du siècle à côté, c'est du pipi de sansonnet ! »

Voilà que ma grand-mère parle comme OSS 117.

Hortense est sur le point d'appeler Henriette quand Armelle revient, se plaque contre la porte et murmure alerte ! Alerte ! Le volcan est en éruption !

Robert Sisteron.

L'atelier l'a pris en grippe. Chaque fois qu'il vient, il lance des piques. Ignore les petites mains. Insulte l'artiste. Brandit des chiffres. Crache de sombres prédictions et repart en faisant trembler les cloisons.

Robert Sisteron est un homme bref, sec, cambré militaire. Une cravache qui cingle et exige des comptes. Une cravache avec une petite moustache en lame de rasoir.

— Quels comptes ? bâille Hortense. Ce n'est pas mon rayon.

— Mais vous le dépensez, cet argent !

— Peut-être…

— Comment ça, peut-être ? Vous le jetez par la fenêtre !

— Allez en discuter avec Elena, ça m'intéresse pas.

— Vous voulez qu'elle vende tous ses tableaux ?

— Ils vous appartiennent pas. Pourquoi ce souci tatillon pour son argent ?

Il bafouille. Sa moustache se mouille. Elle lui adresse un sourire glacial qui signifie dégage. Il la toise. Enfile ses gants. Claque les talons. Et la porte.

Quelle fouine immonde ! Depuis toujours il lui cherche des noises. Au début, elle se disait il me taquine, mais non, il insiste, il plante ses banderilles.

Hortense attrape son téléphone, crayonne une fente de manteau en attendant qu'Elena réponde. Quand elle décroche, Hortense devine qu'elle n'est pas seule. Un homme glousse à ses côtés. Un homme qui pourrait bien être allongé, nu, dans le grand lit, si elle en juge par la proximité du rire et le bruit d'un bouchon de champagne qui explose.

— Je veux que vous demandiez au nain de ne plus mettre un pied à l'atelier. Il énerve tout le monde, moi la première.

— Il veille sur mes intérêts, Hortense, et trouve que tu dépenses beaucoup. C'est quoi, cette histoire de Rihanna ?

— Faut savoir ce que vous voulez ! On n'a pas construit Versailles avec une boîte d'allumettes !

— Il m'est très fidèle. C'est un homme sûr.

— Il traverse tout Paris pour me faire un sermon sur l'argent. À quelques jours de ma première. Vous trouvez ça normal ?

— Oublie-le, je vais le distraire. Je suis de si bonne humeur. Je m'amuse au Ritz. Ah, Hortense, je suis en train de faire de la vieillesse un délicieux naufrage !

Hortense entend une coupe tinter contre une autre coupe, un rire de femme enrouée, une voix de mâle qui appelle *room service* et Elena raccroche en gloussant.

*

Ça fait une semaine que Tom est alité.

Bientôt, il aura le droit de se lever.

Sa mère lui a fait promettre de l'attendre pour poser un pied à terre, tu me jures ? Tu me jures ? Il a juré. En reproduisant une série de signes bizarres qu'elle faisait avec ses mains, ses doigts, ses yeux qui louchaient, sa langue qui tortillait.

Elle avait l'air vraiment en colère. Et même plus qu'en colère. Des larmes partout, sous les yeux, dans la bouche, dans le menton, dans les joues, dans les sourcils.

Elle le regarde manger, elle déglutit à chaque bouchée qu'il avale. Elle fait glisser un gant de toilette sur son visage. Y verse des gouttelettes d'eau de rose, ça sent bon, il ferme les yeux. Elle lui frotte les bras et les jambes avec de l'eau de Cologne. Ça sent bon aussi.

Edmond lui a offert une tablette que sa mère lui a aussitôt confisquée. Il a hurlé. Elle a autorisé une heure par jour, pas plus, je veux que tu lises.

Parfois son père et Edmond s'asseyent au bout de son lit. Ils parlent peu. Il flotte entre eux une certaine gêne, comme s'ils ne se connaissaient pas et se trouvaient dans la salle d'attente du dentiste. Il se dit c'est parce que je suis là, ils veulent pas m'ennuyer en parlant de leurs affaires.

Chaque jour, Edmond vient chercher Léonie pour sa leçon de conduite. Il porte un joli costume, une belle écharpe, de nouvelles lunettes. Il attend au bout du lit que Léonie se fasse jolie.

Elle arrive pimpante. Elle a acheté une paire de hauts talons, ce n'est pas pratique pour conduire mais quand on ouvre la portière ! Edmond la regarde, la bouche ouverte, le cou tendu. Et les yeux en lacs de bonheur.

Un jour, il demande à Tom tu as peur de retourner au collège ? Tom trouve la question un peu bête mais il lui pardonne. Edmond ne sait pas quoi lui dire, alors il sort la première phrase qui lui passe par la tête. Il ne fait pas d'efforts. Il garde tous ses efforts pour Léonie. Bien sûr qu'il a peur. Il va croiser Gaspard. Et Gaspard lui a promis une nouvelle raclée s'il revoyait Dakota.

Il n'est pas question qu'il renonce à Dakota.

Dans la journée, Suzon veille sur lui.

Tom a une obsession : se gratter. Soulever les pansements, faufiler l'aiguille à tricoter de Léonie et gratter, gratter. Mais Suzon veille. Elle lui arrache la longue aiguille et la cache. Elle a transporté au pied de son lit ses couteaux, ses journaux pour les épluchures, sa bassine d'eau et elle épluche poireaux, navets et pommes de terre sans le quitter des yeux. Quand elle a fini, elle lui fait réciter ses leçons.

— Dis, Suzon, pourquoi tu continues à t'occuper de nous ? Tu pourrais rester dans ta maison à regarder la télé…

Elle roule des yeux en soufflant.

— La télé ! Ça se saurait si ça vous rendait intelligent !

— T'as ta maison, t'as Georges, t'as pas besoin de…

— J'aime être UTILE. Qu'est-ce que je ferais si je vous avais pas ? Des mots fléchés ? Merci beaucoup.

— T'as jamais eu envie de te marier ?

— J'ai Georges.

— Mais c'est ton frère !

653

— Et alors ? C'est l'amour qui compte, pas ce qu'on fait avec !

— T'as jamais voulu avoir d'enfant ?

— Je vous ai, toi, Léonie, ta mère, ça me suffit, crois-moi. Prends ton livre, lis. Arrête de poser des questions.

Il finit de lire *L'Attrape-cœurs* et ça le met par terre. Holden Caulfield parle d'une certaine Jane dont il a été amoureux et il pense à Dakota. Est-ce qu'elle s'est envolée, munie de son passeport neuf ? Est-ce que son père a décidé qu'elle finirait son année scolaire à New York ? On peut s'attendre à tout d'un type qui a les cheveux blancs et des vitres teintées à sa voiture. Holden Caulfield n'aimerait pas ce type.

Faudrait pas vous figurer, parce qu'on évitait les papouilles, qu'elle était un vrai glaçon. Grave erreur. Par exemple, on se donnait toujours la main. Bon, d'accord, c'est pas grand-chose. Mais pour ce qui est de se donner la main elle était super. La plupart des filles, si on les tient par la main, c'est comme si leur main était morte dès l'instant qu'on la prend, ou bien au contraire elles s'empressent de la remuer sans arrêt comme si elles pensaient que ça va vous distraire. Avec Jane c'était différent. On allait au cinéma ou quoi et immédiatement on se tenait par la main et on restait comme ça jusqu'à la fin du film. Sans changer la position et sans en faire toute une histoire. Avec Jane, même si on avait la main moite y avait pas à s'inquiéter. Tout ce qu'on peut dire c'est qu'on était heureux. Vraiment heureux.

Il aurait pu dire exactement la même chose. Le

baiser de Dakota l'avait rendu heureux. Vraiment heureux. Et sa façon de faire bouger sa langue…

C'est fou quand même, on était amoureux pareil au Moyen Âge et aujourd'hui.

Le docteur a dit qu'il pourrait bientôt retourner à l'école. Une semaine d'arrêt, ça suffit.

Chaque soir, son père rentre plus tôt de Paris et lui donne une leçon de boxe. Il lui apprend deux ou trois trucs en sautillant devant le miroir de l'armoire.

— D'abord, fils, LA GARDE. Menton rentré dans le cou, tu hausses les épaules et tu les bouges de droite à gauche, de gauche à droite. Ensuite, tu colles ton poing droit sur ta mâchoire droite pour protéger ton menton. Tu dois savoir que le menton est connecté au crâne et que le crâne est le siège des points qui font mal. Compris, fils ?

Tom écoute comme s'il prenait des notes à l'école.

— Puis tu plaques ton coude à droite pour protéger le foie et les côtes et tu danses. Tu ne dois JAMAIS rester inerte sur tes pieds. Les coudes collés au corps, les poings qui défendent la tête, tu te tasses, tu te ramasses pour laisser le moins de surface à l'adversaire, pour qu'il ne te touche pas au corps, et tu frappes, *pam-pam-pam*, rotation, *pam-pam-pam*, tu frappes encore, *pam-pam-pam*, nouvelle rotation, et en appui sur le pied tendu, tu balances un crochet dans le foie du type.

Son père lâche son coup et mime le gars en face qui encaisse.

— Après tu sors du champ du mec, tu l'attrapes par la nuque et tu lui balances un coup dans les couilles.

— Dans les couilles ? !

— Tu es plus petit, c'est le seul moyen de lui faire mal.

— Papa ! Je vais me faire massacrer.

— Je sais, mon fils, je sais. On l'a déjà dit. Mais tu n'as pas d'autre choix.

Adrian lui ébouriffe les cheveux et recommence à sautiller sur place en lançant ses coups, *pam-pam-pam*, rotation, *pam-pam-pam*, rotation, droite, gauche, droite, gauche.

— Tu vas le provoquer devant tout le collège, il va être obligé de se battre. Attaque tout de suite, n'attends pas. Frappe là où ça fait mal, les couilles, le foie, les côtes, et pour finir, un coup de pied dans le plexus.

Tom regarde son père, désespéré.

— J'y arriverai jamais ! Il est deux fois plus grand.

— C'est sûr.

— Je vais dérouiller.

— C'est sûr aussi… Quand tu donnes un coup, tu dois penser à te protéger avec ton épaule, rentrer la tête, monter les épaules, te mettre en position de protection.

— Papa !

— Et toujours danser sur tes pieds. Comme ça.

Il bouge, il lance les bras, les jambes. Son regard se vide, devient presque doré, une petite lueur jaune, lointaine qui annonce un danger.

— PAPA ! PAPA ! Tu me fais peur ! Arrête !

Adrian ralentit, le regard vague, puis repart en accélérant.

— PAPA ! T'es où ? PAPA !

Adrian se fige. Ses genoux se cassent, son buste se raidit, sa nuque part en arrière, ses bras retombent.

— Oui, fils.

— Papa… tu m'as fait peur.

— Je sais que tu as peur. Tu veux que tout le monde le sache ?

Tom secoue la tête. Des larmes poussent sous ses paupières. Il a mal partout. Il ne sait pas s'il va pouvoir danser, *pam-pam-pam*, rotation, *pam-pam-pam*, rotation.

— Tu vas voir, fils, c'est juste un sale moment à passer.

Quand Stella n'est pas là, il l'emmène dans le petit bois derrière la grange des ânes. Il lui fait mettre une paire de vieux gants de boxe qu'il a trouvée dans une brocante.

Il désigne un arbre et hurle :

— Casse l'arbre ! Casse l'arbre ! Droite, gauche, droite, gauche ! *Pam-pam-pam*, casse l'arbre !

Et toujours il répète :

— Tu vas voir, fils, c'est juste un sale moment à passer.

*

Ce fut tout vu.

Le lundi matin, le grand Gaspard traîne devant la grille du collège en balançant les bras tel un gorille en RTT. Il aperçoit Tom, s'avance, colle son nez contre celui de Tom et ricane tout haut *loser, loser, loser*. Son haleine pue la cigarette, la bière, la tranche de lard sur la tartine rance. Tom a envie de gerber. Il grimace, recule. Le grand Gaspard forme le L de l'insulte de ses gros doigts rouges. Lancelot le rejoint et entonne *loser, loser* à voix basse en frappant du pied pour rameuter les autres qui viennent se mettre en rond autour d'eux.

Monsieur Gelser les surveille de la cour.

— Allez ! Allez ! On se calme ! On ne traîne pas dehors.

Tom garde les mains enfoncées dans ses poches. Il plonge son regard dans les yeux de Gaspard en mimant une haine qu'il espère terrifiante.

— Oh, le bolosse ! crie Gaspard. Y croit qu'il me fait peur avec sa gueule de rat ! C'est qu'il veut défendre sa meuf ! Son jaune d'œuf ! Elle est bonne au moins, la Chinetoque ?

Il tourne sur lui-même pour que tout le monde l'applaudisse, lance des coups dans l'air, montre les dents, grogne. Répète jaune d'œuf, Chinetoque, jaune d'œuf, Chinetoque.

Tom voit rouge. Il bondit en avant, décoche un coup de genou dans le bas-ventre de Gaspard qui s'écroule en hurlant, les mains sur les couilles. Tom se jette sur lui, l'immobilise au sol et frappe de toutes ses forces. *Pam-pam-pam*, bras droit, bras gauche, *pam-pam-pam*, le menton, la tête dans les épaules, *pam-pam-pam*, il tape dans le tas, casser l'arbre, casser l'arbre, faire gicler le nez, fendre les lèvres, arracher l'oreille, *pam-pam-pam*, ses blessures se réveillent, le sang coule, ses lèvres s'écrasent contre ses dents, il a un goût de rouille dans la bouche, il y voit à peine. Il arrive à lever son genou et *pam-pam-pam* encore une fois dans les couilles, de toutes ses forces. Le Gaspard hurle et se recroqueville pour se protéger. Tom est à bout. Il a tout donné. Son souffle se bloque, il crache au lieu de respirer. Il va perdre s'il ne change pas de stratégie. L'autre est trop fort pour lui. Il se relève, prend un air guerrier, pointe le menton et dit d'une voix froide casse-toi, fous-moi la paix. Ça lui fait bizarre d'entendre sa voix et il se rappelle soudain qu'il est tout petit. Que ce n'est pas normal, l'autre aurait dû gagner. Il a envie de toucher ses mains pour voir si elles lui appartiennent. Les élèves le regardent. Ils font un pas en arrière. Gaspard se redresse. Se tâte les couilles. Grimace. Il appelle son frère, gueule Lancelot, putain de merde ! Fais quelque chose ! Tom éclate de rire, eh le mec ! Il pleure après son petit frère ! T'es nul, t'as rien dans le calebar, t'es que de la frime ! Et *pam*, il l'attrape par la nuque et lui donne un coup de genou dans le plexus. Le coup est parfait. Exactement comme son père lui a montré. Gaspard, surpris, retombe. Se traîne, se tortille. On dirait un ver de terre coupé en deux qui gigote encore.

Pas normal du tout ! C'est pas possible ! Suis dans un rêve. Je vais me réveiller, lâcher le film. Gaspard a de la bave aux lèvres et son arcade sourcilière pisse le sang. Il y a une flaque de boue et de sang sous sa joue écrasée à terre.

Tom, pas peu fier, bombe le torse et réclame les acclamations de la foule en faisant des moulinets. Ouaouh ! crient les élèves. T'es trop fort, Valenti ! Et les petits s'égosillent comme s'il les vengeait des coups tordus des grands sous le préau ou dans les escaliers.

Tom reçoit les acclamations, se drape dans son

triomphe, lève les poings pour signer sa victoire quand, soudain, il reçoit un coup de pied dans les côtes et est projeté au sol. Il tombe le nez dans le gravier. Reçoit un autre coup plus fort dans la tête. Et un autre. Le type frappe avec son talon, *pam-pam-pam*. Ses paupières palpitent, se remplissent de rouge, de noir, il voit tourner le soleil, la grille du collège, il se retrouve en prison derrière des barreaux, un trou dans le crâne, il a tout juste la force d'ouvrir un œil et d'apercevoir la semelle des Doc de Lancelot.

Quand il revient à lui, il est à terre. Il ne veut plus bouger, ça fait trop mal, il appelle de ses vœux la Mort, les hordes de Lutins Méchants, les chars des Dragons Sanglants. Une mésange dorée vient se poser sur sa bouche pleine de sang. Elle lui picore les lèvres, atténuant la douleur de son bec rond et lisse qui glisse sur les chairs éclatées. Une mésange, vraiment ? Il entrouvre un œil, aperçoit deux lèvres qui se rapprochent telles deux petites éponges roses, deux lèvres qui l'effleurent et chuchotent ferme les yeux, je vais te guérir.
Un baiser qui parle ! Je délire !

Le baiser est signature de Dieu, empreinte et promesse d'amour. Il nourrit, il répare. ❧✿❀⚓⚓ Il se dépose sur la bouche, le nez, les joues et autres organes que Nous refusons de nommer ⚜❋❋ ❀❋✕⚓❋❦❀❀❦, y laisse un film protecteur. Il soigne les humeurs, restaure la rate, le foie, le poumon, panse et éclaire l'âme, tourne le cœur vers un grand lac d'espoir. ❀❦⚜❋⚓❀❀♔♔❀❋❀ De la boue la plus noire, il fait jaillir la flamme. Ne ris

pas du baiser ou tu seras DAMNÉ. **Jeté dans les feux de l'Enfer.** ⚡✦❧✚🜂❈❀✠✗❉❦❋ **Reçois** TROIS BAISERS **d'amour vrai, et tu seras sauvé.**

Il reçoit le baiser, le goûte, le déguste. Une flamme traverse son corps. Des gouttelettes d'air frais tombent du ciel, le soleil lui caresse la joue et…

Deux autres baisers se posent sur ses lèvres. Il garde les bras le long du corps, la nuque reposant sur le frais gazon bleu. Du miel coule sur ses dents, les soigne, les apaise, des granions de fer imprègnent ses muscles, la force revient dans chaque membre. Il bande comme un âne.

Il ouvre un œil, cligne, aveuglé par la lumière, et reconnaît, penchée sur lui, ses longs cheveux noirs traçant deux rideaux protecteurs, sa bouche rose gonflée de tendre pitié, DAKOTA. Dakota et son odeur d'herbe coupée, de troncs moussus, de bois mouillé. Elle est agenouillée, elle veille sur lui. Elle le réchauffe. Il écoute son souffle aller et venir et la douleur s'efface comme une tache noire sous ses paupières.

TROIS BAISERS. TROIS BAISERS.

Elle m'a donné trois baisers quand j'étais trahi par un vil adversaire qui m'attaqua de dos alors que je récoltais les bravos. Honte à lui ! « À vaincre sans péril, on triomphe sans gloire. Je suis jeune, il est vrai, mais aux âmes bien nées la valeur n'attend point le nombre des années. On ne se bat pas dans l'espoir du succès ! Non ! Non ! C'est plus beau lorsque c'est inutile. Je sais bien qu'à la fin vous me mettrez à bas. N'importe : je me bats, je me bats, je me bats ! » Corneille et Rostand font assaut d'éloquence et lui disent leurs plus beaux vers. Il les reçoit comme autant de viatiques. « Tu seras un homme, mon fils », tonne le vieux Kipling, le visage sévère, tout juste débarqué d'Angleterre.

Les yeux mi-clos, il parle tout haut. Chacun tend l'oreille, guettant les paroles de l'enfant, murmurant il divague, c'est très grave.

— « Il y a malgré vous quelque chose que j'emporte… », il marmonne en faisant des moulinets. « Quelque chose que sans un pli, sans une tache, j'emporte malgré vous… »

— Tu te répètes un peu, *my beloved*, chuchote Dakota.

Il se lève, titube, le vieux Rostand lui souffle les mots à l'oreille, fait un pas en avant, lève le bras très haut et s'écrie :

— « Et c'est… c'est… MON PANACHE ! »

La force est revenue. Les trois baisers ont réparé affronts, outrages, trahisons.

— Pourquoi trois baisers ? il demande à Dakota qui se presse contre lui et l'appelle son Roméo, son rodéo, il n'est pas sûr de bien comprendre.

— C'est un philtre, mon aimé, un philtre d'amour pour la vie.

Pour la vie ! Ses sens s'affolent, il voit mille lucioles, des pains d'épice, des incendies, il a le tournis et tombe dans les pommes.

*

Au même instant, à Paris, Junior s'effondre, épuisé, sur sa table de travail. Il crie à l'aide ! Qu'on change mon linge, qu'on me frotte le torse, qu'on me bassine les pieds ! Mon crâne va éclater, vite, une banane pour me requinquer ! J'ai sauvé mon ami, j'ai sauvé mon ami, oui mais à quel prix !

Il a réussi. Enfin ! Il vient d'accomplir le plus terrible des voyages, celui qui, un jour peut-être, privera l'humanité de son bien le plus cher, LA LIBERTÉ, mais qui, pour l'instant, se révèle un travail d'Hercule. Le voyage de l'infiniment petit vers l'infiniment loin, dans l'infiniment INTERDIT. Sans fusée, ni ordinateur, ni rampe de lancement, ni base en Guyane. Rien que du jus de crâne, quelques connaissances de physique, de chimie, de géographie du cerveau. Il a violé toutes les lois, toutes les conventions, vaincu le temps, maîtrisé l'espace, IL A PÉNÉTRÉ L'ÂME, L'ESPRIT, LE CŒUR D'UN HOMME ET D'UNE FEMME. Les a téléguidés afin qu'ils empruntent la même route et que leurs destins se rejoignent.

Maître du sort des hommes.

Il vient de s'asseoir à la droite de Dieu, mais Dieu, dans Sa grande sagesse, laisse à chaque individu le choix de fabriquer son propre destin. Lui IL A VIOLÉ le libre arbitre humain.

Et s'apprête à recommencer, bien sûr. C'est impayable !

Par quel sortilège cela est-il arrivé ?

À cause d'un ventilateur que Popeline s'était procuré parce qu'il se plaignait d'avoir CHAUD EN JANVIER.

Elle était revenue tenant sous le bras ce que Junior prit d'abord pour un tas de ferraille mais qui se révéla un ventilateur puisque, lorsqu'on le branchait, il faisait du vent. Une brise légère, un peu asthmatique, qui ne satisfit point Junior. Il repoussa du pied l'engin qui continua à crachoter dans son coin. Et oublia le ronflement des pales.

Jusqu'à ce qu'il se plaigne de violentes céphalées, de nausées, de bourdonnements dans les oreilles. On crut que c'étaient les dents, on le conduisit chez le dentiste. On crut que c'était le foie, on le priva de chocolat. On crut que c'était l'excès de travail, il dut aller chaque après-midi au cinéma.

C'est ainsi qu'un jour, il vit un film qui racontait les aventures d'un scientifique français. Ce dernier avait failli se suicider à cause d'un ventilateur usagé qui émettait des ondes basses, ultrabasses, très dangereuses pour l'homme. Elles pénètrent son cerveau et font naître des images, des humeurs noires, bilieuses, qui l'entraînent vers la folie. L'homme soupçonna son entourage de vouloir le tuer alors que le coupable se trouvait dans une gaine d'aération du bâtiment et s'appelait VENTILATEUR.

Un ventilateur usagé émettant des ondes basses, très basses.

Junior lâcha son cornet de glace et se frappa le front.

Il se rappela la visite de chercheurs californiens qui lui avaient raconté comment, en utilisant des ondes ultrasonores à basse pression, ils avaient activé les neurones d'un animal très apprécié des scientifiques, le *Caenorhabditis elegans*, un ver transparent d'un millimètre environ, pourvu de trois cent deux neurones et, par conséquent, très facile à étudier. Ils avaient réussi grâce aux ondes à basse pression à MANIPULER certains neurones et à MODIFIER des circuits du cerveau.

En effet, assuraient-ils, des ondes ultrasonores émises à une pression inférieure à un mégapascal peuvent pénétrer À TRAVERS LE CRÂNE ET LE TISSU CÉRÉBRAL sans provoquer de lésions et SANS QUE LE SUJET SEMBLE EN SOUFFRIR.

Junior en avait eu le souffle coupé. Il salivait, il bavait, il avait hâte que les Californiens reprennent leur Boeing 747 pour se procurer un *Caenorhabditis elegans* et le dresser comme une otarie de cirque.

Et puis, il ne se sait plus pourquoi, il avait oublié.

Et voilà que le film lui rafraîchissait la mémoire.

ET QUE REVENAIT LE MYSTÈRE DES ONDES BASSES, ULTRA-BASSES. Ces ondes dont on se tient éloigné parce qu'elles provoquent des lésions, des céphalées, des nausées, des AVC, des arrêts cardiaques. Il étudia leur fréquence, leur rayonnement, leur vitesse. Apprit à les maîtriser. À surfer sur leur fréquence. Et lorsqu'il fut au point, il choisit deux cobayes et les envahit en naviguant sur les ondes. Cœur, esprit et âme, il les dirigea, les manipula à son gré. Il ne choisit pas un pauvre ver d'un millimètre et de trois cent deux neurones mais deux esprits rebelles, des âmes de fer, des cœurs purs, inflexibles. Il se fit assister par des hommes remarquables, convoqua Corneille, Rostand, Kipling, afin qu'ils les éperonnent de leurs plus fameuses tirades.

Et cela marcha.

Il fit du garçon terrifié un guerrier intrépide et de la fille récalcitrante une tendre amoureuse. Opération ONDES ULTRABASSES RÉUSSIE.

Il allait devenir le maître du monde.

Il entrerait dans le cerveau de Josiane, sa très chère

mère, amatrice assidue de régimes, et lui COMMANDE-
RAIT d'arrêter de manger. ORDONNERAIT à l'homme le
plus riche de la planète de distribuer sa fortune aux
pauvres. TITILLERAIT les neurones des plus terrifiants
dictateurs jusqu'à ce qu'ils bêlent comme des agneaux
et chantent Hare Krishna, des fleurs dans les cheveux.
Bref, il REFERAIT le monde, deviendrait GRAND MANITOU,
GRAND MAÎTRE, DIRECTEUR, EMPEREUR, ET TOUT ET TOUT !

Attention, Junior, n'enfle pas de la tête !
Tu n'es pas le premier à avoir fait cette découverte.
D'autres, avant toi, ont testé ces ondes basses, très basses.
Ils ont essayé eux aussi d'envahir les esprits, les cœurs
et les âmes. Pour soigner des maladies, guérir des neu-
rasthénies, des eczémas, des cerveaux en panne. Certains
savants très honorables, d'autres peu recommandables.
Hum hum… très peu recommandables. Pendant la
Seconde Guerre mondiale, par exemple. Ça commence
par «NA» et ça finit par «ZIS». Tu veux que je te rafraî-
chisse la mémoire ? Alors contiens ta joie, baisse les yeux,
ne te vante pas. Et n'abuse pas de ce procédé nouveau !

Junior se rebiffe contre la voix de sa conscience mais
j'ai travaillé comme un fou ! J'ai sué sur mes équations,
mes circonvolutions, mes neurones. J'ai appris à coller
des messages sur mes autoroutes de sons. Tu crois
qu'on convoque d'un claquement de doigts le vieux
Corneille, le poudreux Rostand et le sévère Kipling ?
J'ai tellement travaillé que j'en ai négligé ceux que
j'aime. J'ai délaissé la femme de ma vie en pleine pré-
paration de son défilé, délaissé la femme du quatrième
sur le point de m'enseigner la girafe à pois bleus et

roses, grande figure du *Kama-sutra*. Je ne voyais plus personne, ne pensais à personne.

Alors je peux bien me la péter un peu !

Dans sa vie, jusqu'ici, il a pris les choses avec sérénité. Accepté son « étrangeté », vaqué à ses recherches, à ses études. Et la rivière du savoir, de la science, de l'Immanence Suprême s'est étalée, formant un large estuaire et abordant la mer. L'un s'unissait à l'autre, charriant des alluvions prospères. Il naviguait et cueillait les roses de la vie.

Quand, à cette minute précise, il comprend que PAS DU TOUT, la petite voix a raison, il doit faire attention aux ondes basses. L'homme n'est pas un *Caenorhabditis elegans*, ver minuscule d'un millimètre. C'est très dangereux de se retrouver MAÎTRE DU JEU. Peu d'âmes y résistent, elles perdent leur belle allure, finissent en charpie dans les bordels, les banques, les casinos, les cabinets ministériels.

Gare aux ondes basses !

Il a soudain le désir d'échapper à son destin. Un désir atroce, désespéré. Au moins personne ne connaît mon secret, il se rassure en s'essuyant le front.

Il relève la tête, pousse un soupir, rencontre le regard acéré de Popeline, se fige, les sens en alerte.

Popeline SAIT. Elle a lu dans sa tête.

*

— Ben dis donc, c'est devenu une habitude. Tu as pris goût à la bagarre, dit Edmond, assis au bout du lit de Tom.

Il attend Léonie. Chaque fois qu'il vient la chercher, elle est en retard, chaque fois il murmure, ravi, ah, les femmes !

— T'es encore tout cabossé ! Et pourquoi tu portes une parka ?

— Comme za, on me la piquera pas, bafouille Tom sans desserrer les lèvres.

Sa lèvre supérieure est fendue et ça le lance quand il parle. D'ailleurs il ne parle pas, il chuinte. Il a la sensation que sa lèvre se déchire, qu'il boit du sang, qu'il joue le rôle principal dans un film de vampires. La veille, son père a déposé la parka sur son lit. Encore plus belle que la première. Il aurait bien fait des bonds de joie, mais il ne pouvait pas bouger. Cette fois-ci, c'est la tête qui a pris. Lancelot a usé ses semelles sur son cuir chevelu. Il a des plaies, des croûtes, des points de suture partout. Et trois côtes fêlées. Encore une semaine au lit. Sans bouger, ni rire, ni respirer à pleins poumons. Une momie dans un sarcophage. Ramsès II, c'est lui. Il ne peut ouvrir qu'un œil sur deux. Faut pas qu'il remue sinon une épée lui fend le crâne. Ce qui l'avait le plus énervé dans cette histoire, c'était de s'être fait racketter lors de la première bagarre. Adieu sa parka toute neuve. Il avait été obligé de remettre son vieux blouson pourri. La honte !

Et voilà qu'hier soir, alors que Suzon lui apportait du jambon passé à la moulinette et de la purée, son père avait déposé une nouvelle parka au pied de son lit. Tom tendait les bras, zézayait ze la veux, ze la veux, il y avait tellement de salive dans ses mots que son père ne comprenait pas. Alors, il s'était redressé, tout en grimaces douloureuses, avait tendu les bras pour l'attraper et son père avait éclaté de rire.

— T'es prêt à souffrir l'enfer pour une parka !

— Z'est comme za ! avait zozoté Tom.

Son père continuait de se marrer. Il avait l'air bien plus heureux. Comme s'il avait réglé un problème épineux. Pourtant il dormait seul. Tom le savait. Sa mère s'éclipsait dès qu'elle le croyait endormi. Et ils pensent que je n'y vois que du feu ! Parfois, il plaignait ses parents d'être aussi naïfs.

Alors qu'il enfilait sa Goose, son père avait ajouté :

— Suis allé voir ta prof principale, elle m'a donné du travail pour toi.

— Z'aurai quand même mon diplôme zitoyen ?

— Bien sûr ! T'es un héros maintenant. Gaspard et Lancelot sont virés. Ils se sont vantés de t'avoir démoli sur Facebook. Ils ont mis une photo de toi à terre et en sang. Pas beau à voir, paraît-il.

— Cafards, fales cafards ! Ze finirai par vous avoir. Ze le zure !

— Je suis fier de toi, mon fils.

— Zuis pas zûr de recommenzer. Z'est pas drôle de prendre des coups. Z'en ai un peu marre.

— Maintenant personne ne viendra t'embêter. Fais-moi confiance.

Il aimerait bien le croire.

Son père passe de plus en plus de temps avec lui. Tom le soupçonne d'attendre Stella sans en avoir l'air.

— T'es grand maintenant que tu t'es battu deux fois de suite et sans mollir !

— Za, z'est zûr !

— Je vais pouvoir t'apprendre tous mes trucs.

— Comme quoi, par ezemple ?

— Quand j'avais ton âge, j'ai appris à tuer quelqu'un avec un journal ou une boîte d'allumettes…

— Z'est vrai ?

— Je savais immobiliser une locomotive en moins de trois minutes avec une clé anglaise, la faire dérailler avec un vieux pardessus roulé en boule, sauter d'un train à quatre-vingts kilomètres-heure, manger des saloperies qui me donnaient la fièvre et des boutons partout pour qu'on m'approche pas et qu'on me foute la paix…

— Et za t'a zervi ?

— Oui. Mais plus maintenant… Maintenant je vis dans un pays civilisé.

— Ze préfère za…

— Moi aussi, même si la cruauté est toujours là, bien cachée, et tout aussi cruelle.

— Oui mais zi tu veux pas la voir, tu la vois pas !

— T'as raison, mon fils.

*

Edmond attend Léonie. Ils continuent les leçons de conduite, deux à trois fois par semaine. À l'heure du déjeuner parce que, sinon, il n'a pas le temps. Les problèmes se bousculent au portillon. Il a appris par un cadre de Veolia que Borzinski se lançait dans le plastique. Adrian doit être au courant. Il se demande s'il n'a pas fait ami-ami avec ce Borzinski. S'il n'a pas emprunté les cent mille euros pour s'associer avec lui. Ça se pourrait bien.

Cette effervescence autour du traitement des plastiques l'émoustille, il aimerait bien en être, même s'il trouve que c'est trop tôt, qu'il faut attendre un peu, mais si Veolia se lance, ce doit être JUTEUX. Et il salive. Tout le fait saliver en ce moment. Il a suffi de la main de Léonie sur son bras, une première fois, du souffle de Léonie sur sa joue, une autre fois, de la caresse de Léonie dans ses cheveux, un soir, et la veille, du BAISER de Léonie dans la voiture juste avant qu'elle se gare dans la cour de la ferme. Elle s'était penchée et l'avait embrassé. Un baiser furtif mais UN BAISER. Quand il ferme les yeux, le baiser revient se poser sur ses lèvres et il le suit des doigts.

Le baiser avait été un peu gâché. Il avait remarqué à son annulaire gauche l'alliance de Ray. Ça lui avait soulevé le cœur. Elle avait compris et l'avait fixé avec un regard si résolu, un regard qui disait ne t'en fais pas, je vais faire sauter cette maudite alliance.

Et elle avait claqué la portière de la voiture.

Il était resté seul avec son empreinte de baiser sur la bouche.

Il avait eu envie de scander ELLE M'A EMBRASSÉ SANS QUE JE LE DEMANDE, ELLE M'A EMBRASSÉ, MOI, LE NULLOLI !

Il était resté inerte, dans la voiture. L'avait suivie des yeux alors qu'elle remontait l'allée menant à la ferme. ELLE M'A EMBRASSÉ, ELLE M'A EMBRASSÉ.

Quarante ans qu'il attendait ce baiser ! La tête lui tournait, il rigolait, la bouche fermée, ses épaules tressautaient, son ventre se gondolait. Il était bouffi de joie.

ELLE M'A EMBRASSÉ, MOI, LE NULLOLI.

Et sa tête repartait à la conquête du monde.

La première Ferraille, il l'avait développée pour l'amour de Julie.

671

La prochaine, il l'inventerait pour les beaux yeux de Léonie.

Restait à élucider le rôle d'Adrian. Le pourquoi de cet emprunt frauduleux. Son banquier insistait pour qu'Edmond ne laisse pas la faute impunie. Il ne faudrait pas qu'il recommence, que ça devienne une habitude ! Je lui dis quoi, moi, la prochaine fois ? Edmond ne répondait pas. Edmond est un homme à combustion lente. Il raccrochait à chaque fois en pensant ce ne sont pas vos affaires, monsieur Pluet.

Un soir, en sortant du bureau, il décide d'inviter Léonie à dîner. Il ne va pas lui téléphoner. Il va aller la voir. Il prétendra qu'il en a eu l'idée en route.

Dans la cour, il discute avec Georges de la nouvelle tronçonneuse achetée l'après-midi chez Weldom, puis pousse la porte de la cuisine, salue Suzon, renifle la blanquette de veau, demande si Léonie est là.

— Il y a de la lumière chez elle, dit Suzon, je vais la prévenir. Justement, j'avais du linge à lui porter.

Il traîne dans la cuisine. Donne un bout de pain au perroquet qui grogne merci, puis frappe avec son bec sur les barreaux de la cage pour en avoir un autre.

— D'accord, mais tu me dis à quelle heure rentre ton patron.

Le perroquet croasse, ébouriffe ses plumes. Edmond déchire un morceau de baguette, le balance sous les petits yeux de l'animal qui se dandine sur son trapèze en tentant de l'attraper.

— J'aimerais bien lui parler, à Adrian, tu sais. À la

Ferraille, on est sans arrêt interrompus. Ou alors il est pressé. Il passe en coup de vent, s'enferme dans son bureau. Parce qu'il a un bureau maintenant. Ça rend Jérôme fou furieux. C'est un gros jaloux, le Jérôme. Un gros mauvais aussi. Et il va épouser ma fille ! Ma fille unique ! Tu te rends compte, l'oiseau ? C'est lui qui prendra la tête de la Ferraille quand j'aurai plié mes cannes.

Le perroquet siffle et craille. Il guigne le pain. Edmond lui tend le morceau qui tombe au fond de la cage, obligeant le volatile à descendre de son perchoir.

— Qu'est-ce que t'en penses, l'oiseau ? Tu t'appelles comment déjà ?

— Il s'appelle Hector, dit Suzon en pénétrant dans la cuisine. Et je l'abrutis de bromure, sinon il viole ses peluches.

Elle retire son châle, le secoue, le pose sur une chaise.

— Léonie arrive. Je lui ai dit que vous étiez là et que vous l'invitiez à dîner. J'aurais pas dû ?

— Mais si, Suzon. Tu as bien fait.

Il enlève son écharpe. Défait son manteau. Suzon lui propose de s'asseoir et lui verse un petit vin chaud. Une nouvelle recette avec des zestes d'orange, de citron, de la badiane, de la vanille. Elle ne le lâche pas des yeux. Attend son verdict.

— Fameux ! dit Edmond en faisant claquer sa langue contre son palais.

— J'ai pas mis trop de vanille ? C'est mon faible, la vanille. J'en mettrais partout !

Il la rassure. Elle rentre un de ses trois mentons. Le couve des yeux.

— Vous êtes un gentil, vous, monsieur Edmond.

— Dites ça à ma femme ! il plaisante.

— Oh ! Y en a, elles connaissent pas leur bonheur.

Il jette un œil à la dérobée sur sa montre et demande à quelle heure Adrian rentre de Paris.

— Bien plus tôt depuis que le petit est immobilisé. Un vrai papa poule. Qui aurait cru ça, pas vrai ?

Elle n'a pas répondu à sa question. Il va prendre un autre chemin.

— C'est lui qui lui rapporte ses devoirs ? Parce que Stella, elle est bien occupée. Jamais vu autant d'animation en un mois de janvier !

— Ça par exemple, j'ignore ce qu'il fait. C'est un homme difficile à lire.

Elle hoche la tête de bas en haut, de haut en bas, en gonflant les joues, pour souligner à quel point Adrian est mystérieux.

Il tente un troisième essai.

— Il n'a pas de problèmes avec le train ?

— Ben non… Pourquoi ?

— Les gens se plaignent qu'ils sont toujours en retard, voire supprimés…

— C'est pas un homme à gémir. Ni un bavard. Moi, je sais quand il va à Paris parce qu'il s'habille en Parisien. Quand il reste ici, il est… comment dire… normal, quoi !

— Un peu comme moi ! dit Edmond pour la mettre en confiance.

— Vous auriez pas perdu un peu de brioche ? Ça vous fait du bien, ces leçons de conduite, pas ? C'est un truc que j'ai remarqué, l'amour, ça fait perdre du ventre.

Edmond rougit. Suzon est maligne. Elle a dévié la conversation et c'est lui maintenant le point de mire.

Il ne saura jamais à quelle heure rentre Adrian.

Léonie a refermé la porte derrière Suzon et se plaque contre le bois froid. Les paumes de ses mains palpent l'air humide du dehors. La nuit est noire, les arbres grelottent, l'hiver est enfin arrivé. Pour un peu, elle tirerait les verrous. Edmond l'invite à dîner. Hier, je l'ai embrassé. Embrassé. Parce que j'en avais ENVIE. Et ce soir, il est revenu. Ai-je encore ENVIE de l'embrasser ? C'est dégoûtant, la bave d'un homme sur la peau d'une femme. Les hommes font des choses dégoûtantes, ils bavent, ils griffent, ils tripotent, ils enfoncent, ils forcent, ils écartent.

Pas tous, dit une petite voix à l'intérieur. Tu ne peux pas généraliser. Suis ton instinct, ne te force pas, tu n'es obligée à rien. Tu as vu comme il est doux ?

Elle reprend son souffle. Monte les escaliers. S'enferme dans la salle de bains. S'appuie sur le lourd lavabo blanc. Je l'ai embrassé. Il va vouloir recommencer. Toucher mes seins, glisser sa main entre mes jambes, fouiller, ça va faire mal.

Ça, c'était quand tu ne voulais pas, qu'il te forçait. Tous les hommes ne s'appellent pas Ray.

Je n'aurais pas dû l'embrasser hier. Il va se jeter sur moi, lâcher sa bave d'escargot.

Mais tu n'es PAS OBLIGÉE !
Si. Je l'ai EMBRASSÉ.

Elle ne se rappelle pas dix minutes de bonheur avec Ray. Même avant leur mariage quand il l'emmenait au cinéma. Il lui bourrait la bouche de Mi-Cho-Ko et l'embrassait. Elle crachait, elle s'étouffait, il riait, il disait qu'il aimait bien les baisers au caramel, pas elle ? C'était dégoûtant. Elle ne le savait pas à l'époque mais c'était dégoûtant.

Elle s'aperçoit dans la glace. Elle n'aurait pas dû l'embrasser. Il faut qu'elle se rende libre. Libre, légère, qu'elle monte dans les airs.

Tu es prête ? elle dit à la femme dans la glace.
Je suis prête, répond la femme.
On y va.
La femme acquiesce.

Elle fait couler l'eau, attend qu'elle soit chaude, ouvre le placard au-dessus du lavabo. Aperçoit une lame de rasoir. La passe sous l'eau chaude. La lame brille, l'eau s'éparpille, lâche des billes transparentes. Son doigt suit le fil de la lame, une délicate blessure perle et tache la faïence blanche. Elle presse le bout de son doigt pour arrêter le sang.
Il faut qu'elle fasse les choses autrement.
Il faut qu'elle décide que c'est fini.

Qu'elle tourne la page.

Qu'elle trouve le courage.

Sa respiration faiblit, ses jambes flageolent, ça lui rappelle quand elle attendait la correction de quatorze heures.

C'était presque tous les jours.

Si le matin, en préparant le petit-déjeuner, elle se trompait d'emplacement pour la tasse, le lait ou les tartines grillées, si elle mettait le couteau à gauche, la fourchette à droite, les yeux de Ray s'enflammaient, il disait « à quatorze heures, tu seras punie. Il est huit heures et demie, tu n'as plus que cinq heures et demie de répit. Prépare-toi, ça va saigner. »

Tous les jours à quatorze heures, il rentrait prendre son café.

Et tous les jours, si elle avait commis une faute, elle attendait.

Fernande faisait le décompte « plus que quatre heures, plus que trois heures, plus que deux heures, plus qu'une heure ». Léonie ne savait plus où étaient l'évier, le frigidaire, la table, les chaises, les assiettes, le robinet d'eau froide, d'eau chaude, la serpillière. Elle se heurtait aux meubles, ses jambes ne la portaient plus et quand elle entendait la clé dans la porte, elle n'arrivait pas à avaler sa salive.

Il la poussait dans la chambre. La faisait mettre à genoux, torse nu, les mains dans le dos.

Commençait par la caresser avec la boucle de son ceinturon.

Et puis, il frappait en poussant des jurons.

Jusqu'à ce qu'elle tombe à terre, jure qu'elle ne le ferait plus et demande pardon.

Elle avait cru qu'on se mariait pour être heureux.

Elle passe la main sur ses joues. Aperçoit son alliance. L'alliance qui lui entaille la peau. Ses doigts racontent quarante années à faire le ménage, la vaisselle, la lessive, à cirer les meubles, à raccommoder. J'étais leur bonne à tout faire.

Elle a honte.

Elle pose la lame sur son annulaire. Essaie de trancher le métal doré. Tranche la peau qui se met à saigner. Ce n'est pas comme ça qu'elle va y arriver.

Elle a déjà essayé avec du savon, l'alliance est incrustée.

Essaie encore, dit la femme à l'intérieur. Cette fois, ça va marcher. Passe ton doigt sous l'eau glacée.

Elle prend le savon. Masse le doigt, l'étire. L'alliance se déplace, vient se bloquer contre la phalange et retombe dans l'ornière de la chair.

Elle recommence. Serre les dents. Tire, tire. L'alliance résiste. Saloperie, elle s'entend dire. SALOPERIE. SALAUD. TU ES MORT. BIEN FAIT ! JE ME LAISSERAI PLUS JAMAIS FAIRE. SI J'AI PAS ENVIE D'EMBRASSER EDMOND, IL ME TOUCHERA PAS.

Elle s'entend jurer. Elle sait dire des gros mots. Elle sait dire si elle a envie ou pas.

Elle savonne ses mains, masse son doigt, souffle dessus, tire lentement, tire, tire.

Et l'anneau explose comme un bouchon de champagne.

*

C'est toujours pareil. Elle s'arrête à un feu rouge. Le camion freine. La grue balance. Elle tripote la radio pour trouver une émission sans crétins ricanants ni publicité et elle pense à Marie Delmonte. Pourquoi ne rappelle-t-elle pas ? C'est toujours à un feu rouge que la question revient.

Elle l'appelle sur son portable, tombe sur le répondeur.

Elle l'appelle au journal, on lui répond qu'elle est absente.

— Elle revient quand ?

— Aucune idée. Vous êtes une parente ?

— Une amie.

— Essayez son portable, vous aurez plus de chances.

On ne lui demande même pas son nom.

Stella a l'impression de recevoir une giclée de glaçons en pleine figure. Comme si tout le monde se désintéressait du sort de Marie Delmonte.

Ou alors…

EST-CE PARCE QU'ELLE EST SUR LA PISTE DE LA PETITE FILLE DES PHOTOS ? QUE ÇA FAIT PEUR AUX UNS ET DÉRANGE LES AUTRES ?

Le feu passe au vert, une voiture klaxonne, elle hausse les épaules, ça va, on n'est pas à Paris ! Et démarre.

Qui d'autre pourrait connaître cette petite fille ?

Qui pourrait lui parler de ce « Salope » écrit sur l'enveloppe ?

679

Elle ne va sûrement pas aller voir Gerson ou Lancenny, les copains de Ray. Ni en parler au notaire. Il a des petits yeux trop rapprochés, signe de méchanceté.

Elle pianote sur le volant, change de station, entend une publicité, enfonce d'un coup de pouce un CD qui dépasse, Céline Dion se met à chanter. Le CD de Zbig. Il ne l'a pas repris. Il en a acheté plusieurs. Il a des sous à dépenser ! Il y a des gens comme ça, ils s'amourachent d'un artiste. Ils sanglotent s'il divorce ou se foule la cheville. L'écoutent les yeux mouillés. Ray Valenti, c'était Johnny, Fernande, Édith Piaf. Elle pleurait en écoutant « Je ne regrette rien », mais quand Ray pénétrait dans ma chambre, la nuit, elle ne mouillait pas un cil. Ces gens-là, on leur a monté le cœur à l'envers. Ou on a oublié des pièces. Ça revient au même.

Fernande ?

Elle a peut-être entendu parler de la petite fille ? Ray disait tout à sa mère. Elle était la prunelle de ses yeux. Il la trimbalait dans ses bras comme une poupée. C'est lui le premier qui avait diagnostiqué son diabète. Il lisait tout ce qu'il trouvait sur cette pathologie. Avalait des encyclopédies, prenait des rendez-vous à Paris. Partait voir les médecins, sa mère en bandoulière sur la poitrine. Et elle, qui n'était plus qu'un torse et deux bras, fallait voir comme elle bichait ! Fernande et Ray. C'est pour lui qu'elle avait appris, après le départ de Léonie, à marcher sur les mains, à sauter du tabouret à la table pour préparer son déjeuner, cirer ses bottes, repasser son linge. Un vrai ouistiti, la vieille. Elle rêve de retrouver son fils et veut finir sa vie avec lui. Elle y croit dur comme fer et échafaude des plans pour leur fuite au Mexique.

Ben… si Fernande a entendu parler de la gamine, je vais aller l'interroger. Pas plus compliqué que ça. Pourquoi j'y ai pas pensé ? Je suis bête ou quoi ? Direction Saint-Cyr, résidence les Pâquerettes.

Elle vire à gauche, descend la rue étroite de la Filature, pile à l'intersection de la rue Gabriel-Péri, tourne à droite en franchissant une ligne blanche. Elle entend une portière claquer, une voiture démarrer derrière elle, elle ralentit, s'attend à voir surgir deux flics, vos papiers, madame, et tout le ramdam… Elle rentre la tête dans les épaules, tape sur son chapeau, compte les points en moins sur son permis, merde, merde, merde, c'est pas le moment ! Déjà que Julie fait la tête ! Elle glisse dans son siège, se tasse. Mais il ne se passe rien. Elle se redresse et prend la direction de la maison de retraite en donnant un coup de pouce dans le CD qui s'enfonce et fait gueuler Céline Dion.

Elle va finir par l'aimer, cette chanson.

Dans un couloir de la maison de retraite, Stella aperçoit Amina. Elle tient par le bras une vieille femme qui avance à petits pas dans une robe de chambre matelassée violette et des pantoufles grenat.

— Ça va ? lance Stella avec un grand sourire.
— Moyen, répond Amina, la mine triste.
— Mais pourquoi ?
— J'ai plus de nouvelles.
— De qui ?
— De mon Américain.
— J'ai dû zapper une info.

— Mais si ! L'Américain dont je t'ai parlé l'autre jour au café. Après Sephora.

— Ah oui ! J'y suis ! C'est parce que t'avais les lèvres gercées ? Il aime pas ?

— C'est pas drôle, Stella.

Amina parle à la vieille dame, lui explique qu'elle va chercher des médicaments dans la réserve et la fait asseoir sur une chaise dans le couloir.

— Attendez-moi, je reviens tout de suite.

La vieille dame tend un bras matelassé violet vers Amina.

— Je crois que je vais…

— Tout de suite !

— Mais je ne…

Amina entraîne Stella dans une pièce adjacente. Il y a des piles de linge sur des étagères, des piles de draps, de serviettes, d'oreillers, portant tous une marque rouge au nom de la maison de retraite. Ça sent le Soupline à la lavande. On se croirait dans un champ de fleurs.

— Dis, c'est le Paradis, ici !

— Ça va pas du tout ! balbutie Amina en plongeant dans son mouchoir. Oh, Stella ! J'étais si heureuse. Je croyais avoir trouvé le type idéal.

— Oublie. Il existe pas.

— C'était formidable. On s'entendait bien et puis, tout à coup… plus rien ! Il m'évite. Il me prend plus au téléphone. Et pas une explication ! Je deviens folle.

— T'as fait un truc ? T'as dit un truc ?

— Je sais pas. Ou si… mais c'est si bête !

— Vas-y !

— Un soir, je lui ai dit qu'on allait baptiser le collège du nom de Ray Valenti. Je l'avais lu dans le journal. Il aime bien quand on lui apprend des choses, il déteste les conversations inutiles. À cause de lui, je me tape tous les journaux et les magazines.

— Et alors ?

Amina prend une profonde inspiration, replonge dans son mouchoir, se mouche bruyamment.

— Il m'a demandé si j'en étais sûre, j'ai dit oui, il s'est levé et il est parti. Et depuis, pas de nouvelles ! C'est horrible.

Et sa bouche fait une drôle de grimace, comme si elle voulait hurler mais se retenait.

— Il connaissait Ray Valenti ?

— Il l'a croisé une fois à l'hôpital quand sa petite fille a eu son accident. Je te l'ai raconté, tu te rappelles ? Elle s'était tranché la main, elle pissait le sang et elle avait perdu connaissance. C'est Ray qui l'avait amenée à l'hôpital. La mère de la petite fille était là aussi. Lui est arrivé plus tard. Il était en déplacement quand on l'a prévenu.

Ray Valenti, une fois de plus, avait joué le héros. Toujours à se faire mousser. À croire qu'il passait son temps à patrouiller dans les rues de Saint-Chaland à la recherche d'un exploit à réaliser avec une cape de Superman.

— Ça doit faire au moins deux semaines, c'est-à-dire un siècle et demi. Je m'étais attachée à lui, moi.

— On ne s'attache pas à un homme. On s'attache à un chien, à une marque de café, à un oreiller, pas à un homme.

— Arrête, Stella. Tu dis n'importe quoi.

— Possible. Je suis pas spécialiste des questions de cœur.

— Mais pourquoi, quand j'ai dit Valenti, il s'est renfermé ?

— Si ça se trouve, il a appris entre-temps que Valenti avait sauté sa femme. Il sautait sur tout ce qui bouge ! Elle était mignonne ?

— Très. Genre asiatique.

— Eh bien voilà… t'as ta réponse. Bon, faut que j'y aille, je vais voir Fernande.

— C'est pas juste ! Pourquoi il explique pas les choses ?

Parce que c'est un homme ? Parce qu'il n'est pas amoureux ? Parce que tu es juste un passe-temps ? Parce que tu t'es raconté une histoire de prince charmant ?

— Écoute, Amina, il va revenir, c'est sûr. Tu lui diras que le collège ne s'appellera JAMAIS Valenti. Ça le calmera.

— Comment tu le sais ?

— Je le sais. Arrête de pleurer. Elle est dans sa chambre, Fernande ?

— Oui. Mais fais gaffe. Elle tire une gueule à détourner les orages. Elle envoie chier tout le monde ! Bon, je vais me passer de l'eau sur le visage, je veux pas qu'on voie que j'ai pleuré.

En sortant de la pièce qui sent la lavande, Stella aperçoit la dame en robe de chambre matelassée violette sur sa chaise. De sa main droite, elle tire sur un pan du vêtement, l'écartant de sa cuisse. Des larmes coulent sur ses joues.

Une flaque jaune s'élargit à ses pieds.

*

684

Stella pousse la porte de la chambre et aperçoit le lit, vide. Elle tourne la tête, cherche Fernande. Elle doit être descendue dans la salle de jeux regarder son feuilleton. Elle va en profiter pour fouiller dans ses affaires. On ne sait jamais. Elle va pour tendre la main vers un dossier cartonné beige, ouvert sur la table, a juste le temps de lire « ÉTUDE DE MAÎTRE BÉRAUD, SUCCESSION DE MADAME VALENTI FERNANDE ». Entend un bruit dans les toilettes, une chasse d'eau qu'on tire, la porte s'ouvre et Fernande jaillit en se propulsant sur ses bras avant de se laisser retomber sur le lit.

— T'es vraiment montée sur ressorts ! s'exclame Stella.

Elle a beau la détester, la vieille l'épate.

— T'as vu un peu ? Soixante-dix-sept ans et en pleine forme ! Quand je pense à tous ces vieux qui végètent dans leur lit ou leur fauteuil ! Quels mollusques ! Je suis en train d'apprendre par cœur le plan de Paris.

— Pour faire quoi ? Un rallye ?

— Sois polie, ma petite. Ou dégage. J'ai pas de temps à perdre.

— Moi non plus, ça tombe bien. Je voulais te demander quelque chose…

Elle ne va pas ruser, elle va l'aborder de front. Cette vieille bête se méfiera si elle devine la manœuvre.

Tiens, elle n'avait jamais vu cette culotte bouffante bleu marine qu'elle porte resserrée à la taille, fermée par une large épingle de sûreté. Une culotte de laquelle ne sort aucune jambe. Drôle d'oiseau de malheur ! Des bras de déménageur, une chevelure noire qu'elle teint encore, c'est pour Ray, il aime pas quand j'ai

685

des cheveux blancs, et des gants en forme de patins pour circuler.

— Très jolie, ta culotte !

— Je mets un manteau par-dessus quand je sors…

— Parce que tu sors ? Tu vas où ?

— Ça te regarde pas. Je te demande où tu vas ?

Elle s'installe sous son édredon, le lisse, le palpe, l'étale autour d'elle. Le caresse du revers de la main, ôte des petits bouts de laine.

— Non mais sérieux, Fernande, tu sors VRAIMENT ? Je veux dire dans la rue ?

Fernande hausse les sourcils au plafond et marmonne un truc que Stella ne comprend pas.

— Articule, j'entends rien.

— Si t'es venue me soutirer de l'argent, c'est pas la peine. T'en auras plus. Plus rien du tout.

Elle fait claquer son pouce entre ses dents.

— Que dalle, bernique, peau de balle ! T'as compris ?

Stella a un petit geste de la tête qui signe son étonnement.

— Quel vocabulaire ! Tu prends des cours d'argot ?

— T'as très bien compris. Fais pas la bête. Je te donnerai plus un sou. J'ai d'autres projets.

Elle renverse la tête, secoue sa crinière noire. Sort de sous l'oreiller un tube de rouge à lèvres, s'en barbouille. Une paire de boucles d'oreilles qu'elle clipse à chaque lobe. Un plaid rouge et vert qu'elle jette sur ses épaules. Et se transforme en pute de Bab el-Oued.

Stella la dévisage, bouche bée. Que s'est-il passé ? La dernière fois, elle la tenait bien en main. Vidait l'édredon de ses économies, la faisait baver en lui racontant la vie de son fils rue des Petits-Foulards, porte de Clignancourt. Et ça marchait. La vieille se laissait détrousser sans rien dire. Quelqu'un est passé par là. Le notaire peut-être. Ou un copain de Ray. Ils en veulent tous à son argent. Fernande est riche.

— Tu t'y attendais pas, hein ? Tu croyais que t'allais encore me dévaliser ? Eh bien, c'est fini. D'ailleurs, j'ai envie d'être seule, va-t'en !

— Alors, c'est plus la peine que j'aille le voir ?

— Qui ça ?

— Ton fils.

— Laisse tomber.

— Ça t'intéresse plus de savoir comment il va ?

— Laisse tomber, je te dis, j'ai envie d'être seule.

— Mais, Fernande…

— Quoi ?

— On peut pas…

Elle voudrait dire, on va pas s'arrêter comme ça, je m'amusais bien, moi, avec tout le fric que je te piquais. J'achetais un blouson à Tom, des sacs de graines pour les animaux, je mettais de l'argent de côté pour le cas où… C'était mon trésor, comme dans *Le Comte de Monte-Cristo*.

— On ne va pas arrêter de…

— De quoi ? aboie Fernande.

Stella a failli dire « de jouer ».

— Va-t'en, hurle Fernande, je veux plus te voir !

Dans le couloir, Stella se colle contre le mur. Ses épaules s'affaissent. Elle plie une jambe et colle son talon contre la cloison.

Elle n'avait pas prévu ça du tout. Ça bouscule tous ses plans.

Quelqu'un est venu voir la vieille.

Quelqu'un qui puise dans le couvre-lit.

Quelqu'un qui la manipule.

Elle cherche Amina. On lui répond qu'elle est partie.

Elle laisse un message sur son portable.

Repasse devant la chaise de la dame en robe de chambre matelassée violette. La dame n'est plus là. La flaque d'urine a été nettoyée.

*

À onze heures, Adrian sort de la gare Paris-Bercy, s'engouffre dans le métro, cherche des informations sur sa tablette. On lui a dit que Veolia se lançait dans le traitement du plastique, il voudrait en avoir le cœur net avant de retrouver Borzinski pour déjeuner. Au Plaza. Pour «faire le point», a dit le Russe.

Dans le hall, il aperçoit Borzinski qui se dirige vers le restaurant d'Alain Ducasse. Il le laisse prendre de l'avance. Il a besoin de se concentrer. Il va livrer un combat.

Seul problème : il n'a rien à lui proposer. Il n'a pas résolu son dilemme avec Edmond.

Borzinski marche comme un éléphant. Il balance le poids de son corps d'une hanche à l'autre et fait ballotter les bourrelets accrochés à sa taille. Pavane d'une motte de beurre. Il n'est pas si vieux que ça pourtant. Il porte une longue veste rouge sur une chemise noire, un pantalon vert olive et des chaussures noir et blanc. Il ne passe pas inaperçu. Les gens se retournent et sourient.

Adrian est en train de l'observer de dos quand il entend une voix qu'il reconnaît. Bon Dieu ! Borzinski devant, la Parisienne derrière. Il se fige. S'écarte. Sort son portable, fait semblant de téléphoner. Attend qu'elle le dépasse. Elle discute avec une grande fille noire, perchée sur de hauts talons, et un homme en costume gris, polo noir, petites lunettes rondes.

La Parisienne ! Là devant lui !

Elle a dû recevoir le SMS qu'il croyait avoir envoyé à Stella.

Elle a sans doute souri. Posé le téléphone et pensé à autre chose.

Il ne sait rien d'elle. À part qu'elle fréquente les bons établissements. Le Fouquet's et maintenant le Plaza.

Elle parle à l'homme au polo noir. Il y a comme un reproche dans sa voix :

— Mais je croyais que c'était réglé cette affaire ? Qu'on avait trouvé un autre lieu ?

— Oui, mais au cas où... il nous faut une solution de repli. Armelle a eu l'idée du Plaza. C'est tout, ne t'énerve pas.

— Je m'énerve pas. Le défilé est dans quatre jours et on ne sait toujours pas où il va avoir lieu ! C'est flippant, non ?

— Pas vraiment mais si tu tiens à t'énerver, si ça te fait plaisir, vas-y, ne te gêne pas !

Adrian se rapproche. Sans faire de mouvements brusques. Il veut la respirer une dernière fois. Caresser des yeux la courbe de sa nuque. La courbe de ses épaules. Se rappeler le *clic* du poudrier qu'elle ouvre quand ils se séparent, un poudrier bleu, bombé, lisse, Shi-sei-do. Les cheveux qu'elle brosse. Le parfum qu'elle vaporise, Ser-ge-Lu-tens. Le sac qu'elle renverse quand elle cherche quelque chose qu'elle ne trouve pas, Gi-ven-chy. Les bracelets qu'elle enlève et remet, Chris-tian-Di-or. Des bruits de Parisienne dans une chambre d'hôtel avec son amant.

La Parisienne s'arrête devant une vitrine où sont exposés des bijoux colorés. Elle se penche, montre du doigt une monture, un collier, discute, s'agite et soudain s'immobilise. Sans tourner la tête, elle dit très haut :

— Vous êtes là ?

Il fait un pas de côté.

— Je savais qu'on se reverrait, elle ajoute. Vous ne m'avez pas dit au revoir.

La grande Noire sur hauts talons et l'homme en costume gris se retournent. Cherchent à qui elle peut bien parler. Inspectent le hall. Il se dissimule derrière un large bouquet de fleurs blanches et de branchages. Comprend soudain.

Elle a dû apercevoir le reflet de sa silhouette dans la vitrine.

Elle sourit et il reçoit ce sourire comme une première marque de tendresse, hier encore défendue. Il a envie de lui demander que faites-vous dans la vie ?

Mais quand il s'avance, elle a disparu.

— Je vais vous exposer quelque chose que le métier et les années m'ont appris, Kosulino.

Borzinski se cale dans sa chaise, replace sa serviette

sur ses genoux, considère Adrian comme s'il l'évaluait et continue :

— Tout le monde a envie de réussir. Tout le monde a envie de gagner de l'argent. D'avoir de belles filles dans son lit. De belles voitures. De belles maisons. Et pourtant sur la ligne d'arrivée, il y a très peu de gagnants. Pourquoi ?

Il se penche en avant, attrape un morceau de pain, le tartine de beurre.

— Parce que pour gagner il ne faut pas avoir d'états d'âme, il ne faut pas hésiter à tuer le type avec qui on vient de signer un contrat. Il faut aller là où l'argent sent bon. Vous n'êtes pas un gagnant, Kosulino.

Il rattrape sa serviette en train de glisser, la coince entre la table et son ventre, a un petit renvoi qu'il tente de déguiser en toux et assène d'une voix froide :

— Vous hésitez. Vous hésitez depuis le début. Vous êtes incapable de prendre une décision. Un pas en avant, deux pas en arrière, très mauvais pour les affaires.

Adrian ne répond pas. Il joue avec les dents de sa fourchette sur la nappe blanche.

— Vous croyez que vous êtes un loup, mais vous êtes un agneau.

Borzinski le considère, narquois.

— Depuis le temps qu'on parle tous les deux, qu'est-ce que vous m'avez apporté ? RIEN. Et pourquoi ?

Adrian sait très bien pourquoi.

— Laissez-moi encore un peu de temps, il dit sans le regarder.

La fourchette s'enfonce dans la nappe blanche et

trace des lignes et des lignes. Il est en train de dessiner une prison. Et il a une furieuse envie de se faire la belle. Ce type l'énerve, toujours à lui faire la leçon, à le prendre de haut, à lui tendre des pièges.

— C'est très simple, Kosulino. Soit vous me prouvez que j'ai raison de faire affaire avec vous, soit on se sépare.

— Alors…, dit Adrian d'une voix neutre, sans lâcher des yeux les barreaux de la prison, pourquoi draguez-vous les gens de Veolia ? C'est qui, votre associé, dans cette affaire ? Eux ou moi ? C'est pas clair. Un pas en avant, deux pas en arrière, ça vaut pour vous aussi.

Il relève la tête brusquement, le fixe. Borzinski encaisse, il va pour protester, mais Adrian l'arrête.

— Je pourrais vous raconter la fable du type qui court deux lièvres à la fois et n'en attrape aucun. Moi aussi, je connais des histoires de gagnant et de perdant. Et moi aussi, je peux vous demander des comptes.

Le visage de Borzinski s'est fermé. Ses mâchoires se crispent. Il desserre à peine les lèvres et réplique :

— Qui vous a dit ça ?

— À vous de chercher. Quand vous aurez trouvé, vous me rappellerez ou pas. Merci beaucoup pour ce repas.

Adrian se lève, pose sa serviette, salue et quitte le restaurant sans se retourner.

Dans le métro, il regarde les stations défiler. Il est monté à Concorde. Il avait besoin de marcher. Il avait acheté un cornet de marrons grillés pour occuper ses doigts qui n'arrêtaient pas de penser. Il repousse les marrons au fond de sa poche, ils lui chauffent la cuisse. Bien joué, vieux, maintenant tu n'as plus d'autre choix que de parler à Edmond Courtois. Sinon tu vas te retrouver avec un broyeur sur les bras, un autre commandé et pas payé, une dette géante et une condamnation pour détournement d'argent. Comment j'ai fait pour me foutre dans ce pétrin ? Je mens à tout le monde. J'en ai marre de mentir. Hier, elle m'a demandé où était passée ma montre. J'ai dit que je l'avais perdue. Que je ne savais pas où. Elle m'a décoché un petit sourire amusé. Comme une mère à qui son enfant raconte un mensonge. Et j'ai eu honte.

On n'est plus personne quand on ment à tout le monde.

*

Elena repousse le mâle endormi contre elle. Il s'appelle comment ? Elle a oublié. Elle en change si souvent. Pas terrible au lit et trop sentimental. Il faut lui dire je t'aime, tu es beau, tu baises comme un dieu. N'est-ce pas RIDICULE ? Elle va demander au concierge de lui en envoyer un autre. Il a suffisamment de beaux étalons en réserve pour qu'elle n'ait pas à s'encombrer d'un larmoyant. Surtout au tarif pratiqué !

Ça lui a donné faim, cet exercice. Elle mangerait bien un loukoum trempé dans un thé noir russe. Elle tend le bras pour appeler le *room service* quand le téléphone sonne. Quatre heures du matin ? Qui ça peut bien être ? Une insomniaque comme elle ? Une vieille dame perdue dans un grand lit ?

— Allô ? elle dit en repoussant le garçon collé à sa hanche.

— Elena ? C'est moi, Élisabeth.

— Élisabeth ! Mais que se passe-t-il ? Où êtes-vous ?

— À Buckingham, je n'arrive pas à dormir. Je me suis dit que *we could have a nice little chat together*[1] Vous ne dormez pas non plus ?

Elena écarte l'homme revenu s'écraser contre elle. Il ronfle. Ils ont bu trop de champagne.

— Elena ? Vous m'entendez ?

— Oui, Élisabeth. Vous savez très bien que je suis toujours là pour vous.

Les deux femmes se connaissent depuis plus de soixante ans. Elena refuse de compter le nombre exact, elle dit que ça fait un sacré paquet. Élisabeth rit. Elle parle un français parfait grâce à sa gouvernante, Miss Crawford, qui s'adressait à elle en français uniquement.

Quand elles s'étaient rencontrées sur l'île de Malte, dans le petit village de Gwardamanga en 1951, Élisabeth n'était pas encore reine d'Angleterre, mais déjà mariée à Philip et mère de deux jeunes enfants. Elena accompagnait Jean-Claude Pingouin venu « mener des affaires », Élisabeth suivait Philip, officier dans la Royal Navy et cantonné dans l'île.

Elles étaient devenues amies.

En 1953, Élisabeth montait sur le trône. Elena pensa qu'elle ne la reverrait plus. Quelle ne fut pas

---

1. « Qu'on pourrait bavarder gentiment toutes les deux. »

sa surprise de recevoir, le jour de Noël, une carte *Happy Christmas* signée de *Her Royal Highness* ! Elles prirent l'habitude de correspondre et, quand Elena allait en Angleterre, Élisabeth l'invitait à Buckingham, Balmoral ou Windsor.

— Comment va Gary ? demande Élisabeth. Je n'ai plus de nouvelles de lui.

Elena est une des rares personnes à être au courant de l'enfant illégitime qu'Élisabeth a eu de son grand chambellan. Fatiguée des liaisons de son époux, de ses voyages, de ses silences, Élisabeth avait succombé un soir à la tendre bienveillance du grand chambellan. Et de cette nuit unique était née une fille. Une petite Shirley, ravissante et tourmentée. Élevée par son père et sa grand-mère paternelle, mais reçue régulièrement par la reine à Buckingham. À vingt ans, Shirley avait eu un fils d'un Écossais rude et fantasque, et Gary avait été élevé avec les petits princes, William et Harry. Tout était rentré dans l'ordre. Personne n'en avait jamais rien su. Et surtout pas ces horribles journaux à scandale qui déplaisent tant à la reine.

— Je n'ai pas de nouvelles non plus, réfléchit Elena. Je vais l'appeler dès que j'aurai raccroché avec vous.

— Je n'ose pas le faire de mon portable. Vous savez, nous sommes surveillées, nous, les altesses royales. Pour un rien, on fait la une de ces feuilles pleines de ragots et de boue.

— Je sais. Sale métier que le vôtre !

Élisabeth pousse un profond soupir, aussi lourd que le poids de la couronne qu'elle ceint lors des grandes cérémonies.

— Sinon comment allez-vous, chère Elena ?

Elena repousse encore une fois le jeune éphèbe dont le bras vient de se refermer sur sa taille. Quel pot de colle ! Il semble épuisé. Il faut dire qu'elle y est allée de bon cœur. Elle lui a servi ses meilleurs coups. Le serin étouffé et le criquet qui couine. Le pauvre garçon n'avait plus la force de bramer. Ah ! Je me souviens, il s'appelle Nicolas.

— Je vais très bien, chère amie, je m'apprête à défiler dans quelques jours.

— Vous avez dit, très chère ?

— Ma nouvelle collection. Ce n'est pas moi qui l'ai dessinée, mais je la finance, alors... c'est tout comme.

— Ah ! Vous voulez prendre votre revanche ! Elena, pensez-vous que cela soit judicieux ?

— Personne ne m'en empêchera. J'ai trouvé un bras pour me venger en la personne d'Hortense Cortès. Je vous en ai déjà parlé, d'ailleurs. Elle présente sa collection la semaine prochaine et je serai assise au premier rang avec mes fourrures, mes bijoux, ma nouvelle coupe de cheveux, ma nouvelle couleur qui me rajeunissent de vingt ans.

— Vous êtes une obstinée, Elena. J'aime cela chez vous.

— Et à la fin, je monterai sur scène et on m'ovationnera. La vengeance est le meilleur antirides, je suis en pleine forme.

Elle aimerait lui dire qu'elle mange un homme par nuit mais n'ose pas.

— Après toutes ces années, vous devriez oublier..., soupire Élisabeth.

— Jamais ! Je me venge et après, je veux bien mourir.

— Vous lui en voulez toujours autant, n'est-ce pas ?

C'était en 1972.

Elena devait présenter sa première collection. Elle avait tout organisé avec l'aide du fidèle Robert Sisteron. Il lui servait d'assistant, de comptable, de conseiller, de grand ordonnateur. Et d'amant. Il était jeune. Elle avait envie de chair fraîche. Son mari, le comte Karkhov, né Jean-Claude Pingouin, avait une liaison avec une femme de vingt ans sa cadette qui avait décidé de l'évincer.

Sisteron l'avait prévenue, « cette femme fera tout pour vous nuire. Elle veut le comte. Si vous triomphez, le comte ne voudra jamais vous quitter. Elle va saboter votre défilé ».

Elena avait haussé les épaules et lancé son fameux *bullshit* qui signifiait taisez-vous, vous m'emmerdez.

Pendant des jours et des jours, elle avait dessiné, coupé, ajusté. Financé un atelier de cinq ouvriers et ouvrières. Créé une cinquantaine de modèles. Loué les salons de l'hôtel Meurice, les services d'une vingtaine de mannequins, convoqué la presse internationale et française.

Et ce fut le grand jour.

Les cinquante modèles devaient être livrés à six heures du matin. Le défilé commençait à onze heures trente précises.

L'atmosphère était électrique. La salle se remplissait lentement. Journalistes, chroniqueurs, amis et connaissances. Le Tout-Paris était là et attendait le triomphe ou la chute d'Elena Karkhova.

Derrière un rideau, Elena observait la salle.

Le comte était assis au premier rang. Avec sa canne, son col d'astrakan. Elena l'avait supplié d'être présent. Il avait accepté. Même si «l'autre», furieuse, avait cassé des vases, renvoyé des boucles de diamants, menacé de le quitter.

Tout était prêt. Les mannequins, coiffés, maquillés, attendaient en petite culotte et soutien-gorge. Les répétitions s'étaient déroulées sans accroc. Musique, lumière, passages sur le podium. Il ne manquait que les vêtements.

Elena guettait l'arrivée du camion, regardait sa montre, insultait Sisteron qui courait, téléphonait, envoyait des éclaireurs à l'entrepôt.

— Il est parti à cinq heures et demie, il devrait être là, répétait-il, transpirant d'inquiétude.

Le camion n'arriva jamais.

Les invités attendirent une heure. Robert Sisteron monta sur le podium. Il annonça que le défilé était annulé, on avait égaré les modèles.

Elena, dans les coulisses, se laissa tomber sur une chaise. C'était un coup de «l'autre», elle en était sûre, mais n'avait pas de preuves.

— J'ai trop de larmes, je ne peux pas pleurer. Je vais mourir.

Ils étaient assis, Robert Sisteron et elle, et se lamentaient quand un coursier entra et tendit une enveloppe à Elena.

Elena l'ouvrit. Déplia une grande feuille sur laquelle était écrit «Désolée…». C'était signé Nicole Sergent. La maîtresse du comte.

«Je le savais», fut le seul commentaire d'Elena.

Huit jours plus tard, elle apprit par une indiscrétion

que sa rivale avait soudoyé le chauffeur pour qu'il ne livre jamais la collection. Elle l'avait fait détourner dans un dépôt d'ordures et y avait mis le feu. Ce fut la fin du rêve d'Elena.

Elle partit pour New York, seule, sans un sou, dévastée.

Trois mois après, Jean-Claude Pingouin mourait dans un accident de voiture. Il n'avait pas eu le temps de rédiger un testament et laissait son immense fortune à sa femme, Elena Pingouin.

— Vous venez de me renvoyer à mon passé, chère Élisabeth.

— Je suis désolée. Je voulais vous éviter une autre déception.

— Cette fois-ci, je vais gagner, mon honneur sera sauf. Savez-vous que je l'ai invitée ?

— Qui ça ?

— Nicole Sergent. Elle sera au premier rang.

— Et pourquoi ?

— Je veux voir sa tête quand je me hisserai sur le podium aux côtés d'Hortense. Je vais me régaler. Je la fais surveiller depuis un moment pour être sûre qu'elle ne sait rien, qu'elle ne me refera pas le coup.

— Vous n'oubliez jamais rien, n'est-ce pas ?

— Surtout quand j'ai été humiliée.

Elles bavardent encore un peu puis Élisabeth bâille et déclare qu'elle va finir sa nuit.

— Comme vous voulez, Altesse !

— N'oubliez pas de parler à Gary. Dites-lui que je l'appellerai dès que j'aurai trouvé un téléphone jetable. Il faut aller dans les banlieues pour cela et mon fidèle valet s'est cassé le pied droit en accrochant une belle étoile dorée au sommet du sapin. C'était pour me faire plaisir, je me sens affreusement coupable.

— Oh, Élisabeth ! Il est amoureux de vous ?

— *Nonsense, dear !* Décidément vous ne pensez qu'à ça !

Si vous saviez, très chère reine, si vous saviez…

— *Hasta luego*, camarade ! claironne Elena. Je vous rappelle dès que j'ai des nouvelles.

Elle réveille le jeune amant qui dort, le nez écrasé contre le sein tout rond qu'elle a fait remodeler l'année précédente.

— Allez, Nicolas ! Un dernier tour de manège et vous vous rhabillez. J'ai un coup de téléphone à donner et je préférerais être seule. J'ai laissé l'argent sur la petite table dans l'entrée. Servez-vous.

C'est un test. Elle dépiste ainsi les voraces qui empochent plus qu'ils ne devraient, les bien élevés qui arrachent une fleur au bouquet du salon et la posent en travers de la table, les négligents qui oublient un ou deux billets derrière la potiche.

Ce jeu l'amuse beaucoup.

Quand Nicolas l'a enfin quittée, non sans avoir demandé quand il la reverrait, Elena file sous la douche, se poudre le corps de rose nacré, s'asperge de *Santal de Mysore*, retape le lit et se faufile sous les draps.

— Allô, Gary ? C'est Elena.

Elle réprime un bâillement. A très envie de se rendormir. Et choisit d'aller à l'essentiel.

— Comment vas-tu, grand homme poilu ? Ta royale grand-mère vient de m'appeler. Tu ne devrais pas la laisser sans nouvelles, elle se fait du souci. Tu sais que tu es son chouchou ? Alors honore-la.

— Mais je…

— Ensuite, je veux que tu sois là pour le défilé d'Hortense. C'est dans quatre jours, débrouille-toi.

— Elle boude.

— Elle a des raisons, non ? Tu as quelque chose à te faire pardonner, il me semble. Ou plutôt quelque chose à lui faire OUBLIER. Je n'aime pas le mot « pardonner ». Qu'as-tu à dire pour ta défense, grand homme poilu ?

Gary a un petit rire joyeux. Il aime beaucoup le « grand homme poilu ». Il plaquerait bien quelques accords dessus.

— Rien. Ou plutôt si, mais vous ne comprendriez pas.

— Essaie toujours. Je déplie mes antennes.

— Je n'arrive pas à faire le staccato de la *Sonate en sol majeur* de Ravel. Et ça me déprime grave. Ma main gauche dérape toujours sur le même accord. Cela fait des semaines que j'essaie !

— Viens à Paris quelques jours et le staccato suivra. Je t'envoie un billet open pour que tu ne te trouves pas d'excuses. Et je te réserve une chambre au Ritz. Cela fera plaisir à Hortense.

— Merci, Elena. Je vous embrasse et vous chéris. Vous êtes une crème chantilly pleine d'esprit et de grâce. Avez-vous gardé vos yeux verts ou les avez-vous fait changer chez votre chirurgien préféré ?

— Verts et grands ouverts, mon amour.

— J'en suis ravi. Retouchez la mécanique si ça vous dit, mais ne changez rien au reste. Vous êtes remarquable.

— Merci, mon ange. Tu sais parler aux femmes. Et appelle ta grand-mère ! Elle se fait vieille, tu sais.

Elena raccroche et titube jusqu'à l'entrée de sa suite. Retourne la pancarte « NE PAS DÉRANGER » à la porte. Son regard relève alors un détail insolite : sur la petite table de l'entrée, la pile de billets est là. Elle compte. Rien n'a été prélevé.

Elle ne peut s'empêcher d'être émue.

*

Hortense passe la tête hors du sac de couchage et regarde le ciel par-delà le Velux. Noir. Noir. Noir. Des branches nues s'agitent, on dirait qu'elles veulent lui parler. Elle ferme les yeux, ordonne à son cerveau de s'endormir, ouvre un œil, aperçoit une bouteille d'eau sur la table. Elle appuie sur le globe d'un œil, ferme l'autre, la bouteille se dédouble, devient deux bouteilles rondes. Elle relâche la pression, il n'y a plus qu'une bouteille mince. Elle rit dans la chaleur du sac de couchage qui lui gratte le nez, elle adorait ce jeu quand elle était petite. Elle recommence, une bouteille mince, deux bouteilles rondes, une bouteille mince, deux bouteilles rondes. Zoé n'y arrivait jamais. « Mais si, essaie encore, Zoétounette, tu vas réussir, ça marche avec les chiens, les chats, les gens, les profs dans la classe, une boule de glace. » Zoé appuyait, appuyait mais ne voyait jamais rien en double. Elle se lamentait, « mais pourquoi tu y arrives, toi ? Tu as une

702

caméra dans chaque œil ? » « Pas du tout, c'est juste que je sais doser la pression pour doubler l'image. » C'est si drôle de tout multiplier par deux.

Un amant, deux amants. Une bouteille, deux bouteilles. Une bouteille d'eau mince, deux bouteilles d'eau rondes, un amant mince… deux amants minces ! Elle aimait le corps de l'Homme. Est-ce qu'on peut n'aimer qu'un corps ? Et pas le cœur et l'âme qui vont avec ? Ou est-ce que le corps est FORCÉMENT imbibé du cœur et de l'âme et c'est pour ça qu'il est beau ? Ou laid ?

Son regard attrape au-delà du Velux un reflet menaçant qui parle de ténèbres, de solitude, de temps qui passe.

Et elle se sent terriblement seule.

Seule face à des ombres et des lumières qui ne lui veulent pas de bien. Une scène se superpose, celle de la mort de son père. C'était la nuit, les yeux jaunes d'un crocodile brillaient et son père marchait vers lui, de l'eau jusqu'à la taille.

Ça suffit, elle dit, ça suffit !

Elle ordonne à son cerveau d'effacer les images.

Envoie-moi plutôt une idée pour mettre en scène mon tissu. Un scénario de film. Il faut que ce soit évident. Un amant, deux amants, une bouteille mince, deux bouteilles rondes.

Le monde, il ne faut pas le regarder d'un seul œil, il faut le multiplier par deux.

Et elle se lève d'un bond.

Elle a trouvé L'IDÉE. Simple. Si simple.

Une bouteille mince, deux bouteilles rondes. Elle l'enregistre sur son téléphone.

703

Se rejette dans son sac de couchage.

Le lendemain, Jean-Jacques Picart pénètre dans l'atelier en tapant dans ses mains, allez, allez, plus que trois jours, on se dépêche, on s'applique ! Hortense, aujourd'hui on fait le plan de salle !

Hortense ronge son pouce piqué par les aiguilles. On dirait le pouce d'une couturière centenaire. Elle s'étire, lance :

— J'ai trouvé mon idée.

Tous tendent le cou, intrigués.

— Alors voilà… juste avant le défilé, on voit apparaître sur le podium deux femmes appétissantes, bien rondes, vêtues de blouses de ménage qui laissent deviner leurs formes. Elles portent des balais et des seaux. L'une en blouse rouge, l'autre en blouse blanche. Elles font semblant de nettoyer le podium, brandissent un vaporisateur, agitent un chiffon, l'un rouge, l'autre blanc, s'épongent le front, se trémoussent, un sein s'échappe, elles font *oups !* et le remettent en place. On doit sentir qu'elles sont bien dans leur peau. Elles rigolent, se chamaillent, les cheveux attachés par un ruban, l'un rouge, l'autre blanc. Arrivées au bout du podium, elles saluent et disparaissent, non sans avoir vaporisé un produit nettoyant qui, en fait, sera du parfum. Le défilé a lieu et, à la fin, les deux femmes de ménage reviennent en riant, elles marchent enlacées, sanglées dans deux robes Hortense Cortès, l'une rouge, l'autre blanche. Elles ne sont plus deux femmes rondes, mais deux mannequins superbes et MINCES. Stupeur dans la salle. Vous en dites quoi ?

Madame Philippine sourit, Jean-Jacques Picart

hoche la tête, Elena aussi. Armelle connaît des jumelles, des Anglaises autrefois mannequins qui feront l'affaire. Elles sont rousses, laiteuses, les yeux verts, les dents blanches, elles se sont rangées, ont eu des enfants, ont pris des kilos mais sont restées sexy et drôles. Elles seront *so happy* de jouer ce rôle. Il faudra juste leur payer le séjour à Paris dans un palace, elles en rêvent.

Tout le monde applaudit.

Hortense dresse le pouce et mime le camionneur heureux qui bombe le biceps. Elle prend un crayon et griffonne la blouse des femmes de ménage. Un modèle rouge, un modèle blanc. Lâche, fluide.

Picart parle plan de salle, invitations, journalistes, photographes, blogueurs, personnalités. Il a pensé à tout et lancé les invitations.

— Faut pas rêver, ni Anna Wintour, ni Mark Holgate, ni Tim Blanks ne seront là. Nicole Picart viendra ainsi qu'Hélène Guillaume et Émilie Faure du *Figaro*. Emmanuelle Alt du *Vogue* français m'a promis qu'elle ferait tout son possible, ainsi qu'Erin Doherty du *Elle*. Mais bon, tant que les gens ne seront pas assis sous mes yeux… J'ai invité des blogueurs aussi, Chiara Ferragni et Garance Doré, Tommy Ton… S'ils viennent, c'est génial. De toute façon, on mettra le défilé sur Internet. Armelle, tu t'en occupes avec Octave. Et toi, Zelda, n'oublie pas d'inviter des standings.

— Ça veut dire quoi, ça ? dit Elena.

— De jeunes *fashionistas*, des étudiants, des amateurs, des journalistes débutants. Eux aussi font le buzz. Et plus tard, ils peuvent occuper des postes importants et être très utiles.

Elena fait la moue. Elle ne sera pas là, plus tard ! Elle veut le succès tout de suite. Elle ajoute quelque chose qu'Hortense n'entend pas, Picart proteste, et dans le brouhaha un nom surgit : Nicole Sergent.

Ce nom dit quelque chose à Hortense.

— C'est qui cette Sergent que vous voulez mettre au PREMIER rang ? demande Picart à Elena.

— Une amie.

— C'est obligé qu'elle soit ASSISE AU PREMIER rang ?

— Oui.

— C'est une très bonne amie ?

— Non.

— Elena, soyez raisonnable. On va installer les célébrités au premier rang pour qu'elles soient photographiées et vous me collez une parfaite inconnue qui ne vous est rien !

— C'est très important, dit Elena d'une voix caverneuse. Je veux qu'elle meure foudroyée par une crise cardiaque. J'en rêve. Ça, ce serait du buzz !

Picart la regarde, interdit.

— Si c'est une exécution, je m'incline ! il finit par dire.

— Nicole Sergent, Nicole Sergent…, marmonne Hortense.

Elle fait signe à Armelle de lui rendre son téléphone, fouille dans ses messages, trouve celui d'Henriette.

« Hortense, ma biquette, rappelle-moi. Je suis tombée sur du lourd. Nicole Sergent, la femme du sixième étage. Le casse du siècle à côté, c'est du pipi de sansonnet ! »

Elle appelle sa grand-mère, met le haut-parleur et fait signe à tous de se taire.

— Henriette, c'est moi, Hortense. Je viens de lire ton message.

— Pourtant je te l'ai envoyé il y a bien…

— Que se passe-t-il avec Nicole Sergent ?

— Tu dis bonjour d'abord, je me demande bien qui t'a élevée.

— Henriette, j'ai pas le temps. Accouche.

— HORTENSE !

— Tu veux toujours venir au défilé ?

— Bien sûr !

— Alors, balance sur Nicole Sergent.

Henriette raconte le coursier, la lettre qu'elle a ouverte et qui l'a laissée… comment dire, comment dire… elle cherche ses mots, cherche son souffle.

— Lis-moi la lettre.

— Attends une seconde. Je prends mes lunettes.

Elena regarde Hortense, le cou tendu, les yeux exorbités.

Hortense pose la main sur son téléphone et explique que la concierge de Nicole Sergent n'est autre que sa grand-mère, curieuse coïncidence, n'est-ce pas ?

— TA GRAND-MÈRE ? articule Elena. Ça alors ! TA GRAND-MÈRE EST CONCIERGE !

— Je te lis la lettre, ma cocotte chérie ? reprend Henriette.

— Arrête de m'appeler cocotte ou biquette ! Je ne suis ni volaille ni chèvre.

— D'accord, ne t'échauffe pas. Alors… alors…

Elle lit à voix haute.

— … «*Pour toi, ma chérie, ce dessin d'Auguste Rodin, gage de mon amour. Qu'il te tienne compagnie en attendant que nous soyons réunis. Robert.*» Et au dos de la lettre il y a le nom de l'expéditeur : Robert Sisteron. Tu sais, ce n'est pas la première œuvre d'art qu'il lui donne. La chambre où elle habite en est pleine à craquer !

Silence dans l'atelier. Elena serre les poings et grogne Rodin, MON Rodin, il offre MON Rodin à sa poule. Picart roule des yeux, ébahi.

— Je t'envoie un coursier tout de suite, dit Hortense. Tu lui remettras le mot de Sisteron.

Armelle fait le numéro d'Allô Courses et demande d'un signe de tête à Hortense de lui écrire l'adresse.

— Il arrive, Henriette, ne bouge pas de ta loge.

— Et je serai bien placée au défilé ?

— Oui. Mais pas un mot à Nicole Sergent. Elle ne doit pas savoir que tu es invitée.

Hortense se tourne vers Elena.

— Quand je vous disais que je ne le sentais pas, ce Sisteron.

— La concierge est ta…, bafouille Elena en sortant un loukoum vert de son sac.

— Incroyable, non ? Vous avez dit à Sisteron que vous invitiez Nicole Sergent au défilé ?

— Non. Et elle n'a pas dû le lui dire non plus parce qu'il m'en aurait parlé, réfléchit Elena en suçant son loukoum qui dépose une poudre verte sur ses lèvres.

— Pas forcément.

— Mais si ! Pour mieux me tromper, il doit faire semblant d'être de mon côté. Je connais les fourbes, Hortense, j'en ai côtoyé beaucoup. Il me vole, il me trahit, mais fait mine de me défendre. La preuve ? Je ne m'étais aperçue de rien.

Hortense réclame un café noir, serré, ajuste le crayon qui tient ses cheveux, mâchonne un bout d'ongle.

— Résumons. Sisteron fricote avec Nicole Sergent et lui refile en douce une partie de vos toiles. Va falloir arrêter l'hémorragie, Elena, sinon vous allez vous retrouver sans le sou et vous ne pourrez plus payer vos factures.

— Mais j'ai pas dit mon dernier mot ! rugit Elena.

— Bon ! intervient Jean-Jacques Picart en élevant la voix. On revient au plan de salle ? On laissera donc la Sergent au premier rang, en espérant qu'elle ne mourra pas sur place…

Sur les lèvres d'Elena s'esquisse un sourire rusé.

— Hortense, tu as des nouvelles de Rihanna ? demande Picart.

— J'attends qu'Antoinette me rappelle mais ça devrait être bon.

— Parfait. Je vais faire circuler la nouvelle, on va avoir un monde fou !

Hortense, assise à son bureau, regarde les photos que Zoé a prises dans son atelier pour figurer dans son petit film. Elle les montre à Picart qui les parcourt et acquiesce.

— Elle avait fait un prototype avant ?

— Oui, à l'occasion d'un déjeuner de famille dans un restau. Je l'ai posé quelque part mais je ne le retrouve plus. J'ai dit oui parce que…

— Tu aimes ta petite sœur.

— Oh ça va ! On va pas sortir les violons !

— Tu l'aimes. Ne t'en défends pas. Il ne faut pas mépriser la capacité des gens à aimer. C'est ce qui fait le talent et parfois le génie.

— Dis que je suis géniale alors !

Jean-Jacques Picart hausse les épaules et les sourcils en souriant.

— Je peux voir le prototype ? Appelle Armelle, elle doit savoir où il est.

— Parfait, déclare Picart après l'avoir vu. Ta sœur est douée. Elle a de l'avenir.

— Elle veut devenir carmélite !

— Dommage. Le type à la fin de la séquence a une présence incroyable.

— De quel type tu parles ?

— Un grand blond baraqué, pas très souriant mais puissant. Elle l'a très bien photographié, pour une carmélite !

— Ce doit être le mec de ma tante Stella. J'étais déjà partie quand il est arrivé. J'avais rendez-vous avec madame Philippine.

— Elle tient le coup, madame Philippine ?

— Oui. Il faudra penser à lui donner une prime, elle travaille comme une dingue. L'autre soir, elle a dormi à l'atelier. On avait trop de travail. Je lui ai filé un tee-shirt et une brosse à dents. On aurait dit une gamine.

*

Il fait beau, le soleil s'étale sur les façades, ricoche sur les trottoirs, les bus, les feux rouges, allume les cheveux des passants de lueurs orange, violettes, dorées. Gary marche en ruminant quel con ! Mais quel con ! Parce que je lui ai envoyé une caisse de pinard, j'ai cru qu'elle allait me sauter au cou et tout OUBLIER ! Les mois en Écosse avec Calypso, les concerts, les concours, les voyages en avion la tête sur l'épaule de l'autre, les cafés au goût amer dans les aéroports. Les gigues de joie quand on gagnait le premier prix. Et le soir, ses cils bâtons sur l'oreiller, si droits que je rêvais d'en arracher un et d'écrire une portée…

Une caisse de vin et elle oublie tout ?

Quel con ! Mais quel con !

Et le serment de la 66ᵉ Rue !

Quelle arrogance ! Quel mensonge !

Je me fabriquais un alibi, c'est tout.

Il descend Broadway en direction d'Union Square. Il a besoin de voir des humains. Des dizaines d'humains. Des centaines, des milliers d'humains qui mangent des hot-dogs, mâchent des chewing-gums, portent des chapkas avec de longues oreilles. L'appel d'Elena l'a réveillé. Atterrissage forcé. Il planait dans son staccato, ses doigts butaient sur le crescendo. Elena a tiré le signal d'alarme. Reviens, Gary Ward. Saute dans un avion, récupère ta belle sinon…

Il relève le col de son caban, allonge le pas. Marcher, c'est ranger, trier, jeter. Trouver ce qu'on ne cherchait pas. Voir ce qu'on ne voulait pas voir. Les pieds ne trichent pas, ils vous emmènent droit à l'essentiel.

Quel con ! Mais quel con ! Une caisse de pinard en guise d'excuses !

Une bouche d'égout au milieu de la rue crache une vapeur blanche qui monte, brille, gonfle, disparaît. Il aime ces éruptions qui font croire que la ville est assise sur un volcan. De grosses bouffées qui sortent des entrailles. Le feu souffle sous les trottoirs, lâche des flammes. Entre ciel et terre, Paradis et Enfer. Une ville pour les diables et les dieux.

Pas pour les petits cons.

Il passe devant une boutique de voyance, Palmistry. Les spécialités sont affichées, *Psychic Readings, Chakra Balancing, Aura Cleaning, Crystal Energy.* En face sur le trottoir, deux hommes font la prière, accroupis sur des carpettes posées sur le bitume. Ça sent le ketchup et la brioche chaude, la tête lui tourne.

Quel con ! Mais quel petit con !

Trois hommes en baggy et casquette se tiennent sous l'arche de Washington Square. Un Latino, un Noir, un Blanc. Ils ont chacun une main posée sur l'épaule du voisin, l'autre sur le cœur, ils inspirent, tendent le bras en arc de cercle et chantent *a cappella* un passage de *La Traviata.* «*Libiamo ne' lieti calici*». Trois voix graves, profondes. Heureuses d'être à l'unisson. «*Buvons dans ces coupes joyeuses…*» Une dame en fauteuil roulant bat la mesure. Un garçon de quinze ans, dreadlocks et Vans usées, pose un genou sur son skate et retient le sac à dos Quiksilver qui glisse de son épaule. Comme j'aimerais retomber en enfance, quand je rêvais d'un sac Quiksilver que ma mère refusait de m'acheter ! Elle était contre les marques. Elle les boycottait ainsi que le jambon sous vide, le sucre blanc, les gâteaux industriels, les McDo, le Coca, les barres chocolatées.

Un homme en chaussettes dort sur un banc, un

nuage de ballons gonflés à l'hélium au-dessus de la tête. Il tient la ficelle des ballons. Comment peut-on dormir et tenir une ficelle en même temps ?

Une fille marche en tapotant son téléphone posé sur un gobelet Starbucks en équilibre sur le sac à dos qu'elle porte contre le ventre.

Dans un stand de hot-dogs un vieux Chinois en casquette de laine écossaise tourne et retourne un moule à gaufres. Quand il l'ouvre, quinze petits beignets tombent dans un sac en papier qu'il tend à un client. Gary hume la chaleur sucrée des beignets, prend de la monnaie dans sa poche, la tend au vieux Chinois et demande la même chose en montrant le sac en papier taché de gras du garçon qui s'éloigne.

Il prendra le premier avion pour Paris.

*

Stella n'arrive pas à dormir. Ses nerfs roulent en boule sous sa peau. Non seulement Fernande l'a renvoyée d'une pichenette, mais elle a OUBLIÉ de lui parler de la petite fille. Et puis, tout de suite après, elle se demande pourquoi Fernande l'a congédiée. C'est incompréhensible. Je lui donne des nouvelles de son fils chéri tous les quinze jours et ça ne l'intéresse plus ? IMPOSSIBLE. Il y a un loup. Un gros loup. Quelque chose se prépare dont j'ignore TOUT. La vieille s'est trouvé une autre raison de vivre. Un autre allié ? Quelqu'un qui lui raconte les mêmes balivernes que moi ? Pour lui piquer son argent ? Elle se retourne dans le lit trop étroit, trop court de la chambre d'amis de Georges et Suzon, ses nerfs se crispent, elle étire les jambes, étire les bras pour que la douleur s'atténue. La pluie frappe contre la vitre, ça fait un bruit qu'elle ne reconnaît pas puisqu'elle ne dort pas dans SA chambre.

Je rentrerai dormir à la maison quand Adrian arrêtera de me MENTIR. De me prendre pour une POMME. Quand il me dira ce qu'il fricote dans ce hangar, s'il a parlé à Edmond, avec qui il s'associe, comment il a payé le broyeur jaune et gris. Il pense que je ne sais pas garder un secret ?

Il doit chercher sa montre partout ! Elle étouffe un rire dans l'édredon. Elle a caché la montre dans l'une de ses bottes. C'est un truc de fille de cacher ses secrets dans des bottes. Lui, c'est un MEC. SON MEC. Elle frissonne. Liouba, liouba, il ne m'appelle plus liouba. Ils se font la guerre depuis combien de temps ?

Elle somnole deux ou trois heures, finit par se jeter hors du lit. Enfile un gros pull, sa salopette, passe les doigts en râteau dans ses cheveux, part sur la pointe des pieds, traverse la cour noire de nuit, entre dans SA maison. Elle va nourrir les animaux, leur porter de l'eau, elle préparera le petit-déjeuner de Tom, mettra du bois dans le poêle, ça la calmera. Quand le froid scie la peau, coupe les doigts qui tiennent le seau, on ne pense plus. On avance, on serre les dents, on donne des coups d'épaule aux ânes pour qu'ils s'écartent de la mangeoire et qu'on puisse verser les graines.

Adrian, debout dans la cuisine, boit un café. Sa veste et une grosse écharpe sèchent sur le dossier d'une chaise près du poêle. Des bûches s'entassent contre le mur. Il est allé faire le plein de bois. Il tient son bol entre ses mains et le fait tourner.

— C'est à cette heure-ci que tu rentres ? il grogne.

— Tu dors pas ? Ta mauvaise conscience te tient éveillé ?

Il fronce les sourcils, a un petit mouvement de recul, ses yeux interrogent.

— Qu'est-ce que tu veux dire ?

— Quand on a fait un truc pas terrible, on dort mal.

— Et pourquoi j'aurais mauvaise conscience ?

— Toi seul le sais.

— Et tu attends que je me confesse…

— En quelque sorte.

— … pour revenir dormir avec moi ?

— T'as tout compris.

— Qu'est-ce que je devrais dire ?

— Adrian, me prends pas pour une conne. Sinon je vais être de mauvaise humeur. Déjà que je tourne vinaigre depuis hier soir…

— Et pourquoi ?

— Tu as tes secrets ? J'ai les miens.

Il a chargé le poêle, qui ronfle. Cela fait un bruit rassurant. Une lueur dorée sur les murs.

— Tom dort ?

— Je veille sur lui pendant que tu découches. Je suis plutôt cool comme type, non ?

— Il va bientôt être sur pied, tu n'auras plus besoin de le veiller.

— Et tu regagneras notre lit ?

— Ça ne dépend que de toi.

Adrian sourit de son petit sourire rapide. Regarde l'heure à la grande horloge Ikea, cinq heures vingt. Il finit son bol de café.

Le givre trace des petites pattes d'oiseau sur les carreaux. Ils demeurent face à face, chacun essayant de trouver un indice dans le regard de l'autre. Ils n'ont jamais été aussi éloignés. Un nuage de tristesse traverse les yeux de Stella. Adrian fait claquer son bol contre ses dents comme s'il comptait les points sur un ring.

— Un partout ? il finit par dire entre ses lèvres.

Elle hoche la tête. Empoigne un seau pour aller donner à boire aux animaux. Elle n'a pas envie de compter les points. Elle voudrait juste qu'il parle. Le silence et la solitude, c'est pareil. On peut en crever.

— Laisse, je vais le faire.

Elle lui tend le seau. Leurs mains s'effleurent. Ça crépite sous sa peau, ses jambes se dérobent. Adrian l'attire vers lui. L'enferme dans ses bras.

— Reviens dormir avec moi. Je dors mal sans toi.

Elle secoue la tête.

— S'il te plaît… Stella !

Elle appuie ses mains sur son torse, s'écarte.

— Laisse-moi.

Il lui attrape les poignets, les tord, les plaque dans son dos. Un éclair enflamme les yeux de Stella.

— Fais pas ça !

— Excuse-moi.

Il avait oublié qu'il ne fallait pas la brusquer.

— Excuse-moi, liouba, excuse-moi… J'ai tellement envie de toi, tellement…

Elle le regarde droit dans les yeux, le prend par la main et lui dit viens, viens !

Le réveil Mickey marque sept heures trente quand

Stella ouvre un œil. Son téléphone sonne. Elle lance une main et le cherche à tâtons. Elle sent la bouche d'Adrian dans son cou qui dit ne réponds pas. Elle se frotte les yeux, se met sur un coude, essaie de repérer le téléphone dans le tas de vêtements sur le sol. Ils se sont déshabillés si vite… Comme si c'était la première fois. Qu'ils mouraient de faim. Le téléphone se tait. Elle retombe aux côtés d'Adrian. Roule contre lui. Il ouvre un bras, l'enferme, la berce, liouba, oh, liouba ! Elle pose ses lèvres derrière l'oreille d'Adrian.

— Je suis là.

Et pour la première fois, elle ne sait pas pourquoi, elle se sent plus forte que lui. Plus libre. Presque majestueuse. Elle ferme les yeux, reste immobile pour que ce sentiment dure le plus longtemps possible.

Le téléphone se remet à sonner.

Elle tend le bras, soulève sa salopette orange, le tee-shirt d'Adrian, ses chaussettes, et le trouve enfin. C'est Amina.

— Stella ? Viens vite ! Fernande a été écrasée par un camion !

*

Stella retrouve Amina dans l'entrée de la maison de retraite. Devant l'aquarium où tournent des poissons en lâchant des bulles. Le personnel a demandé aux pensionnaires de rester dans leurs chambres et leur a administré un calmant. Les gendarmes sont venus. Une ambulance a emporté le corps. Le chauffeur du camion ne s'est pas arrêté. Il n'a pas dû s'apercevoir qu'il l'avait écrasée, dit un pompier, il ne l'a pas vue, il lui a roulé dessus, elle était si petite, posée au ras de la route.

Amina prend Stella à part et l'emmène dans la salle à manger.

— Elle a laissé un mot sur son lit disant qu'elle partait retrouver son fils à Paris.

— J'avais inventé une adresse, rue des Petits-Foulards, porte de Clignancourt… J'aurais jamais pensé qu'elle voudrait y aller !

— Elle a écrit qu'elle en avait marre de croupir ici. Qu'elle se tirait.

— Mais comment elle a fait pour sortir ?

— Il n'y avait personne à la réception et on ne ferme jamais l'entrée. On n'est pas en prison ! Elle avait commandé un taxi pour cinq heures. Elle voulait prendre le train de six heures dix. Le taxi devait être en retard, elle s'est impatientée, s'est avancée sur la route pour voir s'il arrivait. Et le camion l'a écrasée.

— Drôle de fin…

— T'as pas de chagrin ?

— C'était une vraie méchante. Sauf quand Édith Piaf chantait.

— Je te présente quand même mes condoléances.

— Va falloir que j'annonce ça à maman.

Léonie tripote le col brodé de sa chemise. Lève ses yeux bleus vers Stella. Ses lèvres rose pâle s'entrouvrent. Elles tremblent un peu mais finissent par sourire.

— C'est la fin du cauchemar, ma chérie. Il n'y a plus de Valenti.

718

Et Stella se dit qu'elle doit vraiment changer de nom.

*

Ce soir-là, elle attend que Tom soit endormi pour quitter sa chambre sur la pointe des pieds. Elle retourne dormir chez Georges et Suzon.

Adrian la rattrape dans la cuisine.

— Tu dors là-bas ? Je croyais que…

— À cause de ce matin ? Ce serait trop facile.

Elle le défie, résolue.

Il hoche la tête et dit :

— Ok. Pose-moi des questions.

Il ne sait pas ce qu'elle veut savoir. La Parisienne ? Le hangar ? Le broyeur ? L'emprunt frauduleux ? Borzinski ? Si elle parle la première, il devinera ce qu'elle ne sait pas.

— Je te répondrai sans tricher. Promis.

— Je t'écoute, Adrian.

Ce n'est pas à moi de faire le premier pas, ce serait trop facile.

— Qu'est-ce que tu veux savoir ?

— Ce que tu me caches… Car tu me caches quelque chose, non ?

Il baisse la tête, passe le pouce sur ses lèvres, le mordille.

— Oui.

— Ah, tu vois…

Il voudrait limiter les dégâts. Zapper la Parisienne. S'il parle du hangar, du broyeur, et qu'elle sait pour la Parisienne, elle va lui jeter à la gueule qu'il triche, que c'était sa dernière chance, qu'il vient de la griller.

Son pouce passe et repasse sur sa bouche. Il réfléchit.

— C'est si dur que ça ? dit Stella, amusée.

Tom lui ressemble quand il ne veut pas parler. La même façon de baisser les yeux, d'écorcher ses lèvres avec son pouce.

— Qui te l'a dit ? il attaque, méfiant.

— Personne. Pas besoin d'être grand détective.

Il se concentre, cherche un indice, elle a une attitude presque maternelle face à un enfant qui aurait fait une bêtise. Elle ne serait pas comme ça si elle savait pour la Parisienne. Elle ne serait pas MATERNELLE. Elle serait FURIEUSE.

— C'est sous mon nez, Adrian ! C'était pas dur à trouver. Je me demande comment tu as pu croire que je n'allais pas tomber dessus. Je passe mon temps à sillonner la campagne avec mon camion.

Il pousse un soupir. CE N'EST PAS LA PARISIENNE. C'est le broyeur.

— Tu as trouvé toute seule ?

— Presque.

Il veut continuer à faire comme s'il ne voulait pas parler, comme s'il n'était pas TERRIBLEMENT SOULAGÉ. Il laisse passer le temps, se détend, elle ne sait pas, elle ne sait pas pour la Parisienne ! Il est prêt à lui raconter tout le reste.

Et à Edmond aussi.

Il va tout dire.

*

Il est minuit. Hortense a mis un réveil à quatre heures. Les mannequins sont venus faire leur dernier essayage, vêtements, chaussures, accessoires. Hortense a revu les coiffures, le maquillage, la lumière, la musique. Les assistants ont pris une photo de chaque fille qu'ils ont épinglée avec ses tenues et son ordre de passage. Puis elle a donné congé à tout le monde en disant c'est votre dernière nuit chez vous, profitez-en et revenez avec votre brosse à dents. Vous ne sortirez plus d'ici, vous dormirez quand je vous le dirai.

Elle a vomi trois fois parce qu'il ne reste plus que deux jours et qu'il en faudrait trente. Elle étouffe dans l'atelier, voudrait partir se promener en forêt, retrouver les écureuils de Central Park, marcher aux côtés de Gary.

Elle ne l'a pas rappelé.

Il est minuit. Elle n'a pas sommeil. Elle boit des bols de maca toute la journée. Cette poudre de tubercules cueillis dans les hautes Andes du Pérou, réservée aux guerriers pour leur donner force et énergie, la tient dressée sur ses ergots.

Il est minuit. Elle contemple le ciel de Paris, les toits de Paris, les cheminées de Paris. Je vis dans la plus belle ville du monde et je vais présenter la plus belle collection du monde. Au loin clignote la tour Eiffel. Elle se dit qu'elle ne clignote que pour elle et ça lui fait du bien.

Il est minuit. On tambourine à la porte. Elle s'approche, demande qui c'est. Le voisin du dessous a été cambriolé trois fois déjà.

Une voix dit :

— C'est Gary.

— Gary Ward ?

— Je cherche Hortense Cortès.

Elle sourit. Gary. Gary. GARY ! Serre les dents, crie en silence *yes ! Yes ! Yes !* GARY ! GARY ! GARY ! Avale sa salive.

— Je cherche Hortense Cortès pour lui faire sa fête.

— Je vais voir si elle est là.

— Je l'attendrai quatre-vingt-dix-neuf jours s'il le faut.

— Elle en sera flattée, je pense. Émue, peut-être.

Elle tend la main, tourne le verrou, entrebâille la porte.

Il est là. Sur le paillasson pourri où finit de s'effacer un hérisson. Elle pose la main sur sa poitrine pour vérifier que c'est bien lui. Que la maca ne lui provoque pas des HALLUCINATIONS. Il prend sa main, l'ouvre, pose sa bouche dans la paume.

— Gary ?

Il ne parle pas, laisse traîner ses lèvres sur son coude.

— Gary ?

La voix d'Hortense faiblit jusqu'à s'éteindre.

Ils s'enlacent dans l'entrée. Au milieu des modèles qui pendent sur des cintres, des Stockman, des croquis, des fers à repasser, des mètres de couturière, des ciseaux, des rubans, des morceaux de tissu, de cuir, de plastique, des pelotes d'épingles, des cartons, des fils de fer, des armatures de chapeaux, des arceaux, des crayons, des croquis de madame Philippine. Il respire ses cheveux, il respire son cou. Respire entre ses seins, respire son ventre. Elle sent son souffle entrer en elle. Elle se glisse dans sa respiration. Dénoue les nœuds de son corps, laisse aller ses bras, laisse aller sa tête, laisse aller sa nuque.

— Gary !

Elle respire son odeur, la naissance de ses cheveux, le creux de son épaule, c'est si fort, si fort, j'avais oublié cette magie.

Il l'emporte dans ses bras, cherche la chambre, donne un coup de pied dans une porte, trouve un matelas sous un Velux, la couche, elle lui touche la bouche, les cheveux. Ferme les yeux. Fait semblant de dormir.

Il la regarde, émerveillé.

Il reconnaît le duvet blond sur les tempes. Il s'étend, passe un bras sous son cou, écarte ses cheveux, dépose un baiser sur sa bouche. Un deuxième baiser, il mordille ses lèvres, il a très envie d'elle, il faut qu'elle se réveille. Un troisième baiser, elle ouvre les yeux, sourit, les referme.

— Hortense Cortès ?

— Gary Ward ?

Elle accroche ses bras à son cou, ses jambes à ses hanches, elle va faire un nœud, il ne repartira plus.

*

La salle d'attente du notaire n'a pas changé. Les mêmes plantes vertes, les mêmes spots au plafond, la même peinture beige aux murs, les mêmes rideaux marron aux fenêtres. Les haut-parleurs derrière les mêmes plantes vertes crachotent la même musique d'ascenseur. Il y a trois mois, j'attendais là avec maman. Et j'allais découvrir l'enveloppe contenant les photos de la petite fille.

Il y a une nouveauté cependant : un téléviseur diffuse un documentaire sur la disparition des grands cervidés du Pôle et la fonte des glaces. Sur le poste sont posés un flacon d'huiles essentielles et plusieurs télécommandes. Stella presse un bouton, apprend qu'un nouvel attentat a eu lieu à Richmond, Virginie. Julie tremble chaque fois qu'on annonce un attentat. Elle appelle ça, « la chose ». Elle frissonne, se gratte les bras, se précipite aux toilettes pour vomir et revient les yeux rougis. Edmond affirme qu'elle est trop sensible, qu'il ne faut plus qu'elle regarde la télévision, ni n'écoute la radio. Jérôme déclare que c'est la vie, la violence est partout, avant on l'ignorait, maintenant on sait. Il faut s'y habituer. Et Julie se rue à nouveau vers les toilettes, le mouchoir collé aux lèvres.

Que pense maître Béraud de « la chose » ?

Le notaire a appelé il y a trois jours pour la convoquer à la suite du décès de Fernande. Il paraissait très énervé et ponctuait toutes ses phrases de grattements de gorge.

Il ouvre la porte de son bureau, lui fait signe d'entrer, de s'asseoir et attrape un dossier.

— D'abord je tiens à vous présenter toutes mes condoléances…

Et patati et patata, comme s'il ne savait pas que je m'en fiche total qu'elle soit morte, écrasée sur la route comme une crêpe Suzette.

Il continue de parler. Elle reconnaît la pochette écossaise à fermeture éclair au coin du bureau. Observe les petits yeux rapprochés qui clignent comme si ce qu'il lisait lui déchirait les tripes. Et pour cause ! Tout

724

l'argent de Fernande revient à Stella, son unique héritière.

— Et ça s'élève à combien ? elle demande.

— Sept cent soixante-sept mille cinq cents euros, dit le notaire en serrant les lèvres, réprobateur.

Stella hausse les sourcils, surprise.

— Bien sûr, il ajoute, il faudra déduire les frais de succession et…

Me voilà RICHE. Je vais ouvrir un compte sur Internet, comme ça personne ne le saura. Banque en ligne, banque anonyme. Je verrai bien ce que je ferai de cet argent.

En attendant…

… je vais pouvoir acheter plein de blousons à Tom.

*

Elle gare son camion à une centaine de mètres de la maison de Camille. C'est une habitude : elle ne se gare jamais devant l'endroit où elle va. Pour qu'on ne la trouve pas. POUR QUE RAY VALENTI NE LA TROUVE PAS.

C'est une petite maison à un étage. Les murs sont gris, les tuiles rouges, des plaques de crépi s'écaillent, laissant apparaître des joints noirs. Une gouttière pend et goutte dans le vide. Dans le jardin, au pied des marches, une table ronde rouillée et quatre chaises. Son téléphone sonne. C'est Marie Delmonte, elle n'a rien trouvé sur la petite fille. Elle est désolée, mais elle arrête les recherches, trop de travail au journal, trop fatiguée, trop tout, quoi ! Tu m'en veux pas, Stella ?

Stella baisse la tête et donne un coup de pied dans la première marche de l'escalier. Elle imagine Marie

Delmonte raccrochant, soulagée, ouf! c'est fait, elle viendra plus m'emmerder avec ses histoires à la con. Elle déteste la manière dont Marie Delmonte règle l'affaire. Elle déteste ses cheveux, ses dents qui se chevauchent. J'espère qu'elle a mangé plein de Petit Écolier et qu'elle a des boutons partout.

Camille se tient sur les marches. Il a dû entendre ses pas. Il porte un tablier avec des canetons qui se dandinent à la queue leu leu. Stella ne peut s'empêcher de sourire.

— Entrez, entrez! C'est humide dehors. Il a plu tout l'après-midi. Ça va pas? il demande en apercevant sa mine contrariée.

— J'attendais des infos, j'espérais et…

— Des infos sur quoi?

Camille prend la parka de Stella, la secoue, la suspend à une patère, puis l'invite à entrer dans la cuisine où flotte une odeur de pizza, de fromage fondu.

— Une gamine dont j'ai retrouvé des photos dans le coffre de Valenti après sa mort. Il avait dessiné une cible sur son visage et écrit «Salope» sur l'enveloppe. Une petite fille de huit, neuf ans. Il s'est passé un truc entre elle et lui, c'est sûr. Il la recherchait. Je comptais sur Marie Delmonte pour me donner des indices et…

Camille l'interrompt. Est-ce qu'elle veut boire quelque chose, un apéritif peut-être? Il dépose sur la table des biscuits au cumin, des Tuc, des cacahuètes, des grappes de tomates-cerises. Stella secoue la tête et racle ses sourcils.

— Moi, je vais me prendre un Martini rouge, il dit

en se trémoussant. C'est ma gâterie du soir. J'attends sept heures et à sept heures, je me lâche.

Il donne un coup de hanche sur la gauche et ajoute mais avec modération. Il ouvre la bouteille, se verse un petit verre de Martini, arrête d'un doigt le trajet de la goutte qui coule, se lèche le doigt, croise les jambes, pose les mains sur son genou.

— Allez! allez! Ne faites pas la grimace, on est ensemble pour se distraire. Je finis mon Martini et je vous fais un nettoyage de peau ou un maquillage, vous choisissez.

Stella tire sur son sourcil, pensive.

— C'est toujours la même histoire, les mêmes complicités et toujours Ray Valenti qui gagne.

— Il est mort, Valenti. Faut l'oublier! il dit en jetant une main en l'air.

— Mais je peux pas l'oublier! Il revient tout le temps!

— Mais puisqu'il est mo…

— Peut-être pour vous, mais pas pour moi.

Elle baisse la tête, gratte le bord de la nappe en plastique où trottinent des chatons et des chiots heureux.

— Je me demande s'il harcèle d'autres personnes…

Camille déguste son Martini à petites gorgées, les yeux dans le vide. Stella relève la tête, le fixe. Il revient à lui, s'ébroue et demande avec le même sourire commercial que la fille de chez Sephora :

— Je vous fais un léger maquillage d'hiver?

— Je ferais mieux de partir. Je vais gâcher votre soirée.

— Mais non, mais non. Je vérifie que la pizza est bien chaude et on la mange avec un petit vin italien que j'ai acheté exprès pour vous aux halles. D'accord ?

Des pas se font entendre dans le couloir, Stella se retourne et voit arriver un homme en survêtement gris avec un bonnet à pompon turquoise, des sourcils si noirs qu'on les dirait faux, un blouson violet et des baskets orange qui s'allument quand il marche. Il se déchausse dans l'entrée, enfile des pantoufles et entre dans la cuisine en déposant un grand sac Carrefour sur une chaise.

— Alors, Gédéon ? On fait la fête ? C'est ta copine ?

Camille ne répond pas et l'homme enchaîne :

— On n'a pas pu jouer. Il avait trop plu. Et j'ai plus l'âge de me les geler.

Ce doit être le père de Camille.

Il ouvre le frigo, prend du jambon, une bière, de la mayonnaise, deux tranches de pain de mie et passe dans le salon où il allume la télé.

— Il vous appelle Gédéon ? dit Stella.

Camille hausse les épaules et boit une gorgée de Martini.

— Quand il a compris que j'étais « pas normal », il en a conclu que j'avais des « honteuses manies ». Un jour, exaspéré, je lui ai lancé « j'ai des honteuses manies, et alors ? » Et c'est là qu'il m'a baptisé Gédéon. Vous avez compris ?

— Non.

— Gédéon Teusesmanies. Comme monsieur et madame Teusesmanies ont un fils, comment s'appelle-t-il ?

Le visage de Stella s'éclaire.

— Gédéon ! Bonjour l'ambiance ! Pourquoi vous ne partez pas ? Vous pourriez louer un studio.

728

— À cause de Sandrine. Qui lui ferait sa couleur, sa manucure, qui la laisserait gagner quand on joue au rami ?

Stella hoche la tête. Elle voudrait dire mais moi je parle de VOTRE vie, pas de celle de Sandrine.

— Et les karaokés avec Clo-Clo, les courses en ville le samedi, le chocolat chaud chez Rimond, *Questions pour un champion* le soir, toutes les deux sur le canapé ? On s'amuse bien, vous savez !

Stella sourit pour lui dire oui, oui, vous avez raison. Mais ce qu'elle comprend est si triste qu'elle préférerait ne pas avoir compris.

— C'est comment les séances de karaoké ? elle demande pour faire diversion.

— Ben… on pousse la table, on se maquille, on se déguise, on met de la musique, on chante, on danse. On fait les Claudettes, quoi !

Ses yeux brillent derrière les verres de ses lunettes jaunes.

— Vous me montrez ?

Il fait la moue pour se faire prier. Pas très longtemps.

— Vous voulez quoi ? « Le lundi au soleil » ?

Il a dit ça d'une voix aiguë que l'enthousiasme fait dérailler.

Elle opine. Il saute sur ses pieds, dit attendez, attendez ! Ouvre un placard à balais, en sort une veste bleu canard, une cravate rouge, une perruque blonde. Ajuste la perruque. Se poudre le visage. Se met du rimmel bleu marine avec une dextérité étonnante. Prend son ordinateur sous une pile de magazines. Cherche la chanson de Claude François, branche deux haut-parleurs, serre ses petits poings, les yeux fermés de bonheur comme s'il n'avait attendu que ce moment-là.

Il tapote ses faux cheveux, brandit un micro imaginaire. Se gratte la gorge, chauffe sa voix. Son menton tombe sur sa poitrine, il prend une voix de mâle avec plein de poils, relève lentement la tête, lui lance un regard langoureux et... «*regarde ta montre, il est déjà huit heures, embrassons-nous tendrement, un taxi t'emporte, tu t'en vas, mon cœur, parmi ces milliers de gens...*»

Stella a les mains en étoile de mer sur le visage et une folle envie de rire.

— ... «*c'est une journée idéale pour marcher dans la forêt, on trouverait plus normal d'aller se coucher seuls dans les genêêêêts...*»

Il prend une grande inspiration, plonge en avant, fait une quasi-génuflexion, donne un coup de reins, se redresse, un coup de talon, tangue à droite, à gauche et s'époumone «*le lundi au soleil, c'est une chose qu'on n'aura jamais, chaque fois c'est pareil, c'est quand on est derrière les carreaux, quand on travaille, que le ciel est beau, qu'il doit faire beau sur les routes, le lundi au soleil!*»

Il mouline des mains, pédale des pieds, lève les genoux. Tout son corps danse, il est transfiguré, il ouvre les bras pour distribuer la joie qu'il éprouve. Stella se lève, applaudit.

Quelqu'un applaudit derrière elle.

Le père de Camille, sur le seuil de la cuisine, retire l'allumette qu'il mâchonne et gueule :

— Vous avez fini de faire les guignols ? Je travaille moi, demain.

— Oh mais ça va…, marmonne Camille. Il est pas tard.

— Comment ça, il est pas tard ! Tu te crois où ? T'as vu comment t'es déguisé ?

— Cool…

— Tu me dégoûtes.

— On faisait rien de mal, on s'amusait.

— La ferme, Gédéon !

— Arrête de m'appeler Gédéon !

— Tu préfères monsieur Teusesmanies ?

— Arrête ! s'étrangle Camille, les larmes aux yeux. C'est énervant à la fin ! Qu'est-ce que je t'ai fait ?

— Tu m'as fait que t'es pas normal, là !

Stella regarde le père de Camille, rose et gras comme le jambon, le ventre rond d'une bouteille de bière, une tache de mayonnaise sur le tee-shirt vert pomme de l'Association des boulistes de Saint-Chaland.

— C'est quoi, être normal ? gémit Camille en laissant tomber son micro imaginaire.

— T'es une tapette. UNE TAPETTE ! Pourquoi tu crois que j'ai pas joué aux boules ce soir, hein ?

Camille rentre sa tête dans son cou comme une tortue en hiver.

— Je vais te le dire, moi : parce qu'il y en a encore un qui a fait une allusion à toi et que je le supporte plus ! Tu me ruines la vie, pauvre pédé !

Camille s'effondre sur une chaise. Il se frotte les yeux, se mouche dans la manche de sa veste bleu canard, il a le nez qui brille, les lunettes jaunes de travers, des plaques rouges sur les joues.

— Mon fils est pédé et je devrais me réjouir ? Je n'ai qu'un fils et c'est une fille !

— Vous devriez pas, monsieur, intervient Stella, vous devriez vraiment pas…

Le père se retourne et la toise.

— Qu'est-ce qu'elle dit, la bâtarde ? Elle se prend pour sœur Emmanuelle ?

— Vous avez pas le droit ! se raidit Stella.

— Suis chez moi. J'dis ce que je veux. Casse-toi si t'es pas contente !

Stella prend son sac, se dirige vers l'entrée, décroche sa parka.

— Faut pas vous laisser traiter comme ça, Camille. Il y a trop de belles choses en vous.

— C'est à péter de rire ! hurle le père en donnant un coup de poing dans le chambranle «Trop de belles choses en vous» ! Non mais quoi, on est à l'opéra ? Il va me faire le ballet aux cygnes, la tarlouze ?

— Arrête ! Arrête ! hurle Camille en larmes.

Stella sort sans un regard pour le père qui ricane c'est ça, casse-toi.

Dans la cuisine, Claude François s'égosille «*on serait mieux dans l'odeur des foins, on aimerait mieux cueillir le raisin, ou simplement ne rien faire, le lundi au soleil…*»

*

La rue derrière le stade est mal éclairée. Stella aperçoit une série de petites maisons toutes pareilles avec leur jardinet, une table rouillée, quatre chaises. Comme s'il y avait eu une distribution de maisons et de chaises à la volée.

Elle marche dans la nuit en suivant le bord du

trottoir peint en blanc. La violence ne lui fait plus d'effet. Elle est habituée. Elle imagine le père de Camille quand il joue aux boules avec ses copains. Chacun doit vanter les mérites de sa progéniture. Il y a le fils qui a eu le bac avec mention très bien, celui qui a monté sa boîte et s'asperge de dividendes, celui qui s'est acheté la dernière BM, celui qui est le meilleur de l'équipe de foot, et le père de Camille la boucle. Il ne peut pas se vanter d'un fils qui se maquille, met du rimmel et une perruque de Claude François.

Elle ne retrouve plus son camion.
Elle a dû le dépasser.
Elle fait demi-tour. Repart dans la rue mal éclairée en suivant le bord blanc du trottoir.

Camille est assis sur le marchepied du camion. Recroquevillé. Le menton sur les genoux. Il grelotte dans sa veste bleu canard. Tient sa perruque blonde à la main comme le scalp d'un rêve dévasté. De longues traînées de rimmel marquent son front, ses joues, son nez. On dirait un zèbre bleu.

Il se pousse. Stella s'assied à côté de lui.

— J'aimerais tellement partir d'ici ! Aller vivre à Paris. Je peux pas, y a Sandrine. Je voudrais pas qu'elle se suicide une seconde fois.

— Oui mais…

Elle a failli dire il faut penser à vous d'abord, mais s'est arrêtée. C'est trop violent de rentrer dans la vie des gens et de leur faire une ordonnance. Le remède peut les tuer.

— Ce soir, je suis parti ! il dit avec fierté. C'est la

première fois. D'habitude, je reste et je pleure. Ce soir… j'ai claqué la porte.

Stella s'efforce de garder une expression neutre. Elle ne sait pas très bien quoi dire.

— J'ai piqué la pizza, la bouteille de vin. Et deux verres. On va pique-niquer. C'est joli dans la nuit, non ?

Elle remue ses doigts gelés dans les poches de sa parka.

— Vous voulez pas qu'on s'installe dans le camion ? Je mettrai le chauffage.

Il opine.

— C'est ouvert. Y a les chiens à l'intérieur. Ils sont sympas. Ils vous feront rien.

Camille ouvre la portière. Costaud et Cabot se pressent contre lui et reniflent l'odeur de pizza.

— Assis, les chiens ! ordonne Stella.

Elle se retourne, leur flatte l'encolure. Sort des biscuits de la boîte à gants. Les leur tend. Les chiens se couchent sans perdre de vue le sac en plastique et la pizza.

Stella se cale sur son siège, s'enroule dans sa parka. Cherche une station de radio, tombe sur *Les Nocturnes* de RTL, une émission sur David Bowie. Trente minutes de musique ininterrompue.

— Ça vous va ou vous voulez autre chose ?

— Je crois savoir qui est la petite fille que vous cherchez, lâche Camille en regardant droit devant lui dans la nuit.

Stella sursaute.

— Mais je sais pas où elle est.

— Comment ça, vous croyez savoir ?

734

— Ben oui… Je pense que c'est elle.

Elle frappe son volant, c'est dingue, ça, c'est dingue !

— Vous voulez que je vous raconte ? J'ai tous les courages ce soir. Faut en profiter.

Il laisse échapper un petit rire de gamin qui n'a pas encore mué. Ça lui fait une autre voix, fluette, espiègle.

Elle secoue la tête pour dire allez-y, s'il vous plaît, allez-y.

— Je l'ai connue il y a deux ans à peu près. Un soir, j'étais de garde à la caserne. Ray Valenti est passé. Il venait chercher ses potes pour sortir, pour une «croisière sexuelle», comme il disait. Il portait son uniforme de pompier parce que d'après lui l'uniforme affole les filles. Ce soir-là, il a voulu m'embarquer. J'ai eu beau protester, les autres étaient de mèche, ils m'ont forcé à y aller. Vous pensez bien que j'en avais pas envie du tout.

Il a un sourire timide. Resserre sa veste autour de lui.

— Vous avez froid ?

— Oui, un peu.

— Il les lui fallait toutes. Il y en avait une, belle, avec beaucoup d'allure, j'adorais la manière dont elle s'habillait, une Anglaise, Miss Turner. Ray la faisait prendre par des pompiers avant de la prendre à son tour. Attachée à la calandre du camion d'incendie. Elle pleurait en silence jusqu'à ce qu'il se penche vers elle, lui touche les seins très délicatement et dise «tu pleures de plaisir, hein, ma belle, ma tourterelle ? Tu pleures de plaisir à l'idée que je vais te baiser ?»

— Non ! Pas Miss Turner ! crie Stella.

— Vous la connaissiez ?

Stella ne répond pas. Elle en est incapable.

— C'est par Miss Turner que Ray Valenti a rencontré la mère de la petite fille. Le père voulait que sa fille prenne des leçons d'anglais. Il payait bien. Miss Turner y allait souvent. Elle était devenue copine avec la mère. Une très jolie Eurasienne. Grande, mince, avec de longs cheveux noirs, de très beaux yeux. Miss Turner a dû en parler à Ray, et Ray a voulu se la faire. Je sais pas exactement ce qu'il se passait entre eux… S'ils étaient amants ou pas. Mais ce soir-là les choses ont mal tourné.

— Comme souvent…

— Et j'ai été lâche, si lâche. J'en ai encore honte aujourd'hui. Je suis souvent lâche. Mais ce soir, j'ai du courage.

Il secoue ses poings dans l'air pour souligner sa détermination.

— Et c'est vachement bon de se sentir courageux. C'est comme avoir un géant qui pousse à l'intérieur de soi.

Il ouvre le carton à pizza, en déchire une part qu'il tend à Stella. Les chiens se dressent sur le siège arrière et viennent coller leurs truffes sur son épaule.

— Je peux leur en donner ?

— Un petit bout, pas plus.

Il tend deux morceaux à Costaud et Cabot.

— Cette nuit-là, Ray devait savoir que le mari était absent, que la mère était seule avec la petite fille. Il a sonné. On a attendu un peu et puis elle a ouvert. Si vous l'aviez vue ! Des cheveux longs, noirs, qui flottaient sur ses épaules, des yeux en amande, doux, profonds, un nez droit, fin, une bouche ourlée et une lumière presque surnaturelle qui baignait chacun de ses traits. J'ai jamais vu une femme aussi belle. Il émanait d'elle une sorte de charme, de magnétisme, et je me suis dit c'est ça, la féminité. C'est ça qui peut rendre un homme fou. On est entrés. Il a débité un baratin comme quoi il y avait une fuite de gaz dans le quartier, qu'il lui fallait vérifier chaque maison. Elle a eu l'air étonnée, lui a fait visiter le rez-de-chaussée. Il a demandé à voir le premier étage et m'a dit de l'attendre dans le hall. Pendant un long moment, il ne s'est rien passé et puis j'ai entendu des cris de femme. Une voix d'homme qui disait tais-toi, ferme-la ! Tu vas la fermer, ta gueule ! Et puis encore le silence, entrecoupé de sanglots. Je pense qu'elle ne voulait pas réveiller sa fille, qu'elle se retenait.

— La petite fille qui est sur la photo ?

— J'ai pas vu la photo. Attendez que je termine… Je suis monté au premier. J'ai écouté derrière la porte. J'entendais des bruits, elle disait « non, non », il riait, il disait « tu sais pas ce que c'est, le plaisir, faut pimenter, faut pimenter ». J'ai senti quelqu'un à côté de moi. Une petite fille me regardait. Le portrait craché de sa maman. Elle m'a demandé « tu es qui, toi ? » Je lui ai expliqué. Elle m'a souri. Elle n'avait pas peur. Elle tenait dans la paume de sa main un mini-téléphone grand comme une carte de crédit qui faisait caméra. Elle m'a dit « c'est mon papa qui me l'a rapporté du Japon et j'ai filmé Dindon » « C'est qui, Dindon ? » « C'est mon doudou. Tu veux voir le film ? » Elle me l'a montré et a proposé de me filmer. Je n'avais qu'une envie, l'entraîner à l'écart, qu'elle n'entende pas ce qu'il se passait dans la chambre. J'ai dit « oui, bien sûr». Les cris s'étaient tus. J'ai pris la petite fille par la main. Je l'ai laissée me filmer. J'étais mal à l'aise mais je souriais. Pour être honnête, je ne pensais plus. J'étais liquéfié.

— C'était un vrai salaud…

— La petite fille a dû sentir qu'il se passait quelque chose de bizarre parce qu'elle s'est échappée. Elle a couru vers la chambre de sa mère. Elle tenait son téléphone à la main et elle filmait. Je l'ai entendue dire «maman? Maman?» Je me suis approché. Sa mère était dans le lit, les mains attachées dans le dos, écartelée sous Ray. On ne voyait que son corps qui tentait de se dégager. Ray s'est levé, il a ordonné à la petite de lui donner le téléphone, elle a refusé. Il l'a menacée. La mère a crié «va-t'en, va dans ta chambre, enferme-toi à clé». Ray l'a frappée sur la bouche, très fort, et sa tête a roulé sur le côté. Je l'ai plus entendue. La petite fille a hurlé «t'es méchant, MÉCHANT, je le dirai à mon papa et il te TUERA». Il s'est avancé vers elle, l'a attrapée, elle s'est débattue, a donné un coup de reins et s'est précipitée vers la fenêtre de la chambre qui était grande ouverte. Elle se tenait debout sur le rebord, Ray se rapprochait, il tendait la main, disait «donne-moi ce téléphone». J'ai couru dans le jardin, je me suis dit que peut-être je pourrais la rattraper si elle tombait. J'ai repéré la fenêtre au premier étage et j'ai compris que je ne pourrais rien faire. Il y avait une sculpture avec des lames coupantes juste en dessous. Si la petite tombait, elle se blesserait. C'est ce qu'il s'est passé. Ray gueulait «donne-moi ça ou je te balance dans le vide». Elle a refusé. Il l'a poussée. Elle est tombée sur la statue. J'ai entendu un hurlement et puis… elle a dû perdre connaissance. Ray a cherché le téléphone comme un fou. Il pestait «putain ! Quelle idée de faire des trucs si petits ! Encore un coup des Japonais ! Avec leurs petites bites ! » Pendant ce temps, la gamine se vidait de son sang et la mère était dans les pommes.

Stella écoute, les mains serrées entre les cuisses, horrifiée. Toujours le même cauchemar. Sur le capot du camion, un homme est assis et se marre. Ray Valenti. Elle secoue la tête, ferme les yeux pour le faire disparaître.

— Ray a appelé ses potes pompiers. Il a raconté qu'il passait par là, qu'il avait entendu des cris, avait vu un homme qui s'enfuyait et avait essayé de l'attraper. Il a conduit la mère et la fille à l'hôpital. La mère était en état de choc. Il fallait sans arrêt la ranimer. On a prévenu le mari qui est arrivé plus tard. La petite fille a perdu des doigts de la main gauche, mais pas la vie. La fille et la mère n'ont jamais parlé. J'ai jamais compris pourquoi. Je me suis demandé si la mère s'était tue parce qu'elle était la maîtresse de Ray, qu'elle avait peur que son mari l'apprenne. Ray est allé plusieurs fois sur place pour tenter de retrouver le téléphone. On a fait passer ça pour un cambriolage qui avait mal tourné et l'affaire a été enterrée.

— Il y avait quand même votre témoignage ! C'est pas rien !

— J'ai menti.

— Mais…

— J'ai menti. D'abord parce que la petite m'avait filmé et que ça faisait de moi un complice. Et puis Ray m'a menacé.

— Il a pas eu peur que la petite ou la mère raconte tout ?

— Je pense que si. Mais il avait sa version. Il disait que la mère l'avait provoqué et que la petite était une vraie salope. Qu'elle les avait regardés baiser !

— C'est ce qu'il a écrit sur l'enveloppe… « Salope ». Elle avait quel âge, la petite fille ?

— Dans les huit ans.

— On a retrouvé le téléphone ?

Il rougit. Sa bouche dit non, mais son regard dit oui.

— On a retrouvé le téléphone ? répète Stella.

Il s'énerve, hausse les épaules, essuie ses lunettes sur sa manche. Stella tapote le volant de ses pouces. Elle attendra le temps qu'il faudra. À la radio, David Bowie chante « Never Let Me Down ».

Les chiens guettent un morceau de pizza. Au garde-à-vous pour montrer qu'ils sont des chiens modèles et qu'elle peut les récompenser. Elle attrape une croûte, la leur donne. Elle se sent étrangement calme. Elle a tout son temps. Elle touche au but. Le collège ne s'appellera jamais Ray-Valenti.

— Je l'ai ramassé et je l'ai gardé, il finit par murmurer.

— Vous l'avez toujours ?

— Oui.

— Vous me le donneriez ?

Il ne répond pas. Il a le regard vague de celui qui revit un drame.

— À l'hôpital, je lui ai demandé pourquoi il avait poussé la petite fille par la fenêtre. Vous savez ce qu'il a répondu ?

Stella fait non de la tête.

— « Parce que. »

— C'est tout ?

— C'est tout.

— Vous avez eu des nouvelles de la petite fille ?

— La femme de ménage qui travaillait chez ses parents est une amie de Sandrine. Elle nous a raconté que la mère s'est suicidée trois mois après. Ses cheveux étaient devenus blancs, elle ne mangeait plus, elle pleurait tout le temps. Le père et la petite fille sont repartis pour New York.

— Et la maison est en vente, marmonne Stella. J'ai vu l'annonce dans l'agence de la rue piétonne.

Et je suis pratiquement sûre que c'est la petite fille qu'Amina a croisée aux urgences. Tout colle. Mais ça, il est trop tôt pour que je le lui dise.

Elle se tourne vers lui.

— Vous me donnerez le téléphone ?

— J'ai besoin de réfléchir.

— Il faut que vous en parliez avec le géant à l'intérieur de vous ?

— C'est bon de grandir, mais ça fiche la trouille.

Il a un pâle sourire, décolle les bouts de fromage fondu sur ses dents avec sa langue. Y met toute son attention.

Dans la nuit la lumière d'une lampe de poche se rapproche. Stella éteint le moteur. Ils tendent le cou pour tenter de discerner qui s'avance. Aperçoivent un bonnet à pompon et des baskets qui clignotent orange.

— C'est mon père, dit Camille. On dirait qu'il me cherche.

Il s'enfonce dans son siège et disparaît sous le tableau de bord. Stella l'imite.

— Je veux pas qu'il me trouve tout de suite. Je veux qu'il se fasse du souci pour moi.

*

Si elle pouvait apparaître d'un seul coup, je lui dirais, je lui dirais… je voudrais être assis à côté de toi en classe, je voudrais que tu me poses des questions difficiles et que j'y réponde, je voudrais te raccompagner tous les jours chez toi et QUE TU M'EMBRASSES AVEC LA LANGUE.

— T'as fini ton plateau ? dit Suzon.

Je lui dirais aussi tu connais le livre The *Catcher in the Rye* ? Je prononcerais le titre en anglais pour l'impressionner. Et si elle me dit non, je prendrais un air très important et j'ajouterais tu devrais, tu devrais. Comme les gens qui se la pètent grave et donnent des instructions à tout bout de champ.

— T'as pris ta douche ? Réponds-moi, espèce de malpoli !

— Pas encore. Me dérange pas, Suzon, je pense !

— Tu penses, tu lis, t'es sûr que t'es pas malade ?

Je pourrais demander à mon pote si je dois lui parler du livre ou pas. C'est un peu naze peut-être. Je risque de me taper la honte grave.

Il prend sa tête entre ses mains, pense très fort à son copain qui lui souffle des conseils ou des vers d'Emily Dickinson. Hé, dis ! Tu peux m'aider à la faire venir ? Tu peux entrer dans sa tête, lui montrer le chemin de la maison ? Pourquoi pas après tout, puisque ça existe, la transmission de pensée.

Sa mère lui a offert une radio Internet. Elle n'arrête pas de lui faire des cadeaux depuis quelques jours. Il peut capter toutes les stations du monde et, cette nuit, il a écouté une émission où un agent secret, moitié anglais, moitié français, parlait de la toute-puissance du cerveau humain et de la transmission de pensée. Il affirmait que le système était pratiquement au point, que deux hommes séparés par un bras de mer arrivaient à communiquer. Pas encore avec des mots, mais avec des carrés, des triangles, des rectangles. Avec son copain, ils sont plus avancés puisqu'ils échangent des MOTS.

L'autre jour, il a entendu « je m'appelle Junior et toi ? » Il a répondu « Tom ». Peut-être qu'il rêvait, peut-être que c'étaient les médicaments qu'on lui donne. Toujours est-il que ça disait très distinctement « salut, Tom ! »

Si seulement elle pouvait être là… Demain, il retourne au collège, il n'en peut plus d'attendre.

— Monsieur pourrait ranger ses vêtements quand il aura fini de penser ? Monsieur est assez grand maintenant et je ne suis pas la bonne de Monsieur.

— Suzon, me dérange pas. Si je te parle, je perds mon pouvoir de concentration.

Suzon éclate de rire et repousse la mèche grise qui tombe sur son front.

— Comme si ça suffisait de penser très fort ! Moi, ça fait longtemps que j'aurais gagné au Loto !

— Ben justement, c'est parce que tu penses pas ASSEZ fort. Elle rentre déjeuner, m'man ?

— Oui. Va prendre ta douche. Elle va pas aimer te voir en pyjama.

Il se lève, les mains posées sur la tête pour ne pas perdre de sa concentration.

— Et n'oublie pas de te nettoyer les ongles, ils sont sales !

Il hausse les épaules. Suzon fait tout pour le déconcentrer. Elle ne croit pas au pouvoir de la pensée.

Il sort de la douche, entend des voix au rez-de-chaussée. Suzon parle à des gens, il va descendre, entrez, installez-vous…

Il se frotte avec sa serviette. Se penche par la fenêtre. Ils ont dû entrer dans la cuisine. Il enfile un jean, un pull, des chaussettes, sa nouvelle paire de baskets – encore un cadeau de sa mère –, passe un peigne dans ses cheveux.

Dévale l'escalier, accroché à la rampe.

Manque de trébucher quand il aperçoit Dakota et madame Mondrichon assises à la table de la cuisine.

Suzon leur fait réchauffer du café. Madame Mondrichon dit non, non, ne vous mettez pas en frais, mais Suzon insiste, le café est fait de ce matin, toujours sur la cuisinière, et il n'a pas bouilli, je vous jure ! Et toi, ma petite, tu veux un jus d'orange ?

Dakota regarde autour d'elle. Tom a honte. Dakota a une si belle maison avec un escalier blanc, une grille noire, de grandes fenêtres à petits carreaux. À l'intérieur, ça doit déchirer.

Il se demande quoi faire quand Suzon l'aperçoit et crie :

— Tom ! Y a de la visite pour toi.

Il essaie de paraître le plus cool possible. Descend les dernières marches, les mains dans les poches.

— On est venues t'apporter la photo de classe, dit madame Mondrichon. Dakota a tenu à m'accompagner.

Madame Mondrichon semble plus petite qu'au collège. Son nez aussi a raccourci.

— C'est un cadeau de l'école. Tu n'auras pas à payer les douze euros !

Il a envie de dire pas la peine, ma mère est pétée de thunes depuis quelques jours, mais il dit merci beaucoup et rougit. Son regard tombe sur la toile cirée, il aperçoit des trous, des brûlures de cigarette.

Il tripote la photo sans rien dire.

— Va montrer les ânes à ton amie, dit Suzon.

— Tu veux voir les ânes ? marmonne Tom à Dakota.

Ils sortent et marchent dans la cour. Prennent le chemin de la grange.

— C'est joli chez toi, dit Dakota en faisant attention où elle pose les pieds.

Elle a des mocassins vernis noirs.

— Tu trouves ?

— Oui. C'est inspirant.

Ça veut dire quoi ? Va falloir qu'il lise plus de livres.

— T'es pas partie ?

— On va rentrer à New York. Mais je sais pas quand. Mon père m'a dit qu'il avait un truc à régler et qu'après on partait. Je crois que c'est la vente de la maison.

— T'es contente ?

Elle ne répond pas.

Devant la grange, elle s'arrête.

— Je veux pas abîmer mes chaussures, elles sont toutes neuves.

— On n'est pas obligés d'entrer. Je les vois tout le temps, les ânes.

— J'en ai vu au zoo du Bronx. Et à San Diego. Tu connais San Diego ?

— Euh non…

Va falloir qu'il lise des atlas aussi.

— Il est beau, le zoo, là-bas.

Elle tourne un doigt dans l'épi de cheveux sur son front.

— L'autre jour, j'étais dans ma chambre, je regardais la chaise au bout de mon lit et je me demandais est-ce qu'elle existe toujours quand je la regarde pas ? Est-ce que les choses existent JUSTE parce qu'on les regarde ?

Il se perd dans ses yeux noirs, sa bouche rose. Tu existes vraiment, Dakota. Y a pas de doute.

— Tu sais, on dit toujours que les gens existent quand on les regarde. C'est peut-être pareil pour les chaises ? elle insiste.

— T'as d'autres trucs comme ça dans ta tête ?

Il se demande s'il va pouvoir répondre à tout.

— Oui. Par exemple, y avait-il des chants d'oiseaux au temps des dinosaures ?

Il se gratte le cou.

— Je sais pas. Mais je sais que les oiseaux n'ont pas de cordes vocales, ils chantent en faisant vibrer leurs cartilages. C'est Georges qui me l'a dit.

— C'est qui, Georges ?

— C'est un…

Ça non plus, c'est pas facile à expliquer.

— Il était domestique chez ma grand-mère. Il habite avec nous maintenant.

746

— Il est vieux comment ?

— Plus vieux que ma grand-mère. L'autre jour, ma mère a dit qu'on allait fêter ses soixante-dix-huit ans et qu'il était bien vert.

— Tu veux dire moisi ? Comme le roquefort ?

Il éclate de rire.

— Non. C'est une expression. Ça veut dire « vigoureux ».

— Vert, vigoureux. Je suis contente, j'ai appris quelque chose.

Il essaie de prendre un air enchanté, mais ce qu'il voudrait surtout c'est l'embrasser.

Quand ils reviennent dans la maison, Stella est dans la cuisine. Dakota se tait et se tient à l'écart dans la pénombre de l'entrée. Tom se demande si c'est par timidité ou parce qu'elle ne veut pas salir ses chaussures. Il y a de la boue partout ici. Dans la grange, sur le chemin, dans la cour et même sur le carrelage de la cuisine. Des mottes de terre tombées des semelles. Il ne s'en était jamais aperçu.

Madame Mondrichon et Suzon parlent recettes. Madame Mondrichon raffole des navets caramélisés, Suzon lui apprend comment les dorer sans les brûler.

Stella tranche des oignons rouges pour les ajouter à la salade. C'est bon, c'est doux, ça donne un petit goût sucré. Elle se tourne vers eux. Renifle. S'excuse. Dit c'est toujours comme ça quand on épluche des oignons ! Lance à Tom ça va, mon chéri ?

C'est fou ce qu'elle a l'air gaie. Elle sourit tout le temps. Ce n'est quand même pas parce qu'elle ne dort plus avec papa ! Elle s'est acheté des boucles d'oreilles et trace un trait de maquillage brun au ras des cils qui la rend encore plus jolie.

Stella distingue une petite fille dans l'embrasure. S'essuie les yeux du revers de la main. Se remet à pleurer.

— Bonjour ! Alors tu t'appelles comment ?

Dakota fait un pas en avant. Entre dans la lumière. Sa jupe noire tourne, ses cheveux se balancent, elle sourit.

— Dakota. Bonjour madame !

Stella lâche son couteau et s'écrie :

— C'est pas vrai !

Elle a la bouche grande ouverte et contemple Dakota comme si elle voyait un fantôme.

— C'est pas possible !

Madame Mondrichon et Suzon lèvent la tête, sur-prises. Stella se reprend.

— Je passe mon temps à sangloter avec ces oignons ! J'en peux plus !

— Tu veux que je te remplace ? dit Suzon.

— Non merci, t'es gentille. Il me reste plus que les carottes à couper et la salade sera prête.

Suzon met la table. Madame Mondrichon consulte sa montre, Suzon l'assure qu'elle sera à l'heure au collège. Coupe des tranches de pain, verse l'eau, dis-tribue des feuilles de Sopalin en guise de serviettes. Stella pose la salade sur la table, des tranches de pâté, du fromage. Elle est si troublée qu'elle n'arrive pas à regarder Dakota.

C'est la petite fille des photos. J'en suis certaine maintenant. La petite que Ray a balancée par la fenêtre. Elle a les mêmes cheveux, la même frange, le même épi et elle cache sa main gauche dans un foulard.

Tom reluque le pâté et le tend à Dakota. Georges n'est pas là, Dakota est une fille, elle fait attention à sa ligne. Il est sûr d'avoir une bonne part. Il écarquille les yeux et blêmit quand elle prend le couteau et se coupe une large tranche. Suzon a surpris la déception de Tom et tente de faire diversion.

— T'as parlé à Dakota de ton livre ? Tu sais, celui que tu lis tout le temps ? Même que tu oublies ce qu'il y a dans le four ! Vous savez qu'il a failli mettre le feu à la maison l'autre jour ?

Tom rougit et donne un coup de pied à Suzon sous la table. Il n'a pas envie de parler du livre devant tout le monde. Pas envie de faire le singe savant. Suzon se penche pour se masser la cheville. Elle bougonne tout de même ! Tout de même !

Stella a suivi l'échange. Ça lui donne une idée.

— Dis, Tom, on pourrait emmener Dakota avec nous demain à la médiathèque. Il faut qu'on aille rendre les livres et les DVD. Je pourrais vous prendre à la sortie du collège ?

QUATRIÈME PARTIE

Elle demande qu'on la laisse seule.

Un quart d'heure.

Elle ne veut plus entendre Hortense! Hortense!
Les questions des journalistes, les cris des photographes, tous ces gens en coulisses! Qui est cette
fille aux longs cheveux bleus, armée d'une paire de
ciseaux? Cette femme obèse moulée dans un rideau
jaune? Et cet homme au crâne rasé qui braille dans
un talkie-walkie?

Elle réclame le calme, le silence d'un vitrail.

Rouleaux dans les cheveux, lèvres rouges, teint pâle,
regard charbonneux, les mannequins attendent devant
la fiche qui porte leur nom, leur photo, leurs mensura-
tions, le Polaroid du modèle qu'elles vont présenter.
Corps maigres, tétons tétines, coudes de petites filles
affamées, elles sourient dans le vague ou déambulent
en talons hauts. Attendent le coiffeur, le maquilleur.
Tapotent un téléphone, s'apostrophent en anglais.
Hier, elles ont défilé pour la répétition finale. Hortense
réglait la vitesse à laquelle elles devraient marcher, le
circuit qu'elles auraient à emprunter. Le DJ montait
le son, l'éclairagiste baissait les lumières. Hortense

hurlait pour se faire entendre je veux que vous avan-
ciez souriantes, soyez HEUREUSES, vous êtes des filles
MAGNIFIQUES et vous portez des robes MAGNIFIQUES.
Alors balancez, faites rouler vos hanches, donnez envie
aux femmes d'enfiler ces vêtements ! Et les filles de
sourire. Et les robes, les jupes, les manteaux d'onduler.

« *You make me feel so young, you make feel there
are songs to be sung*[1] », hier on a essayé les chaussures,
les bracelets, les colliers, les sacs, les pochettes, «*you
make me feel so young*», les ceintures, les bagues,
changé un détail, une robe, jeté un manteau, piqué une
crise, et les maquilleurs, les coiffeurs se sont tus, les
pinceaux, les peignes se sont suspendus, attendant que
la colère passe, que tout retombe en place. On refera
la robe, on refera le manteau, a dit Picart, ce n'est pas
grave, c'est ainsi que surgit le beau, il n'est jamais à
l'heure, il n'a pas d'horaires de bureau. Hortense a
poussé un soupir. Avant de s'énerver à nouveau, et
mon blog ? Vous avez pensé à faire un film pour le
blog ? Qui s'en est occupé ? Je veux le voir.

Madame Philippine buvait des cafés serrés. Armelle
claquait des ordres. Zelda transpirait. Octave bouffait
du Doliprane.

C'était hier soir.

Elle a travaillé toute la nuit.

Et aujourd'hui, c'est LE JOUR. LE JOUR OÙ.

Seule. Dix minutes, s'il vous plaît. Mais pourquoi je
fais ça ? Pourquoi je me torture comme ça ? C'est pas
humain ! Je suis pas obligée. Où est Gary ? J'ai besoin
de lui. Je vous déteste. J'ai peur. Ma vie va s'arrêter

---

1. Chanson de Frank Sinatra.

754

dans une demi-heure. Non, je n'ai pas peur ! Je suis la meilleure. Je veux Gary. Gary !

Gary la prend contre lui, t'as vu la foule ? Il a fallu ajouter des chaises, des tabourets, se serrer. La rédactrice en chef du *Vogue* chinois est au premier rang. Et le journaliste de *Vanity Fair* Amérique aussi. Et celui du *New York Times*. Et *Le Monde* ! *Le Figaro* ! *Libération* ! *Elle* ! Garance Doré ! Et les blogueurs ! Ils sont tous là. Picart a rameuté tout le monde. Tu vas faire un malheur. Rihanna trône au premier rang. Six mille flashs crépitent. On n'y voit plus rien ! Antoinette a tenu parole. Je ne pensais pas qu'elle réussirait. Elles te réservent une surprise ! Non, j'ai promis de ne rien dire, non, n'insiste pas ! Attends, il y a aussi Philippe, Alexandre, ta mère, Zoé, son film est magnifique, on se l'arrache ! Marcel, Josiane, Junior… dis, il a changé, je l'ai à peine reconnu. Il a grandi, ses cheveux ont poussé, son visage s'est arrondi, il m'a provoqué en duel, j'ai rien compris ! Il avait l'air sérieux. Et furieux ! Josiane a maigri. Elle a perdu l'appétit un matin en se levant. Elle est enchantée. Elena engloutit des loukoums. Elle parle de règlements de comptes, d'hommes de loi, ça rigole pas. Sisteron fait la tronche. Elena mitonne quelque chose, j'en suis sûr. Ah, j'allais oublier, Henriette est placée derrière une colonne avec son grand chapeau. Tout va très bien se passer. Ne t'en fais pas.

Hortense écoute Gary, hume son eau de toilette, la chaleur au creux de son cou et son cœur s'apaise, son ventre se dénoue, elle retrouve son souffle, redis-moi que la salle est pleine, qu'ils sont tous venus, on parle du tissu ? Du miracle du tissu ? Il effleure ses cheveux n'aie pas peur, ça va être un triomphe, mais fais gaffe ça va aller très vite, tu croiras que ça commence et ce sera déjà fini, profite de chaque seconde et souris !

Il dépose entre ses mains un bloc de papier cartonné et un poudrier bleu.

— Le poudrier, c'est ta mère. Elle n'a pas osé venir en coulisses, elle a peur de te déranger. Le bloc, c'est Zoé, tu vas voir, c'est très drôle. Moi, je serai dans la salle. Je te raconterai si tu n'y vois plus rien, si tu n'entends plus rien, si tu perds la mémoire et embrouilles tout.

Il l'embrasse, il s'éclipse.

— Au revoir, Hortense Cortès !

Elle reste seule.

Cherche une issue de secours, elle veut s'enfuir.

Feuillette le bloc de Zoé pour occuper ses mains qui tremblent, ses doigts qui crochent. Dans trois minutes, elle va affronter... elle ne sait pas comment appeler ça... son destin ? Elle se frotte le nez. Ouvre le poudrier bleu. Shiseido. Son porte-bonheur. Se repoudre. Caresse le couvercle bombé, merci, m'man ! Ouvre le bloc cartonné de Zoé. Des photos. Et une première légende éclaboussée de paillettes : ON EST TOUS LÀ ET ON T'AIME ! Gary fait le pitre, Iphigénie sourit en brandissant son fer à repasser, Philippe et Joséphine ont enfilé le même pull et rient dans l'encolure, Alexandre porte un monocle, Elena tortille un loukoum, Picart fait le V de la victoire, Armelle, madame Philippine, Octave, Zelda et toute son équipe

756

sont au garde-à-vous. Une seconde légende : ET TA NOUVELLE FAMILLE EST LÀ AUSSI ! Chacun pose avec une pancarte qui porte son nom en majuscules comme les repris de justice. Stella, Léonie et…

Je connais cet homme qui sourit d'un sourire si mince… La pancarte dit ADRIAN.

L'homme des chambres d'hôtel.

Hortense se fige, pousse un cri, se retourne pour vérifier qu'elle est seule dans la pièce, que personne ne va surprendre son secret. Une cascade de rires roule dans sa gorge, oh mon Dieu, c'est pas vrai ! Le type de l'hôtel est le mec de ma « tante ». Elle rit à s'en fêler les côtes.

Picart pousse la porte, tu viens ? Allez ! Arrête d'imaginer le pire !

Elle se retourne, secouée de rire. Des larmes de rire. Elle ouvre les mains pour dire j'y peux rien ! Il la regarde, interloqué, et comme les gens se pressent derrière lui, il referme la porte et déclare :

— C'est nerveux. Y en a qui vomissent, qui s'évanouissent, elle, elle rigole. Tant mieux !

Au premier rang, surprise d'être si bien placée, Nicole Sergent roule des yeux étonnés. Qui l'a invitée ? On parlait d'Hortense Cortès dans les journaux, on disait que son défilé serait l'attraction de la semaine, qu'elle était la protégée de Jean-Jacques Picart. Elle a reçu l'invitation, elle a répondu oui. Sisteron l'a aperçue, il est devenu tout blanc, a transpiré à s'en mouiller le front. Elle lui a fait signe qu'elle ne comprenait pas pourquoi elle était là. Il s'est mordu les lèvres.

Dans un coin de la salle, Elena savoure. C'est l'heure de la revanche. Elle gagnera sa place quand les lumières s'éteindront. S'assiéra au bout du rang et attendra de rejoindre Hortense sur le podium.

Les lumières se tamisent.

Les filles en blouse de ménage finissent de balayer la scène en se dandinant.

Un, deux, trois coups. Comme au théâtre. Et la musique éclate. Les filles s'alignent en coulisses, reçoivent des touches de rose, de rouge, un coup de peigne, un coup de laque, un supplément d'épingles. Hortense rectifie un pli, une ceinture, tire sur un pan de veste, coud une fronce, défait une pince.

Et après ?

Tout s'accélère, elle ne voit rien.

Dix-huit robes, dix-huit minutes. C'est fini.

Elle tend l'oreille.

Pas un applaudissement. Même pas ceux que la politesse exige.

ILS ONT DÉTESTÉ !

Elle écarte le rideau. La salle est plongée dans le noir.

Projecteurs, roulements de tambour et…

Les femmes de ménage jumelles arrachent leur blouse de travail et jaillissent en robe fourreau. Minces, longues, enchâssées de beauté. Les cris fusent. Les gens se lèvent, font tomber leur sac, leur manteau. Ils crient oh ! Oh ! Tapent des pieds.

La musique s'arrête.

Encore un silence.

Picart pousse Hortense sur le podium. Ses yeux brillent, il glousse de joie. Le noir se fait à nouveau.

La musique monte, atteint un paroxysme.

Le rideau s'ouvre, Rihanna et Antoinette bondissent. La première, pieds nus, dans une robe de mousseline échancrée devant, échancrée derrière, qui s'évase en boule mauve, la seconde dans une mini-robe noire cloutée. Elles se penchent, se déhanchent, dansent. Rihanna entonne « Shine bright like a diamond ». Antoinette fait la choriste. La salle hurle, Rihanna conclut par un bravo, Hortense Cortès !

On l'applaudit, on tend les bras pour la toucher, elle vacille, plaque les mains sur sa bouche, ferme les yeux pour ne pas pleurer, manquerait plus que ça ! Va s'incliner devant Elena, lui tend la main, merci, merci, c'est grâce à vous tout ça. Elena se hisse sur le podium aux côtés de Rihanna, Antoinette et Hortense. Et marche au milieu des robes, des mannequins, des flashs, des confettis.

Dix-huit robes, dix-huit minutes et c'est fini.

Les gens félicitent Hortense, l'embrassent, l'étreignent, lui parlent français, italien, anglais, elle dit *grazie*, *thank you*, merci beaucoup, sourit, fronce le sourcil, mon tissu ? Je l'ai créé, comme toute la collection. Mon secret ? Quelle question stupide ! Elle passe le bras autour d'Elena, raconte leur MERVEILLEUSE aventure. Mes projets ? Je ne sais pas encore ! Ce que je ressens ? Oh là là ! Mes inspirations ? Les films de Jacques Demy, Michel Legrand, Marilyn,

Jane Russell, Audrey Hepburn, Lauren Bacall, *Un Américain à Paris, Funny Face.*

Joséphine a les larmes aux yeux, elle n'ose pas l'approcher. Hortense va vers elle, la prend dans ses bras, merci, maman, c'est grâce à toi aussi, Saint Martins et tout ça, tu... elle ne finit pas sa phrase. Zoé sèche une larme. Philippe tapote son nœud de cravate. Alexandre demande un autographe. Picart chuchote on a déjà une cinquantaine de commandes, c'est du JAMAIS VU, et il insiste sur JAMAIS VU ! *You did it, you did it !* piaille Elena. Et quand on pense, calcule madame Philippine, qu'un modèle haute couture se vend entre quarante mille euros et... une centaine de milliers, je crois que je suis ivre, ivre de fatigue. Mais non, mais non, célébrons, claironne Elena, ce soir on fait la fête ! Ah ! J'ai eu du flair en repérant cette petite. Mon nom est blanchi, je suis VENGÉE. Et son regard fouille la foule pour apercevoir Nicole Sergent et lui planter deux poignards dans le front.

Robert Sisteron, pâle, tremblant comme si on l'avait recouvert de plumes et de goudron, tripote ses manches. Louche sur Nicole Sergent qui pille le buffet et l'ignore. Louche vers Elena qui l'ignore aussi. Quand il s'approche pour demander pourquoi elle lui bat froid, elle répond ce n'est VRAIMENT pas le moment, quel manque de tact ! Et lui tourne le dos en pensant profite de tes derniers moments de liberté, mon coco, toi et ta poulette, vous allez vous retrouver derrière les barreaux illico presto !

À l'écart, un peu gênés d'être là, Stella, Adrian, Léonie et Tom finissent un granité au café. Ils sont arrivés dans la matinée de Saint-Chaland. «11h30, hôtel Plaza, avenue Montaigne, défilé Hortense Cortès», disait le carton d'invitation. Joséphine leur a demandé de venir, elle avait peur qu'il n'y ait pas assez de monde, que des places restent vides, c'eût été terrible. Ils ont dit oui mais ajouté qu'ils repartiraient très vite. Adrian râle ce n'est pas mon truc, ce genre de réunion à la con, j'ai autre chose à faire! Et puis, je la connais pas cette fille.

— Arrête, dit Stella, tu l'embrasses et…

— JE L'EMBRASSE?

— Ben oui… Vous êtes appelés à vous revoir.

— À NOUS REVOIR?

— Adrian! gronde Stella.

— Bon, mais vite fait. On lui serre la main et on s'en va. Ils annoncent des vents violents et je voudrais pas que…

— Quel rabat-joie! soupire Léonie qui observe les lustres, les femmes et les robes, les lumières et les ors, tout ce scintillement de beauté, de mondanités auquel elle ne connaît rien mais qui lui va très bien.

— Oh oui! On reste, p'pa! Y a plein de gâteaux sur la table là-bas!

Tom mate les filles. Putain! Y en a pas des comme ça à Saint-Chaland.

Elles habitent toutes Paris?

Il se passe alors une chose extraordinaire. Une chose qu'Hortense n'avait pas prévue, comme si elle obéissait à une force inconnue. Au milieu d'une phrase, elle interrompt la journaliste, traverse le salon, marche vers Stella et dit:

— C'est gentil d'être là…

Elle l'embrasse. Stella tire la manche d'Adrian, qui a le dos tourné, et le présente à Hortense.

— C'est Adrian. Vous vous êtes manqués la dernière fois au restaurant…

Hortense s'approche d'Adrian, lui tend la main.

— Bonjour, Adrian. Merci d'être venu, elle dit d'une voix posée.

Il a un imperceptible mouvement de recul. Stella gronde entre ses dents :

— Allez, Adrian !

— Ça va, ça va, il bougonne en regardant Hortense.

Elle lui tient la main comme si elle voulait lui tordre le bras et le jeter à ses genoux.

— Embrassez-vous, dit Léonie en souriant.

Adrian se dérobe, réticent. Stella lui donne une légère bourrade dans le dos.

— Je veux bien vous embrasser, moi, dit Hortense avec un grand sourire, sans relâcher sa prise.

Elle se penche et LUI DONNE UN BAISER.

Un baiser de mafiosa qui ordonne surtout vous ne dites rien, vous la bouclez ou je vous coupe la gorge. Suivi d'un léger baiser qui ajoute j'ai passé de délicieux moments avec vous, mais je veux que ça reste strictement entre nous.

Il reçoit la pression douce et ferme de ses lèvres sur la joue, marmonne :

— C'était enivrant, votre… votre… défilé.

— Vous avez aimé ?

— Beaucoup.

— Vous avez pu profiter du buffet ? enchaîne

Hortense d'un petit ton cérémonieux en s'adressant à tous.

— Ne vous en faites pas, répond Léonie. C'est tellement beau qu'on ne pense pas à manger. Si on m'avait dit qu'un jour je viendrais au Plaza !

Et Hortense s'en retourne vers Elena, Picart, les journalistes, souriant à droite, souriant à gauche et, juste avant de reprendre son rôle officiel, elle exhale un soupir heureux.

Ce soupir conforte Gary dans ses soupçons.

Il a suivi Hortense des yeux. N'a rien perdu de sa trajectoire, du baiser donné à l'homme au regard gris. Il a perçu le subtil abandon du corps d'Hortense contre le corps de l'homme, dans une pose intime, presque impudique, trahissant le dialogue clandestin de deux amants, les draps froissés par le plaisir, les doigts qui scellent une jouissance défendue.

Qui est ce type ?

Que signifie cet abandon furtif ?

Est-ce le rival qu'il a deviné un soir en entendant déraper la voix d'Hortense au téléphone ?

Il est frappé en plein cœur. Anéanti. Il court demander au concierge de l'hôtel où se trouve le piano le plus proche. Au bar, bien entendu, répond l'homme, placide. Gary traverse des salons, des couloirs, foule des moquettes à ramages. Ouvre les portes à battants du bar. Prend la place du pianiste. Fait craquer ses doigts. Et joue la *Sonate en sol majeur* de Ravel, exécutant ENFIN, ENFIN un magnifique staccato, le pouce audacieux, le majeur vif, dans un mouvement parfait qui fait jaillir ses larmes sur le clavier.

— Tu as vu comme le pianiste est beau ? dit une jeune fille diaphane, assise au bar en compagnie de sa cousine germaine qui arrive de Vienne.

— Tu as raison, Winifred. Mais pourquoi pleure-t-il ?

— On ne peut pas faire de différence entre les larmes et la musique.

— Comme elle est belle, cette phrase, Winnie !

— Elle n'est pas de moi, mais de Nietzsche.

Un couple s'affronte devant le buffet.

Quatre mains se griffent en attaquant une pyramide de macarons chocolat, café, vanille posée sur la nappe blanche. Quatre mains qui pillent l'édifice sucré et menacent de l'écrouler. Quatre mains qui appartiennent à deux garçons portant la même parka Goose.

Ils tombent nez à nez. Se toisent. Se mesurent.

— Tu t'appelles comment ?

— Et toi ?

— Non, toi !

— T'échanges un macaron café contre un chocolat ?

— Je préfère ceux au chocolat.

— T'es venu avec qui ?

— Avec mes parents. Là-bas. Sur la banquette rouge.

— Les deux vieux ?

— Dis donc, tu veux qu'on se batte ?

— Ben… ils sont pas jeunes, c'est tout.

— Et les tiens, ils sont où ?

— Sous le palmier en plastique, la grande blonde et…

— Mais je la connais !

— Ça m'étonnerait. On n'habite pas Paris.

— Ben si… je l'ai vue dans… enfin je l'ai déjà vue. Et l'homme à côté d'elle aussi !

Junior dévisage Tom.

— Toi aussi, je te connais !

— Sérieux ?

— Tu t'appelles Tom, tu t'es bagarré deux fois de suite, t'es amoureux de Dakota et t'habites une ferme avec un perroquet.

— Ben dis donc… ! T'es un ouf, toi. T'es espion ou quoi ? T'as des fiches ?

Junior éclate de rire. Il tend la main à Tom. Il aimerait bien faire un check, il a vu des gamins faire ça dans la rue, mais il ne sait pas comment s'y prendre. Sa main reste en l'air et retombe, molle. Tom le regarde, surpris.

— Moi, c'est Junior et je suis ton pote.

— Putain ! T'existes vraiment ! C'est toi qui me souffles des vers ?

— Emily et moi.

— Qu'est-ce que tu fous ici ?

— Hortense Cortès, c'est ma fiancée. On va se marier.

— Ta fiancée ? bredouille Tom. Mais…

— On attend encore un peu avant de l'annoncer.

— Comme tu veux, dit Tom.

Après tout, il est bien amoureux, lui, d'une fille qui

765

a les doigts coupés et se demande ce que deviennent les chaises quand elle a le dos tourné.

— J'aimerais bien savoir comment tu fais pour t'incruster dans ma tête. Pour me parler.

— Rafle des macarons, une bouteille de champagne, on va se planquer. Je vais t'expliquer... Je te dirai aussi comment je baise la voisine du quatrième.

C'est plus fort que lui, il faut qu'il se vante. Va falloir qu'il se surveille, sinon la force va se venger.

La salle se vide, les journalistes, les photographes courent vers d'autres shows. Rihanna et Antoinette sont reparties. Hortense se mange les ongles. C'est un triomphe ? Un triomphe grand comment ? Que dit-on sur Twitter et Instagram ? Combien de *like*, de *tags* et de *hashtags* ? C'est allé trop vite. Des mois de travail qui s'éclipsent en quelques minutes.

Il est temps de ranger les vêtements, les accessoires dans le camion, de rapporter la collection à l'atelier. Les premiers rendez-vous avec les clientes auront lieu demain matin. La collection doit être rafraîchie, remise en ordre. Il va falloir finaliser les prix, mais ça, c'est le boulot d'Elena et de Picart. Ce soir, on fait la fête. On se défoule, on rit, on dit des sornettes, on se rappelle les bourdes, on boit du champagne, j'improviserai un discours pour remercier, on ira chez Fichon, rue Marcadet, j'ai envie de dormir, j'ai eu si peur ! Je voudrais que ça recommence au ralenti.

— Redites-moi que c'est un succès, dit Hortense à madame Philippine qui se masse les pieds.

— Un immense succès. Tu peux être fière de toi.

— Grand comment ?

— J'ai beaucoup aimé travailler avec toi.

— Grand comment ? répète Hortense.

— Vive nous, les filles ! pouffe Elena en levant sa coupe de champagne. J'ai dézingué la Nicole, éliminé le Robert, réussi mon coup de poker ! Qui dit mieux ?

Un pâle éphèbe aux paupières bistre la suit. Il porte les renards argentés d'Elena comme s'il tenait les pantoufles du pape.

— Vous n'avez pas vu Gary ? demande Hortense.

— Il y a un très beau piano au bar de l'hôtel, répond Picart en se laissant tomber sur une chaise et en poussant un *ouf !* de satisfaction.

Gary est au piano. Deux jeunes filles aux longs cheveux mousseux l'écoutent jouer. Elles le contemplent et parlent de Nietzsche. Hortense s'assied à ses côtés. Elle murmure Ravel, *Sonate en* sol *majeur* ? Il acquiesce. Elle est belle, chuchote une jeune fille, elle est classe, dit l'autre, ce doit être sa fiancée. Hortense laisse tomber sa tête sur l'épaule de Gary.

— C'était lui ? dit Gary, n'y tenant plus.

— Oui. On est quittes ?

— On est quittes.

Et, après un silence, il ajoute tout bas... Hortense Cortès.

*

Quand madame Filières pénètre dans son bureau le matin, un gobelet de café à la main, qu'elle aperçoit son ordinateur parmi les piles de papiers, de courriers, de livres et de dossiers, ses genoux tremblent, son ventre s'étrangle. Elle doit faire un effort pour s'asseoir. Le téléphone sonne, on lui demande si elle a reçu le mail de l'économat, celui de la cantine, de la comptabilité, celui de monsieur Potier qui attend une réponse pour les tapis de gym, et pourquoi n'a-t-elle pas confirmé à madame Marin la réservation de la fanfare ? Madame Filières répond je viens d'arriver, je n'ai pas encore consulté mes mails. On lui explique qu'elle doit répondre dans la minute. Elle est bien obligée d'ALLUMER SON ORDINATEUR et de LIRE SON COURRIER. Alors, au milieu des mails anodins, elle tombe sur un message.

« Tu peux décommander la cérémonie. Tu vas bientôt savoir pourquoi. Et c'est du lourd. »

C'est le message de trop. Elle tapote ses bras gélatine, réfléchit un instant, appelle la ligne directe du maire, tombe sur la secrétaire, halète passez-le-moi, c'est urgent ! Le jeudi matin, monsieur le maire reçoit son coiffeur dans son bureau à la mairie, il s'offre une coupe et une manucure. Il aura tout le loisir de l'écouter.

Elle tente de mettre la main sur son flacon de Lexomil, ne le trouve pas, elle a dû le terminer la veille, pianote, affolée, à la recherche d'un autre comprimé, Stilnox peut-être ? Elle entend la voix du maire qui demande, légèrement agacé, que se passe-t-il, Christine ?

— Encore un mail ! J'en peux plus !

— Calmez-vous. Des lettres anonymes, on en reçoit

tous les jours. On reçoit même des balles et des cercueils. Le Français est irritable. S'il fallait s'alarmer à chaque courrier malveillant…

— Ça me perturbe. Je tiens plus le coup.

— Ce doit être un plaisantin qui veut faire son malin. Il se dégonflera et sera au premier rang le jour de l'inauguration. Reprenez-vous, Christine. Je vous ai connue plus gaillarde !

Il a un rire gras. Elle sait très bien à quoi il fait allusion et trouve que c'est déplacé.

— J'en peux plus, Hervé. C'est non-stop, ces menaces. Mettez-vous à ma place !

— Mais je m'y mets, Christine, je m'y mets. Tout contre vous !

Et le rire gras enfle.

— Hervé ! Ce n'est pas le moment !

Il se gratte la gorge et reprend sa voix officielle :

— Je vous demande simplement de ne pas vous affoler, nous allons considérer la situation, j'en parlerai aujourd'hui à monsieur Viannet. Il doit me téléphoner.

— Qui c'est, celui-là ? dit madame Filières qui voit poindre la silhouette rassurante d'un sauveur.

— Il est chargé de mission à l'Éducation nationale. Il connaît ce genre de situation. Il nous fera un rapport.

— Mais je n'ai pas besoin de rapport ! Je veux que ces mails cessent !

— Comme vous y allez, Christine ! Quelle précipitation ! Il ne faut jamais se hâter. Nous allons consulter et nous verrons quelle attitu…

Madame Filières n'attend pas la fin de la phrase et raccroche, dévastée. Elle tapote ses cheveux, mouille ses lèvres, soulève le lourd dossier intitulé «Inauguration collège Ray-Valenti» quand sa secrétaire appelle pour lui annoncer que son rendez-vous vient d'arriver.

— Quel rendez-vous ? Je n'ai rien noté sur mon agenda.

— Madame Valenti. Stella Valenti. Elle dit que vous lui avez dit de passer ce matin.

— Madame Valenti ? Laissez-moi consulter mon emploi du temps…

N'est-ce pas l'occasion d'en savoir davantage ? C'est peut-être elle qui lui envoie ces messages. C'est un cas social, cette femme.

— Faites-la monter. Je vais lui parler.

Mais comment n'y ai-je pas pensé plus tôt ? C'est elle, bien sûr ! D'abord, elle m'agresse verbalement, puis me poursuit par écrit. Elle fait monter l'angoisse, vrille mes nerfs, espère que je vais tomber dans ses filets et renoncer à mon projet. Je vais te la remettre à sa place, celle-là, elle va se retrouver en string à Ibiza ! Faut que j'arrête de parler comme les élèves. Je suis en train de perdre tous mes repères. Bientôt je regarderai *Jeremstar* en mangeant des Haribo Croco.

Stella entre dans le bureau, pose son sac sur des copies d'élèves, des comptes-rendus de professeurs. Des papiers volent par terre. Madame Filières se baisse pour les ramasser.

— Je vais être brève. J'ai garé mon camion en double file, je ne voudrais pas qu'on me l'embarque.

— Asseyez-vous, madame Valenti, dit madame Filières en songeant que ça ne va pas être si facile que ça, le coup du string à Ibiza, l'adversaire semble coriace.

— J'ai pas le temps de m'asseoir. Alors voilà… J'ai dans mon sac une vidéo de Ray Valenti s'envoyant en l'air avec la mère d'une élève de votre collège. Quand je dis qu'il s'envoie en l'air, je modère mes propos, car en fait il la VIOLE. Oui, il la VIOLE.

Madame Filières la dévisage, incrédule, appuyée sur ses avant-bras, la bouche ouverte, telle une otarie de cirque qui attend de gober sa sardine.

— On entend les cris de la femme, on la voit attachée sur le lit. On le reconnaît bien, lui. Et on l'entend aussi. Un vocabulaire un peu cru, je dirais. Et c'est pas tout. Non seulement il viole cette femme mais il balance une petite fille par la fenêtre.

Stella marque une pause afin que madame Filières digère les informations. La directrice s'est emparée d'un manuel de grammaire avancée pour classes de troisième qu'elle étreint comme si sa vie en dépendait.

— Je peux vous raconter la suite… Elle n'est pas dans le film mais facile à reconstituer. D'autant que la petite fille est en classe de sixième avec mon fils, Tom. Elle s'appelle Dakota Cooper.

Madame Filières ne bouge pas. Elle semble vitrifiée.

— Dans sa chute, la petite Dakota a heurté une sculpture constituée de lames effilées qui lui ont tranché les doigts de la main gauche. Je vous épargne le sang qui coule, la main amputée, l'hôpital, le père qui accourt, la mère dans un sale état… Elle s'est tuée trois mois après… Donc, cela ne me paraît pas très judicieux de…

Dans la tête de madame Filières, deux noms clignotent : Dakota Cooper, monsieur Cooper. Monsieur Cooper… très important. S'il apprend qu'on veut baptiser le collège du nom de l'homme qui… Ses mains malaxent la grammaire, la tordent, l'essorent.

— Vous avez les images du viol sur ce DVD. J'en ai déposé un double dans un coffre en banque au cas où vous auriez de mauvaises pensées. Regardez-le. Vous êtes une femme raisonnable, vous saurez décider par vous-même, à moins que vous ne deviez en référer à plus haut placé…

Madame Filières veut ouvrir la bouche mais Stella lui fait signe qu'elle n'a pas fini.

— Je vous avais prévenue mais vous ne m'avez pas entendue. Il faut écouter les gens, madame Filières, il ne faut pas les mépriser ni leur asséner les choses sur le crâne. Vous faites naître alors un ressentiment qui peut conduire à des actes violents. Je n'ai plus rien à dire. Je m'en vais.

Avant de sortir, elle fouille dans son sac, en extirpe un énorme tournevis, marmonne putain ! hausse les épaules, remet le tournevis dans le sac, fouille encore, sort un DVD, le pose sur la table.

— Au revoir, madame Filières.

Madame Filières se lève et demande d'une petite voix :

— Euh… madame Valenti… je voudrais savoir si… Mais ne vous énervez pas… Je vous promets que cela restera entre nous… Mais c'est que… alors cela me soulagerait si…

— Mon camion est garé en double file, madame Filières.

— Je voudrais savoir si c'est vous qui envoyez ces mails…

— Quels mails ? demande Stella en avançant le menton comme si on lui posait une question à cent mille euros à laquelle elle ne saurait pas répondre.

— Les mails de menace que je reçois chaque jour et parfois plusieurs fois par jour…

— Sur votre messagerie personnelle ?

— Sur mon adresse personnelle au collège.

— Madame Filières, je n'ai ni votre mail ni votre téléphone. Heureusement pour vous ! Vous m'auriez entendue !

Elle ajoute avec une violence contenue qui fait frissonner la directrice :

— Moi, je règle mes comptes en face. J'affronte. J'ajuste. J'exécute. Je porte pas de masque. Au revoir, madame Filières.

*

Tout roule sur des roulettes depuis quelques jours.

Mardi, elle est allée chercher Tom et la petite fille, comment elle s'appelle déjà ? Dalida, Tagada, non… Dakota ! Et hop, en route pour la médiathèque.

Camille, derrière son bureau, écoutait un opéra, les yeux fermés, il battait la mesure avec un stylo. Un opéra assez entraînant, elle avait eu envie de reprendre le refrain. «*Donna è mobile*», ou un truc comme ça.

Elle avait poussé Tom et Dakota devant Camille.

Camille était devenu blanc. Un blanc crayeux. Un

peu farineux. Il avait dégluti. Baissé les yeux. Tom et Dakota étaient partis se promener dans les allées parmi les livres, les DVD, les magazines et les bandes dessinées.

— Vous l'avez retrouvée comment ? il avait fini par demander.

— Elle est dans la classe de Tom.

— Ils sont donc revenus en France…

Il avait ôté ses petites lunettes jaunes. Les astiquait avec un chiffon assez sale. Le téléphone avait sonné, il n'avait pas décroché.

Il avait dit à voix basse :

— J'ai apporté le film.

— Vous n'avez rien coupé ?

— Comment ça ?

— Dans le film…

— Si. Le passage où je suis. Je préfère. Je deviens courageux mais pas téméraire.

— Mais vous avez gardé le reste ?

— Oui. Et j'en ai fait deux copies au cas où…

— On va me demander comment j'ai mis la main sur ce film.

— Vous direz qu'on l'a déposé dans votre boîte aux lettres. Quelqu'un qui savait que vous ne supporteriez pas qu'on baptise le collège du nom de Valenti.

Il s'était baissé, avait pris une enveloppe dans son sac et l'avait tendue à Stella.

— Vous avez vu ?

— Quoi ?

— Elle m'a pas reconnu.

— C'est normal. Quand on est petit, on efface tout ce qui est insupportable de sa mémoire. On ne

774

pourrait pas grandir sinon. Ça revient plus tard. C'est alors que ça fait mal. Très mal.

Il avait continué à essuyer ses petites lunettes jaunes avec son chiffon sale.

Ça n'avait pas été plus difficile que ça.

La vie roule sur des roulettes. C'est si bon de mener le jeu. Ça donne un grand sentiment de liberté. J'occupe MA place et je ne subis plus. C'est pas une définition du bonheur, ça ? Une définition de la dignité ?

En plus, j'ai un compte en banque blindé. Je suis RICHE. RICHE. RICHE.

Adrian.

Il a dû comprendre que quelque chose avait changé.

Quand ils sont rentrés de Paris, il l'a retenue par le poignet, l'a empêchée d'aller dormir chez Georges et Suzon. L'a portée jusqu'à leur chambre et lui a fait l'amour en la regardant dans les yeux. Et c'était comme s'il lui parlait en même temps. Qu'il lui demandait pardon. Pardon de quoi ? Elle ne sait pas. Mais ça faisait longtemps qu'il ne l'avait pas regardée dans les yeux en faisant l'amour.

Il avait dû prendre une sacrée décision.

*

Adrian respire un grand coup et éteint son portable.

Il va arrêter de se comporter comme un imbécile. Ou pire, comme… un ESCROC.

Le voyage à Paris lui a remis les idées en place. Il

a eu si peur quand il a aperçu la Parisienne marcher vers lui. Il a cru qu'elle allait l'embrasser sur la bouche devant tout le monde. Il a tourné le dos et entendu le sang battre dans sa tête, scander Stel-la, Stel-la. Stella le poussait, Léonie murmurait embrassez-vous, et il freinait, freinait, terrifié à l'idée de se trahir, que ses mains le trahissent. Faut plus qu'il pose les mains sur la Parisienne, il a envie de la renverser.

Elle a été formidable. Elle a clos leur histoire d'un baiser sur la joue, d'une torsion de main qui en signait la fin. Affaire réglée.

Alors il a décidé de régler TOUS les autres problèmes, Borzinski, Edmond, le broyeur, le hangar, l'emprunt à la banque. Liquidation totale.

Il monte l'escalier qui mène au bureau d'Edmond, pense pourvu qu'il soit seul, qu'il ait le temps de m'écouter, et surtout pourvu qu'il n'explose pas. Ça va être dur à avaler. Cent mille euros empruntés dans son dos !

Il bafouille Edmond, j'ai quelque chose à vous avouer, quelque chose dont je ne suis pas fier. Je voudrais vous présenter toutes mes excuses. J'ai perdu la tête, j'ai honte. Après tout ce que vous avez fait pour moi… c'est vraiment nul…

Il s'arrête.

Edmond le regarde sans rien dire.

Il grappille des trombones qu'il soulève et laisse tomber en pluie dans un petit bol. Cela fait un bruit fluet, argentin. Il suit des yeux la chute des trombones, laisse parler Adrian.

Adrian s'attend à ce qu'il bondisse. Le traite de voleur, de magouilleur. Il répondra vous avez raison, je comprends, je vous rembourserai, je ne sais pas quand, ni comment, mais je vous rembourserai. Tout en pensant il va falloir que je me réconcilie avec Milan et ses chaussures pointues. Je vais avoir besoin de lui. Trouver un ou deux coups pour me refaire. Comme avant... comme avant...

— Parce que tu t'imagines que je n'étais pas au courant ? Tu me prends pour un con ?

Adrian hausse un sourcil. Dit ah ? Et c'est lui qui a l'air con.

Edmond lisse sa cravate sur son ventre, se renverse dans son fauteuil, déforme un trombone, le lisse, le brandit comme s'il voulait se battre.

— Mon banquier m'avait averti, j'étais sur le point de porter plainte contre toi.

— Vous saviez ?

— Adrian, tu me prends vraiment pour un con !

Adrian baisse la tête. Il écorche son pouce de l'ongle de son index.

— C'est pas tout, il dit.

— Vas-y !

— J'ai commandé un autre broyeur, à bois celui-là, mais je ne sais pas comment le payer et...

— Dis donc, il était temps que tu me parles, on dirait ! T'allais droit dans le mur.

— J'ai plein d'idées, Edmond, mais j'ai pas les moyens de les réaliser. Alors j'ai réfléchi...

— Et ?

— Je voudrais qu'on travaille tous les trois, Borzinski, vous et moi. Si vous voulez bien.

— À mes conditions ?

— À vos conditions.

Adrian ne sait pas au juste quelles sont les conditions d'Edmond. Mais il n'a pas le choix.

Et puis…

… il ne veut pas ressembler à une vache.

L'autre jour, il s'était promené avec Tom.

Il allait vérifier que la clôture tenait bon, que les ânes ne s'enfuiraient pas. Ils traversaient le champ où le fermier voisin met ses vaches à paître. Ils marchaient en mâchant un brin d'herbe. Tom imitait Lucky Luke. Adrian avait précisé qu'avant, c'était pas un brin d'herbe que Lucky Luke tenait en bouche, mais une cigarette. Tom avait été choqué. Lucky Luke fumait ? Pas possible.

Et puis Tom avait déclaré qu'il n'aimerait pas être une vache.

— Tu décides jamais rien. Tu réfléchis pas. On te met dans un pré, tu broutes, on t'agrafe une étiquette dans l'oreille et tu finis sous emballage à Carrefour. T'as rien fait de ta vie.

— Elle a pas le choix, la vache !

— Pas de courage surtout. Elle pourrait s'évader, quitter son champ, connaître au moins une fois la liberté.

Il devait penser à Steve McQueen dans *La Grande Évasion*.

— Tu crois qu'il y a des gens qui vivent comme des vaches ? avait dit Tom. Des gens qui ont pas de courage, qui préfèrent finir en steaks à Carrefour ?

Adrian avait pris ça pour lui.

— Je vais t'expliquer, reprend Edmond. Veolia est
déjà sur le marché du plastique, du bois et du papier.

— Je le savais…

— Borzinski négocie avec eux. Il voudrait passer
un accord. Il ne te l'a pas dit ?

— Non. Je m'en doutais mais…

— Drôle d'associé ! Il te mène en bateau. Pas terrible, non ?

Adrian rougit. Il mâcherait bien un brin d'herbe
pour passer ses nerfs.

— Voilà ce qu'on va faire, poursuit Edmond. On va
garder Borzinski parce qu'on en a besoin. Son projet
ne se fera pas avec Veolia. Ils n'ont pas besoin de lui.
Nous, si. En tout cas, pour démarrer.

— Ah…

Adrian se sent dépassé. Remis à sa place. Il n'est
pas de taille à discuter avec Veolia. Edmond, si.

— On va le garder parce qu'il connaît les réseaux
russes, asiatiques, les us et coutumes, les combines,
les commissions à payer. Il va nous introduire dans
ce nouveau marché. Toi, petit à petit, tu apprendras,
tu te feras un carnet d'adresses. On travaillera avec
lui le temps qu'il faudra. J'assurerai la base, tu joueras
les missi dominici.

Adrian ne veut pas lui demander ce que ça signifie.
Inutile de passer pour encore plus con.

— Vous êtes sûr que Veolia ne va pas marcher avec
Borzinski ?

— Veolia a déjà tous les contacts. Borzinski se
goure, il va être OBLIGÉ de faire affaire avec nous.

Edmond balance le trombone déformé dans la corbeille, en attrape un autre qu'il se met à triturer.

— Je pensais qu'il ferait affaire avec moi. Il t'a choisi, toi. Il a dû me trouver trop vieux, trop cuit. Je l'étais sûrement, mais j'ai repris du poil de la bête et je suis prêt à me battre. Je vais relancer Borzinski. Je ne lui parlerai pas de toi au début.

Adrian se crispe. Le vieux le met sur la touche. Sa jambe droite tape sur le côté du bureau.

— Je vais le laisser venir, je te tiendrai au courant. Dis-moi un truc, tu peux suivre s'il faut investir ? Parce qu'il va falloir mettre un peu d'argent au départ.

— Pourquoi vous me posez la question ? Vous savez très bien que non.

— Parce que je veux que TOI, tu te la poses. Si tu veux jouer avec les grands, va falloir te comporter comme un grand. Et pas piquer dans le compte en banque de ton patron !

Edmond a haussé le ton. Le trombone se casse entre ses doigts.

— Ok, j'ai compris, dit Adrian. Vous me faites la leçon.

— T'en as bien besoin, mon vieux !

En sortant du bureau d'Edmond, Adrian bouscule Julie qui entre.

— Oh, pardon…, il dit, la mine sombre.

— Ça va, Adrian ?

— Oui. Et toi ?

Il n'attend pas la réponse et dévale l'escalier.

Julie le suit des yeux. Il court comme un voleur.

Ils sont bizarres, les hommes, en ce moment. Jérôme n'arrête pas de me houspiller, méfie-toi d'Adrian, de Maurice, de Boubou, et Houcine, il est pas très clean, non ? Elle est fatiguée, elle a grossi, ça lui donne le cafard. Ce matin, elle n'a pas pu fermer son soutien-gorge. Forcément, ils passent leur temps au restaurant !

Edmond joue avec un trombone, les coudes étalés sur son bureau. Un sourire heureux flotte sur ses lèvres.

— T'as l'air en forme, dit Julie.

— Tu veux dire que je PÈTE la forme !

— Je peux savoir pourquoi ?

— Je vais relancer la Ferraille, et en grand.

— Ah… et comment ?

— Tu seras la première à qui j'en parlerai.

— Pourquoi pas maintenant ?

— C'est pas encore très clair. J'ai tellement d'idées, ça fourmille dans ma tête !

Il tord et retord le trombone. Elle a toujours vu son père torturer des trombones. Il y a des gens qui font des mots fléchés, des mots croisés, des sudokus, des puzzles, son père triture des trombones.

— Je suis contente que tu ailles mieux. T'étais absent ces derniers temps.

— Adrian m'a réveillé. Tu avais quelque chose à me dire ?

— Envie de parler, c'est tout.

— On voit ça demain.

Il enfile sa veste, prend la tête de sa fille entre ses mains, murmure je t'aime, ma petite chérie. Elle a aussitôt envie de pleurer.

Elle s'accroche à lui mais il se dégage.

Ce soir, il a rendez-vous avec Léonie.

Ils vont au cinéma à Auxerre. C'est elle qui a choisi le film.

Julie descend retrouver Jérôme dans son bureau. Il est au téléphone. Quand il l'aperçoit, il abrège la conversation.

— Oui… oui… On se rappelle plus tard. *Ciao!*

Julie cherche une chaise des yeux. Tous les sièges sont occupés. Recouverts d'outils, de bâches, de pièces de rechange, de bidons d'huile. Une petite hache flambant neuve est posée sur une étagère. Pour quoi faire?

Elle s'assied sur le coin du bureau.

— Tu parlais à qui?

— À un pote qui vend une voiture. Une vieille Audi. Magnifique. Un modèle qu'on ne fait plus. Avec boîte automatique. Elle roule en première, deuxième normalement, et puis dès que la centralisation se ferme, elle se met en sécurité et l'embrayage patine. Tu peux plus rien en tirer. Tu rentres chez toi à vingt à l'heure. Ce qui pour une Audi est regrettable!

— Une Audi! Ben dis donc…

— Pourquoi? J'ai pas le droit de conduire une Audi, moi?

Il a dit ça comme s'il mordait. Sa bouche se retourne en une moue amère. Julie baisse les yeux sur son pull, ôte des bouloches qu'elle roule sous ses doigts.

— T'es montée voir ton père?

— Il était pressé. Il n'avait pas le temps de me parler.

— J'ai vu Adrian descendre de son bureau à toute blinde.

— J'ai comme l'impression qu'ils ont des projets pour la Ferraille. Papa m'a dit qu'il m'en parlerait.

S'il y a une expression que Jérôme n'aime pas, c'est bien «ils ont des projets». Est-ce qu'Edmond lui a RIEN QU'UNE FOIS demandé son avis sur la Ferraille ?

— Ils se sont réconciliés ? il demande en faisant semblant de ne pas demander.

— Ils n'étaient pas fâchés. Je suis contente. J'aimais pas l'atmosphère, ces derniers temps. J'avais l'impression que tout se débinait. Ça me rendait triste.

— Tout te rend triste. Tu chiales pour un rien.

— Ça doit être la fatigue… J'arrête pas de bosser. Et tous les soirs on sort. Je suis pas habituée, tu sais.

La nuit est tombée. Le ciel bleu profond est recouvert de bandes noires et d'une autre large et orange. On dirait le dessin d'un enfant qui annonce l'arrivée d'un malheur. Les lumières de la Ferraille s'éteignent une à une, il ne reste plus que le phare blanc qui balaie le site et le clignotant rouge sur le broyeur. De quand date la dernière révision du moteur ? Demain, elle vérifiera. La pièce est dans la pénombre. Elle a l'impression d'être seule et murmure :

— Je suis contente, je vais retrouver ma copine.

— Quelle copine ? il dit comme s'il n'écoutait pas vraiment.

— Ben… Stella, j'en ai pas d'autre.

Pourquoi il n'a pas de siège libre dans son bureau ?

Il ne reçoit jamais personne ? Elle ne le questionne pas. Il pourrait aboyer une seconde fois.

Elle lève la tête vers lui.

Il regarde dehors en direction du broyeur. Un pinceau de lumière blanche éclaire son visage. Ses yeux brillent, un sourire mauvais déforme ses lèvres.

Ça ne se passe pas du tout comme il l'avait prévu. Les événements sont en train de lui échapper. Il faut qu'il fasse quelque chose.

Il fixe le broyeur. La gueule ouverte tournée vers le ciel noir, il trône au milieu de la cour. Tout tourne autour de lui. On le craint, on le redoute, on le nourrit. Il crache des gaz, des étincelles, des fragments de métal qui peuvent tuer, il ne faut pas s'en approcher. Il ne doit pas tomber en panne, il coûte cher à réparer.

Et quand il tombe en panne…

Il faut savoir être patient, attendre avant d'avoir la BONNE idée. Elle n'arrive pas comme ça. Elle se fait désirer.

Elle vient juste de se pointer.

Un soir, quand il n'y aura plus qu'Adrian et lui sur le site, il ira le trouver, lui dira qu'un imbroyable[1] est tombé dans la goulotte, qu'il a bloqué le moteur. Il ajoutera que le pilote prétend que c'est de sa faute à lui, Jérôme, qu'il a mal inspecté le matériel répandu sur le convoyeur et que c'est à lui de réparer. Est-ce

---

1. Matériau qu'on ne peut pas compresser.

qu'Adrian peut l'aider à retirer l'imbroyable? Il faut être deux pour ça et le pilote, furieux, s'est tiré.

Auparavant, il aura pris soin de se réconcilier avec Adrian. Il lui aura fait des excuses. Bidon, les excuses, mais faut bien amadouer l'homme. Il le flattera, le caressera dans le sens du poil et ils redeviendront copains. Après tout, ils l'étaient bien avant.

Arrivé sur le toboggan du broyeur, il laissera Adrian sur le convoyeur, prendra la place du pilote et fera une mauvaise manœuvre : il lèvera les rouleaux. Adrian sera déséquilibré et tombera dans le broyeur. C'est déjà arrivé sur d'autres sites. Il y a eu une enquête, l'inspection du travail a conclu à un accident. Les risques du métier.

Je voulais pas te faire de mal, mec. Mais tu m'y obliges. Faut pas me traiter comme un type pas important. T'as vu comment tu me parles? Comment tu m'envoies chier? C'est écrit en grand sur ton front que tu n'as pas de CONSIDÉRATION pour moi. Et maintenant, tu t'apprêtes à prendre ma place dans la boîte! Le vieux me calcule plus du tout, il fait DIRECTEMENT affaire avec toi. Tu l'as cherché, c'est tout. Tu t'es conduit comme un con. Un con arrogant. C'est vrai, quoi! Je demandais pas mieux que d'être ton copain, moi, c'est pas ma faute.

C'EST PAS MA FAUTE.

Cette évidence le rend joyeux.

Il se tourne vers Julie et, tout en peignant ses cheveux roux, il dit :

— On va au restaurant ce soir, ma pucinette?

*

Hortense referme la porte de l'appartement de Marcel et Josiane Grobz, boulevard de Courcelles, face au parc Monceau. La porte était entrouverte, elle n'a eu qu'à la pousser. Elle crie y a quelqu'un ? Et s'étonne du silence. Elle a prévenu Junior qu'elle passerait à seize heures trente, il a répondu qu'il écourterait sa promenade et se réjouissait de la voir.

— Essaie d'être à l'heure, je pars après-demain pour New York, j'ai encore plein de choses à faire.

Au téléphone, Junior avait une petite voix lasse et basse.

— Ça va ?

— Je suis fatigué.

— Tu as la grippe ?

— D'après le docteur, c'est du surmenage. J'ai trop fait marcher ma tête.

— Ce sont tes expériences, ça te chauffe les neurones. Tu devrais ralentir…

— C'est plus facile à dire qu'à faire. J'arrête pas de penser.

*

Hortense traverse la cuisine, la salle à manger, le salon, le bureau de Junior et ne trouve personne. Popeline aussi a disparu. Elle a laissé ouvert près de son ordinateur un gros dossier qui porte la mention «COURRIER USA». Un rouge à lèvres et un poudrier. Elle doit se faire des retouches beauté quand Junior a le dos tourné.

Hortense compose le numéro de Junior et tombe

sur Josiane qui chuchote nous sommes en retard, Junior est en train de se recharger sur un arbre, il en a grand besoin.

— Besoin de quoi ?

— De la force de l'arbre. Il est épuisé, il a des migraines, il palpite, il périclite. Si ça continue, on l'aspergera d'eau bénite ! Viens nous rejoindre, nous sommes au parc, au bout de l'allée en entrant à gauche.

Hortense a juste le temps de lâcher :

— Il va pas mourir, hein ?

Elle ne sait pas pourquoi elle a dit ça. Un voile noir a obscurci son cœur. Elle a très peur.

*

Josiane l'attend sur un banc en compagnie de Popeline. Les deux femmes contemplent Junior qui, plaqué contre un arbre, bras et jambes écartés, enlace le tronc. Il a posé sa joue contre l'écorce, ferme les yeux et semble endormi. Ses cheveux roux moussent, ses longs cils se recourbent, ses lèvres frémissent, entrouvertes. Il fait froid, humide, des petites bouffées de vapeur sortent de sa bouche et dessinent un halo blanc. Les gens se retournent sur lui et pouffent dans leur main, quel drôle de garçon ! Tu crois qu'il veut déraciner l'arbre pour le planter ailleurs ?

— C'est pas un peu gros pour lui ? demande Hortense à voix basse en rejoignant Josiane et Popeline.

Popeline ne répond pas. Elle surveille le visage de Junior et semble aussi tendue qu'il a l'air reposé.

— C'est un érable, dit Josiane. Doux et rééquilibrant pour l'homme. Si tu étais arrivée plus tôt, tu l'aurais trouvé en compagnie d'un bouleau. Le bouleau est relaxant, apaisant, il débarrasse du stress et des angoisses. Enfin, il terminera par un frêne, qui harmonise le psychisme et aide à la concentration.

— C'est une vraie ordonnance ! dit Hortense, au bord du fou rire. Ils sont remboursés par la Sécu, les trois arbres ?

— Te moque pas ! Junior est très fatigué. Son cerveau a cramé. Il a été électrocuté. Il s'est déshabillé devant Popeline, a peint son zizi en rouge, s'est jeté sur elle en criant je suis un aurochs-ochs-ochs, je vais me faire une vioque-oque-oque. Popeline a été d'un sang-froid remarquable. Elle ne s'est pas émue, lui a tendu ses vêtements, des tranches de jambon cru, et l'a laissé se goinfrer jusqu'à ce qu'il se soit calmé.

Les deux femmes s'adressent un salut cordial et inclinent la tête l'une vers l'autre. On dirait deux Japonaises en goguette.

— C'est un burn-out, dit Hortense. Je me demande si les arbres vont suffire à le rétablir.

— Nous sommes allés consulter le docteur Hivet, une femme géniale qui soigne avec des plantes, des essences, de l'homéopathie mais aussi de l'allopathie. Elle a prescrit deux comprimés de rhodiola le soir pour le burn-out et nous a vivement conseillé de le reconnecter à la terre en l'emmenant au parc tous les jours. On l'exhorte à marcher pieds nus sur le gazon, à respirer des fleurs, à toucher des arbres, à parler aux colimaçons afin que sa tête se vide et refroidisse.

— L'arbre absorbe son trop-plein d'énergie et régule son cerveau, explique Popeline sans quitter Junior des yeux.

— Nous lui donnons aussi des leçons de cuisine, continue Josiane. Nous faisons des clafoutis, des crumbles, des tartes aux pommes, des omelettes norvégiennes. Il adore les desserts. Nous malaxons la pâte, montons les œufs en neige, raclons les bâtons de vanille, découpons les pommes et les poires…

— Il aime ça ? s'étonne Hortense.

— Il adore ! dit Josiane. Tu aurais vu dans quel état il était avant qu'on ne commence le traitement : violet, tremblant, brûlé aux extrémités. C'était désolant. Aujourd'hui, il est presque rétabli. Et je m'en félicite.

Hortense se penche vers elle, si proche qu'elle peut sentir l'odeur de sa chair rose, veloutée.

— Dis donc, Josiane… tu as énormément minci. Félicitations !

Josiane rougit, coquette.

— C'est Junior.

— Il t'a mise au régime ?

— Bien mieux ! Il a bloqué la case « appétit » dans mon cerveau. Je n'ai plus faim. Je peux voir passer un saint-honoré sans saliver. Je ne sais pas comment il a fait, mais ça marche !

*

Plus tard, dans son bureau, Junior apprend à Hortense la raison de son burn-out : il a voulu brancher le cerveau de Tom sur le sien pour le synchroniser. Et les plombs ont sauté. Il a été renvoyé au temps de Néandertal, s'est pris pour un aurochs en rut et a voulu violer Popeline. À la dernière seconde, il a compris son délire, a fait bifurquer sa libido et s'est rué sur le jambon cru.

— Tu te rends compte si je m'étais jeté sur Popeline et lui avais fait subir les derniers outrages ?

— Elle aurait été enchantée ! Elle est folle amoureuse de toi. Mais dis, c'est qui, Tom ?

— Ton cousin.

— J'ai UN cousin, il s'appelle Alexandre.

— Et Tom. Le fils de Stella et d'…

— Oh !

Hortense ouvre grand la bouche, la main posée sur le haut de sa poitrine.

— Tom est devenu mon copain. Je l'ai rencontré à ton défilé autour d'une pyramide de macarons. On a failli se battre et puis on a sympathisé. Bon, assez parlé de moi ! Comment vas-tu, ma princesse en babouches dorées ?

Hortense s'affaisse sur sa chaise et gratte un petit bouton qui a poussé à la racine de ses cheveux. Elle fronce les sourcils pour rattraper une idée en train de se carapater. Lutte pour l'immobiliser. Les ailes de son nez se pincent, elle soupire.

— Si tu savais, Junior ! Je suis tellement… tellement… je ne trouve pas le mot.

— Laisse-moi me concentrer, je vais trouver pour toi.

— Vas-y doucement, je voudrais pas que tu te mettes en danger.

— Non, ça craint rien. Attends, attends…

790

Il lève les bras, aplatit ses cheveux contre sa nuque, dessine une raie de son index – tu as vu comme ils repoussent ? –, a un petit sifflement enthousiaste, ferme les yeux et énonce :

— Illusion, confusion, frustration.

— Traduis…

— Tu n'es pas aussi heureuse que tu devrais l'être.

Il se lève, marche de long en large, s'arrête devant la fenêtre, regarde la pluie brouiller le ciel gris foncé de Paris. Se frotte le front, refait les cent pas et déclare :

— Illusion : tu pensais devenir en dix-huit minutes une star mondiale submergée de demandes, de commandes, de palmes académiques, de millions de dollars et tu te retrouves avec un beau succès, certes, mais pas aussi époustouflant que tu le souhaitais. D'où la confusion. Tu ne comprends pas. Tout te paraît maigrelet, sans odeur, sans saveur. Tu voulais voir écrit HORTENSE CORTÈS en lettres majuscules sur la tour Eiffel illuminée. Frustration.

— C'est exactement ça. J'en veux bien plus. Je veux de l'ÉNORME. Mon dernier espoir, c'est l'Amérique. Je pars après-demain et je veux tout rafler. Monsieur Carter a ajouté des dates à mes présentations chez Bergdorf Goodman, la demande est réelle, j'espère beaucoup de ces rencontres.

Junior tapote le bord de son bureau, mâchonne le bout d'un crayon. Une vague de chaleur envahit sa tête, il aperçoit un chemin de moquette rouge qui flotte et se prolonge jusqu'à un trône. Une couronne s'élève et va se poser sur la tête d'Hortense. Il sursaute, revient à lui et dit :

— J'ai l'impression qu'un truc bien plus grand va se produire, je vois un long lai de moquette rouge, des flashs, des lumières, une voiture qui jaillit, des cris…

— Un attentat ?

— Pas du tout. Un événement heureux. Ce n'est pas toi la vedette, et pourtant c'est toi qui empoches la mise. Ce n'est pas ce que tu avais imaginé, et pourtant c'est ce qui te lance dans le monde entier. Un bout de moquette rouge.

— Un tapis volant ? elle plaisante.

Junior se crispe, il ne sourit plus. Il voudrait regarder Hortense mais sa tête est engourdie.

— Ne crache jamais sur la moquette rouge, princesse, respecte la moquette, embrasse la moquette, caresse la moquette, c'est d'elle que viendra ta renommée mondiale.

— T'es pas très clair, Junior. T'es sûr que t'es rétabli ?

— Je fais ce que je peux, je suis très affaibli.

Il avale sa salive et baisse le menton. Il voudrait tellement être à la hauteur des espérances d'Hortense. Elle est venue ici pour trouver des réponses et il la déçoit.

— Dis, c'est toi qui m'as poussée à faire la paix avec Adrian après le défilé ? J'ai eu l'impression d'être téléguidée.

— Oui… Ce n'était pas le moment de faire scandale.

— Avoue que c'est incroyable que sur des millions de types à Paris je tombe justement dans l'escalier du Fouquet's sur le mec de ma tante ! Et qu'on s'embrasse !

Junior hausse les épaules, fataliste.

792

— C'est la vie, elle avait envie de rigoler ce jour-là. Elle joue avec nous, elle nous fait des clins d'œil. Il faut la suivre, lui emboîter le pas, sinon elle nous largue.

— Tu avais raison pour Elena. Elle est honnête. C'était Sisteron le problème. Elena l'a viré et a récupéré ses tableaux dans la chambre de Nicole Sergent. Ils seront tous les deux jugés, Sisteron pour vol, Nicole Sergent pour recel et complicité.

— Je sais. Zoé est passée me voir hier, elle m'a tout raconté. Son petit film a très bien marché. Elle n'est plus sûre de vouloir devenir carmélite.

— Elle a reçu beaucoup de propositions. Picart va la prendre sous son aile.

Hortense attrape une mèche de cheveux et la tresse entre ses doigts en se mordant les lèvres.

— Junior… je voudrais tant avoir un ÉNORME succès !

— Je sais, princesse, je sais.

— Je me sentirais libre après. Totalement libre. Je pourrais choisir MON chemin. Faire ce qui me plaît, tout le temps. Tu veux bien m'aider ?

— Promis, laisse-moi juste reprendre des forces.

Hortense lui passe les bras autour du cou, se penche vers lui et l'embrasse en murmurant merci.

— Encore ! il demande, sentant la force réchauffer son corps.

— Tu veux dire que je suis plus forte que l'érable, le bouleau et le frêne réunis ? Trois arbres !

— Trois baisers…, il murmure, ragaillardi, en entourant la taille d'Hortense et en l'attirant vers lui.

*

Julie relit le mail qui clôt le contrat avec les Messageries de l'Ouest, se demande si elle doit mettre un trait d'union à « compte rendu », contemple les deux mots comme s'ils allaient lui livrer la solution puis décide de ne pas en mettre, termine avec les habituelles formules de politesse et signe. Elle relit le mail, réfléchit, ajoute un trait d'union à « compte-rendu », c'est mieux quand c'est relié, elle décide.

Il est sept heures et demie, il fait nuit, elle sera encore la dernière à quitter le site. Elle est habituée. Elle voudrait rentrer chez elle, se faire une soupe en sachet et dormir. DORMIR.

Jérôme veut sortir ce soir. Elle n'a pas osé dire non, il est devenu si susceptible ! Il traverse une passe difficile. Il ne veut pas en parler. Elle est trop fatiguée pour lui tirer les vers du nez.

Elle est en train de fermer son bureau quand elle entend des pas derrière elle. Elle sursaute, pivote, aperçoit Houcine.

— Tu m'as fait peur ! Qu'est-ce que tu fais ici ? Il est tard.

— Je voulais te voir.

— Je suis pressée. Jérôme veut qu'on sorte et je dois passer chez moi me changer…

Elle regarde sa montre à la dérobée.

— Je suis déjà en retard !

Houcine passe et repasse le dos de sa main sur sa joue. Il hésite encore à parler puis se jette à l'eau :

— J'ai aperçu Zbig dans le hangar ce soir. Il embarquait de grandes plaques d'alu. Tu sais, celles de chez Sombex.

— T'es sûr ? C'est grave ce que tu me dis.

— Tu me connais, Julie, jamais je ne…

Houcine enfonce ses mains dans sa cotte et roule ses poings en poche. Avant-hier il a surpris Jérôme et Adrian en train de bavasser derrière le broyeur. Jérôme se marrait, Adrian shootait dans une barre d'acier qui brillait au soleil. Ils avaient l'air réconciliés. Désormais, quand Adrian passe devant le bureau de Jérôme, il klaxonne et lui fait un petit signe. Ça va finir par sentir mauvais pour lui, tout ça ! Il est trop isolé. Personne ne prendra sa défense si Jérôme l'accuse des vols dans le hangar. Il perdra son emploi et aura du mal à se recaser. Les usines ferment dans la région.

— Stella n'a pas pris le camion ? demande Julie.

— Elle est rentrée avec Adrian.

— Et l'alarme ? Jérôme avait dû la mettre pourtant.

— J'ai rien entendu.

— C'est bizarre.

— C'est pour ça que je t'en parle.

Il y a une chose que Houcine ne peut pas dire à Julie. Une chose qu'il a vue de ses yeux vue : Jérôme avait coupé l'alarme, coupé le circuit vidéo du hangar et il aidait Zbig à charger le camion de Stella.

C'est trop risqué de dénoncer le fiancé de la patronne. Va savoir comment elle le prendrait. Les femmes sont compliquées parfois.

*

Jérôme essuie son couteau sur son pain et le repose sur la nappe blanche.

— Mais il t'a raconté n'importe quoi, Houcine ! C'est pas Zbig qui vole, c'est Adrian. T'as vu comme

il est fringué depuis quelque temps ? Ses chemises ?
Ses chaussures ? Ses costards ? Ça vient pas de chez
Monop, c'est sûr !

Julie se rembrunit.

— T'aimes pas le pyjama que je t'ai offert ?

— Mais si... Je dis pas ça pour toi, ma puce, mais
comment te dire, ses fringues, elles sont classe. Il a
du blé, quoi. Ça se voit. Il le trouve où, ce blé ? Tu
peux me dire ?

Julie promène sa fourchette dans son assiette. Elle
étale une sauce blanche à l'estragon qui lui donne des
haut-le-cœur. « Artichauts à la royale », c'est ce qui est
écrit sur le menu. Elle n'a pas touché aux fonds d'artichaut, ni bu une seule gorgée du saint-joseph que Jérôme
a choisi après une longue discussion avec le sommelier.

— Je sais pas, moi.

— Pose-toi la question. Réfléchis.

Il ouvre les bras, branle du chef. Julie demeure
muette.

— Il trafique, c'est tout. Avec le camion de Stella.
Il coupe l'alarme, coupe la vidéo et hop ! C'est pas
difficile à comprendre !

Il prend son verre, fait rouler le vin en bouche,
ferme les yeux et conclut :

— Écoute-moi. Je connais les hommes et je connais
la vie. C'est l'avantage de l'âge.

— Ça lui ressemble pas..., murmure Julie. Et puis
tu l'accuses tout le temps. Comme si tu avais DÉCIDÉ
que c'était lui.

— Il me parle pas bien.

— Il parle pas beaucoup, c'est tout. C'est un taiseux.

— Il me parle pas bien AVEC LES YEUX. Il me fait

comprendre que je suis pas grand-chose. Juste celui qui a serré la fille du patron.

— Tu mélanges tout, Jérôme.

Elle secoue la tête, mécontente. Elle n'aime pas le tour que prend cette conversation. Les fonds d'artichaut barbouillés de blanc glaireux lui donnent envie de vomir.

— Personne ne mérite d'être accusé sans preuves, elle marmonne.

— Dis tout de suite que je mens ! il s'exclame en jetant sa serviette sur la table. Ah ! C'est agréable !

Le ton monte. Le visage de Jérôme est rouge, congestionné, des gouttes de transpiration luisent sur son front.

— Tu me mets dans une situation impossible, dit Julie. Je n'ose plus regarder Stella en face.

— Qu'est-ce qu'elle vient faire dans l'histoire, Stella ?

— Tu embrouilles tout, je ne sais plus quoi penser, je suis fatiguée, j'en ai marre d'aller au restaurant tout le temps !

— Parce que maintenant tu vas me reprocher de te traiter comme une petite reine ? il s'indigne.

Il lève les bras au ciel pour le prendre à témoin. Fait tomber le moulin à poivre. Le maître d'hôtel louche vers eux.

Julie lui jette un regard exaspéré qui installe une distance entre eux. Il se sent ravalé au rang d'anonyme. Pire, d'employé. La peur le saisit. Il va tout perdre s'il la perd.

— Allez, on fait la paix, embrasse-moi, il minaude en avançant la bouche.

— Pas devant tout le monde !

— Tu disais pas ça avant.

Elle se mord la lèvre.

— Tu m'aimes plus, il dit, piqué au vif.

— Arrête, tu m'ennuies.

— De mieux en mieux ! Je t'ennuie maintenant !

— J'avais aucune envie d'aller au restaurant ce soir… Tu aurais pu le deviner. Non. Tu avais décidé qu'on irait, il fallait y aller. Je suis fatiguée, Jérôme. Je me bats toute la journée, je trouve des solutions pour tout le monde, je calcule, j'écris, j'argumente… Jamais de vacances, jamais de repos, jamais de loisirs. Et des journées qui n'en finissent plus !

Il arrache un morceau de pain. S'il l'emmène au restaurant, et pas n'importe lequel, une étoile au *Michelin*, c'est pour montrer qu'ils sont amoureux, heureux, en bonne santé. Qu'ils sont fiers d'être ensemble. Surtout dans celui-là, le Burgondy. C'est leur restaurant fétiche. Ils y ont leur table, leurs plats préférés. Le personnel les connaît et les reçoit aux petits oignons. Le chef prépare des mises en bouche rien que pour eux. Il lui a demandé s'il pouvait appeler un dessert le « soufflé Jérôme-Laroche » quand la recette serait au point. Ça l'a beaucoup touché. Et elle, elle en a marre ! Il n'aurait jamais cru entendre ça un jour. La vérité, c'est qu'elle n'est plus amoureuse. Il n'a été qu'une passade. Un caprice de petite fille trop gâtée par son papa. Elle va le jeter. Il sera la risée de tous. Cette pensée le plonge dans une angoisse insupportable. Il attrape le bras de Julie, agrippe la manche de sa robe, la tire si fort que le tissu craque à la hauteur de l'épaule. Julie se dégage d'un coup sec et la manche se déchire complètement.

— C'est malin ! elle dit. Je ressemble à quoi maintenant ?

Le garçon a observé la scène. Il lui demande à l'oreille vous voulez que je vous apporte votre manteau pour vous couvrir ?

Elle rougit et hoche la tête.

Repousse son assiette.

— J'ai plus faim. Mange si tu veux. Je te regarderai.

— Tu parles d'un plaisir !

Il appelle le maître d'hôtel, réclame l'addition. Explique que sa femme ne se sent pas très bien, qu'ils vont rentrer.

— Un heureux événement ? lui susurre le maître d'hôtel.

— Manquerait plus que ça ! il s'exclame.

Dans la nuit, il se colle contre elle, son ventre contre son dos, murmure plus jamais tu me parles comme ça devant tout le monde ! J'ai eu l'air de quoi, moi ?

Elle lui donne un coup de coude pour qu'il s'écarte et grommelle laisse-moi, je dors.

Il s'énerve. Comment elle lui parle ? Qu'est-ce qu'elles ont toutes à le traiter comme de la merde ? Ça lui a pas réussi à la première, voilà que Julie s'y met. Il devrait peut-être lui avouer comment elle a fini, Suzie. Encastrée sous les roues d'un camion. Ça la rendrait peut-être plus aimable de savoir ça !

— Qu'est-ce que je t'ai fait ? il grogne. Je me plie en quatre pour te rendre heureuse et tu veux même pas m'embrasser au restaurant. Tu te prends pour qui ?

— Laisse-moi ! Je suis fatiguée. Arrête de me coller.

C'est le mot de trop.

Il lui bloque les bras dans le dos, lui tire les cheveux si fort qu'elle se cambre, son menton se relève, sa tête part en arrière et il la pénètre d'un seul coup pour lui montrer qui fait la loi. Julie se cabre, hurle. Il la force jusqu'à ce qu'il éjacule. Retombe sur le côté et marmonne plus jamais tu me parles comme ça, PLUS JAMAIS !

Un peu plus tard, il regarde sa montre. Cinq heures. Il entend Julie pleurer dans son oreiller. Il n'arrive pas à se rendormir. Enfile ses bottes dans le noir, va dans la cuisine, fait bouillir l'eau pour un Nescafé, il déteste le café en poudre mais il n'a pas le temps de s'en faire un vrai. La maison est silencieuse. On n'entend que le bruit de la chaudière qui s'amorce. Quand il aura du fric, il installera une pompe à chaleur. Chic et économique. Silence à toute heure. Il boit son café dans une tasse qui dit «Encore plus qu'hier, mais bien moins que demain». Le «Je t'aime» était peint sur l'anse, il l'a cassée. Depuis, il se brûle. C'est Julie qui la lui a offerte. Une tasse de gonzesse, c'est sûr !

Il referme la porte, se dirige vers le camion de Stella. Il l'a emprunté la veille sous prétexte d'une révision, en fait, c'était pour charger les plaques d'alu avec Zbig. Stella lui a lancé les clés en murmurant fais gaffe à la grue, elle tangue, il l'a mouchée d'un suis pas un bleu, tu me prends pour qui ? Parfois celle-là, elle a l'arrogance de son mec.

Ça l'arrange pas du tout qu'on accuse Zbig. Si on l'interroge, le Zbig, il déballera tout, et en premier le nom de son complice. Il sera marron de chez marron. Adieu veaux, vaches, cochons. Une main derrière, une main devant. Pas de panique, mon vieux, faut encore le prouver ! Et de preuve y en a pas puisqu'il a coupé la caméra.

Il va aller chez Zbig et ils se débarrasseront de toute la marchandise volée. Ça devient trop dangereux de la garder.

Il s'engage dans la rue. Il a garé le camion derrière le château d'eau. Il a envie de piquer un sprint tellement il a d'électricité dans les pattes. Il vérifie que les plaques d'alu sont bien arrimées, qu'elles ne vont pas se débiner pendant le trajet. Il faut qu'ils livrent tout ce matin, qu'il ne reste plus rien chez Zbig. Plus une trace de leur trafic. Dommage. Ça rapportait bonbon. Il ira moins au restaurant. Ça tombe bien, mademoiselle fait la fine bouche. Ils vont se pointer chez les manouches et brader. Ils aiment bien Zbig, les manouches, il leur refile de la camelote à bon prix, et de la bonne. Tout le monde y trouve son compte. Il a fallu que Houcine moucharde ! Qu'il lave plus blanc que blanc ! Ç'ui-là, il lui réserve une surprise, et pas une bonne.

Il fait nuit, les phares du camion éclairent mal, celui de gauche s'allume et s'éteint. Le chauffage est soit brûlant, soit glacial. Il ne sait pas ce qui est le pire. Il file vers la ferme de Zbig. J'espère qu'il y aura pas d'embrouilles et que les manouches paieront. Sinon… Sinon on va se retrouver avec la camelote sur les bras et on aura l'air cons ! Les manouches feront passer l'info, on pourra plus rien fourguer. C'est délicat, ces opérations-là. Faut du doigté, de l'autorité. Faut se faire respecter. Dans la vie, y a ceux qu'on respecte et les autres. J'ai pas envie de faire partie des autres. Mais… pourquoi je pars en vrille tout seul ? C'est parce que j'ai laissé ma petite femme derrière moi ? Parce qu'on s'est engueulés ? Au moins, je lui ai montré qui commande. Elle m'emmerdera plus avec ce Russkof de mes fesses. Il va pas me faire chier longtemps, celui-là !

*

Stella s'éveille et louche vers le réveil Mickey : cinq heures trente. Il fait nuit. Une nuit noire sans étoiles. Adrian dort, la joue écrasée dans l'oreiller. Elle se serre contre lui, frotte son nez contre son torse, respire une odeur de frangipane. Et si jamais il lui arrivait quelque chose ? Elle a l'impression qu'un malheur se prépare. Elle connaît les recoins de la nuit. Il s'y cache toujours de mauvaises nouvelles. Elle ne pourra rien y changer. Le monde ne tourne pas qu'autour de moi, il faut des malheurs et des bonheurs pour tout le monde et ce n'est pas moi qui distribue. Je peux juste décider de faire de chaque seconde, de chaque minute quelque chose d'important. Je sens que c'est en train d'arriver. Le bonheur et le malheur en même temps. Cette nuit encore, les ténèbres l'effraient et l'oppressent. Elle voudrait déchiffrer le noir et lui donner un nom, elle n'ose pas bouger, elle attend.

Elle ne veut plus jamais toucher le fond.

*

Il est près de six heures du matin quand Jérôme arrive chez Zbig. Il fait le tour de la ferme par-derrière, manque de s'embourber dans une ornière, donne un coup d'accélérateur, le camion patine, chasse, tangue. Il redresse le volant, remet le camion sur le chemin, se dit qu'il a eu chaud. Un peu plus et il versait !

Il s'éponge le front, s'humecte les lèvres. Gare le camion devant la grange et va frapper à la porte de la cuisine. Zbig est levé. On entend le frottement de ses savates sur le sol. Il ouvre la porte et reste sur le seuil. Son pull et son pantalon marron sont raides de crasse, d'huile de vidange, d'un truc blanc qui ressemble à de la colle.

— Putain ! Il est six heures ! dit Zbig qui tient son bol de café au lait et trempe une tartine.

— Faut se magner, mec, on a été vendus. Va falloir qu'on débarrasse la grange et qu'on file chez les manouches.

Zbig mâche son pain trempé, un filet de café au lait coule sur son menton et tache son pull. Un chat vient se coller contre la jambe de son pantalon et miaule.

— Ah…, il dit comme s'il lui avait fallu un temps pour comprendre.

— Faut qu'on liquide notre stock. Qu'il reste plus rien.

— Maintenant ?

Le fait de devoir agir dans la précipitation rend Zbig nerveux. Il trempe sa tartine, mâchonne, s'essuie le menton. Tente de trouver un moyen de se dérober.

— Ça peut attendre, non ?

— Non. Parce que s'il leur vient l'idée de fouiller chez toi, on est faits aux pattes.

Une lueur amusée s'allume dans les yeux de Zbig.

— Ben, je dirai que c'est pas moi. Je dirai que c'est toi qui te sers de ma grange… Et moi, je ferme les yeux parce que t'es mon pote. Mais j'y vais jamais dans la grange.

L'enfoiré ! Il a l'air con, mais il est rusé.

— Sauf que Houcine t'a vu ce soir en train de charger les plaques d'alu dans le camion. Il t'a RECONNU, toi, et il l'a dit à Julie. C'est pour ça que je me suis magné de rappliquer.

— S'il m'a vu, il t'a vu aussi. Parce qu'on était tous les deux. Alors tu me racontes des conneries.

Jérôme réfléchit. C'est vrai, ça. Houcine a dû le voir ! Il a préféré ne rien dire à Julie. Houcine remonte dans son estime.

— Écoute, on va pas se chicaner, on n'a pas de temps à perdre. On charge le camion et on file chez tes potes.

— Tout de suite ?

— Oui. Et magne-toi !

— Faudrait les prévenir…

— Ils ont pas déménagé depuis la dernière fois ?

— Non, je crois pas.

— Alors on y va. À cette heure ils seront chez eux.

— Et on va leur dire quoi ? Ils vont trouver ça bizarre qu'on leur balance tous les lots d'un seul coup.

— On trouvera, t'en fais pas. On inventera un bobard comme quoi on attend une grosse rentrée de marchandise et qu'on peut plus tout garder chez toi. Ou un truc comme ça.

— Ils sont pas cons. Ils marcheront pas.

— On trouvera, je te dis ! Allez ! On y va !

Zbig lève les yeux vers le ciel et secoue la tête.

— Y a pas de lune. C'est mauvais signe. On devrait pas.

— Putain, Zbig ! Arrête de réfléchir, ça te réussit pas !

Zbig rote, un long rot sonore qui amène un sourire de bien-être sur ses lèvres. Il se masse l'estomac, finit son café au lait, sa tartine, s'essuie la bouche avec sa manche, frotte sa main sur son pantalon. Ôte ses savates, enfile des bottes et un blouson qui porte un macaron John Deere, vert avec un cerf jaune qui s'élance. Il franchit le seuil, donne un coup de pied dans la porte pour faire retomber le loquet, observe le ciel noir.

— Fais gaffe, ça glisse près de la grange. Je me suis cassé la gueule hier soir.

— Ah, dit Jérôme, c'est pour ça que ton pantalon est dégueulasse ?

Zbig ne répond pas. Il marche vers le camion. Inspecte la benne. Les plaques d'alu qu'ils ont rangées la veille. Se mouche dans sa manche. Secoue la tête comme s'il faisait une grosse bêtise.

— Moi, je dis qu'on devrait pas y aller.

— Zbig, arrête ! On a pas le choix. Tu veux finir en prison ?

Zbig fait le tour du camion.

— Si on veut charger, va falloir décharger d'abord, il dit.

— Pourquoi ?

— Parce qu'y aura pas la place sinon... On posera les tôles par-dessus quand on aura tout chargé. On les fixera pour pas qu'elles tombent. Doit y avoir des chaînes dans le camion.

— Ouais, t'as raison.

— Tu sais comment y marche, le camion ?

— Tu veux dire la grue ?

— Ouais, la grue.

— Ben évidemment… J'étais grutier avant, je te signale.

— Oui mais là c'est pas pareil, c'est la grue du camion. Tu t'en es déjà servi ?

— De la grue, non. Mais c'est une grue. Elle marche comme toutes les grues.

Les deux hommes, debout dans la nuit sans lune, regardent le camion, regardent la benne, regardent la grue.

— Elle penche pas un peu ? dit Zbig.

— Mais non ! Qu'est-ce que tu vas chercher ! On a dit qu'on le faisait maintenant, on le fait maintenant !

— Ben moi, je trouve qu'elle penche.

— Et alors ?

— C'est pas bon signe.

— Putain, Zbig ! On va pas les sortir à mains nues, ces tôles !

— Ben non…

— Tu les as bien chargées hier soir ?

— Ben oui.

— Et y a pas eu de problème ?

— Ben non.

— Ben alors… on attache les tôles, tu te mets dans la cabine, tu manipules la grue, et moi je les fais glisser lentement pour pas qu'elles dégringolent. Et après on les recharge, ok ?

— D'accord. Mais moi, je préfère être dans la cabine et m'occuper de la grue.

806

— C'est exactement ce que je viens de dire !

— Alors d'accord. Mais ce serait mieux si y avait la lune...

— ZBIIIIG !

Zbig se détourne et crache. Il marmonne ok, ok, j'ai rien dit.

Ils sortent les chaînes, soulèvent une première tôle, fixent les chaînes aux quatre coins dans une échancrure, les rassemblent dans un gros cadenas, placent le bec de la grue dans le cadenas, vérifient que la tôle est bien tenue et Zbig file dans la cabine.

*

Pour Stella, le danger dans la nuit est une peur qui ne lui paraît pas lointaine. Bien au contraire. La peur appartient à la nuit. Quand elle était petite et que la nuit se passait calme et douce, sans danger, c'est-à-dire sans que la porte grince, que Ray entre en disant « qu'est-ce qu'elle fait, ma petite chérie ? Elle m'a appelé, hein ? Elle veut jouer avec son papa ? », elle se disait qu'il faudrait payer pour ce moment de répit. Et ce pressentiment multipliait le danger, multipliait la peur. Comme s'il valait mieux qu'il y ait chaque nuit du malheur pour qu'elle finisse par s'habituer. C'était un pressentiment si effrayant qu'elle ouvrait la bouche pour crier mais n'arrivait pas à articuler un son.

C'est pour ça qu'elle ne veut pas se rendormir.

Elle sent qu'un malheur va arriver cette nuit.

Elle se raidit, tend les bras pour le repousser.

L'envoyer frapper quelqu'un d'autre. Pas moi, pas nous, s'il vous plaît.

*

Il ne reste plus qu'une tôle à enlever.

À l'intérieur de la cabine, Zbig s'étire. Il aurait bien aimé prendre un autre café au lait mais Jérôme ne lui en a pas laissé le temps. Un autre bol avec une autre tartine beurrée. Le petit-déjeuner, c'est le repas qu'il préfère. Quand il était petit, il avait du café au lait et des tartines à chaque repas. Pour ça, sa mère était gentille. Elle le privait pas. Sinon c'était une salope, il le sait très bien, fallait toujours qu'elle l'embobine, qu'elle lui fasse croire qu'elle était une sainte. Elle était très forte pour embobiner. Il savait pas comment elle faisait mais elle arrivait toujours à ses fins. Elle le forçait à dormir avec elle quand elle avait trop bu. Elle voyait des chats griffus qui lui arrachaient les yeux, lui lacéraient les seins. Elle gueulait, s'accrochait à lui dans sa nuisette jaune transparente qui puait le vomi et le vin rouge. Il se retrouvait avec une loque entre les bras et il fallait qu'il pèse de tout son poids sur elle pour la faire taire. Y avait que ça qui la calmait, le poids d'un mec sur elle. Elle battait des bras, poussait des petits cris comme si elle était comblée. Il aurait pu l'étouffer et d'ailleurs, si ça se trouve, il l'avait étouffée. Il se souvient plus. Il aimerait bien en parler avec son père, voir s'ils sont d'accord.

Il aperçoit le CD de Céline Dion et glousse de joie. Putain ! Il avait oublié qu'il l'avait laissé dans le camion de Stella. Heureusement qu'il en avait acheté deux ! Il aurait même pu en acheter trois. Il a de l'argent maintenant, ses combines rapportent.

— Tu pourrais venir me donner un coup de main ! gueule Jérôme qui met les chaînes à la dernière tôle. Je me coltine tout le boulot !

Zbig fait celui qui n'entend pas. Il regarde dans le rétroviseur, aperçoit Jérôme qui accroche le bec de la grue dans le gros cadenas. Qu'est-ce qu'il a à râler, il a presque fini. Il veut toujours se donner de l'importance, celui-là.

— Vas-y ! crie Jérôme. Mais doucement. Pas comme tout à l'heure, j'ai failli me prendre la tôle en pleine tronche.

Zbig enfonce le CD dans la fente. Et la voix de Céline s'élève dans la nuit. La voix de Céline, elle remplace toutes les étoiles, toutes les lunes, tous les soleils, la voix de Céline, elle monte dans un ciel toujours bleu. La voix de Céline, elle lui dit que son père va revenir et qu'il dira, mon fils ? Mon fils ? en le prenant dans ses bras, et alors tout se mettra à trembler dans son corps et il tombera dans les bras de son père. Il sera que ça : un bloc de saindoux qui fond avec tout l'amour qui se répand. Et son père le serrera contre lui. Et ils seront tous les deux si émus qu'ils sauront plus par quoi commencer.

Je voudrais oublier le temps, pour un soupir, pour un instant, une parenthèse après la course et partir où mon cœur me pousse…

— Putain, Zbig ! C'est quoi cette musique ? On n'a pas besoin de ça maintenant ! Concentre-toi ! Vas-y. Je tiens la tôle, fais tourner doucement. Doucement !

Je voudrais retrouver mes traces, où est ma vie, où est ma place, et garder l'or de mon passé au chaud dans mon jardin secret…

C'est quand il entend ces mots-là, «*au chaud dans mon jardin secret*», qu'il se sent bizarre, que ça lui chauffe le ventre, pis que ça bout dans sa queue. Ça remonte jusqu'aux tétons et il se met à bander comme un dingue. Une trique d'enfer. Les longues jambes d'Adrian moulées dans son jean se superposent à la voix de Céline, le torse puissant d'Adrian, ses poils blonds, sa peau dorée, ses bras musclés, ses yeux gris acier, son rictus qui lui crache à la gueule. Putain ! Qu'est-ce qu'il est beau ! Zbig glisse la main dans son pantalon, empoigne son sexe et se caresse. Il se tend sur le siège du camion, se recroqueville, se tend à nouveau, s'astique le jonc, il est dans la musique, dans la voix de Céline, il entend Adrian qui l'insulte, il se barbouille de ses crachats, se tortille à chaque coup de pied, petite merde, tu fais quoi là ? Tu te branles ? Montre ta queue ! Montre-moi ta queue ! Viens me sucer, allez, connard, suce-moi ! Oh, ça monte, ça monte ! Il va exploser, vas-y, suce, mais SUCE, lèche-la, lèche-la, mieux que ça ! Zbig reçoit un coup de botte dans la gueule, il pousse un cri, se tord, lâche le levier de la grue, empoigne son sexe à deux mains, se branle de toutes ses forces, entend le bruit d'un câble qui se déroule, un cri dans la nuit, le cri d'un homme qu'on égorge, papa, il dit, papa, et il éjacule en gueulant aussi fort que l'homme dans son rêve. Il a joui avec son père ! Il a joui avec son père ! Il s'effondre sur le volant, qu'est-ce que c'était bon ! Qu'est-ce que c'était bon ! Oh, putain ! Il voudrait mourir.

Je voudrais passer l'océan, croiser le vol d'un goéland, penser à tout ce que j'ai vu ou bien aller vers l'inconnu, je voudrais décrocher la lune, je voudrais même sauver la terre, mais avant tout, je voudrais parler à mon père, parler à mon père…

Oh, papa ! C'était bon ! Papa ! J'en ai plein mon froc !

Il s'essuie les mains sur son pantalon, referme sa braguette, se tourne vers l'arrière du camion.

— Hé, Jérôme ! Ça va ?

Il n'aperçoit pas la grue dans le rétro. Bizarre. Il a dû pousser le levier trop fort en se branlant, elle a tourné. Putain que c'était bon ! La voix de Céline, son papa, Adrian qui le bourre de coups ! Si ça se trouve, son père ressemble à Adrian, enfin quand il était jeune parce qu'il a dû prendre un coup de vieux…

— T'as fini avec la tôle ? J'enroule le câble ?

Il renifle ses doigts. Faudrait pas que Jérôme s'aperçoive que… Pourrait se vexer. Je me fais chier avec cette tôle qui me scie la peau et toi tu te branles comme un salopiaud ! Il l'aurait mauvaise, il faudrait démêler et y en a marre de démêler. Y a toujours des histoires avec Jérôme.

Il ouvre la portière, aperçoit la grue couchée sur le côté, merde, elle est tombée ! Il avait raison, elle tenait pas bien. Il aperçoit la chaîne accrochée au bec de la grue. Elle est tendue comme si elle retenait un poids. C'est pas normal, ça. Et pourquoi Jérôme, il répond pas ?

Il finit de s'essuyer, se rajuste, descend du camion.

— Jérôme ? T'es où ? Arrête de faire le con !

Il va s'excuser. Il va lui expliquer. Il a cru qu'il était avec son père et il a perdu la tête. Il s'est embrouillé. Il comprendra, Jérôme.

— Hein, dis, Jérôme ? On peut changer après, quand on rechargera, tu feras la grue, je ferai les tôles.

La nuit sans lune est comme un tunnel de fumée. La nuit, c'est ce qui vous met en rapport avec la vie. Ou la mort. Ça dépend. Il s'est toujours posé la question.

— Jérôme ?

Il fait un pas, bute dans un tas de chiffons. Un gros boudin inerte qui a dû tomber de la benne. Il le pousse du pied, c'est mou, lourd, tiède. Il va chercher une lampe de poche dans le camion. Revient. Balaie le sol.

Jérôme gît, la gorge tranchée. Sa tête ensanglantée, à moitié arrachée, verse sur le côté. Le sang gicle à gros bouillons. Sa bouche se tord en une horrible grimace et ses petits cheveux roux volettent dans l'air glacé.

Plantée à côté de lui, la tôle, retenue par la chaîne qui a fini de se dévider, ondule dans la nuit sans lune.

*

— Quand je serai riche, je voyagerai en première classe, des pages porteront mes sacs, un secrétaire particulier fera la queue pour moi, une assistante prendra mes rendez-vous et filtrera mes appels afin que je ne sois pas dérangée… Bref je serai une star.

Hortense observe les gens agglutinés entre les

barrières de sécurité qui mènent aux guichets de la douane de Roissy, des enfants qui crient, se disputent, des couples affalés l'un sur l'autre, une fille qui défait sa valise en pleine cohue pour changer de chaussures, un vieux qui règle son sonotone, une vieille qui ôte et remet son dentier comme si elle maniait un Rubik's Cube.

— J'ai horreur de la foule, horreur de faire la queue, horreur d'être mélangée à tous ces gens, horreur d'être personne, fulmine Hortense qui piétine dans la file avec Gary.

Comme à chaque voyage en avion, elle a enfilé les vêtements auxquels elle tient de peur que sa valise se perde. Elle ressemble à un pneu qui roule. Et râle.

Gary, droit dans son caban, relit *À l'est d'Éden.* Il pousse son sac du bout du pied quand la file avance. Il a demandé à Hortense de ne pas le déranger.

— Tu lis et relis ce livre, t'en as pas marre ?

— C'est un chef-d'œuvre, dit Gary en tournant une page.

— Tu pourrais en lire un autre. Ou me parler. Tu n'as plus rien à me dire ?

— Hortense Cortès, taisez-vous.

— C'est mal élevé d'ignorer la personne qui vous accompagne.

— C'est malpoli de harceler son semblable.

— Bon, j'abandonne. J'ai pas l'intention de perdre mon temps et mes forces. Je te largue en arrivant à New York.

— Comme tu veux !

Hortense renonce et consulte son téléphone. Lit ses messages, aperçoit un SMS venant d'un numéro qu'elle ne connaît pas. Ouvre le message, pousse un hurlement. Tend le téléphone à Gary.

— Est-ce que tu lis la même chose que moi ?

Gary détourne la tête, il est en train de savourer ces mots :

Il se complaisait à raconter à ses copains d'hôpital ce qu'il ferait à la fille s'il mettait la main dessus. Il projetait de lui couper le nez et les oreilles et de se faire rendre son argent.

— Gary ! LIS !

— Hortense !

— Ok. Je résume : Inès de la Fressange est désolée de ne pas être venue à mon défilé. Elle est à New York et me prie, si j'y suis, d'aller déguster un club sandwich avec elle au bar de son hôtel. Tu dis quoi là ?

Il ne dit rien.

*

La pluie cingle les fenêtres du bureau d'Edmond. Adrian entre et referme la porte en luttant contre le vent. Il souffle dans ses doigts et s'essuie le visage.

— Sale temps ! il dit en secouant son imper trempé.

— On va à un enterrement, pas à un bal ! sourit Edmond, habillé tout en noir. C'est gentil d'être passé me voir avant. Je voulais te parler.

Edmond se frotte les mains. Un large sourire illumine son visage et ses yeux brillent derrière ses lunettes. Il n'a pas l'air bouleversé, plutôt soulagé.

— En tout cas, vous ne faites pas semblant d'être triste !

— Écoute, Adrian, je vais te dire : je suis enchanté. Je n'aimais pas cet homme et je ne crois pas qu'il aurait rendu ma fille heureuse.

— Elle semblait très amoureuse…

— Elle voulait s'en convaincre, c'est différent. La seule chose qui me chagrine, c'est que je n'aurai pas de petit-fils pour prendre la suite.

— On ne sait jamais, Julie peut rencontrer quelqu'un d'autre…

Edmond fait une moue dubitative.

— C'était sa première histoire sérieuse… Le temps qu'elle se remette et qu'elle tombe amoureuse d'un autre, je crains hélas que… Enfin ! Parlons d'autre chose.

— C'est un accident, on en est sûr ?

— Y a pas de doute. La grue a lâché et le câble a tranché la gorge de Jérôme.

— Et Zbig ?

— Il déraille complètement. Il dit que c'est la faute de Céline Dion et de son père. Je ne sais pas ce qu'ils magouillaient, Jérôme et lui, mais à mon avis, ils faisaient du trafic. Jérôme avait besoin d'argent et Zbig ne crachait pas dessus. Je m'en fiche, je ferme le dossier. J'ai autre chose à te dire, j'ai vu Borzinski.

— Ah…

Adrian a un pincement au cœur. Il a l'impression d'être monté sur le ring, les mains liées dans le dos, et qu'il va encaisser le premier coup.

— Je lui ai proposé une alliance à trois où je serais majoritaire. Toi, moi, lui. Il n'a pas pu dire autre chose que oui. Veolia a abandonné les discussions. Il se retrouve tout seul. Maintenant c'est à toi de décider si tu veux entrer dans le jeu ou pas.

— La mise est de combien?

Le coup va partir. Adrian rentre la tête dans les épaules, se tasse. Prend une profonde inspiration.

— Quatre cent mille balles chacun au départ.

— Au départ…, il répète, d'une voix blanche.

— Après on verra. Il y a de l'investissement à faire, des machines à acheter, un lieu à trouver, etc.

Adrian fait la grimace.

— Je passe, il dit en esquissant un sourire rapide. J'ai pas les moyens.

— Je suis désolé, sourit Edmond.

T'en as pas l'air! Fais pas semblant, vieux. Je vais aller tenter ma chance ailleurs. J'ai pas envie de voir cette belle affaire se monter sous mon nez sans y participer.

— Je vois pas comment faire autrement, commente Edmond en ouvrant les bras. Chacun doit mettre sa mise.

— Vous avez raison. Je vous souhaite bonne chance, Edmond! Je pense que je partirai de mon côté. Je ne sais pas quand mais j'ai envie de bouger, de voir d'autres horizons.

— Comme tu veux.

— Je vous laisse le broyeur dans le hangar. Après tout, il vous appartient.

— J'y comptais bien. Je t'emmène au cimetière?

— J'y vais avec Stella. À tout à l'heure.

*

816

Julie regarde le cercueil de Jérôme s'enfoncer dans la terre boueuse du cimetière.

Elle avait tellement rêvé de cette union ! Elle se demande même si le rêve n'avait pas été plus fort que la réalité. S'il n'avait pas occulté ce qui pouvait tacher l'image, la belle image qu'elle s'était fabriquée. Quand on désire très fort quelque chose, il arrive qu'on l'invente. Elle avait imaginé une maison, un jardin, une balançoire pour les enfants, une mare avec des poissons rouges, un homme, SON homme, qui rentrerait du boulot et se laverait les mains dans le garage pour ne pas salir l'intérieur, les enfants qu'on couche, la télé qu'on regarde assis sur le canapé, celui qui s'endort en premier, celle qui sourit en le regardant, c'était ELLE, et c'était LUI.

Un beau livre d'images.

Aujourd'hui, elle le referme. Pour toujours.

Elle a trente-sept ans. Jérôme était son seul prétendant.

Elle est debout devant la tombe. Devant le cercueil en bois qui descend en terre, retenu par deux employés des pompes funèbres. Elle a choisi le modèle le plus cher. Avec capiton violet. Et puis elle a pensé qu'avec ses cheveux roux, c'était une faute de goût, mais il était trop tard pour changer.

Son père lui a assuré que c'était un accident. Jérôme faisait des heures supplémentaires. Pour m'emmener au restaurant ? M'offrir des bijoux, des voyages ? Il me gâtait beaucoup. Ça le rendait nerveux, fébrile. Susceptible. Comme la dernière nuit où ils avaient… elle ne peut pas dire « fait l'amour ». Il l'avait « baisée ». C'est plus proche de la vérité.

Elle va jeter la première rose sur la tombe. Une rose blanche. On se reverra au Paradis, elle murmure en jetant la fleur.

Elle se range sur le côté. Attend le défilé des gens qui présentent leurs condoléances. La pluie glisse dans son cou, elle resserre le col de son manteau et éternue.

Stella la rejoint. Elle glisse sa main dans la sienne. Julie sent la chaleur de sa paume. Comme elle lui a manqué !

— Tu veux que je reste avec toi ? dit Stella.

Julie murmure oui, tout bas.

La file n'est pas longue. Des employés de la Ferraille, quelques clients qui sont venus pour Edmond, des commerçants de Saint-Chaland. Jérôme n'avait pas de famille à part un vieux cousin qui porte une redingote jaune, flanqué d'une femme incolore et revêche qui gronde dans son menton.

Julie écoute les condoléances, embrasse, remercie, embrasse, remercie, elle ne sait pas qui elle embrasse, qui elle remercie. La pluie brouille sa vue. Le voile noir que sa mère lui a enfoncé sur la tête fait des plis qui gondolent sous ses yeux. Mais, maman, on ne porte plus ces trucs-là ! Si. Au moins tu auras de l'allure ! J'ai l'air d'un abat-jour, tu veux dire ! La redingote jaune s'approche, murmure c'était mon cousin, mon cousin germain, un type pétri de valeurs essentielles… La femme revêche le coupe, un beau salaud, oui, un assassin. Il a pas payé sur terre, il paiera en Enfer !

Julie sursaute. Ouvre grand les yeux, tente d'apercevoir la femme à travers les plis de son voile. L'homme à la redingote jaune la reprend tu peux pas la fermer ! Comme si c'était le moment ! Et il entraîne la femme vers l'allée.

Julie échange un regard avec Stella qui visse son index sur la tempe, manière de dire elle est dingue. Son père regarde sa montre. Piaffe d'impatience. Léonie n'est pas venue.

Le bras de Stella enlace la taille de Julie.

— T'as entendu ce qu'a dit la femme ? dit Julie.

— Laisse tomber, c'est une folle. Il y en a toujours une à chaque enterrement.

— Oui mais quand même… Le traiter d'assassin !

— Elle a dû être amoureuse de lui quand elle était plus jeune et il a massacré son cœur, un truc comme ça.

— Ben, je sais pas, moi. Elle a quand même dit « assassin ».

— Elle est folle, je te dis. Remets-toi. T'es toute blanche. Tu tiens le coup ? dit Stella.

— Ça va. Je me sens un peu nauséeuse.

— Appuie-toi contre moi.

— Merci d'être là.

— Je serai toujours là pour toi, toupie.

Julie a envie d'éclater en sanglots. Toupie ! Cela faisait si longtemps que Stella ne l'avait pas appelée ainsi. Toupie ! Comme ça lui fait du bien ! Elle ne PEUT pas pleurer. Je suis la fille Courtois, la directrice de la Ferraille Courtois. Je dois me tenir. Ne pas faire honte à ma mère, si heureuse de voir Jérôme en terre, ni à mon père, qui ne doit pas être mécontent non plus. Ce n'est pas seulement Jérôme que j'enterre, mais mes rêves de bonheur ordinaire, mes rêves d'être une femme COMME LES AUTRES. Maman pense qu'il va falloir payer ma robe de mariée quand même… Papa est déçu parce que Léonie n'est pas venue. La vie continue. Je vais finir vieille fille.

Les deux croque-morts attendent, pelle aux pieds, qu'elle leur fasse signe de recouvrir le trou qui engloutira son homme.

Elle hoche la tête. Ils saisissent les pelles. Lancent en cadence des pelletées qui font *floc-floc-floc* en tombant sur le bois du cercueil. Des *floc-floc-floc* de plus en plus sourds à mesure que la terre s'amoncelle. Et puis plus rien du tout. C'est fini.

Julie s'appuie contre Stella.

— Il est parti, elle dit. Je suis toute seule.

— Mais non ! Je suis là, moi.

— Je veux dire seule dans la vie.

— Si tu veux, on se marie.

Julie sourit sous son voile.

— Je te préviens, je dors à droite du lit, dit Stella en la serrant contre elle, ce n'est pas négociable.

— Ça m'est égal !

— Je ronfle un peu, je grince des dents et je parle en dormant.

— Et moi, je fais du pédalo !

C'est alors qu'elle reçoit un violent coup de pied dans le ventre. Elle s'écarte, regarde Stella.

— C'est toi ?

— Quoi ?

— Tu viens de me filer un coup dans le ventre ?

— T'es folle ? J'étais en train de te demander en mariage !

820

— Regarde !

Julie prend la main de Stella et la pose sur son ventre. Un coup, deux coups, trois coups. C'est un récital.

— Mais je suis…, bafouille Julie.

Il y a dans son sourire hésitant une rafale de lumière.

— Oui, toupie, tu l'es !

— Un bébé ! Je vais avoir un bébé ! C'est pas possible !

— Ça ressemble beaucoup à ça en tout cas…

Julie se jette au cou de Stella.

— Hé ! Tu vas m'étrangler ! proteste Stella.

— Tu te rends compte ? Tu te rends compte ? Et je me suis aperçue de rien ! Je suis vraiment nulle ! De toute façon, j'ai jamais été bien au courant de ce qui se passait dans mon corps.

Les croque-morts approchent, demandent s'ils peuvent s'en aller. Julie acquiesce et leur tend l'enveloppe avec leur commission.

Il n'y a plus personne. Les gens sont partis. La pluie a découragé les rassemblements, les commentaires. Peut-être qu'ils n'avaient rien à dire au sujet de Jérôme. À part cette folle accrochée au bras de la redingote jaune.

Son père attend un peu plus loin. Il parle au téléphone. Sa mère a regagné la voiture et, portière ouverte, nettoie ses escarpins avec un Kleenex. Elle jette le Kleenex, referme la portière. Adrian marche parmi les tombes. On dirait qu'il compte ses pas. Ou prépare une campagne militaire. Il a l'air sombre, soucieux, il mordille son pouce. Tous ces gens appartiennent à son quotidien et pourtant, elle n'a plus besoin d'eux. Elle lève le visage vers Stella.

— Je lui dirai que son père était un héros et tu me contrediras pas, promis ?

— Promis. À une condition.

Julie fronce les sourcils.

— Laquelle ?

— Que tu ôtes ce voile ridicule.

*

Hortense sort de l'hôtel Pierre et attrape son téléphone au fond de la poche de sa parka. Quelle heure est-il à Paris ? Sept heures et demie du matin.

Junior sera réveillé. Junior est un lève-tôt. Un potron-minet. « Un potron-minet », c'est incorrect mais ça lui remue la tête. Elle a besoin d'ébranler ses pensées, de leur faire danser la bourrée. Même si elle reconnaît que mal utiliser un mot n'est pas signe de pensée profonde. Personne n'est parfait, elle conclut en traversant la Cinquième Avenue, en adressant un sourire ensorceleur à un garçon rabougri à qui personne jamais n'a souri. Elle se sent facétieuse, malicieuse, joyeuse, allumeuse, somptueuse, généreuse, chanceuse, elle a dévoré un club sandwich avec Inès de la Fressange et…

Et…

Elle lui a offert sa plus belle robe de soirée. Un modèle qui drape et décollette, moule et déroule, cache et révèle. Rouge, rouge. Et qui se termine par une longue traîne qui prolonge la grâce de la robe.

— Elle t'a promis de porter la robe aux Oscars ? demande Junior.

— Je n'ai pas osé lui demander mais je compte sur toi.

822

— Comment ça ?

— Eh bien… quand elle se préparera à marcher sur le grand tapis rouge, qu'elle essaiera chaussures, robes, bijoux, pochettes, tu te faufileras dans sa tête et tu lui feras choisir MA robe rouge. C'est un jeu d'enfant pour toi !

— Je suis encore très faible, mon amoureuse, et mes ondes…

— Junior, ce jour-là, tu passeras ton après-midi au parc avec les arbres. Tu te colleras à eux et tu seras plein de sève.

— J'essaierai. Tu me rappelleras la date et l'heure exactes ?

— Cette année, il y a une nouveauté : des limousines déposeront les stars au départ du tapis rouge, on les verra sortir de leur voiture, on les suivra le long du *red carpet*…

— *Carpet* ? Moquette ? Moquette rouge ? Souviens-toi, princesse, c'est cette moquette qui va te porter bonheur. Tu te souviens de ce que je t'ai prédit avant que tu ne quittes Paris ?

— Non, est obligée de reconnaître Hortense, honteuse.

— *Ne crache jamais sur la moquette rouge, princesse, respecte la moquette, embrasse la moquette, caresse la moquette, c'est d'elle que viendra ta renommée mondiale.*

— Ah oui ! Je m'étais dit que tu perdais la boule.

— Merci beaucoup !

— Te vexe pas, Junior chéri. Avoue que la manière dont tu t'étais exprimé pouvait laisser penser que…

— N'insiste pas, c'est très blessant.

— Je te présente mes excuses les plus sincères.

— Tu verras que j'ai raison, tout partira de cette moquette rouge.

— Moi, je veux bien… Je ne rêve que de ça.

Junior renifle une larme puis, tel un homme puissant, passe à autre chose.

— Comment va Elena ?

— En pleine forme. Elle a retrouvé Grandsire, son amant préféré, et assiste à tous mes défilés chez Bergdorf Goodman.

— C'est qui, ce Bergdorf ?

— Enfin, Junior ! C'est le grand magasin le plus chic, le plus cher, le plus ouf de New York. Celui où tu trouves les Jimmy Choo, Gucci, Lanvin, Prada, Dolce & Gabbana, Alexander McQueen, Givenchy…

— Arrête ! J'ai la tête qui chauffe !

— Tous les jours, nous présentons la collection à de riches clientes qui choisissent les modèles qu'elles désirent et rédigent des chèques pleins de zéros. Elena a beau doubler les prix, rien ne les arrête. Je suis contente. Mais ce n'est pas fini, je veux de l'ÉNORME, de l'ÉNORME ! Des millions de dollars, des millions de photos, des millions de *like* !

— Tu vas les avoir, mon adorée ! Je ne sais pas encore comment je vais faire, mais je vais y arriver.

— Les Oscars, c'est en pleine nuit. Branche-toi sur l'heure de Los Angeles et t'endors pas !

— Je ferai tout mon possible.

Hortense sent une hésitation dans la voix de Junior. Elle préfère ne pas y penser.

— Ça m'a fait du bien de te parler. Je rentre retrouver…

Elle a failli dire Gary.

— Mes croquis. J'ai recommencé à dessiner.

Ce n'est pas tout à fait vrai.

Ni tout à fait faux.

Elle court retrouver Gary. Lui raconter dans un sens, puis dans l'autre. Lui raconter sans queue ni tête, lui raconter tête-bêche.

*

Gary est à son piano. Dans le grand salon de l'hôtel particulier d'Elena sur la 66e Rue à l'ouest de Central Park. Hortense aperçoit sa chemise à carreaux, sa nuque penchée sur le clavier. Devine la barbe du week-end. Les pieds nus posés sur les pédales.

Il ne l'a pas entendue entrer.

Elle se laisse tomber dans le grand canapé rouge. Elle a appris à attendre. Je vieillis, je vieillis. Elle se penche sur le pot argenté qui enserre un bouquet de fougères et scrute ses rides. Vingt-cinq ans, c'est presque trente, pas loin de quarante ! Et après, c'est cinquante et je trépasse.

Il joue Ravel. La *Sonate en* sol *majeur.* Il doit se produire à Boston à la fin du mois de mars.

Quand il n'est pas absorbé par son piano, il lui donne rendez-vous dans des petits hôtels lamentables aux chambres ornées de faux Picasso, de tapisseries de cerfs au clair de lune. Ils ont l'impression d'avoir fait un long voyage, d'être à Pontarlier ou à Poitiers.

Elle attendra qu'il ait fini sa *Sonate en* sol *majeur*.
Elle lui racontera Inès et la robe rouge.

*

Adrian rumine. Adrian est en colère. Il n'a pas
digéré le fait d'être évincé de l'alliance Borzinski-
Edmond. Après tout, c'est lui qui est allé dénicher
le broyeur bradé à vil prix. Lui qui a trouvé le hangar. Lui à qui Borzinski a parlé en premier. Et il se
retrouve HORS JEU parce qu'il n'a PAS D'ARGENT. Il a
des idées, des envies, de l'énergie, mais PAS D'ARGENT.
Les banques refusent de lui accorder un prêt, les ban-
quiers ne prennent même pas la peine de lui parler, ils
ne veulent pas perdre de temps avec lui. Petit poisson,
petit gibier, DÉGAGE.

Il se frotte le poignet.

Depuis qu'il a perdu sa montre, sa bonne étoile
l'a quitté.

Il n'aime pas cette idée. Il ne s'aime pas supersti-
tieux. Cela signifie qu'il est faible. HORS JEU. Et c'est
la vérité. Il s'est débrouillé comme un gosse de six ans
dans cette histoire. Il a tout perdu. Retour à la case
départ. J'irai fermenter dans les trains de banlieusards.

Et ce connard de Jérôme qui est sous terre ! Ils
s'étaient réconciliés quelques jours avant qu'il ne soit
décapité. Jérôme lui avait fait des excuses. Il avait
trouvé ça louche. Je ne saurai jamais ce qu'il avait en
tête, suis pas sûr qu'il me voulait du bien.

— À quoi tu penses ? demande Stella en préparant
un café.

Il ne répond pas, frotte son poignet. Il a traversé

la Russie, la Biélorussie, la Pologne, la Tchéquie, l'Allemagne sans jamais perdre sa montre et il la paume dans un hangar à deux pas de chez lui ! C'est pitoyable. Il est pitoyable.

— À quoi tu penses ? répète Stella qui lit dans ses yeux la fuite d'un rêve.

PARLE-MOI ! SOIS GÉNÉREUX.

Il ne bouge pas. Se masse le poignet, les yeux perdus dans le vide.

Il cherche sa montre, c'est ça ?

Elle pose la cafetière brûlante devant lui, monte à l'étage. Renverse la botte où elle cache ses secrets, la perle nacrée qui lui vient de sa grand-mère maternelle, la première dent de lait de Tom, une mèche de cheveux de Tom, une photo de Toutmiel, une alliance qu'Adrian a achetée dans une boutique de fanfreluches pour le jour où ils se marieraient. Elle renverse la botte sur le dessus-de-lit blanc, prend la montre d'Adrian et descend le retrouver.

Il boit son café. Fait tourner sa cuillère. Enserre le bol de ses deux mains. Il a fermé le col de son blouson.

— Tu as froid ?

Il sourit dans le vide. Ne répond pas.

— Tu penses à ton grand-père, c'est ça ? Tu as pensé à lui quand tu marchais dans le cimetière. Tu lui parlais.

Il lève la tête. Lui sourit, en grand cette fois. Comme s'il lui tendait les bras, la prenait sur ses genoux et la berçait.

Elle pose la montre sur la table. Il a un geste de surprise. Jette la main sur la montre de peur qu'elle la reprenne. Il laisse tomber son front sur la table, dit tout bas merci, merci.

— Et ce n'est pas tout ! elle ajoute, mystérieuse. Ne bouge pas. Ferme les yeux.

Il obéit. La montre serrée dans son poing.

Elle prend le crayon avec lequel Suzon écrit les recettes qu'elle entend à la radio, une feuille de bloc et trace en grands caractères 400 000.

Place la feuille sous les yeux d'Adrian.

— Ouvre les yeux.

Il regarde, ne comprend pas.

Elle reprend le crayon et ajoute « euros ».

400 000 euros.

Il ajuste sa montre à son poignet gauche, demande :

— Edmond t'a parlé ?

— De quoi ?

— Il me demande quatre cent mille euros pour entrer dans l'affaire ?

— Quelle affaire ?

Il appuie ses coudes sur la table et raconte.

C'est à elle de se taire. Elle veut réfléchir.

Au bout d'un moment, elle se place face à Adrian, croise les bras sur sa poitrine et parle comme si elle menait une négociation :

— Ces quatre cent mille euros viennent de Fernande. Cet argent-là, je veux bien y toucher. Me demande pas pourquoi, je pourrai pas t'expliquer. C'est comme ça. Il faudra que je réfléchisse. Mais pas aujourd'hui. Pas maintenant.

Elle hausse les épaules. Ses yeux s'éteignent. Elle secoue la tête, se reprend.

— Cet argent va me permettre de devenir libre, indépendante. On va l'investir dans la Ferraille, dans le nouveau projet. Avec cet argent, on pourra emprunter. La banque nous ouvrira les bras. Juste un truc, Adrian…

Elle plante ses yeux dans les siens.

— On est à égalité dans cette affaire, ok ? Je vais pas continuer à me coltiner de la fonte et des tôles, à me défoncer le dos. Je veux un boulot, et un boulot intéressant. Je ne sais pas quoi encore. Je trouverai.

Il éclate de rire. Un rire qui déborde, qui dit qu'il est soulagé, heureux, fier d'être son homme, fier qu'elle soit sa femme. Un rire qui vaut tous les mariages.

— Je ne prendrai pas ton argent, Stella.

— Mais…

— Je te l'EMPRUNTE. Je te rembourserai. Pièce par pièce. Billet après billet.

— Pas la peine !

— Si. Je le prends parce qu'il me sort du trou où je suis tombé. Mais je te le rendrai. Il est à toi. Tu l'as gagné. Et tu sais quoi ? On va faire péter la baraque tous les deux.

— Tous les deux…, murmure Stella en rougissant.

Il soutient son regard.

— Comme si on était mariés ? elle s'aventure.

— Comme si on était mariés.

*

Dimanche 26 février. Sept heures du soir. Une

tempête de neige s'est abattue sur New York et, de la fenêtre de la maison d'Elena, les seules taches de couleur sont les feux rouges ou verts qui se balancent dans le ciel gris, noir, argent. Hortense et Gary, pelotonnés dans le grand canapé rouge, regardent la télé.

— S'il te plaît, Gary Ward, prends-moi dans tes bras et serre-moi très fort.

— T'as le trac ?

— Pire que ça !

La chaîne ABC retransmet la cérémonie des Oscars en direct de Los Angeles. À Hollywood, le soleil chauffe le grand tapis rouge que vont fouler les stars. Le défilé des célébrités a commencé. Elles s'arrêtent, se font photographier, renversent la tête, éclatent de rire, font des mines, haussent un sourcil. Pas un faux pli ni un geste de mauvaise humeur. *Smile, smile, smile.* Bonheur, bonheur, bonheur. Et embouteillages. On se croirait dans le métro à dix-huit heures.

— On va jamais voir ma robe, se lamente Hortense. Regarde ce monde ! Ils se marchent dessus.

— Le tapis rouge fait cent cinquante mètres. Tu vas bien avoir une petite place.

— Je veux pas une petite place, je veux TOUTE la place.

— Arrête d'être négative. Respire.

Le show est regardé par quarante-trois millions de téléspectateurs, annonce la journaliste peroxydée qui s'appelle Alexandra et remue la bouche comme si elle mâchait un chewing-gum.

— Quarante-trois millions, Gary ! Pourvu qu'Inès porte ma robe !

Elle fait de grands gestes face à l'écran comme pour

demander aux gens de se pousser, de faire une haie d'honneur à SA robe.

On frappe à la porte. Hortense supplie Gary de ne pas ouvrir.

— Je veux pas qu'on nous dérange. C'est trop important.

— C'est peut-être Elena, dit Gary en se levant.

— Non ! Ça va être un de tes copains et vous allez parler harmonie et *fa* dièse toute la soirée ! C'est MA soirée.

Gary ouvre la porte. Elena se faufile dans le salon. Elle porte un plaid en cachemire rose sous le bras et sa boîte de loukoums.

— Je viens voir les Oscars avec vous, c'est trop triste de regarder ça toute seule.

— D'accord, mais on reste concentrés, ordonne Hortense. Personne ne parle tant qu'Inès n'est pas passée. Après, je m'en fiche. On peut même éteindre la télé si vous voulez.

— Parce que tu l'appelles Inès, maintenant ? demande Elena, amusée, en dépliant son plaid sur ses genoux.

— C'est ma copine. Elle va porter ma robe, je le veux, je l'ordonne !

Elle tend les index en cornes de taureau vers la télé, pousse des petits cris aigus, se transforme en sorcière qui jette un sort.

— On se croirait dans un film d'horreur ! frissonne Elena.

Une limousine blanche apparaît. Elle va mordre la ligne du tapis rouge, s'immobilise et, sous les feux des projecteurs, Emma Stone en descend. Moulée

dans une robe lamé or signée… Signée… Chriiis-
tiane Diiiioor, mouline la journaliste en écrabouil-
lant chaque syllabe. Christian Dior devient un vieux
chewing-gum usé collé sous sa semelle.

— Pffft ! NUL ! s'écrie Hortense. Du déjà-vu !

Une autre voiture, puis une autre et une autre
frôlent le tapis rouge. L'encombrement est à son
comble. Les actrices se cambrent, se décambrent,
sourient, avancent, s'arrêtent, repartent. On dirait
des poupées mécaniques. On peut presque apercevoir
dans leur dos la clé qui les remonte. Les journalistes,
parqués derrière des cordons de sécurité, tendent leur
micro, interpellent, postillonnent. Les photographes
hurlent des prénoms.

— Vite, qu'ELLE arrive ! J'en peux plus ! Je vais
mourir ! gronde Hortense.

Elle s'est recroquevillée dans un coin du canapé.
Gary tend la main vers elle pour lui caresser l'épaule
mais la retire aussitôt. Il préfère rester prudent, ne
pas l'énerver.

Une longue voiture avance. Sur le capot flottent un
petit drapeau français et un petit drapeau américain.

— Inès ! Inès ! crie Hortense en faisant des bonds.
Mon Dieu ! Faites qu'elle porte ma robe ! Je vous promets de nourrir tous les sans-abri de ma rue pendant
trois semaines.

Gary lève la tête, étonné.

— Vraiment ?

— Chut… Regarde !

Inès sort de la voiture. Cheveux éclatants, sourire
éclatant, longue flamme qui se déplie DANS UNE ROBE
ROUGE, une magnifique ROBE ROUGE avec une traîne.

Hortense se raidit. Livide. Les yeux exorbités. Les doigts croisés pour supplier la chance de continuer.

— Elle a mis ma robe, elle a mis ma robe ! Et maintenant elle va prononcer mon nom devant quarante-trois millions de téléspectateurs. Je crois que je vais m'évanouir. Gary ! Gary, t'es où ?

Gary étend le bras. Elle s'écroule contre lui.

Alexandra, la journaliste, s'approche d'Inès. Elle évoque son livre, *Parisian Chic*, dans les meilleures ventes depuis des semaines, la félicite. Inès parle des Oscars, de l'Academy of Motion Picture Arts and Sciences, de la chance qu'elle a d'être à Hollywood, de représenter la France, des films qui…

— Mais on s'en fiche ! Parle de ma robe ! Montre-la ! Dis mon nom ! Dis-le ! éructe Hortense.

Inès joint les doigts en prière, dit qu'elle souhaite le succès des artistes français nominés. Cite leurs noms, leurs films, rappelle l'importance du cinéma en France, patrie de Méliès et des frères Lumière.

— On s'en fiche de Méliès et des frères Lumière ! Ils sont morts ! Dis mon nom ! s'époumone Hortense.

Inès sourit encore, penche la tête d'un air modeste, un air de bonne copine qui vous veut du bien. Sa robe rouge, longue, fluide éclate sur l'écran.

— Tourne un peu, montre la robe ! Allez, vas-y ! VAS-Y ! hurle Hortense.

Alexandra remercie Inès qui passe la main dans sa crinière d'une manière si tendre qu'on a envie d'être l'un de ses cheveux.

— Merci, Alexandra, belle soirée à vous aussi !

Elle a parlé de tout le monde sauf de moi.

— Bonne chance à la France ! dit Alexandra en français avec un accent de nouille trop cuite.

— Merci, Alexandra ! s'incline Inès, devenue bouddhiste dans son salut.

— Je m'en fiche qu'elle s'appelle Alexandra ! peste Hortense. Dis mon nom à moi !

Elle pousse un soupir de désespoir. Fait un bond, retombe dans les coussins. Se redresse. Crie :

— Avance, sinon la robe va rester coincée dans la portière ! Non mais, elle a pas vu ? Ma robe va se déchirer ! Elle va SE DÉCHIRER !

Elle se cache les yeux, se répand sur le canapé. Le bourre de coups de poing, de coups de pied.

— Tu peux faire la même colère mais intérieure ? suggère Gary.

— Elle a pas dit mon nom ! Elle a oublié ! Et la robe va se déchirer si elle bouge pas !

— Mais non ! Tu vas voir, elle va revenir vers la journaliste et dire au fait, la robe, la magnifique robe que je porte, a été dessinée par Hortense Cortès, et elle t'enverra un sourire en regardant la caméra.

— Dans tes rêves ! rage Hortense. C'est raté ! Elle m'a zappée.

— Dommage, laisse tomber Elena. Ça nous aurait fait une belle publicité.

— Elle a ou-blié ! Je le crois pas !

— C'est la première fois qu'elle foulait le tapis rouge, elle était émue…, tente Gary.

— C'est un cauchemar. Je veux que la limousine disparaisse en fumée, que la robe brûle, que la foudre s'abatte sur Hollywood !

Ce n'est pas ce qui arriva.

La limousine démarre lentement. La traîne de la robe se coince dans la portière et le tissu se tend, se tend, se tend jusqu'à former une longue barrière rouge qui empêche les nouveaux arrivants d'avoir accès au *red carpet*. On hurle au chauffeur de s'arrêter. Il continue à avancer, déroulant la bannière qui renverse journalistes, photographes, personnalités, ébranle l'estrade où est massée une foule de curieux. Des corps roulent à terre, des gens sautillent en poussant des cris, des hommes perdent leur toupet, des femmes leurs bijoux, leurs postiches, leurs faux seins. C'est une cohue indescriptible.

Inès, ceinturée par deux gardes du corps, lutte pour ne pas être jetée à terre et demeure debout, proue inébranlable bravant la tempête.

Enfin le chauffeur freine. Il descend de la voiture. Il constate les dégâts, ouvre la portière arrière qui relâche d'un coup le tissu dans un claquement de fouet. La robe se reforme sur Inès qui encaisse. On applaudit, on souffle. On a eu si peur, on a craint le pire. Un tremblement de terre ? Un attentat ?

Inès se reprend et déclare, imperturbable, que ce n'est rien, rien que le début du tournage du prochain film catastrophe des studios Warner. Tout le monde rit et se gargarise.

— Et mon nom ? Tu vas le dire maintenant ? halète Hortense en lacérant un coussin.

La journaliste, ébahie, fait remarquer que la robe n'a aucun accroc. Qu'elle est revenue se mouler autour d'Inès comme si rien ne s'était passé. Quel phénomène étrange ! *Those French people, ha ha ha !*

Ils n'ont pas de pétrole mais ils ont des idées, dit la bouche chewing-gum d'Alexandra, remâchant un slogan vieux d'un millier d'années.

— Quel tissu, devriez-vous dire ! la corrige Inès. Une matière révolutionnaire qui épouse le corps, le sculpte et transforme n'importe quelle femme en star voluptueuse ! Ce tissu a été mis au point par une artiste française…

— Et quel est le nom de ce *French designer* ? minaude Alexandra en louchant sur la robe.

— Hortense Cortès, lâche Inès dans un grand sourire. Hortense Cortès, souvenez-vous de ce nom, il sera bientôt aussi célèbre que celui de Coco Chanel. C'est une jeune femme pleine de talent, de chic et d'ambition. *So Parisian !*

Hortense éclate en sanglots. Elle l'a dit ! Elle l'a dit ! QUARANTE-TROIS MILLIONS de téléspectateurs l'ont entendu !

Non seulement Inès a prononcé son nom et exhibé la robe, mais elle a prouvé en direct que le tissu était RÉVOLUTIONNAIRE.

Le lendemain sur le Net, à la télé, dans les journaux, on ne parle que de la robe rouge d'Inès. *INÈS'S RED DRESS. THE AMAZING FRENCH FABRIC.* Le tissu, la coupe, l'effet gainant, la résistance, le glamour. La Nasa envisage l'achat de cette étoffe pour habiller les astronautes, les hommes d'affaires imaginent la production de parachutes, d'imperméables, de sièges de voiture, de voiles de bateau, de planches de surf. *What else ?* demandent les commentateurs.

Et les femmes américaines cherchent dans les

Yellow Pages l'adresse de cette petite Française pour lui acheter ses modèles.

Hortense assiste, émerveillée, au triomphe de sa marque. ÉNORME. ÉNORME.

Elle ne peut plus attendre. Elle doit tout raconter à Junior.

— Junior ! Junior !

Une voix enrhumée crachote au bout du fil et finit en un couinement douloureux.

— Ouiiiii… Quelle heure est-il ?

— Junior ? C'est toi ?

— Ouiiiiii…

— Qu'est-ce qu'il t'arrive ?

— Je me suis trompé d'arbre. J'ai enlacé un tremble. C'est un arbre maléfique, un vampire énergétique. Il a pris toute ma force et m'a filé plein de pensées négatives.

— Ho là là, pauvre toi !

— Je suis désolé, Hortense, je n'ai rien pu faire pour Inès.

— TU N'AS RIEN FAIT ? s'égosille Hortense.

— Non.

— RIEN ?

— Oh… mon aimée ! Quelle fatale faiblesse ! J'ai étreint l'arbre en pensant qu'il s'agissait d'un frêne qui dispense force et créativité et je me suis retrouvé terrassé, dépressif, avec une seule envie, mourir. J'ai dormi toute la journée, toute la nuit, j'ai zappé Inès et la robe.

— Mais alors… je suis aussi forte que toi !

— Pourquoi dis-tu ça, ma merveilleuse ?

Et Hortense de lui raconter la moquette rouge par

le menu, tout en sentant croître en elle un léger sentiment de toute-puissance.

Après la prestation d'Inès sur le *red carpet*, les commandes affluent. On leur envoie des chèques en blanc, des cartes de crédit avec le code écrit sur un bristol, des Boeing aménagés. On leur ouvre des palaces, des palais, des suites royales. On s'arrache *the French designer Oortince Cortèèèèsse.* Voire *Ooortin Cortaize.* On assure qu'elle est la fille de Martin Scorsese, la petite-nièce de Greta Garbo, l'héritière de la maharani Pukrani. Non, elle proteste, je suis FRANÇAISE *from Paris*, ma mère s'appelle Joséphine, ma sœur Zoé et mon chien Du Guesclin. Je mange des croissants, des baguettes, du saucisson sec, je porte un béret.

La demande des clientes, leur enthousiasme n'ont pas de limites. Certaines dorment sur son paillasson. Elles attendent une pièce dans le FAMEUX tissu avec la FAMEUSE coupe Hortense Cortès.

Jean-Jacques Picart et Elena lèvent les bras, baissent les bras, complètement dépassés.

Hortense demande un moment de répit. Elle se roule en boule sous le piano de Gary, caresse les chevilles de son homme, les poils du tapis. J'ai envie de quoi ? Que les femmes soient belles. Et de quoi encore ? Que TOUTES les femmes puissent accéder au luxe et à la beauté. As-tu peur de déplaire ou de scandaliser en violant les sacro-saintes règles ? Les règles, c'est moi qui les fais. D'accord. Comment vas-tu expliquer cette révolution ? Je dirai c'est l'époque ! Les collections doivent être disponibles tout de suite après le défilé et non quatre mois après et au compte-gouttes pour quelques privilégiées. Quatre mois ! Une éternité !

La célébrité ne dure qu'un quart d'heure.

Si elle ne saisit pas le moment pour vendre ses modèles à la pelle, elle sera vite oubliée. La solution ? Envoyer par-dessus les moulins le concept de haute couture et se lancer dans la couture haute. Une haute couture démocratisée, rapide, instantanée. Ce sera son élément de langage, aussi ambigu qu'une phrase de Barthes. La couture haute est née.

Il ne reste plus qu'à en faire part à Elena et à Jean-Jacques Picart.

Elena s'écrie impossible !

Jean-Jacques Picart lui raccroche au nez.

Hortense insiste. Raisonne Elena, rappelle Picart. Raisonne Picart, rappelle Elena.

Ils tiennent bon.

Hortense retourne sous le piano.

Contemple les chevilles de Gary sur les pédales dorées. Les caresse. Caresse les poils du tapis.

Elle va rappeler Picart.

— Tu es fâché ? elle demande.

— Tu décides de tout changer sans qu'on en ait parlé. Oui, je suis fâché.

— Et vexé ?

— Un peu, mais surtout je ne veux pas aller vers la catastrophe. Une décision comme celle-là se mûrit. On n'agit pas sur un coup de tête.

— Parfois il faut aller vite. Très vite.

— Et on prend les mauvaises décisions.

— On est débordés, Jean-Jacques. On reçoit des centaines de commandes. On ne sait plus comment satisfaire tout le monde.

— C'est parfait, tu crées le désir.

— J'ai peur qu'on oublie le moment *red carpet*.

— On ne l'oubliera pas, je te le promets. On se chargera au besoin de le rappeler. On va définir une stratégie. On ne se lance pas sans avoir réfléchi.

— Résultat ?

— Tu attends.

— Je déteste ce mot.

— Tu attends une saison de plus avant de te lancer. Une saison pour bien évaluer les nouveaux besoins financiers, trouver et tester les usines qui seront en charge de fabriquer les collections de prêt-à-porter de luxe…

— De COUTURE HAUTE. Je vais lancer le mot.

— Si tu veux ! On s'en fiche. Il faudra embaucher une nouvelle équipe car le métier n'est pas le même.

— Ce qui me renvoie à quand ?

— Si on décide de prendre cette orientation-là, tu vas faire une collection de plus de haute couture en juillet et tu présenteras ta première collection de… couture haute au mois de septembre. Tu ne vas pas arrêter de travailler…

— Ça me fait pas peur !

— C'est parfait. D'autres idées ?

— Non, grogne Hortense.

— Rien d'autre à ajouter, même pas « merci, Jean-Jacques, tu as raison » ?

— Mer…

Elle s'arrête. Bloque. Pas envie.

— Eh bien, dit Picart, on reprendra notre collaboration quand tu auras retrouvé les mots. En attendant, TRAVAILLE !

*

C'est un petit matin gris. Le froid dessine des vagues de givre sur les vitres du collège. Les profs répètent chaque fois qu'ils croisent un collègue ah, on ne sait plus comment s'habiller ! Un jour en Sibérie, le lendemain à Miami ! On ne se croirait pas en mars ! Dakota n'est pas venue au collège ce matin. Hier, quand il l'a raccompagnée, elle avait un air fiévreux, blessé. Elle évitait son regard. Répondait par onomatopées. Il l'avait attirée sous l'érable du Canada, juste après la grille noire, pour l'embrasser comme chaque soir, en prenant son temps, en respirant l'odeur d'herbe coupée… Elle avait détourné la tête.

— Mais pourquoi ? il s'était écrié, réclamant son dû.

— J'ai pas envie.

— C'est à cause de la chaise qui n'existe plus quand tu as le dos tourné ? Elles sont dures, tes questions, Dakota. Faut me laisser plus de temps !

Elle avait arraché une branche à un arbuste. Observé, sans paraître émue, ses doigts écorchés, léché le sang qui perlait et ses yeux s'étaient fermés comme si elle était morte. OUI, MORTE. Elle se retirait de la vie.

Et ce matin, elle n'est pas venue en classe.

Elle est peut-être morte pour de bon.

Il sort du collège en traînant les pieds.

— Tu vas user tes chaussures ! dit madame Mondrichon qui traverse le préau.

Elle court, joyeuse. Elle a décidé de lui remettre le diplôme d'élève-citoyen juste avant les vacances de Pâques, de faire une grande fête. Elle ne sait plus où donner de la tête.

Il repousse Mila qui veut lui montrer son appareil dentaire tout neuf, Noa qui a de nouvelles baskets Under Armour, la marque qui cartonne aux USA, même qu'elle vient d'engager Teddy Riner pour sa promotion !

— Je m'en fous, bougonne Tom.

— T'es pas drôle ! râle Noa. Tu me soûles !

— Dégage ! Cassos !

Ce n'est pas sa faute s'il ne sait pas expliquer le coup de la chaise qui existe ou pas quand on a le dos tourné. Il a cherché sur Internet, il n'a rien trouvé. Il a demandé à Georges, qui lui a ri au nez. Son père n'en a jamais entendu parler et sa mère non plus. Il peut discuter de la vie des renards et des renardeaux, des pieds de cochon grillés, il a vu Georges les cuisiner, de la tranche de pâté de monsieur Canterel, de la vie sexuelle d'un perroquet, de l'influence de la lune sur les laitues, des trucs comme ça, mais pas de la chaise qui existe ou pas. C'est trop fort pour lui. C'est le genre de fille qu'il faut ÉTONNER tout le temps.

Il a demandé à Camille, le copain de sa mère. Lui non plus ne sait pas. Tom vient de lire une nouvelle de Salinger qui lui a cramé la tête. *Un jour rêvé pour le poisson banane.* Il a essayé d'en parler avec Dakota. Elle est fan de Salinger. Elle a tout lu. Elle n'a pas tilté.

C'est du boulot, cette fille.

Il aperçoit la voiture du père de Dakota garée au bout de la rue. Il passe à côté, la frôle.

Dakota baisse sa vitre.

Elle a une petite mine comme si elle avait mangé trop de chocolat, des cernes noirs et le nez pas au milieu du visage.

— T'es malade ? il demande en raclant ses baskets sur le trottoir.

— Je pars pour New York, elle marmonne en tripotant le rétroviseur.

C'est où New York ? il pense d'abord. Puis tout de suite après il comprend et s'écrie :

— Tu pars ?

— Mon père a vendu la maison. Il attendait d'être sûr que le collège ne s'appellerait pas Ray-Valenti pour partir. C'est réglé, il paraît. Il est allé voir la directrice. Je l'attends.

— Tu t'en vas vraiment, tu finis pas l'année ?

— Il m'a inscrite au lycée français à New York.

— Tu pars quand ?

— Demain.

— Demain !

Et elle lui a rien dit !

— Tu le sais depuis longtemps ?

Elle suit le bord du rétroviseur, mouille son doigt, nettoie la surface. Il ne sait pas si elle est triste. Elle est absente, pas sûr qu'elle soit triste.

— On se verra plus alors ?

— Ben non.

— Tu seras pas là pour la remise de mon diplôme d'élève-citoyen la semaine prochaine…

Elle essaie de dégager une brindille coincée dans le miroir. Serre les dents, plisse les yeux, tire sur la brindille.

Il ne sait plus quoi dire. Ça a l'air de lui être complètement égal de partir.

— Bon ben… salut alors !

— Salut.

Elle soupire, glisse sa main sous sa cuisse, se balance un peu. Répète ben salut, alors !

Et remonte sa vitre.

Il prend ses jambes à son cou et part à toute allure. Loin de ce malheur.

Qu'est-ce qu'elle disait, sa mère ? Qu'il fallait connaître un gros chagrin d'amour, que c'était le pire moment de sa vie, mais qu'après on était vacciné, on pouvait aimer tranquille. Voilà, il se paye son premier chagrin d'amour et c'est horrible.

Il faudra qu'il demande à sa mère combien de temps on souffre. C'est pas pareil si c'est dix semaines ou dix ans.

Dix ans, il tiendra pas.

Il fait signe au chauffeur du car de l'attendre. Court. Monte. Va s'asseoir au fond. Pour être seul. Non, dix ans, il tiendra pas. Mais ça doit être rare. Seulement au cinéma ou dans les livres.

Son portable sonne. Un SMS. Il ne regarde pas. Pas envie. Il va faire comme elle, pas de portable, pas de Facebook, pas de réseaux sociaux, c'est pour les crétins, les superficiels. Comment elle disait déjà ? Ça tue l'imagination, ça tue le temps, ça tue l'attente, le silence.

Comme elle lui manque ! Les mots sortaient de sa bouche mais jamais ceux qu'il attendait.

Et les baisers avec la langue… Plus jamais.

Et sa petite main tiède dans sa main quand il la raccompagnait… Plus jamais.

Ses rédactions de ouf… Plus jamais.

Ses yeux qui font le tour de ses paupières… Plus jamais.

L'odeur d'herbe coupée, les regards coupe-coupe, le nez qui dérape dans le visage…

Il pose sa joue contre la fenêtre. C'est plus froid qu'un glaçon, on dirait que la peau colle à la vitre.

Et puis, il entend BRANCHE-TOI SUR TON PORTABLE. Il hausse les épaules. Pas envie. BRANCHE-TOI SUR TON PORTABLE. Pas envie, il répète. BRANCHE-TOI SUR TON PORTABLE, BOLOSSE.

À tous les coups, c'est Junior. Il a fait des progrès en vocabulaire.

Il sort son portable. Clique sur « Messages ». Lit.

« T'as raison, c'est pratique. » Signé DAKOTA.

*

Julie a demandé à Stella d'aller vider le pavillon qu'occupait Jérôme. Il faut rendre les clés au propriétaire. Elle n'a pas le cœur à remuer les affaires de Jérôme, à les trier, à les jeter. À se trouver nez à nez avec sa brosse à dents.

— Ça t'ennuie pas ? Vraiment ?

— Non, toupie.

— Ne me rapporte rien. Donne tout à Emmaüs, à Montereau.

Elle caresse son ventre comme si Jérôme y habitait désormais. Elle se sent coupable de sa mort. C'est idiot, elle le sait, mais elle a RÊVÉ sa mort. DÉ-CA-PI-TÉ. Plusieurs fois. Si ça se trouve, elle l'a rêvé si fort que c'est arrivé. Ça la rend malade. Elle préfère penser à l'avenir, au bébé, aux dragées, au Mitosyl, au lait maternisé.

— Pour les meubles, tu charges ce que tu peux dans le camion et tu le verses à la décharge. Le reste, le propriétaire a dit qu'il s'en débrouillerait. Il a été très aimable au téléphone et m'a présenté ses condo-léances.

— Et les papiers ? Les photos ?

— Tu les prends. Quand je serai plus costaud, je les regarderai.

Stella a pris des sacs-poubelle de cent litres, des éponges, des gants en caoutchouc, de l'eau de Javel, du Cif ammoniaqué. Et elle est partie.

L'ameublement est sommaire, une table, deux chaises, un calendrier des Postes punaisé au mur. Le canapé est défoncé, le tapis usé, les boiseries sont en plastique, ça se voit. Par endroits, la gaine a sauté, on aperçoit les fils électriques. Détail insolite : il y

846

a des napperons blancs en dentelle partout. Pour cacher des taches ? Une bouteille de bière vide colle à la table basse devant la télé, les feuilles jaunies d'un caoutchouc jonchent le sol.

Stella décide d'emporter la télé. Elle la donnera à Emmaüs. Elle ouvre un premier sac-poubelle, jette tout ce qui lui tombe sous la main. Elle a bien fait de prendre des gants.

Elle pénètre dans la chambre. Une araignée file sous ses pieds. Ça sent le renfermé, la transpiration. Elle ouvre les volets. Enlève les draps. Continue à remplir les sacs-poubelle.

Dans une penderie se balancent deux vestes, des jeans, une parka, des chemises blanches, des cravates. Pour aller au restaurant ? Elle se baisse pour ramasser les chaussures. Heurte une caisse en bois. La sort. Fouille. Il y rangeait ses papiers. Des factures. Un contrat d'assurance. Des modes d'emploi. Des relevés de banque. Elle va les mettre à l'abri, si Julie en a besoin. Ce ne serait pas plutôt à la famille de Jérôme d'avoir ces papiers ? Ils n'étaient pas encore mariés. Qu'importe ! Elle embarque tout. On verra bien. Elle attrape un dossier à pleines mains. Des papiers en tombent. Des photos. Tiens, c'est quand il était parti sous les palmiers. Avec sa femme et ses gains du Loto. Elle ressemblait à quoi, sa femme ?

Elle tire une photo du tas. Une blonde avec un tee-shirt *I Love Suzie.* Elle était pas mal, Suzie. Sur la photo en tout cas. Elle rit, elle est blonde, elle a des fossettes, des barrettes turquoise dans les cheveux.

Il a dû être amoureux. La photo est agrafée à une coupure de journal qui raconte un horrible accident de moto. Pourquoi il a gardé ça ?

Sur les photos de Suzie, Jérôme a écrit des phrases au Bic noir : « Fallait pas me narguer ! » « Bien fait pour ta gueule ! » « Y trouveront jamais ! »

Trouveront jamais quoi ?

L'article raconte l'accident, les deux corps encastrés, le mari de la victime, Jérôme Laroche, grutier, accablé auprès des deux corps. Il n'était pas accablé quand il écrivait ses commentaires au Bic noir !

Et puis des photos de l'enterrement prises par un copain de Jérôme qui les lui avait envoyées pour « immortaliser sa peine ». Jérôme est vêtu de noir. Les manches de sa veste sont trop longues et lui recouvrent les mains. À côté de lui, Stella reconnaît le monsieur en redingote jaune et la femme qui a crié « assassin ». Elle porte dans les bras une couronne de fleurs dont le ruban dit : « À ma sœur adorée. »

Stella repose la lettre et les photos du copain, les photos de Suzie et les gribouillis de Jérôme. Elle se mord les lèvres. Elle entend les mots de la sœur à l'enterrement, « assassin, assassin ! »

La sœur n'est pas une dingue échappée de l'asile.

Elle appelle Joséphine.

Joséphine l'écoute attentivement.

— Et maintenant, je fais quoi ? Je le dis aux gendarmes ou pas ?

Joséphine demande deux minutes de réflexion et rappelle :

— Tu dis rien.

848

— Je dis rien ?

— Non. Ce n'est ni à toi ni à Julie de le faire, c'est à la famille de Suzie. La sœur m'a l'air assez remontée, non ?

— Tu parles !

— Eh bien… laisse-la faire.

— Je préfère. J'aime pas être le mauvais messager. Tu m'imagines dire à Julie que le père de son enfant est un criminel ?

— Pas vraiment ! Tu le connaissais bien ?

— C'était surtout le mec de Julie.

Elle n'a pas envie de parler de Jérôme. Elle préfère s'attarder sur Julie et son bonheur d'attendre un bébé.

— Et sinon ? dit Joséphine.

— Tout va bien. Tom a reçu son diplôme d'élève-citoyen. Adrian fait des colonnes de chiffres et discute avec Edmond, je vais avoir un nouveau job, assistante de Julie, pas mal, non ? Ah si, j'oubliais : le collège ne va pas s'appeler Valenti. J'ai gagné !

— La directrice n'est pas triste d'être privée de fanfare ?

— Je sais pas et je m'en fiche ! Dis, tu sais qui envoyait les mails anonymes ? Mais tu le dis à personne, hein ? Promis ?

— Stella ! Je ne connais personne à Saint-Chaland !

Stella rit. Et son rire soudain est doux, enfantin.

— Camille, mon copain de la médiathèque. Personne le sait. Il m'a avoué ça hier soir. Il était tout rouge.

— Et ta maman ?

Stella pouffe dans sa main.

— Elle roucoule avec Edmond. Ils ne se quittent

plus. Il la bourre de cadeaux. Il lui a offert une voiture ! Une Twingo blanche décapotable. Elle frime !

— Et la femme d'Edmond ?

— Elle voit rien.

— Ça va peut-être pas durer…

— Arrête ! Tu vas porter malheur aux amoureux ! Et toi, ça va ?

— Très bien. Je crois que je suis sortie de ma déprime ménopause.

— Parce que…

— Ben oui… Et c'est pas gai, je te jure ! Mais ça va mieux. Philippe a été un amour. Comme toujours. J'ai vraiment de la chance.

— Et Zoé ?

— Elle ne rentre plus dans les ordres. Elle s'est lancée dans le film d'animation, elle a un projet de dessin animé et, tu vas être morte de rire, elle est richissime. Elle touche de l'argent de partout sans rien faire !

— Comment ça ?

— Elle a des actions dans la boîte de sa sœur qui cartonne à New York et dans celle de son cousin qui cartonne à Londres. Elle amasse les dividendes. Elle qui n'aime pas l'argent et s'en méfie comme du choléra !

— Elle habite toujours avec toi ?

— Oui. Mais je crois qu'elle va s'installer toute seule. Pas loin de chez moi, mais seule.

— Tu vas aller vivre à Londres ?

— Je crois pas. Avec le Brexit, c'est plutôt Philippe qui va revenir à Paris.

— Allez, faut que je finisse de remplir mes sacs-poubelle ! Salut, ma belle !

— Embrasse tout le monde !

*

Stella repousse le lourd dessus-de-lit. Regarde l'heure. Mickey dit qu'il est six heures trente. Adrian dort encore. Il a une trace d'encre sur l'aile du nez. Elle sort du lit, étend les jambes, enfile sa salopette et son gros pull, descend dans la cuisine. Charge la cuisinière à bois. Triture les cendres avec les pincettes pour ranimer le feu.

Elle s'assied sur la marche près du poêle. Le sac-poubelle contenant les papiers de Jérôme s'avachit dans un coin de la cuisine. Elle le descendra à la cave, le cachera derrière le casier à bouteilles. Costaud et Cabot se couchent à ses pieds. Elle leur caresse les oreilles. Fouille dans sa poche, trouve une vieille balle de tennis, la lance. Ils courent, l'attrapent et se la disputent. Le poêle chauffe, elle tend les mains. Garde les paumes ouvertes, ferme les yeux, j'accepte, j'accepte ce qu'il s'est passé, j'accepte ce qui vient, j'accepte ce qui s'en va, je ne retiens rien, la vie c'est comme ça. Le soleil et l'amour, l'été, l'hiver, les bonheurs, les chagrins, Tom qui grandit, Adrian qui cogite, maman qui tombe amoureuse, Suzon qui vieillit, Georges qui veille, Camille qui apprend le courage. On ne peut rien garder pour l'éternité, ni le temps, ni l'amour, ni le soleil, ni la vie. On n'y arrive pas. Sept heures, le réveil va sonner, je vais préparer le petit-déjeuner de mes hommes.

Et si je leur faisais des œufs au bacon ?

Après *Les Yeux jaunes des crocodiles*, *La Valse lente des tortues*, *Les Écureuils de Central Park sont tristes le lundi* et les trois tomes de *Muchachas*, vous avez retrouvé :

À Paris, autour de Joséphine

Les Plissonnier-Cortès

JOSÉPHINE CORTÈS, 50 ans, fille d'Henriette et de Lucien Plissonnier (décédé), veuve d'Antoine Cortès, compagne de Philippe Dupin, mère d'Hortense et de Zoé. Sœur d'Iris Dupin (décédée). Demi-sœur de Stella Valenti.

ANTOINE CORTÈS (décédé), mari de Joséphine, père d'Hortense et de Zoé.

HORTENSE CORTÈS, 25 ans, fille de Joséphine et d'Antoine Cortès, petite amie de Gary Ward.

ZOÉ CORTÈS, 20 ans, fille de Joséphine et d'Antoine Cortès.

HENRIETTE PLISSONNIER, 72 ans, veuve de Lucien Plissonnier, divorcée de Marcel Grobz. Mère de Joséphine et d'Iris. Grand-mère d'Hortense et de Zoé.

LUCIEN PLISSONNIER (décédé), premier mari d'Henriette. Père de Joséphine Cortès et d'Iris Dupin. Amant de Léonie Valenti dont il a eu une fille, Stella Valenti.

Les Dupin

IRIS DUPIN (décédée), femme de Philippe Dupin, mère d'Alexandre, sœur de Joséphine.

PHILIPPE DUPIN, 55 ans, veuf d'Iris Dupin, compagnon de Joséphine, père d'Alexandre.

ALEXANDRE DUPIN, 20 ans, fils de Philippe et d'Iris.

Les Grobz

MARCEL GROBZ, 72 ans, ex-mari d'Henriette Plissonnier, compagnon de Josiane Lambert, père de Junior.

JOSIANE LAMBERT, 46 ans, compagne de Marcel Grobz, mère de Junior.

JUNIOR GROBZ, 7 ans, fils de Marcel et de Josiane.

Leurs amis et relations

ELENA KARKHOVA, 92 ans, comtesse russe, mécène d'Hortense.

GARY WARD, 25 ans, Anglais, fils de Shirley Ward et de Duncan McCallum (décédé). Petit-fils d'Élisabeth II, reine d'Angleterre. Petit ami d'Hortense Cortès.

SHIRLEY WARD, 46 ans, mère de Gary Ward, meilleure amie de Joséphine Cortès. Fille cachée d'Élisabeth II, reine d'Angleterre.

CALYPSO MUÑEZ, 26 ans, petite amie de Gary Ward. Violoniste virtuose.

ROBERT SISTERON, secrétaire et bras droit d'Elena Karkhova.

LÉA, meilleure amie de Zoé Cortès.

ANTOINETTE, top model, amie américaine d'Hortense.

IPHIGÉNIE, gardienne d'immeuble, amie de Joséphine Cortès.

GAÉTAN LEFLOCH-PINEL, 20 ans, ex-petit ami de Zoé Cortès.

À Saint-Chaland, autour de Stella

Les Valenti

RAY VALENTI (décédé), fils de Fernande Valenti, mari de Léonie de Bourrachard, père présumé de Stella Valenti.

LÉONIE VALENTI, 62 ans, née de Bourrachard, épouse de Ray Valenti (décédé). Maîtresse de Lucien Plissonnier dont elle a eu une fille, Stella.

FERNANDE VALENTI, 77 ans, mère de Ray Valenti. Belle-mère de Stella Valenti.

STELLA VALENTI, 35 ans, fille de Léonie Valenti et de Lucien Plissonnier. Compagne d'Adrian Kosulino, mère de Tom Valenti.

ADRIAN KOSULINO, Russe, 36 ans, compagnon de Stella Valenti, père de Tom Valenti.

TOM VALENTI, 11 ans, fils d'Adrian Kosulino et de Stella Valenti.

GEORGES et SUZON, frère et sœur. Anciens domestiques au château de Bourrachard, propriétaires de la ferme où vivent Stella, Adrian, Tom et depuis peu Léonie.

Les Courtois

EDMOND COURTOIS, 62 ans, marié à Solange Courtois, père de Julie Courtois, propriétaire de la Ferraille.

SOLANGE COURTOIS, épouse d'Edmond Courtois, mère de Julie Courtois, sans profession.

JULIE COURTOIS, 36 ans, fille d'Edmond et de Solange Courtois, fiancée de Jérôme Laroche. Meilleure amie de Stella Valenti.

JÉRÔME LAROCHE, 46 ans, employé à la Ferraille. Fiancé de Julie Courtois.

Leurs amis et relations

Autour de la Ferraille

BORZINSKI, homme d'affaires russe, en relation avec Adrian Kosulino.

BOUBOU, HOUCINE, MAURICE, employés sur le site de la Ferraille, amis d'Adrian Kosulino et de Stella Valenti.

MILAN, émigré russe, ami d'Adrian Kosulino.

ZBIG, paysan, voisin de la ferme. En relations avec Jérôme Laroche et Stella Valenti.

Autour de Stella Valenti

CAMILLE GRASSIN, 32 ans, employé à la médiathèque de Saint-Chaland.

AMINA, infirmière à la maison de retraite de Saint-Cyr, Les Pâquerettes. Amie de Stella Valenti.

MARIE DELMONTE, journaliste, amie de Stella Valenti.

Autour de Tom Valenti

DAKOTA COOPER, 11 ans, Américaine. Élève dans la même classe de 6ᵉ que Tom.

MONSIEUR COOPER, père de Dakota Cooper.

MADAME FILIÈRES, directrice du collège de Tom.

MADAME MONDRICHON, professeur de Tom.

REMERCIEMENTS

Écrire, c'est partir à l'aventure.

Avec ses cahiers, ses Bic, ses crayons, l'œil qui traîne, accroche un quartier de lune, un nuage de poussière, le rire d'un enfant, la nuque renversée de deux amoureux, la grimace d'un passant. On tend l'oreille, le nez, la bouche, le doigt pour saisir un instant, une réplique, une attitude, une couleur, une odeur et on cherche le mot qui va les illustrer.

On prend des notes, on récolte, on rumine et l'histoire grossit. Cela prend du temps, beaucoup de temps, et sans cesse on vous dit : « T'as pas encore fini ? » et on répond : « Ça ne dépend pas de moi, vous savez. »

Les personnages décident. Ils nous emmènent, les yeux bandés, et nous promènent à leur fantaisie. On voudrait bien savoir ce qu'ils ont en tête mais ils ne parlent pas.

Patience et gribouillis. Feuilletage de l'excellent *Thésaurus*, aux éditions Larousse, qui tient compagnie, souffle des mots, des nuances.

Écrire, c'est un travail de détective.

Se fondre dans le décor pour mieux « voler ».

J'ai traîné à la sortie des collèges, écouté les conversations des élèves, noté leurs phrases, leurs mots, la marque des blousons, des baskets, des téléphones, des chewing-gums. J'ai couru les ferrailles, petites et grandes, les défilés de mode, les concerts. Suis allée en Russie, en Italie, en Écosse, à Rome, à Londres, à New York. Suis revenue bredouille ou pas.

Enfin il y a ceux qui m'ont aidée et guidée.

Jean-Jacques Picart m'a ouvert les portes du monde de la mode. Il m'en a expliqué les subtilités, les mystères, les rites, les flops, les réussites. A répondu à mes questions sans jamais perdre patience. Merci, Jean-Jacques, pour ta générosité et ta disponibilité.

Inès de la Fressange a accepté de tenir son propre rôle dans le livre et m'a nourrie d'anecdotes.

Simon Jacquemus m'a invitée à ses défilés magnifiques.

Martine Cartegini, Rosine Delaplace-Moser m'ont révélé les coulisses des collections.

Lise Berthaud a guidé l'archet de Calypso.

Alain Castoriano a suivi les traces d'Ulysse à Miami.

Lydie Viais a apporté une touche à l'environnement professionnel de Camille.

Lise Andriès à celui du milieu universitaire de Joséphine.

Carole Kressmann et Martine de Rabaudy m'ont appris le staccato.

Merci aussi à Atilla Raksanyi que j'ai regardé démonter et remonter une horloge.

À Patricia, ma lectrice américaine.

À Gilbert, mon lecteur normand… pas complaisant.

Grand merci à Gloria Barata et à Nadine Leblanc, mes copines de Saint-Chaland et de Sens.

Un grand abrazo à Chacha et à Clem, mes amours d'enfants.

Merci, Clem, pour tes démonstrations très convaincantes de boxe.

Merci à Thierry, mon amour d'ami.

À Coco chérie, mon ange gardien.

À Dominique Hivet.

À Danielle Boespflug.

À Michel, à Jacqueline.

Merci à Sarah, championne du monde des détails, merci, merci !

Un grand merci à toi, Octavie. Ma copine d'écriture, toujours là pour m'écouter, me lire, échanger. À n'importe quelle heure. Merci.

Aux lectrices et lecteurs qui m'encouragent par leurs mails d'amour.

À Radio Suisse Classique, à Radio Suisse Jazz que j'écoute en sourdine quand j'écris. De la musique et encore de la musique sans blabla ni pub.

Enfin… Merci à Jean-Marie et à Romain qui, de là-haut, gardent un œil sur moi.

Enfin je voudrais remercier ceux qui m'ont fourni de précieux renseignements sur le monde de la ferraille : François Saffray, Bruno Dessaux, Christian Curot, Laurent Quenneville. Ils m'ont fait visiter leurs sites de traitement de déchets. Qu'ils soient verts, de bois, de plastique, de carton ou de papier. Ils ont répondu à mes questions de néophyte sur la crise des matières premières et les nouveaux débouchés.

Merci aussi aux auteurs qui sont entrés dans les mailles du roman : Emily Dickinson.

L'Attrape-cœurs et les nouvelles de J. D. Salinger.

La Ballade du café triste, de Carson McCullers.

Hugo, de Michel Butor, Éditions Buchet/Chastel.

Notre-Dame de Paris, de Victor Hugo.

Cyrano de Bergerac, d'Edmond Rostand.

Eugénie Grandet, d'Honoré de Balzac.

Les Guides du naturaliste : oiseaux de France et d'Europe, de R. Peterson, Éditions Delachaux et Niestlé.

Inoubliables expressions de Grand-mère, de Jean Maillet, Éditions de l'Opportun.

Le Petit Livre des couleurs, avec Dominique Simonnet, Points, Seuil.

L'Étoffe du Diable, une histoire des rayures et des tissus rayés, de Michel Pastoureau, Points, Seuil.

DU MÊME AUTEUR :

Aux Éditions Albin Michel

J'ÉTAIS LÀ AVANT, 1999.
ET MONTER LENTEMENT DANS UN IMMENSE AMOUR…, 2001.
UN HOMME À DISTANCE, 2002.
EMBRASSEZ-MOI, 2003.
LES YEUX JAUNES DES CROCODILES, 2006.
LA VALSE LENTE DES TORTUES, 2008.
LES ÉCUREUILS DE CENTRAL PARK SONT TRISTES LE LUNDI, 2010.
MUCHACHAS 1, 2 et 3, 2014.

Chez d'autres éditeurs

MOI D'ABORD, Le Seuil, 1979.
LA BARBARE, Le Seuil, 1981.
SCARLETT, SI POSSIBLE, Le Seuil, 1985.
LES HOMMES CRUELS NE COURENT PAS LES RUES, Le Seuil, 1990.
VU DE L'EXTÉRIEUR, Le Seuil, 1993.
UNE SI BELLE IMAGE, Le Seuil, 1994.
ENCORE UNE DANSE, Fayard, 1998.

Site Internet : www.katherine-pancol.com